図説 人体寄生虫学

ILLUSTRATED HUMAN PARASITOLOGY

京都府立医科大学名誉教授
吉田 幸雄 原著

日本寄生虫学会 編
「図説人体寄生虫学」編集委員会

改訂10版

南山堂

原著者

吉田 幸雄　京都府立医科大学名誉教授

編集者

日本寄生虫学会「図説人体寄生虫学」編集委員会
- 委員長　吉川正英
- 委員　松本芳嗣
- 委員　山田　稔
- 委員　中村ふくみ
- 委員　前田卓哉

協力者

石渡賢治	狩野繁之	菊池英亮
北　　潔	櫻井伸也	佐藤　宏
澤邉京子	杉山　広	所　正治
中谷敏也	松村雅彦	松本昌美
丸山治彦	八木欣平	八木田健司
柳澤如樹	柳田哲矢	山本徳栄

（五十音順）

改訂に寄せて

　2020年に新型コロナウイルス（COVID-19）が世界中で猛威を振るい，改めて新興ウイルス感染症の社会に対する影響の巨大さを体感すると同時に新興感染症に対する準備・対策の重要性が強く認識されている．COVID-19のように突如出現し，人間社会を席巻するような新興ウイルス感染症に対しては，例外なく国際機関・各国政府・ワクチン・製薬企業等が協調しながら即時に対応し，予防・治療法の創出を目指すため，これらの感染症はこれまでの人類の英知と努力により比較的短期間で制御することができると信じられている．一方，寄生虫疾患は，古くは聖書や古典にも記載され，先史以来存在し続けているにも関わらず，その多くは，未だにその治療・予防法が確立していない．寄生虫は真核生物であり，ウイルスや細菌よりも遙かに複雑な生命機構を有しているからである．

　多くの寄生虫疾患は，社会的な重要性が十分に認知されておらず，「顧みられない熱帯病」（Neglected Tropical Diseases: NTDs）の主要な部分を占める．昨今，NTDsの重要性の理解が少しずつ深まり，国際機関・各国政府・民間企業・非営利団体などがその克服・撲滅に向かい，研究開発を着々と展開している．

　そのような感染症や寄生虫症を取り巻く社会変化の中で，本書は1977年の初版から40年以上にわたり読者に愛され続け，第10版の改訂を迎えた．初版から9版に至るまで著者の吉田幸雄先生が中心となり，おおよそ5年に1度の見直しが加えられた．7版から9版の改訂の際には有薗直樹先生が改訂に参加された．その間，寄生虫学・衛生動物学の教科書として良い意味での保守性を維持しながらも，時代とともに変遷する関連疾患の最新情報を盛り込みながら，医学生，医師，臨床検査技師等の医療従事者にとっての座右の書として愛され続けてきた．同時に寄生虫症の研究開発に従事する様々な分野の研究者にとっても，寄生虫学・衛生動物学の解りやすい教科書であり続けている．本改訂版でも，本書の特徴である見開きで展開される豊富な写真・図・表等の資料と簡潔な解説が踏襲され，短時間で必要な情報が体系的に得られる．約30年前に私が学生だった時と同様に，これからも最も活用される教科書・リファレンスであり続けていると期待される．

　本書の著作権は2015年に著者の吉田幸雄先生から日本寄生虫学会に委譲され，その改訂は寄生虫学会の責任となった．本学会内の編集委員会で編集作業を指揮した編集委員長の吉川正英先生をはじめ編集委員諸氏に御礼を申し上げたい．

2021年1月

日本寄生虫学会 理事長
野崎 智義

改訂10版の序

　敬愛する吉田幸雄先生（京都府立医科大学名誉教授）は，本書の理念と目的について，初版から9版に至るまで一貫して，寄生虫疾患と衛生動物媒介性疾患を医学生および臨床医家・検査技師の方々に，最新の情報を網羅しつつわかりやすく解説し，学生教育および日常臨床に役立つ成書であることと述べられている．10版の改訂を託された日本寄生虫学会「図説人体寄生虫学」編集委員会では，吉田先生のこの精神を引き継ぎ，以下の点に留意し作業にあたった．すなわち，最新かつ正しい情報を伝えること，読みやすい基本構成をとること，現代医療に即した資料を使用することである．各分野の専門家に協力を依頼し正しい情報の提供に努め，解説（左頁）・図表（右頁）の基本配置を踏襲し，医学の進歩の軌跡として価値のある臨床資料以外はできるだけ現在の日常臨床に即したものにすることにした．以下に，10版の各部の主な改訂点を示す．

　総論では，「顧みられない熱帯病（Neglected Tropical Diseases: NTDs）」としての寄生虫疾患の位置づけを示し，宿主反応と免疫に関する記載を大きく追補し，また感染症法対象疾患の表を最新化した．

　第1部　人体寄生原虫学では，赤痢アメーバ原虫のHIH染色像をコーン染色像に変更し，内視鏡像・組織像・CT像を一新した．大腸アメーバやランブル鞭毛虫の囊子のトリクローム染色像もコーン染色像に変更した．アカントアメーバ角膜炎ではパパニコロ染色像を加えた．シャーガス病では，国内でも発見されることを追加した．二核アメーバはトリコモナス類として記載し，肉胞子虫項では画像を新しくした．マラリア治療にはアルテメテル・ルメファントリン合剤を追加し，AIDSでは指標疾患も記載した．

　第2部　人体寄生蠕虫学　線形動物では，内視鏡写真（回虫・アニサキス・鉤虫・鞭虫）を新しくし，内臓幼虫移行症に肺肝CT像を追加，アニサキス属および近縁線虫分類を再考した．播種性糞線虫症への留意を強調し，二核顎口虫，チモール糸状虫を新しく記載，また旋毛虫分類の記載を変更した．扁形動物・吸虫類では，肺吸虫の待機宿主にシカを加え，肝蛭症ではCT像を提示した．扁形動物・条虫類では，マンソン孤虫・芽殖孤虫・アジア条虫に補記を施し，単包・多包条虫像を新しくした．

　第3部　衛生動物学では，衛生動物媒介性の諸疾病について追記を行い，初めてジカウイルス感染症・チクングニアウイルス感染症を記載し，第125項は有害生物への対策として改述した．

　第4部　総まとめ事項および検査法では，第131項の主な駆虫薬・駆虫法に改変を加え，最新情報に読者がアクセスできるよう「寄生虫薬物療法の手引き」（https://www.nettai.org/）を紹介し，一方，重複する第132項は本版より削除した．

　以上，主な改訂点を記載した．初版から9版に至るまで44年間にわたり読者に愛されつつ，その目的を果たしてきたように，この改訂10版も座右に置いていただき，医学教育と日常臨床に役立てていただければ幸いである．

2021年1月

日本寄生虫学会「図説人体寄生虫学」編集委員会　委員長

吉 川 正 英

初版の序

　戦後31年，わが国はめざましい経済発展をとげ，平均寿命は世界最高のレベルに達し，感染症は減少した．戦中戦後，国民病とまでいわれた寄生虫症も減少し，医家の関心も次第に薄くなってきた．このことは一面においては喜ぶべきことであるが，寄生虫性疾患は減るものもあれば増えるものもあり，じっとしているものではない．人的・物的交流が国際的となるにつれ，寄生虫症も国際的となり輸入マラリアなどが増加している．また魚肉や獣肉を生でたべるために感染するアニサキス症や条虫症や吸虫症，愛玩動物由来のトキソプラズマ症や幼線虫移行症，さらに白血病をはじめとする悪性腫瘍や臓器移植の治療のために免疫抑制剤を大量に投与するようになった結果発症するニューモシスチス・カリニ肺炎など，往年の蛔虫や鉤虫に比べれば例数こそ及ばないが重症例が多く，医家の盲点をついてきている．

　本書は医学生，臨床医家を対象として執筆した．現在わが国で遭遇する頻度が高く，かつ臨床上重要な疾患についてはできるだけ詳しく述べ，然らざるものは簡略にした．しかし著者の専門領域については，この原則をやや逸脱した感はまぬがれない．本書の今ひとつの特徴は図および写真をできるだけ多く取り入れ，見る寄生虫書とした点である．このため，左頁は文章とし，その内容を右頁の図で理解してもらうようにした．図および写真はできるだけ自ら手を下し原図を用意したが，なお多数の方々より足らざる点を補っていただいた．これらの図は日常，臨床検査にたずさわっている方々のお役に立つものと考えている．

　著者はもとより寄生虫学全域にわたって十分な経験と知識があるわけではなく，誤謬や足らざる点があると思うが読者諸賢の御指導により改善してゆきたい．

　本書作成の過程で当教室の有薗直樹，松尾喜久男，近藤力王至，山田稔，荻野賢二，猪飼剛，栗本浩，織田清，上本驥一，吉川公雄，沢田佳子，尾野佳子の諸氏の協力を得た．また下記の方々から貴重な図や写真をお借りした．ここに厚く感謝の意を表する．

　森下薫博士，長花操博士，横川宗雄博士，宮崎一郎博士，中山一郎博士，赤尾信吉博士，小山力博士，大島智夫博士，浅見敬三博士，赤坂裕三博士，桝屋富一博士，岡村一郎博士，吉村裕之博士，斎藤奨博士，辻守康博士，佐藤重房博士，森下哲夫博士，加納六郎博士，板垣博博士，佐々学博士，片峰大助博士，福島英雄博士，高橋弘博士，緒方一喜博士，朝比奈正二郎博士，篠永哲博士，影井昇博士，故山口左仲博士，故小宮義孝博士，高田洋博士，浜島房則博士，Dr. Beaver, Dr. Morera, Dr. Frenkel, Dr. Barton, Dr. Alicata, Dr. Faust, Dr. Gordon（順不同）

　なお本書の出版にあたり南山堂，鈴木正二社長ならびに河田孫一郎氏に負うところが大きい．ここに深甚の謝意を表する．

1977年2月5日

吉田幸雄

改訂 9 版の序

　本書は1977年に初版が発行されてから38年が経過した．その間ほぼ毎年刷りを改め，新しい知見を加えながら大凡5年に一度，全面改訂を行ってきた．今回，再び第9版への改訂の時期となった．この38年の間，沢山の協力者と多数の読者を得て今日に至ったことは筆者の大きな喜びである．しかし今回，本書が今後も充実して刊行を続けるため，2015年1月1日を以て著作権を日本寄生虫学会に譲渡することにした．従って今回が筆者による最後の改訂となった．以下に本書の理念と改訂の要点について述べてみたい．

1. 本書はわが国において，少なくなったとはいえ，なお存在し，遭遇する可能性のある寄生虫性疾患と衛生動物媒介疾患を，医学生のみならず臨床医家，臨床検査技師の方々に最新の情報を網羅しつつ判りやすく解説することを目標とした．そのため文章は見開きの左頁に記載し，右頁には多数の写真や図，表を用意して文章と対比して示した．

2. 生物の分類はLinné以来，その形態や生活史を根拠に決められてきた．ところが近年，分子生物学の進歩に伴い，遺伝子解析によって分類されるようになった．その結果，今まで原虫とされてきた種が真菌に編入されたり，別種とされていたものが同種となったり，1種と考えられていたものが数種に分かれたり，かなりの混乱と変革の過程にある．本書では慎重に，なるべく新しい意見を取り入れるよう努力した．また古くから用いられてきた学名や和名が変更されたものがあり今回かなり改訂した．

3. 近年のわが国の寄生虫事情を見ると，1945年太平洋戦争の敗戦前後から国民の大半は寄生虫に感染し，結核と共に国民病と云われた．ところが1960年代後半以降の目覚ましい経済発展により食生活や医療環境の改善から，寄生虫感染も著しく減少し世間の関心も薄れていた．ところが最近新しい寄生虫性疾患や衛生動物媒介疾患（新興感染症）が報告され，一方，古い寄生虫症の復活（再興感染症）なども加わって問題となってきた．

　そのいくつかを挙げてみると，まず国際交流の進展に伴い，マラリアなど海外での感染，寄生虫感染外国人の入国，輸入食品からの感染などが挙げられるが，国内においても，エイズをはじめとする免疫不全に併発する日和見寄生虫症（ニューモシスチス症，トキソプラズマ症），性感染症（赤痢アメーバ症），ペット由来（トキソカラ症），魚肉由来（アニサキス症，裂頭条虫症），獣肉由来（肉胞子虫症，肺吸虫症，旋毛虫症），飲料水由来（クリプトスポリジウム症），コンタクトレンズ由来（アメーバ性角膜炎）などの他に，北海道における包虫症，南西諸島の糞線虫症など土着寄生虫症の蔓延などが挙げられる．

　一方，ダニ媒介による恙虫病，紅斑病，ライム病，重症熱性血小板減少症候群（SFTS），69年ぶりの蚊によるデング熱の東京都内発生，ハチ刺傷，毒蛇咬傷，ケジラミや小児のアタマジラミの蔓延，ホテルにおけるトコジラミの発生，老人ホームや障害者収容施設内や路上生活者の疥癬やシラミの蔓延など，最近，衛生動物関係疾患の増加が注目されている．

4. 以上のごとくわが国における寄生虫症は未だ多くの問題を抱えているが，医学教育における評価は次第に低下し，医学部の寄生虫学あるいは医動物学教室の閉鎖，縮小が相次いでいる．従って将来この領域の人材と業績の枯渇が懸念されている．

最後に永らく本書にご協力頂いた先輩，同僚諸賢，並びに南山堂編集部に感謝する．

2016年1月

吉田幸雄

目　次

総　論

　　I　寄生虫学の定義と重要性……………………………………………………………… 3
　　II　人体寄生虫学（医動物学）の研究領域……………………………………………… 6
　　III　生物の分類法および命名法…………………………………………………………… 6
　　IV　自由生活，相利共生，片利共生および寄生………………………………………… 7
　　V　宿主・寄生虫相互関係………………………………………………………………… 7
　　VI　寄生虫の棲息場所……………………………………………………………………… 8
　　VII　寄生虫の体制機構，生殖および発育………………………………………………… 9
　　VIII　寄生虫の進化と適応…………………………………………………………………… 10
　　IX　寄生虫感染に対する宿主の反応と免疫……………………………………………… 11
　　X　寄生虫の病原性と病態………………………………………………………………… 13
　　XI　寄生虫症の治療………………………………………………………………………… 14
　　XII　寄生虫感染の疫学……………………………………………………………………… 14
　　XIII　感染症新法の制定と寄生虫性疾患および新興・再興感染症……………………… 15
　　XIV　寄生虫学の歴史………………………………………………………………………… 17

各　論

第1部　人体寄生原虫学

　第 1 項　人体寄生原虫学　総論…………………………………………………………… 24
　第 2 項　人体寄生原虫の分類……………………………………………………………… 25
　第 3 項　赤痢アメーバ　［A］　歴史，疫学，形態と生活史…………………………… 26
　第 4 項　赤痢アメーバ　［B］　病理と症状……………………………………………… 28
　第 5 項　赤痢アメーバ　［C］　診断と治療……………………………………………… 30
　第 6 項　消化管内寄生の非病原性アメーバおよびヒトブラストシスチス…………… 32
　第 7 項　病原性自由生活アメーバ　［A］　髄膜脳炎を起こすアメーバ……………… 34
　第 8 項　病原性自由生活アメーバ　［B］　角膜炎を起こすアメーバ………………… 36
　第 9 項　トリパノソーマ科原虫　総論…………………………………………………… 38
　第10項　ガンビアトリパノソーマおよびローデシアトリパノソーマ………………… 40
　第11項　クルーズトリパノソーマ　付．その他のトリパノソーマ…………………… 42
　第12項　リーシュマニア…………………………………………………………………… 44
　第13項　ランブル鞭毛虫　［A］　基礎…………………………………………………… 46
　第14項　ランブル鞭毛虫　［B］　臨床…………………………………………………… 48
　第15項　腟トリコモナスおよび消化管内寄生鞭毛虫類………………………………… 50

第16項	クリプトスポリジウム	52
第17項	戦争シストイソスポーラおよびサイクロスポーラ	54
第18項	トキソプラズマ　[A]　基礎	56
第19項	トキソプラズマ　[B]　臨床	58
第20項	肉胞子虫	60
第21項	マラリア　[A]　歴史と生活史	62
第22項	マラリア　[B]　形態と発育	64
第23項	マラリア　[C]　感染，症状および免疫	66
第24項	マラリア　[D]　診断	68
第25項	マラリア　[E]　治療と予防	70
第26項	マラリア　[F]　疫学　付. 二日熱マラリア	72
第27項	バベシアおよび大腸バランチジウム	74
第28項	ナナホシクドア	75
第29項	ニューモシスチス　[A]　分類と疫学	76
第30項	ニューモシスチス　[B]　形態と生活史	78
第31項	ニューモシスチス　[C]　病理	80
第32項	ニューモシスチス　[D]　症状と診断	82
第33項	ニューモシスチス　[E]　治療と予防	84
第34項	後天性免疫不全症候群（AIDS）	86

第2部　人体寄生蠕虫学

I　線形動物

第35項	人体寄生蠕虫学　総論	88
第36項	線形動物　総論	89
第37項	人体寄生線虫の分類	91
第38項	回虫　[A]　疫学と形態	92
第39項	回虫　[B]　生活史と臨床	94
第40項	ブタ回虫，イヌ回虫，ネコ回虫およびアライグマ回虫	96
第41項	幼虫移行症	98
第42項	アニサキス　[A]　歴史，分類，疫学および形態	100
第43項	アニサキス　[B]　生活史と病理	102
第44項	アニサキス　[C]　臨床	104
第45項	蟯虫	106
第46項	鉤虫　[A]　歴史およびズビニ鉤虫成虫の形態	108
第47項	鉤虫　[B]　アメリカ鉤虫成虫の形態	110
第48項	鉤虫　[C]　発育と生活史	112
第49項	鉤虫　[D]　症状，診断および治療	114

第50項	鉤虫　[E]　検査法	116
第51項	鉤虫　[F]　その他の人体寄生鉤虫	118
第52項	東洋毛様線虫	120
第53項	広東住血線虫　[A]　形態と生活史	122
第54項	広東住血線虫　[B]　臨床と疫学　付．コスタリカ住血線虫	124
第55項	糞線虫	126
第56項	有棘顎口虫および剛棘顎口虫	128
第57項	ドロレス顎口虫および日本顎口虫	130
第58項	東洋眼虫および旋尾線虫	132
第59項	バンクロフト糸状虫　[A]　形態と生活史	134
第60項	バンクロフト糸状虫　[B]　臨床と疫学	136
第61項	マレー糸状虫および常在糸状虫など Mansonella 属線虫	138
第62項	イヌ糸状虫	140
第63項	回旋糸状虫，ロア糸状虫およびメジナ虫	142
第64項	鞭虫，肝毛細虫およびフィリピン毛細虫	144
第65項	旋毛虫	146

II　扁形動物

A．吸虫類

第66項	扁形動物および吸虫綱　総論	150
第67項	人体寄生吸虫の分類	151
第68項	肝吸虫　[A]　形態と生活史	152
第69項	肝吸虫　[B]　臨床と疫学　付．タイ肝吸虫	154
第70項	横川吸虫	156
第71項	有害異形吸虫，槍形吸虫，肥大吸虫および膵蛭	158
第72項	ウェステルマン肺吸虫　[A]　分類と形態	160
第73項	ウェステルマン肺吸虫　[B]　生活史と感染	162
第74項	ウェステルマン肺吸虫　[C]　臨床	164
第75項	宮崎肺吸虫	166
第76項	大平肺吸虫およびその他の肺吸虫	168
第77項	棘口吸虫	170
第78項	肝蛭　[A]　形態と生活史	172
第79項	肝蛭　[B]　臨床	174
第80項	日本住血吸虫　[A]　歴史，形態および生活史	176
第81項	日本住血吸虫　[B]　臨床と疫学	178
第82項	マンソン住血吸虫およびビルハルツ住血吸虫	180
第83項	鳥類住血吸虫のセルカリアによる皮膚炎	182
第84項	咽頭吸虫	184

B. 条虫類 (付. 鉤頭虫類および鉄線虫類)

第85項	条虫綱　総論	186
第86項	人体寄生条虫の分類	187
第87項	広節裂頭条虫および日本海裂頭条虫　[A]　歴史，分類および形態	188
第88項	広節裂頭条虫および日本海裂頭条虫　[B]　生活史および臨床	190
第89項	クジラ複殖門条虫およびマンソン裂頭条虫	192
第90項	孤虫症 (幼裂頭条虫症)	194
第91項	無鉤条虫　付. アジア条虫	196
第92項	有鉤条虫	198
第93項	単包条虫および多包条虫　[A]　形態と生活史	200
第94項	単包条虫および多包条虫　[B]　臨床と疫学	202
第95項	小形条虫, 縮小条虫および多頭条虫	204
第96項	瓜実条虫, 有線条虫, サル条虫およびニベリン条虫	206
第97項	条虫症の治療法	207
第98項	鉤頭虫類および鉄線虫類	208

第3部　衛生動物学

第99項	衛生動物学　総論	210
第100項	医学上重要な貝類　[A]　貝の分類	211
第101項	医学上重要な貝類　[B]　貝の形態	212
第102項	医学上重要な貝類　[C]　各論	214
第103項	節足動物　総論および甲殻類	218
第104項	蛛形綱およびダニ　総論と分類	220
第105項	マダニ　総論	222
第106項	マダニが媒介する疾患　[A]　日本紅斑熱および野兎病	224
第107項	マダニが媒介する疾患　[B]　ライム病および重症熱性血小板減少症候群	226
第108項	ツツガムシ　[A]　歴史, 形態および生活史	228
第109項	ツツガムシ　[B]　臨床と疫学	230
第110項	ヒゼンダニおよびイエダニ	232
第111項	ニキビダニ, 屋内塵ダニおよびダニアレルギー	234
第112項	昆虫　総論および蚊　総論	236
第113項	蚊　各論	238
第114項	ブユ, アブおよびドクガ	240
第115項	ハエ	242
第116項	ノミ	244
第117項	アタマジラミおよびコロモジラミ　[A]　分類, 形態および生活史	246
第118項	アタマジラミおよびコロモジラミ　[B]　臨床と疫学	248
第119項	ケジラミおよびトコジラミ	250

第120項	ハチ	252
第121項	シバンムシアリガタバチ，ゴキブリ，ムカデおよびヒアリ	254
第122項	毒蛇	256
第123項	ネズミ	258
第124項	ネズミと腎症候性出血熱	260
第125項	有害生物への対策	261

第4部　総まとめ事項および検査法

第126項	人体寄生虫の感染経路のまとめ	264
第127項	人体寄生虫の主な寄生部位のまとめ	266
第128項	輸入感染症とくに輸入寄生虫症のまとめ	267
第129項	人獣共通感染症のまとめ	268
第130項	寄生虫症の主要症状のまとめ	270
第131項	主な駆虫薬および駆虫法のまとめ	272
第132項	わが国の主な寄生虫症の流行要因別分類	275
第133項	消化管寄生原虫の検査法	276
第134項	マラリアの検査法	278
第135項	主な寄生虫症における診断検査材料	279
第136項	ニューモシスチスの検査法	280
第137項	免疫学的診断法およびDNA診断法	282
第138項	蠕虫卵検査法	284
第139項	主要人体寄生虫卵図譜	286
第140項	寄生蠕虫標本作成法　[A]　吸虫類および条虫類	288
第141項	寄生蠕虫標本作成法　[B]　線虫類	289

外国語索引	291
日本語索引	300
人名索引	311

本書中の「筆者」は原著者 吉田幸雄 博士，「筆者の教室」等は
京都府立医科大学医動物学教室（当時）を指す．

総　論

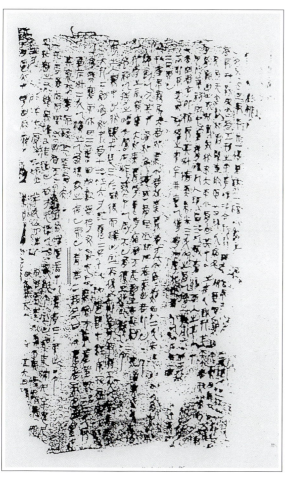

現在マラリアの治療に用いられている青蒿(Quinghao, ヨモギの一種)の文字が紀元前168年,漢の時代の青銅器に記載されている(上記,傍線部分).しかしマラリアに効くとはまだ書かれていない.

青蒿の図.この植物から抽出した青蒿素(ちんはおすう)(Quinghaosu)がマラリアに有効(第25項参照).

(両図とも中国,李 沢琳 教授の厚意による)

総論

- I 寄生虫学の定義と重要性
- II 人体寄生虫学（医動物学）の研究領域
- III 生物の分類法および命名法
- IV 自由生活，相利共生，片利共生および寄生
- V 宿主・寄生虫相互関係
- VI 寄生虫の棲息場所
- VII 寄生虫の体制機構，生殖および発育
- VIII 寄生虫の進化と適応
- IX 寄生虫感染に対する宿主の反応と免疫
- X 寄生虫の病原性と病態
- XI 寄生虫症の治療
- XII 寄生虫感染の疫学
- XIII 感染症新法の制定と寄生虫性疾患および新興・再興感染症
- XIV 寄生虫学の歴史

Francesco Redi

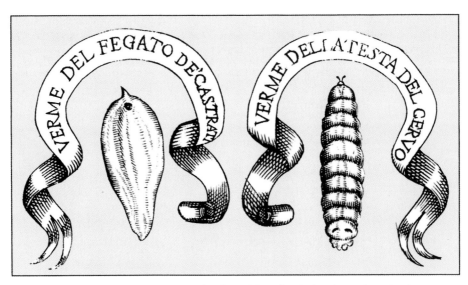

Francesco Redi（1626〜1697）が1668年に著した本の中のスケッチ．向かって左は「去勢羊の肝臓の虫」，右は「鹿の頭の虫」と書かれている．前者は肝蛭で，肝蛭の最も古い図とされる．後者はヒツジバエの幼虫らしい．Rediはイタリアの医師，博物学者，詩人で，ハエのウジなど昆虫の幼虫の自然発生説を実験により否定した．彼は多くの寄生虫を観察記載し，寄生虫学の父といわれる（宮崎大学医学部寄生虫学分野 丸山治彦教授の所蔵するRedi著 ESPERIENZE INTORNO ALLA GENERAZIONE DEGL' INSETTI より，同氏および名和行文教授の厚意による）．

I. 寄生虫学の定義と重要性

1. 地球上の生物の発生と分類

この地球上には現在，少なくとも300万種，おそらく1,000万種に及ぶ生物が生存しており，すでに絶滅した種はこれ以上であろうといわれている．生物の発生は現在の通説によると35億年ほど前に，まず**原核生物**が地球上に現れた．これはバクテリアのようなもので嫌気的代謝をするものであった．次にそれに光合成をするシアノバクテリアのようなものが取り込まれ葉緑体が形成され，地球上に酸素ができはじめた．そうすると嫌気性のものは死ぬか，地下へ潜っていった．このような原核生物はちゃんとした核を持っていないが，いくつかが共生しあい，核膜で囲まれた真の核を持つ**真核生物**が現れた．そして好気的条件下でエネルギーを大量に生産するプロテオ細菌が取り込まれてミトコンドリアとなった，と考えられている．

ヒトが地球上の生物を肉眼的に観察していた頃は，生物は**植物界 Plantae** と**動物界 Animalia** とに簡単に分けられていた．ところが顕微鏡の発見（Jansen 父子：1590）以後，微生物の研究が進むにつれ，細菌・スピロヘータ・藻類・菌類・原生動物など，植物とも動物ともはっきり言い難い中間領域の生物がわかってきた．ドイツの動物学者 Haeckel（1866）はこの中間群を第3の界，すなわち**原生生物界 Protista** と呼ぶことを提唱した．図1は Margulis の 5-Kingdom 説による生物の分類を Whittaker, 1977[註1]を参考とし，寄生虫を中心に描いたものである．本書ではこの図をもとに解説する．ただし，近年は分子遺伝学的情報をもとに，国際原生生物学会（ISOP）による分子系統学的な真核生物の体系が提唱され（Adl et al., 2005），改訂が行われている[註2]．

A. 原核生物 Prokaryote（Kingdom Monera）
前核生物ともいう．ほとんどが 10 μm 以下の小形細胞で，核には核膜がなく，色素体，紡錘体，小胞体，ミトコンドリア，ゴルジ体などもない（図1）．

B. 真核生物 Eukaryote
ほとんどが 10 μm 以上の大きな細胞で，膜に囲まれた真の核を持つ．原核生物以外のすべての生物を含む．これはさらに次のように分類される（図1）．

1. 原生生物界　　Kingdom Protista
2. 菌類界　　　　Kingdom Fungi
3. 植物界　　　　Kingdom Plantae
4. 動物界　　　　Kingdom Animalia

一方，ウイルスは RNA あるいは DNA によって構成され，宿主細胞に感染して増殖する微小構造物であるが，そのメカニズムは他の細胞性微生物とは異なり，自らは代謝系を持たない．したがって生物というより粒子と呼んだ方がよいと考えられる．

2. 寄生虫学（医動物学）とは

医学の領域においてヒト以外の生物がヒトに寄生して起こる疾患を一括して**感染症 infectious disease** という．このうちヒトあるいは動物からヒトへ伝染し広がってゆくものを**伝染病**と呼んでいる．この感染症の原因となる生物はあまりにも幅が広いので，従来2つの学問領域で取り扱ってきた．すなわち**医微生物学 medical microbiology** と**人体寄生虫学 human parasitology**（または medical parasitology）とである．

この両者の守備範囲は，その境界領域において画然たる区別はないが，前者は主として原核生物，菌類，ウイルス，および原生生物界の一部を取り扱い，後者は原生生物界の一部である原生動物（原虫）と，動物界に属する生物を取り扱っている．

この人体寄生虫学の守備範囲については次項で詳しく述べるが，その原則は単にヒトの体内や体表に寄生するものだけでなく種々の病原体を保有し，伝播する蚊，ハエ，ネズミなど，またハチや毒蛇などのように直接ヒトに危害を加えるものにまで研究対象を広げている．要するにヒトの健康や疾病に関与するすべての動物と，それによって生ずる疾病について研究する学問である．したがってこのような広い意味を表現するために**医動物学 medical zoology** という名称も用いられている．

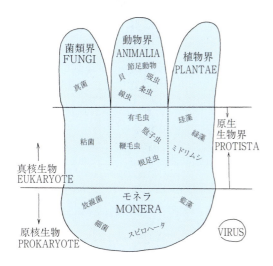

図1. Margulis の 5-Kingdom 説による生物の分類図
（Whittaker, 1977[註1]を参考とし，寄生虫を中心に描く）

註1　Whittaker (1977): Broad Classification: The Kingdoms and the Protozoans. Parasitic Protozoa I. 1-34, Academic Press.
註2　Adl et al.(2012): The revised classification of eukaryotes. J. Euk. Microbiol, 59: 429-514.

3. 世界と日本の寄生虫症の現状と寄生虫学の重要性

寄生虫性疾患ならびに動物によって媒介される伝染性疾患は一般的に先進国には少なく，発展途上国に多い．まず世界における感染状況をWalshらが1979年に発表したデータと，WHOやTDRが2000年から2004年の間に発表したデータを比較して表1に示した[注1]．全体としてなおも高い水準にある．たとえば，2017年現在でも，マラリアの感染者は2.19億人，年間死亡者は43.5万人である．マラリアにはすでに世界の関心が向けられているといえるが，なお不十分でこれから人類が制圧しなければならない熱帯病をWHOは「顧みられない熱帯病」（Neglected Tropical Diseases: NTDs）としてかかげている（表2）．これには熱帯地域を中心に蔓延する寄生虫疾患も多い．

わが国では，一説によれば鎌倉時代の頃から人糞を肥料として用いる習慣があり，その上，衛生環境や医療や知識も未発達であったため寄生虫症は広く蔓延していた．それは遺跡の発掘，古文書，古文学などから推定できる．とくに近代になって太平洋戦争の戦中戦後の食糧難の時期には国民の殆どが回虫など土壌媒介を主とする寄生虫症に感染した．ところがその後わが国が目覚ましい経済発展を遂げるとともに，生活環境は改善し，上下水道の整備，化学肥料の普及，医学・医療・衛生思想の進歩などによって寄生虫症は次第に減少し，一般人はもとより医師の関心も薄れ，それに伴って診断能力も欠けてきた．ところが最近，寄生虫症は従来とは異なった方向からわれわれに迫ってきている．例えば，海外での感染（2016年度の日本人海外旅行者は約1,712万人），海外からの寄生虫感染者の入国による感染源の増加（2016年度の来日外国人は約2,322万人），急増する輸入生鮮食料品による感染，魚や肉を生で食べる習慣による感染（グルメ嗜好），動物の寄生虫のヒトへの感染（ペットブーム），免疫抑制剤投与による寄生虫症の顕性化（医原性），後天性免疫不全症候群（AIDS）患者における各種寄生虫症の合併，またAIDSでなくとも男性同性愛者における高い寄生虫感染（oral-anal sexなどによる糞便の摂取）など様々な新しい問題が生じている．

最近のわが国における寄生虫感染状況については統一された広範な調査が行われなくなったので感染者数などの把握は困難である．表3は，1988年から2017年の30年間に医学中央雑誌に採録された各種寄生虫感染の報告，会議録，論文数を5年毎に集計したものである．この数は正確な症例の数を表すものではないが，最近問題となっている寄生虫症の大凡の増減や動向を知ることができる．

この表3について若干のコメントを加えると，①赤痢アメーバ症は報告が義務化されたこともあり，第3項，図30に示すごとく2000年頃から増加を示し，最近は毎年1,000例を超えている．②マラリアも第26項に示すように最近やや減少の傾向にあるが，なお毎年70例前後の輸入マラリア症例が報告されている．③アカントアメーバ角膜炎とクリプトスポリジウム症は10数年前から問題となってきた新興感染症であるが，前者はコンタクトレンズ装着者に発生し，眼科領域で急速に知れ渡った．後者は時に数千例単位の集団感染を起こし話題となった（それぞれ第8項，第16項参照）．④従来，馬肉は寄生虫に関しては安全と考えられていたが，最近，馬刺しを食べて肉胞子虫に感染する例が報告され始めた．⑤線虫感染では各線虫ともほぼコンスタントに報告がみられるが，旋尾線虫とブタ回虫の幼虫感染が新興感染症として最近注目された．⑥吸虫感染ではわが国に古くから蔓延していた日本住血吸虫が撲滅され，新感染はなくなったが高齢者の生検や摘出臓器の組織内に古い虫卵の塞栓が発見され報告されている．その他，マンソンおよびビルハルツ住血吸虫の輸入症例が増加してきた．肺吸虫，肝吸虫，肝蛭感染も少数ながら後を絶たない．⑦条虫感染で大きな問題は北海道における多包条虫によるエキノコックス症（多包虫症）で，今や北海道全土に拡大し，本州へ南下の兆しを見せている．また日本海裂頭条虫は，サケやマスの生食が盛んなことから，依然として毎年多数の感染症例が報告されている．

一方，衛生動物学領域では，まずダニ類媒介による疾病が重要性を増している．すなわち昔からあるツツガムシ病は依然として毎年300例以上発生しているほか，今までわが国で知られていなかった日本紅斑熱，ライム病，重症熱性血小板減少症候群（SFTS）がそれぞれ，1984年，1987年，2013年に発見され，多くの重症患者を出している．また2014年8月にはわが国で69年ぶりにヒトスジシマカによるデング熱の国内での感染が東京の代々木公園を中心に発生し，162例の感染者が確認され，秋に蚊の消滅とともに終息した．その他，ハチ刺傷による死亡例，ハブ咬傷，シラミ，ヒゼンダニやトコジラミの蔓延，ジカ熱の輸入感染症例などが注目されている．

表1．世界における主な寄生虫の感染状況の推移

寄生虫名	感染者数 ～1979	感染者数 2000～2004	年間死亡数 ～1979	年間死亡数 2000～2004
マラリア	8億	2.7億	120万	112万
アフリカトリパノソーマ	100万	30～50万	5000	不明
クルーズトリパノソーマ	1200万	1300万	6万	4.5万
リーシュマニア	1200万	1200万	5000	不明
赤痢アメーバ	5億	4800万*	4～11万	7万*
ランブル鞭毛虫	2億	―	少数	―
鉤虫	9億	13億	6万	6.5万
回虫	10億	14.5億	2万	6万
鞭虫	5億	10.5億	少数	1万
糸状虫	2.5億	1.2億	少数	不明
回旋糸状虫	3000万	1770万	5万	不明
住血吸虫	2億	2億	100万	20万

註　～1979はWalsh（1979），2000～2004はWHO，TDRの資料．＊はWHO（1998）の資料による．

註1 Walsh et al.（1979）: New Eng. J. Med. 301：967-974；（1988）: Amebiasis, Wily Medical, N.Y.
WHO：World Health Organization
TDR：The Special Programme for Research and Training in Tropical Diseases

表2. Neglected tropical diseases (NTDs)

Buruli ulcer	Mycetoma, chromoblastomycosis and other deep mycoses
Chagas disease	Onchocerciasis (river blindness)
Dengue and Chikungunya	Rabies
Dracunculiasis (guinea-worm disease)	Scabies and other ectoparasites
Echinococcosis	Schistosomiasis
Foodborne trematodiases	Soil-transmitted helminthiases
Human African trypanosomiasis (sleeping sickness)	Snakebite envenoming
Leishmaniasis	Taeniasis/Cysticercosis
Leprosy (Hansen's disease)	Trachoma
Lymphatic filariasis	Yaws (Endemic treponematoses)

(https://www.who.int/neglected_diseases/diseases/en/)

表3. 日本における主な寄生虫症の報告論文数の推移（1988〜2017, 5年毎に集計）

		1988〜1992	1993〜1997	1998〜2002	2003〜2007	2008〜2012	2013〜2017
原虫類	アメーバ症（HIV合併例）	223（1）	143（6）	235（12）	291（30）	311（50）	282（42）
	ニューモシスチス肺炎（HIV合併例）*	108（5）	113（23）	214（43）	258（71）	450	371
	マラリア	78	99	149	81	128	133
	トキソプラズマ症（HIV）［先天感染］	98（0）［16］	80（5）［22］	116（7）［18］	73（23）［7］	136	115
	アカントアメーバ角膜炎	6	29	44	44	53	159
	ジアルジア症（HIV）	19（1）	13（0）	22（0）	28（2）	49	62
	クリプトスポリジウム症（HIV）	4（0）	6（0）	9（2）	18（5）	15	11
	リーシュマニア症	10	13	14	4	17	16
線虫類	アニサキス症	230	84	137	147	168	254
	回虫症	80	75	53	40	31	21
	糞線虫症（HTLV-1陽性例）	69（1）	65（6）	58（9）	51（13）	58（13）	54（13）
	イヌ糸状虫症	57	42	55	45	26	24
	トキソカラ症	44	16	49	57	60	44
	顎口虫症	28	22	27	12	16	14
	鉤虫症（皮膚爬行症例）	21（0）	11（2）	19（12）	11（5）	10（5）	16（1）
	旋尾線虫症	3	19	25	23	48	19
	ブタ回虫症	0	5	26	22	7	2
	広東住血線虫症	6	5	15	8	1	0
	旋毛虫症	0	0	5	1	1	0
吸虫類	住血吸虫症（マンソン住血吸虫症）［ビルハルツ住血吸虫症］	130（2）［4］	74（7）［6］	88（8）［20］	78（1）［9］	75（4）［8］	58（1）［6］
	肺吸虫症	67	56	54	56	83	73
	肝蛭症	44	17	17	11	10	16
	肝吸虫症	27	21	15	5	7	10
条虫類	エキノコックス症（単包虫症）	46（2）	39（2）	60（6）	52（14）	59（5）	61
	裂頭条虫症	35	44	44	35	149	85
	マンソン孤虫症	37	17	36	41	42	32
	有鉤条虫・嚢虫症	18	21	24	14	19	15
	クジラ複殖門条虫症**	14	16	3	3	1	1
	無鉤条虫症	8	6	3	10	10	16

*カリニ肺炎という名称で報告されている場合が多い. **最近まで大複殖門条虫という和名が用いられていた.

　以上, 世界と日本の寄生虫感染の現状を概観したが, 今後, 日本の医師はいかにこれに対処すべきか, 例数が少ないからといって重症の寄生虫性疾患を見逃すわけにはいかない. また海外から侵入してくる寄生虫症に関する知識も必要である. さらにわが国は先進国として発展途上国の医療援助を行う立場にある. このような観点から寄生虫学の重要性は今後も減ずることはない.

II. 人体寄生虫学（医動物学）の研究領域

寄生虫学の範囲は非常に広く，ヒトの寄生虫の他に動物の寄生虫，植物の寄生虫，さらには寄生虫に寄生する寄生虫まである．ヒト以外の動物，とくにウシ，ヒツジ，ブタ，ニワトリなど家畜の寄生虫はヒトの食料源に影響を与え，重要な経済的損失を招くし，イヌ，ネコなどペットの寄生虫はわれわれの身近に存在し，その幼虫がヒトに感染してくるものもある．これらは**獣医寄生虫学 veterinary parasitology**として一つの学問領域を形成している．本書はヒトの寄生虫に主眼をおいて述べるわけであるが，獣医寄生虫学とはほぼ同じ学問体系を成している．

前項で述べたごとく，広義の**人体寄生虫学（医動物学）human parasitology** *sensu lato* は狭義の人体内寄生虫のみならず，体表寄生動物や疾病媒介動物（**衛生動物**と称する）をも含んでおり，大まかに分類すると次のごとくである．

A. 狭義の人体寄生虫学 Human parasitology *sensu stricto*

主として人体の内部に寄生する動物を研究対象とする．これはさらに次のごとく分類される．

a. **人体寄生原虫学** Human protozoology（または Medical protozoology）
 1. 根足虫類
 2. 鞭毛虫類
 3. 胞子虫類
 4. 有毛虫類
 5. その他

b. **人体寄生蠕虫学** Human helminthology（または Medical helminthology）
 1. 線虫類
 2. 吸虫類
 3. 条虫類
 4. その他

B. 衛生動物学 Sanitary zoology

これは主として人体の表面に寄生したり，種々の伝染性疾患を媒介したり，寄生虫の中間宿主となったり，有毒物質を含んでいてヒトに害を与えるなどの動物を研究対象としている．この中には次のような領域がある．

1. 医軟体動物学 medical malacology
2. 医学上重要な甲殻類 medically important crustaceans
3. 医ダニ学 medical acarology
4. 医昆虫学 medical entomology
5. 医魚学 medical ichthyology
6. 医学上重要な蛇類 medically important snakes
7. 医哺乳動物学 medical mammalogy
8. その他

III. 生物の分類法および命名法

生物の分類は次のように近い関係にある種を属にまとめ，近い属を科にまとめ，科を目へというふうにまとめている．

【例】

Phylum（門）	Nematoda
Class（綱）	Secernentea
Order（目）	Ascaridida
Family（科）	Ascarididae
Genus（属）	Ascaris
Species（種）	lumbricoides

Ascaris lumbricoides 回虫

さらに細分する場合は，Subclass（亜綱），Superfamily（上科），Subfamily（亜科），Subgenus（亜属）などのように各々の間に入れる．また Species の下に Subspecies（亜種）を設けることもある．しかし，Variety（変種）や Race（品種）は1960年以後，命名規約上独立種とは認められない．

生物の基準を**種 species** とし，この種を表現するのにラテン語あるいはラテン語化した属名 generic name と種小名 specific epithet との2語の組合せを用いる．属名は大文字で始まり，種小名は小文字で始まる．そしてその次にその生物を初めて記載した人の名を書き，コンマをして発表されたときの年号を記す．これがいわゆる**学名 scientific name**（**種名 specific name**）である．上記の例では *Ascaris lumbricoides* Linnaeus, 1758となり，属名と種小名とは他の文字と区別するためイタリック体で示す．このような生物の命名法を**二命名法（二名法）binomial**（または **binominal**）**nomenclature** といい，動物分類については Carl von Linné（Carolus Linnaeus）が1758年に Systema Naturae 10版で体系づけた．

属名は全動物を通じ唯一のものであることが必要であるが，種小名はその属の中で唯一であればよい（例えば *Pentatrichomonas hominis* と *Sarcocystis hominis*）．属名や種小名には形態表徴，人名，地名，宿主名，寄生部位などがよく用いられる．新種の記載を行うときは過去にすでに発表されていないかどうかを慎重に調べ，属名と新種小名を記載し，次に自分の名前を書かずに n. sp.（new species の意）とのみ書く．その後この種名を用いる人は種名の次に発表者の名と年号を付して記載するのである．

またすでに発表されている生物の属名を変更する方がよいと考えられるときは new combination として変更を提唱する．例えば *Necator miyazakiensis* Nagayosi, 1955は Necator 属ではなく Arthrostoma 属であることが1976年，筆者らに

よって明らかにされ, Arthrostoma miyazakiense (Nagayosi, 1955) comb. n. として再記載された. したがって, 以後学名は Arthrostoma miyazakiense (Nagayosi, 1955) Yoshida et Arizono, 1976 となる. 簡単に書きたいときは Yoshida 以下を略してもよい.

これら命名に関する細かい取り決めは国際動物命名規約に記載されている. 学名は万国共通であるが生物には国によって**一般名** common name がある. 日本では**和名**があり, Ascaris lumbricoides は回虫である. 英語では roundworm, ドイツ語では Spulwurm という.

IV. 自由生活, 相利共生, 片利共生および寄生

地球上の生物はそれぞれ, 種々の相互関係を保って生活している. とくにある 2 種の生物の関係を考えるとき, 個体間の関係に視点をおく場合と, 個体群の間の関係に視点をおく場合とで考え方がかなり変わってくる. まず前者に視点をおいて考えてみると, ある一つの生物が一応独立して生活している場合と, 他の生物の体表あるいは体内に存在して生活している場合とがある. 前者を**自由生活** free living と呼んでおり, 後者を**広い意味の寄生** parasitism sensu lato と呼んでいる. 後者の場合, 宿を提供している方を**宿主** host, 宿を借りている方を**寄生体** parasite という. そしてこの関係において宿主と寄生体とが互いに利益を得ている場合を**相利共生** mutualism (symbiosis) といい, 寄生体の方は生存の場や食物などを与えられ利益を得ているが, 宿主の方は利益も不利益も受けていない. このような場合を**片利共生** commensalism といっている. ところが宿主の方が不利益ないし害を受けている場合, これを, **狭い意味の寄生** parasitism sensu stricto あるいは**真の寄生** true parasitism と呼んでいる. しかしながら, これを個体群のレベルでながめてみると, ある寄生体はある宿主に寄生し, 一見有害のごとくみえるが, 実は宿主の個体数を調節したり, 弱い宿主を淘汰したりして, その宿主群全体からみれば有益に働いていると考えることもできる.

相利共生の例として, よく次の現象が引用される. すなわちシロアリの腸内には Trichonympha 属の原生動物が多数棲息しており, シロアリが摂取した木の繊維を消化してどんどん増殖し, またどんどん死んである一定の population を保っている. シロアリは木の繊維を消化する酵素を持たず, この原生動物の死体から生じた炭水化物や蛋白質などを栄養源としている. したがってこの原生動物がいないとシロアリは生存できない.

Grimstone と Cleveland はもっと複雑な共生現象を見出した. それは, やはりシロアリの腸の中に棲んでいてシロアリの栄養を助けている Myxotricha paradoxa という鞭毛虫がいるが, これは多数の鞭毛を持つと考えられていた. ところが実は本当の鞭毛は 4 本で, 他のものは体表に寄生している大小のスピロヘータであることがわかった. さらに体表に数珠玉様構造が知られていたが, これは, ある種の細菌であることが明らかとなり, その上, 体内にはさらに別の細菌が共生していることも明らかとなった. このように従来, 鞭毛虫自身の小器官と思われていたものが, 実は共生微生物で, 宿主の運動その他の機能を助けていたのである.

その他, 真核生物の細胞の中にある葉緑体やミトコンドリアなどは細胞内で成長し, 分裂する能力を持ち, 自身の遺伝子の支配下で独自の蛋白質のいくつかを作ることができるが, これは, それらがかつて独立して生活していた生物であったことを示している. Wallin は今から 80 年以上も前に"ミトコンドリアは動物細胞内で共生生活をするようになった細菌である"と述べたが, これが評価されている[註1].

上述の共生とは異なり, 寄生とは, ヒト以外の単細胞または多細胞の生物, すなわちヒトにとって not-self (非自己) の生物がヒトに寄生し害を与える現象をいうのであるが, 癌細胞は一種の寄生虫と考えられないだろうか. 癌細胞は元々, ヒトの正常な細胞であったものが突然変異か, あるいは何物かが細胞内に突入して not-self な細胞に豹変し, 人体から栄養を取り, 無秩序に異常な増殖をつづけるようになったものである. 組織内寄生原虫も同じような行動をとるが, これらと癌細胞の類似性を追究することにより, 何らかの手がかりが得られないか. また最近, 臓器移植が盛んに行われている. しかし移植された他人の腎臓や肝臓や心臓はその人にとっては not-self な生物であり拒絶反応を受ける. 人体との免疫学的なかかわりにおいて多細胞の寄生虫といえないこともない. このように寄生虫学は単に従来の寄生虫学の枠内にとどまらず, 近代的手法を駆使して宿主と寄生体との関係をさらに追及する新しい視点が必要ではないかと考える.

V. 宿主・寄生虫相互関係

寄生虫と宿主との間には, 様々な特殊な関係がある. 例えばある寄生虫はある限られた宿主にしか寄生しない (**宿主特異性** host specificity) とか, 宿主の一定の部位のみで発育するというような関係である. これは宿主と寄生虫の物理的ならびに化学的妥協の産物と考えられ, とくに両者の代謝や免疫学的寛容が複雑にからみ合っている. 寄生虫学研究の基本

註1 Margulis L (1971): Symbiosis and evolution. Scientific American, 225: 48-57.

は，この**宿主・寄生虫相互関係** host-parasite relationship の解明にあるといっても過言ではない．最近は寄生虫と宿主個体間の関係のみならず，寄生虫とくに原虫と被寄生細胞との関係が研究されている．この問題は寄生虫以外の寄生体すなわち細菌やウイルスなどと宿主との関係においても同様に重要な問題である．この問題に関連していくつかの現象ないし専門用語があるので，それを次に解説する．

A. 固有宿主 Definitive host（または**感受性宿主** Susceptible host）

例えば赤痢アメーバがヒトの大腸や肝臓で分裂増殖するように，ある寄生虫がある宿主の体内で増殖しうる（主として単細胞の寄生虫の場合），あるいは回虫の幼虫形成卵をヒトが飲み込むと体内循環の後，腸管内で成虫にまで発育して次の世代を産生することができる（多細胞の寄生虫の場合），このような場合，その宿主をその寄生虫の固有宿主という．

B. 非固有宿主 Undefinitive host（または**非感受性宿主** Non-susceptible host）

ある寄生虫がある宿主に侵入できないか，あるいは侵入できても増殖したり，成虫にまで発育することができない場合，そのような宿主をいう．例えばヒトがアニサキス幼虫を魚肉と共に摂取すると胃壁に穿入して腹痛を起こすことがある．しかしその後幼虫が成虫にまで発育することはない．

C. 偶発的宿主 Incidental host

普通，その寄生虫はその宿主体内で増殖したり成虫にまで発育したりできないが，例外的に増殖・発育する場合がある．例えばマンソン裂頭条虫や瓜実条虫の成虫を稀にヒトの腸管内に見出すような場合をいう．

D. 実験的固有宿主 Experimental definitive host

実験的には固有宿主になりうるが，未だ**自然感染** natural infection が見出されていない宿主をいう．例えばアメリカ鈎虫の感染幼虫を実験的に兎に経皮感染させてみると成虫にまで発育するが，自然界での感染は見出されていない．

E. 少宿主性 Stenoxenous および多宿主性 Euryxenous

1つあるいは限られたごく少数の固有宿主しか持たない寄生虫を少宿主性の寄生虫といい，広い範囲の動物を固有宿主として持っているものを多宿主性の寄生虫という．例えばマラリア原虫，回虫，無鈎条虫などは前者に属し，トリパノソーマ，肝吸虫，肺吸虫などは後者に属する．また固有宿主の中の主要な種を**主宿主** principal host という．

F. 保虫宿主 Reservoir host

多宿主性の人体寄生虫において，ヒト以外の固有宿主を保虫宿主と称する．例えば肝吸虫はヒト以外にイヌ，ネコ，ネズミなどに自然感染がみられる．このような宿主をいう．保虫宿主は人体寄生虫の感染源としての役割を果たしている．従って寄生虫の撲滅対策上重要である．

G. 幼虫移行症 Larva migrans

一般に寄生虫の感染型 infective form がその固有宿主に感染したときはその後の発育を遂げるが，非固有宿主に侵入した場合，成熟できないで早晩死滅する．しかしある種の寄生虫，例えばイヌ回虫の幼虫や顎口虫の幼虫が人体に入ったような場合，それらは幼虫のままで長期間生存し，宿主体内を移行し宿主に害を与える，このような場合を幼虫移行症という．これは**内臓幼虫移行症** visceral larva migrans と**皮膚幼虫移行症** cutaneous larva migrans とに分けられ，前者では幼虫が主として内臓を，後者では皮内および皮下を移行する場合をいう．一方，ある寄生虫が固有宿主に侵入した場合，最終寄生部位へたどりつく間に一定の経路をたどって宿主体内を移行することが多いが，このような場合は larva migrans とはいわない．また larva migrans は線虫による場合が多いので，移行性幼線虫症という場合もある．第41項で精述する．

H. 人獣共通感染症 Zoonosis

第129項において詳しく説明するが，FAO（国連食糧農業機関）および WHO（世界保健機関）の定義によれば，脊椎動物とヒトとの間を自然に移行しうるすべての病気または感染をいう．要するにヒトにも動物にも感染する疾患で，寄生虫に限らず細菌，ウイルス，リケッチアなど広範囲の病原体を含み，医学上非常に重要な疾患群である．FAO・WHO（1967）が決定した世界の人獣共通感染症は約122疾患にのぼるが，そのうち，寄生虫性疾患が45を占めている．

VI. 寄生虫の棲息場所

寄生虫の棲息する場所はその種によってほぼ一定している．ダニ，シラミのように宿主の体表に寄生する寄生虫を**外部寄生虫** ectoparasite（ectozoa）といい，赤痢アメーバや回虫のように体内に寄生するものを**内部寄生虫** endoparasite（endozoa）と一般に呼んでいる．また寄生虫は宿主の特定の組織あるいは臓器に寄生する（例えば肝吸虫は胆管内，無鈎条虫は小腸腔内）という性質を持っており，これを**組織・臓器特異性** tissue and organ specificity と呼んでいる．また寄生虫の棲息する場所により，腔内寄生性 coelozoic（回虫など），組織内寄生性 histozoic（肺吸虫など），細胞内寄生性 cytozoic（マラリアなど）というように分けることもできる．細胞内でしか分裂増殖ができない場合，偏性細胞内寄生性 obligate intracellular parasitism という．さらに寄生虫が本来の寄生場所から離れて別の場所に寄生する，例えば肺吸虫が本来の寄生場所の肺ではなく脳内に寄生するなどの場合，**異所寄生** heterotopic parasitism といい，回虫がたまたま胆管や虫垂などに侵入したような場合，**迷入寄生** erratic parasitism という．また赤痢アメーバのような小さい寄生虫が原発巣の大腸から血流によって肝臓や脳に移動し膿瘍を形成するような場合，癌細胞などと同様，**転移** metastasis と称している．

各々の寄生虫が固有の棲息場所を持っているのは，当然その場所がその寄生虫にとって生活上最も適しているからである．寄生虫には好気的代謝 aerobic metabolism を行うものと嫌気的代謝 anaerobic metabolism を行うものとがあるが，前者は血液中に寄生したり血液を摂取したりしてヘモグロビンと結合した O_2 を利用しているものである．一方，消化管や胆管などに寄生するものは一般に後者の嫌気的代謝を営んでいる．

VII. 寄生虫の体制機構，生殖および発育

寄生虫はその生命を維持し，種族を保存してゆくために他の動物には見られない種々の特殊な機構を持っている．機能的には宿主の消化酵素によって消化されないためにプロテアーゼインヒビターを産出したり，宿主の攻撃を避けるために虫体表面の抗原性を変えたり（IX 項参照）することが知られている．また形態的には体形が寄生に適したように変化したり，また体を宿主に固定させるための鉤や吸盤などを持っているものもある．一方，不必要な器官は退化している．とくに栄養は宿主から供給されるので，消化管の発育は一般に低く，吸虫類では消化管は盲管に終わり，条虫類では消化管を欠如している．これに反し，種属保存のための生殖器官は一般によく発達しており，体の大部分を占めるものが多い．

寄生虫の生殖方法には次のごときものがある．

A. 無性生殖 Asexual reproduction

1. **二分裂 binary fission**：赤痢アメーバやランブル鞭毛虫のように，栄養型虫体がほぼ同じ大きさの2個の娘虫体に分裂する．

2. **多数分裂 multiple fission**（または schizogony）：マラリア原虫のように一度に多数の娘虫体に分裂する．

3. **出芽 budding**：トキソプラズマでみられるように母虫体から出芽により2個の娘虫体を形成する．

B. 有性生殖 Sexual reproduction

1. **両性生殖 bisexual reproduction**：雌雄の性細胞を生じ，これの合体による．原虫類ではマラリアやトキソプラズマなど胞子虫類が無性生殖の他にこの有性生殖を行う．蠕虫類ではすべてのものが有性生殖を行う．

蠕虫の中には回虫，鞭虫，住血吸虫のように**雌雄異体 gonochorism** のものと肺吸虫，裂頭条虫のように**雌雄同体 hermaphroditism**[註1] のものとがある．寄生虫の多くはこの両性生殖方式により増殖する．

また有性生殖の特異な形として単為生殖と幼生生殖が寄生虫でも見られる．

2. **単為生殖 parthenogenesis**：糞線虫のように寄生世代の雌成虫は雄虫なしで虫卵や幼虫を産出する．

3. **幼生生殖 paedogenesis**：幼生生殖は吸虫類の幼生期の増殖などで見られる．例えばウェステルマン肺吸虫では，その虫卵の中に生じた1匹のミラシジウムが第1中間宿主であるカワニナに侵入してスポロシストとなるが，やがてこのスポロシストの中に10個前後の第1代レジアが形成される．次いで各々の第1代レジアの中に10数個ずつの第2代レジアが形成される．さらに，この各々の中に20匹前後のセルカリアが形成される．すなわち，貝の体内で1匹のミラシジウムから2,000匹程のセルカリアを生じ，運がよければそれぞれが第2中間宿主体内でメタセルカリアになり，さらに終宿主に摂取されれば成虫にまで発育することができる．

C. 生活史 Life history

さて寄生虫はその幼生がそれぞれ固有の発育・変態を行って成虫となり，次の世代を生ずるようになるのであるが，この間の生活を**生活史**または**生活環 life cycle** と呼んでいる．原虫のあるものはその生活史の過程において有性生殖と無性生殖を交互に営む，すなわち**世代の交番 alternation of generation** を営む．さらにその際，**宿主の転換 alternation of host** を行うものもある．

その中で有性生殖が行われる宿主を**終宿主 final host** といい，無性生殖や幼生生殖が行われる宿主を**中間宿主 intermediate host** という．例えば肝吸虫や肺吸虫は終宿主であるヒトの体内で有性生殖を行って虫卵を産出し，第1中間宿主の貝類の体内では幼生生殖を行って増殖し多数のセルカリアを生ずる．一方，マラリア原虫は蚊の体内で有性生殖を行い，人体内では無性生殖を行うので厳密にいえば終宿主は蚊であり，ヒトは中間宿主である．蠕虫では上記例のごとく成虫を宿し有性生殖を行う宿主を終宿主，幼虫を宿す宿主を中間宿主といっている．寄生虫の種類によって中間宿主を1つ必要とするものと，2つ必要とするものとがある．後者の場合，先のものを**第1中間宿主 first intermediate host**，後のものを**第2中間宿主 second intermediate host** と称する．中間宿主が介在している寄生虫はそれを除外しては生活史は全うされない．また**待機宿主 paratenic host** というのがあるが，これは中間宿主と終宿主との間に介在する宿主で，その寄生虫の生活史上必ずしも必要不可欠のものではない．例えば有棘顎口虫で第2中間宿主は淡水魚，終宿主はイヌやネコであるが，種々の魚類，両棲類，哺乳類などが第2中間宿主を捕食すると顎口虫の幼虫はその体内に移行し，保存され，終宿主への感染源としての役割を果たすことがある．アニサキス，回虫，鉤虫，肺吸虫などでもこのような待機宿主の存在が知られている．

註1 語源：ギリシャ神話にヘルマフロディトスという美青年がおり，妖精に恋され一体となり，男女両性器を持つようになったという話に由来．

VIII. 寄生虫の進化と適応

A. 寄生虫の系統進化

　寄生虫は，その生活環の少なくとも一時期を宿主生物の体内で過ごさなければ生活環を完結し，子孫を産生することができない．もともと自由生活生物であった寄生虫が最初に寄生性を獲得したのは相当に古く，数億年前にまで遡ると考えられている．寄生虫の種は多様で，それぞれの種によって宿主特異性が異なるが，このような寄生虫の種分化は宿主と寄生虫が**共進化 co-evolution** することによって，すなわち宿主が系統分化をとげていく過程で寄生虫も宿主と共に種分化をとげてきたと考えられている．また，寄生虫が同じ生態系に属する他の宿主生物へ**宿主転換 host switch** することもしばしば生じたと考えられている．例えば，回虫科の祖先は，哺乳類宿主が系統分化をとげていく過程で，イヌにおいてはイヌ回虫に，ネコにおいてはネコ回虫に，ヒトにおいては回虫に分化したと考えられるが，ヒトの回虫の姉妹種であるブタ回虫はヒトかブタのいずれかに寄生していた回虫の祖先が，ブタの家畜化と共に宿主転換し，それぞれの体内で種分化が進行しつつあるとの説が存在する．

　寄生虫には2つ以上の宿主（中間宿主と終宿主）を有するものも多い．中間宿主も終宿主も寄生虫の発育と生活環の完結にとって必須の存在であるが，このような場合，寄生虫はどのような過程で2つ以上の宿主を獲得してきたのであろうか．吸虫類二世亜綱はすべて巻貝を中間宿主とし脊椎動物を終宿主としているが，最初巻貝の寄生虫であったものが，後に脊椎動物が終宿主として付け加わったとする説がある．この説の根拠は，「宿主と寄生虫の関係の歴史が古くなるほど宿主特異性が高まる」という考え方に基づいている．例えば日本住血吸虫はミヤイリガイ（地域によって亜種が存在）のみを中間宿主としているが，その終宿主はヒトのほか，ウシ，ブタなどにも自然感染がみられ宿主域が広いので，宿主域の狭い中間宿主貝のほうがより古くから宿主であったとする説であるが，確実な証拠はない．

B. 寄生虫の生理学的適応

　寄生虫が宿主体内で生存し，増殖あるいは生殖するためには，宿主体内の様々な微小環境に適応しなければならない．寄生虫の示すそのような適応の一つにエネルギー代謝がある．多くの寄生虫は，その生活史の一時期を宿主体外（例えば土壌中）で過ごすが，宿主体外期の寄生虫幼虫は TCA サイクルを利用し好気的代謝を行っている．しかし一旦宿主に侵入すると，寄生虫は宿主体内の低酸素分圧環境で生存しなければならず，多くの寄生虫，例えば住血吸虫，肝蛭，回虫などは ATP を産生するために嫌気的代謝に転換する．回虫の場合，虫卵が体外に排出され土壌中で約1ヵ月の内に卵殻内で幼虫が発育し3期幼虫となる．この回虫幼虫は好気的代謝を行い，そのシトクロム組成は完全な自由生活線虫である *Caenorhabditis elegans* とほとんど同じである．しかし体内に入り小腸に寄生した回虫は PEPCK（phosphoenolpyruvate carboxykinase）- コハク酸回路により嫌気的代謝に転換し，この際ミトコンドリアの NADH-fumarate reductase 系（フマル酸呼吸）が重要な役割を果たすことが，北らによって明らかにされてきた（**図2**）[註1]．回虫の成虫では好気的代謝で利用されるシトクロム *c* 酸化酵素などは抑制されているという．

C. 寄生虫の病原性の進化の方向性

　寄生虫がその種を維持しつづけるためには宿主体内で成長・増殖し，効率よく他の宿主へ伝播されなければならない．宿主から宿主への伝播は，伝播効率に相関するのみならず，寄生の全期間（例えば20日間感染持続したのちに免疫により治癒したなら20日，40歳で感染し，60歳で死亡するまで感染が持続しつづけたなら20年）に体外へ出ていった寄生虫卵や，原虫の囊子の総数に相関すると考えられる．したがって，極端に増殖が早く容易に宿主を殺してしまう寄生虫と，少数ではあるが20年間感染持続し体外へ出続ける寄生虫を比較した場合，前者の伝播可能な数は後者よりも少なく，決して

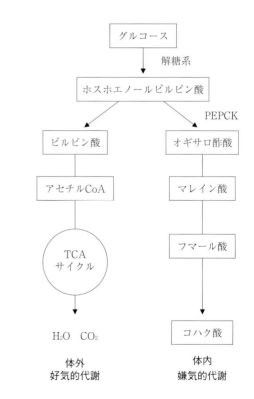

図2．回虫の宿主体外，体内における好気的代謝経路と嫌気的代謝経路
（Kita ら[註1]の図を改変）

註1　Kita K and Takamiya S（2002）：Adv. Parasitol. 51：95-131.

種の維持に有利であるとはいえない．そのような意味で，容易に宿主を殺してしまうような寄生虫は，その病原性（宿主体内で増殖し数を増す寄生虫の場合はその増殖速度）を低下させる方向に進化してきたのではないかと考えられている．一方，増殖速度が遅く宿主の免疫により容易に排除されてしまうような寄生虫の場合は，むしろ増殖速度を速め免疫が成立するまでにその数をより多くする方が有利なことがいくつかの数理モデルで示されている．しかし増殖速度の遅い寄生虫であっても免疫回避機構（次節IX-A参照）を獲得することができれば，長期の生存が可能になる．

IX．寄生虫感染に対する宿主の反応と免疫

寄生虫が人体内で発育し増殖するためには宿主の様々な障壁（バリアー）を越えなければならない．その一つは体内の生理的環境のバリアーであり，もう一つの重要なバリアーが宿主の免疫（生体防御）反応である．宿主の免疫機構に対して，寄生虫はその進化過程で様々な免疫回避機構を獲得し，一方，宿主はより効率的，効果的な防御免疫機構を進化させてきたのではないかと考えられている．

A．寄生虫の免疫回避機構

寄生虫の示す免疫回避機構は以下の4つに大別できる．
①抗原変異 antigenic variation
②分子模倣 molecular mimicry
③物理的隔離 physical sequestration
④宿主免疫系の調節/操作 immune modulation/manipulation

抗原変異でもっともよく知られているのがガンビアトリパノソーマである．ガンビアトリパノソーマは，体内における増殖過程で体表の variant surface glycoprotein（VSG）と呼ばれる糖蛋白質が変異していくことによって免疫を回避する（図3）．マラリア原虫の感染型スポロゾイトはメロゾイトとは異なった抗原性を示す．スポロゾイトに対して獲得免疫が反応したときには，マラリア原虫はすでに表面抗原の異なったメロゾイトになっているために，特異抗体は検知できない．また蠕虫類は人体に侵入した後成虫にまで発育するが，体内における発育の各時期で，体表を被覆する蛋白質が変化していくことが少なくとも一部の蠕虫において知られている．住血吸虫やテニア科条虫の幼虫は体内に侵入後速やかに補体や顆粒球の攻撃から身を守る外皮を発達させる．

分子模倣とは寄生虫が宿主と極めて類似の物質を体表に発現することによって免疫回避する機構であり，例えば住血吸虫では宿主の血液型抗原や組織適合抗原を虫体の体表に発現することが見出されている．

物理的隔離とは寄生虫が物理的に免疫反応から隠れることである．細胞内寄生原虫は寄生虫胞 parasitophorous vacuole を形成して，その中で寄生する．トキソプラズマは最初体内で増殖したのち嚢子となって筋肉や脳内に潜在感染する．三日熱マラリア原虫と卵形マラリア原虫は，一部が肝細胞内で休眠型原虫（ヒプノゾイト hypnozoite）となって長期間潜在感染する．またマラリア原虫は赤血球内に寄生することで細胞傷害性T細胞の標的となるのを回避している．旋毛虫の幼虫は多細胞であるにもかかわらず，横紋筋の筋繊維内に

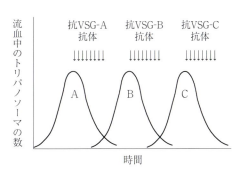

図3．トリパノソーマの抗原変異
トリパノソーマの体表に発現するVSG抗原Aに対して抗体が形成されると，A抗原を発現する原虫は消失し，新たにB抗原を発現する原虫が増殖する．このような抗原変異の繰り返しによってトリパノソーマは免疫を回避する．

寄生し被嚢することで宿主が捕食されるまで潜在感染している．

宿主免疫系の調節/操作については，一部の寄生虫，例えばブルセイトリパノソーマ，リーシュマニア，リンパ性糸状虫の感染やマラリアでは，制御性T細胞（regulatory T cells；Treg）が誘導され宿主の免疫反応が抑制されることが知られている．また，寄生虫の排泄分泌物は免疫反応を調節/操作する多様な分子を含むことが明らかになっている．

これらのほか，補体系を活性化する体表面分子を切り離したり，補体の活性を抑える物質を産生することが知られている．線虫や吸虫の中には，プロテアーゼを分泌して免疫グロブリンを切断して抗体の効力を失わせるものもいる．赤痢アメーバは表面抗原を切り離すことが知られている．

B．寄生虫に対する防御機構：Th1反応とTh2反応の役割

それぞれの寄生虫は系統分類学的位置も生活史も多様であり，寄生虫種毎に有効な免疫応答が異なる．防御機構の基本は寄生虫を非自己として認識し排除することである．生体には自己/非自己を認識する分子が存在し，さらに寄生虫の侵入による生体の危機を警告する分子（アラーミン；alarmin）が放出される．この感染にいち早く反応する免疫を自然免疫という．自然免疫は，炎症を誘導して寄生虫の拡散を阻止する．自然免疫によって誘導される特定の寄生虫に特異的に反

応する免疫を獲得(適応)免疫という．一般に同じ病気に二度罹らなかったり，ワクチン接種によって感染を予防できるのは，この獲得免疫の特異性や記憶能力によっている．しかし，寄生虫に対する自然免疫の反応は防御には不十分なことが多く，寄生虫による免疫反応に対する様々な回避機構により，多くの寄生虫感染症は慢性感染症となり，またしばしば再感染する．因みに，寄生虫に対するワクチンはまだ開発されていない．

　排除の基本は，好中球やマクロファージなどの貪食細胞による貪食と細胞内消化である．獲得免疫はこの機序を特異的に増強している．貪食細胞よりも小さな原虫は，細菌やウイルスなどの微生物と同様に貪食細胞によって処理される．したがって，原虫に対して微生物感染と同じ免疫応答が誘導される．一方，貪食細胞よりもはるかに巨大な蠕虫は貪食されないために免疫応答と排除は異なってくる．すなわち，細胞内消化に用いる酵素や殺菌物質を直接振り掛けたり，多数の細胞で囲い込んで封じ込めようとする．粘膜上であれば分泌液などで流し去ろうとする．2004年に報告された好中球による病原体の細胞外捕獲(neutrophil extracellular traps；NETs)が，ある種の原虫や蠕虫の幼虫に作用することも明らかになっている．

C. 原虫に対する防御反応

　組織内原虫の排除は自然免疫系の貪食細胞に担われている．しかし細胞内寄生原虫の多くは貪食細胞による殺滅に抵抗し，逆に貪食したマクロファージ内で増殖する．Natural killer(NK)細胞由来のインターフェロンガンマ(IFN-γ)は，マクロファージをより活性化して細胞内の原虫を殺滅させる．原虫に対する獲得免疫は，ヘルパーT細胞の中でもTh1(type 1 helper T)細胞によって主導される．Th1細胞は，IFN-γを産生しマクロファージの機能を増強して細胞内外の原虫排除を促し，一方で細胞傷害性T細胞を活性化して感染細胞を処理させる(**図4**)．自然リンパ球(innate lymphoid cells；ILCs)のGroup 1 ILCにNK細胞とともに分類されたILC1も，IFN-γを分泌してこの反応に関与する．血液寄生原虫や腸管寄生原虫などの防御免疫の全体像は必ずしも明らかではない．マラリア原虫の肝細胞内発育期に対しては細胞傷害性T細胞が感染肝細胞を直接破壊することで作用し，赤血球内発育期に対しては活性化マクロファージが感染赤血球を脾臓で排除するように作用している．特異抗体はメロゾイトの赤血球への接着を阻止したり，貪食を促進する．このように繰り返し感染を受けると次第に防御免疫が獲得され，低レベル感染となり症状もあまり発現しなくなる(**premunition**と呼ばれる)が，マラリアに対する完全な防御免疫が獲得されることはない．ランブル鞭毛虫のような一部の腸管寄生原虫に対しては，腸管粘膜からの分泌抗体であるIgA抗体が感染防御に一定の役割を果たしていると考えられている．

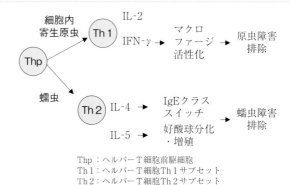

図4．寄生虫感染におけるTh1，Th2細胞の分化

Thp：ヘルパーT細胞前駆細胞
Th1：ヘルパーT細胞Th1サブセット
Th2：ヘルパーT細胞Th2サブセット

D. 蠕虫に対する防御反応

　蠕虫の生体内への侵入によって生体の細胞とくに上皮細胞が破壊されるとインターロイキン(interleukin；IL)-25，IL-33，胸腺間質性リンパ球新生因子(thymic stromal lymphopoietin；TSLP)などのアラーミンが放出される．これらにGroup 2 ILC(ILC2)をはじめ様々な細胞が反応し，炎症が誘導され，また獲得免疫としてTh2(type 2 helper T)細胞が誘導される．蠕虫由来のプロテアーゼもTh2細胞誘導に関わっている．Th2細胞は，タイプ2サイトカインといわれるIL-4，IL-5，IL-13などを産生分泌する(**図4**)．ILC2はIL-25やIL-33に反応して多量のIL-5およびIL-13を産生分泌するばかりでなく，好塩基球と同様に抗原提示とIL-4分泌でTh2細胞を誘導し，また病態形成にも関与することが知られている．感染局所に遊走したマクロファージと顆粒球は細胞質顆粒内の酵素や殺菌物質を直接蠕虫に放出する．抗体を介した，このような作用をとくに**抗体依存性細胞仲介性細胞傷害(antibody-dependent cell-mediated cytotoxicity；ADCC)**という．しかし，蠕虫の厚い表皮はこれに耐えて致死に至らない．

　IL-5によって好酸球の分化の促進，活性化および遊走が誘導され，またIgA抗体産生が促進される．好酸球は血流を介して組織内の寄生虫周囲に集簇するので，末梢血に好酸球増加を認めることになる．一方IL-4，IL-13によってIgE抗体産生が誘導される．IgEはマスト細胞，好塩基球および好酸球に結合してこれらの細胞を感作し，ADCCなどに寄与する．マスト細胞上のIgEに抗原が結合すると，マスト細胞は様々なケミカルメディエーターを分泌し排除に貢献していると考えられている．末梢血中の好酸球増加とIgE抗体価上昇が臨床的に蠕虫感染のよい指標となっている(**表4**)．

　IL-13は粘膜上皮に作用してムチン産生亢進やターンオーバーの促進，平滑筋に作用して蠕動運動の促進を引き起こすことによって腸管内の寄生虫の排除に関与している．IL-4およびIL-13は，細菌感染時に貪食作用で活躍するマクロファージ(M1 macrophages)とは別の性質を持ったマクロファージ(M2 macrophagesあるいはalternatively activated macrophages)を誘導する.

　M2マクロファージは蠕虫殺滅のみならず,蠕虫によって破壊された組織の修復にも関与する.さらにIL-4およびIL-13は,蠕虫の囲い込み(肉芽腫形成)にも促進的に作用している.このようにタイプ2サイトカインは蠕虫の排除に重要な役割を果たしており,その産生にILC2は欠かせないが,長期間にわたって作用するT細胞が蠕虫の排除には不可欠となっている.

表4. スウェーデンとエチオピアの子供における末梢血総IgE量の比較

	n	IgE(ng/m*l*)(range)
スウェーデン	23	160±116(50〜540)
エチオピア (回虫卵陰性)	19	860±1,190(120〜5,250)
エチオピア (回虫卵陽性)	25	4,400±4,150(240〜14,300)

(Johanssonら註1のデータより作成)

X. 寄生虫の病原性と病態

　寄生虫症はほとんど無症状のものから,熱帯熱マラリアのごとく治療が遅れると致死的なものまで多様であるが,非致死性の寄生虫症であっても,感染が長期に及ぶと小児の発育に重大な影響を及ぼす場合や成人では活動性に悪影響を及ぼす場合や発癌に関与する場合もある.また近年は,免疫低下状態で重症化を示す寄生虫症(日和見寄生虫症)も大きな問題となっている.

A. 組織反応

　組織侵入性を示す寄生虫の多くは炎症反応を惹起するが,寄生虫の種類によってその病態は多様である.例えば赤痢アメーバは大腸潰瘍や肝膿瘍を形成し,アニサキスが腸管壁に侵入すると肉芽腫を形成する.蠕虫類の感染では,寄生虫の周囲に**好酸球浸潤**がみられることが多い.

　アレルギー性の機序が病態の形成に関与しているものもある.例えば,回虫や鉤虫感染者にみられることのある**レフラー症候群 Löffler syndrome** では,喘息様の咳と共に,肺に一過性の浸潤影と好酸球増加症がみられる.また,急性胃アニサキス症では,激しい心窩部痛と共に胃粘膜に高度の浮腫がみられるが,同時に蕁麻疹様の発疹が皮膚に発現する例もあり,アレルギー性の病態と考えられている.

B. 機械的閉塞,虫卵塞栓

　回虫成虫の寄生部位は小腸上部であるが,流行地においては多数寄生により腸閉塞を生じる例がしばしばみられる.また胆管に迷入し閉塞性黄疸を生じる例や虫垂に迷入して虫垂炎を生ずる例も珍しくない.

　住血吸虫症では虫卵塞栓が病態の形成にもっとも重要な役割を果たしている.日本住血吸虫やマンソン住血吸虫は門脈内に寄生するが,産出された虫卵は肝内門脈に塞栓を生じ,虫卵肉芽腫を形成し肝線維症へと進展していく.

C. 寄生虫感染の栄養に及ぼす影響や社会的損失

　世界中で極めて多数の人々が回虫や鉤虫などの腸管寄生虫に感染しているが,一見してあまり強い症状がみられないため医学的に軽視され,**neglected diseases** と呼ばれてきた.しかし,ある疾患が社会全体に与える損失は単に死亡率のみで量れるものではない.症状,就学や就労に及ぼす影響,罹患期間などを総合的にみる指標として **DALYs**(disability-adjusted life years)がある.世界における回虫,鉤虫感染者のDALYs損失の総計は,結核や麻疹などのそれに匹敵し,決して無視してよい疾患ではない註2.また比較的最近になって,回虫の駆虫によって小児の栄養状態(身長,体重)が著しく改善されることが知られるようになった.これは,回虫感染により障害されていた脂肪やビタミン吸収が駆虫により改善することによると考えられている.鉤虫感染は腸管からの出血を生じるため,鉄欠乏性貧血の発現に強くかかわっている.とくに学齢前の小児の発育に影響を与え,また妊産婦への影響も指摘されている.回虫,鉤虫,住血吸虫などが学童の学業に及ぼす影響も問題とされている註3.

D. 寄生虫と発癌

　慢性感染や繰り返し感染を生じる寄生虫症と発癌との間に強い疫学的相関がみられる例がある.膀胱静脈叢に寄生する**ビルハルツ住血吸虫**と膀胱癌,胆管に寄生する**タイ肝吸虫**と胆管癌の関係などがその代表的な例である.タイ肝吸虫はタイ東北部に感染者が多いが,この地域では胆管癌の発生率が著しく高い.しかし,実験的研究ではタイ肝吸虫自体がcarcinogenとなることはなく,発癌プロモーターとなっている可能性もある.

E. 日和見寄生虫症

　日和見感染症 opportunistic infection とは免疫正常者には感染が成立しないか,あるいは低病原性で不顕性感染を示すものが,免疫の低下した免疫不全者においては強い病原性を発揮するものを指す.免疫不全状態は未熟児,老化,白血病,悪性リンパ腫などでみられるほか,

註1 Johansson SG et al.(1968):Lancet, May 25;1(7552):1118-1121.
註2 Chan MS (1997):Parasitol. Today. 13:438-443.
註3 WHO Technical Report Series 912, 1-57, 2002.

ステロイド剤の使用や臓器移植における免疫抑制剤の使用など，医療行為に伴って生じるものも多い．また HIV 感染による AIDS は，CD4陽性 T 細胞数を著しく減少させ日和見感染症の大きな背景要因となっている．ニューモシスチス，トキソプラズマ，クリプトスポリジウムなどは AIDS に合併する日和見寄生虫症としてとくに重要である(表5)．

表5．寄生虫病領域における日和見感染症の例

	免疫正常者	免疫不全者
ニューモシスチス	不感染(または不顕性感染?)	ニューモシスチス肺炎
トキソプラズマ	不顕性感染	トキソプラズマ脳炎，心筋炎，肺炎等
クリプトスポリジウム	一過性下痢症	持続性の重症下痢症
ランブル鞭毛虫	下痢症	重症下痢症
糞線虫	低レベル持続感染	重症糞線虫症，全身播種性糞線虫症

XI. 寄生虫症の治療

宿主体内に寄生している寄生虫を医学的手法(呪詛などでなく)で取り除くには物理的手法(包虫を外科的に摘出するとか，アニサキス幼虫を内視鏡鉗子でつまみだすなど)と，化学的手法(駆虫薬の投与)とがある．

また駆虫薬を用いる場合，寄生虫の細胞と宿主の細胞とはともに動物細胞であるため多かれ少なかれ副作用は免れない．いかに寄生虫には有害で，宿主には害が少ないかの量を見出すことに神経を使わねばならない．その際，腸管内に寄生している寄生虫と血液内や組織内に寄生している寄生虫とでは使用できる薬剤に制限がある．すなわち腸管内寄生虫に対しては，①なるべく腸管から吸収されにくい薬を選択する，②寄生虫を完全に殺さなくとも麻痺させる程度であとは腸管の蠕動や下剤などにより腸管外に排出させてしまう，③腸管粘膜上皮はターンオーバーが早いので障害が軽減される，などの利点がある．

一方，血液や組織内に存在している寄生虫に対しては，①有効薬剤濃度を血液中や組織中に保持しなくてはならない，②作用を受けた寄生虫が蘇生しないくらい薬剤を与えねばならない，③死亡した虫が体内に留まり害を及ぼす，など難しい点が多々存在する．

これらの諸点を克服しつつ古くから駆虫薬の研究が進められてきた．駆虫薬にはいくつかの寄生虫に共通して有効な広域性のものもあれば，限られたもののみに有効なものもある．またそれらの作用機序についてもエネルギー代謝を阻害するもの，蛋白質・核酸の合成を阻害するもの，神経伝達系を阻害するもの，など最近の研究によって次々に解明されてきた．現在用いられている最新の駆虫薬と駆虫法は第131項にまとめて示した．さらに寄生虫症の治療について詳しく知りたい場合は熱帯病治療薬研究班のウェブサイト(https://www.nettai.org/)にて**「寄生虫症薬物治療の手引き」**を参照するとよい．また寄生虫症疑いの患者に遭遇した場合は日本寄生虫学会のウェブサイト(http://jsp.tm.nagasaki-u.ac.jp/)の**「医療関係者向けコンサルテーション」**にアクセスし，専門家の意見を聞くとよい．

寄生虫によって生じている障害は全身に及んでいる場合が多いので治療に際しては，いたずらに虫を取り除くことのみを考えず，患者の全身状態を把握し，手術や薬剤投与の適応を考えねばならぬことはいうまでもない．

XII. 寄生虫感染の疫学

寄生虫症は感染症であり，ヒトからヒトへ，またヒトから他の動物を介してヒトへと感染する．そして，それを左右する多くの要因がある．われわれは個々の寄生虫症患者を治療するだけでなく，広く疫学的にこれをとらえ，寄生虫の感染予防，寄生虫の撲滅に取り組まなければならない．以下に疫学に関係あるいくつかの事項を説明する．

A. 感染源 Source of infection

1. 患者 patient
その寄生虫に感染し，何らかの症状を発し，医療の対象となる者．

2. 保虫者 carrier
その寄生虫に感染しているが症状を示していない者．

3. 保虫宿主 reservoir host
すでに述べたごとく(8頁)，人体寄生虫を保有しているヒト以外の動物．

以上のヒトおよび動物はその寄生虫の感染源としての役割を果たしている．

B. 感染型 Infective form
その寄生虫がヒトに感染してくる場合の形態をいう．あるものは虫卵(**幼虫形成卵 embryonated egg**)で，またあるもの

は一定度発育した幼虫(**感染幼虫 infective larva**)の状態で侵入してくる．寄生虫によってそれぞれ一定している．

C. 感染経路 Route of infection

感染型の虫卵や幼虫はヒトの口から侵入してくる場合(**経口感染 oral infection**)と，幼虫が皮膚を貫いて侵入してくる場合(**経皮感染 cutaneous infection**)とがある．後者の場合，経粘膜感染もあり，また昆虫の刺咬時に侵入する場合もある．さらにトキソプラズマやイヌ回虫のように胎盤を通って病原体が母親から胎児に移行し感染する場合(**胎盤感染 placental infection** または **prenatal infection**)もある．

最近，**性感染症**(sexually transmitted disease, STD)という言葉がよく使われるようになった．性交によって感染する疾病の総称で，淋病・梅毒・軟性下疳・第四性病など従来のものの他にHIV感染症，クラミジア感染症など多くのものが加わり，腟トリコモナス・ケジラミ・赤痢アメーバ・ランブル鞭毛虫などの寄生虫感染症もこれに含まれるようになった．

D. 伝播方法 Method of transmission

病原体の伝播は次のような方法で行われる．

1. 直接伝播 direct transmission

感染型が直接ヒトからヒトへと伝わってゆく．蟯虫やケジラミなどがその例である．

2. 間接伝播 indirect transmission

これには，さらに2つの方法が考えられ，その1つは**機械的伝播 mechanical transmission**で，感染型があるものによって，例えば原虫の囊子や回虫卵がハエやゴキブリなどによって機械的にヒトに運ばれてくる場合である．いま1つは**生物学的伝播 biological transmission**で，例えばフィラリアや肝吸虫のように病原体が媒介者あるいは中間宿主の体内で一定の必須の発育をとげた後ヒトに運ばれてくる場合である．

そこで，機械的伝播を行っているものを主に**伝播者 transmitter**といい，生物学的伝播を行っているものを**媒介者 vector**または**中間宿主 intermediate host**といっている．媒介者と中間宿主は機能的には同じであるが，蚊，ブユ，ダニのように積極的にヒトを襲って疾病を媒介するものを主に媒介者と呼び，一方，ヒトが魚，肉，貝などを摂取することによって感染する場合，それらを中間宿主と呼んでいる．

E. 浸淫的発生 Endemic prevalence と流行的発生 Epidemic prevalence

浸淫的発生とは一地域において常時発生している状態をいい，**地方病**または**風土病 endemic disease**ともいう．流行的発生(epidemic, outbreak)とは，ある感染症が，ある地域またはある時期に異常に多発する現象をいう．endemicな地区でepidemicの起こる場合もある．これは地域免疫の低下や媒介者の異常多発などが原因となる場合が多い．流行が世界的に広がると**世界的流行 pandemic**と表現される．

XIII. 感染症新法の制定と寄生虫性疾患および新興・再興感染症

第二次世界大戦後のわが国における疾病構造の変化は目を見張るものがある．これはわが国産業の工業化，農業の近代化，医療制度の充実，食生活・住環境の変化などによって感染症は次第に少なくなり，これに代わって悪性腫瘍，脳・心臓血管障害，高血圧，糖尿病などが生命の終末にかかわる疾患となってきている．

感染症は次第に少なくなってはいるものの決して問題がなくなったわけではなく，研究の進展により新たに認識された疾患や，新たに外国から持ち込まれる疾患(**新興感染症 emerging diseases**)も多く，またいったんはなくなったかにみえた感染症の復活(**再興感染症 reemerging diseases**)も大きな問題となってきた．

わが国の感染症に関する法律は明治30年(1897)に制定された伝染病予防法があり，法定伝染病，届け出伝染病，指定伝染病などに区分されていたが，上述のような疾病構造の変化に対応するため1999年4月1日，「**感染症の予防及び感染症の患者に対する医療に関する法律(感染症法)**」(一般に**感染症新法**といわれる)が制定され，付則として5年毎に見直すとなっており，2003年11月5日，2008年1月1日に改正法が成立し施行され，その後2013，2014，2016年に一部追加訂正された．その対象疾患を**表6**に示した．改正前の感染症法の内容については本書の第6版，第7版および第8版を参照されたい．

表6の疾患のうち赤い文字で示したものは病原体自身が寄生虫であるもの，青い文字で示したものは病原体自身はウイルス，リケッチア，細菌などであるが，それが蚊，ダニ，ノミ，シラミ，あるいは哺乳類によって媒介される疾患で，本書に記述されているものである．これらのうち，1類，2類，3類，4類感染症および新型インフルエンザ等感染症の診断を下した医師は診断後直ちに，また5類感染症のうち，全数届出疾患を診断した場合は7日以内に保健所に届け出なければならない．

最近，**新興感染症**，**再興感染症**という言葉がよく用いられるが，最近注目されている新興寄生虫感染症としてはアカントアメーバ，ヒトブラストシスチス，クリプトスポリジウム，サイクロスポーラ，肉胞子虫，バベシア，ナナホシクドア，ブタ回虫，旋尾線虫，ドロレス顎口虫，日本顎口虫，旋毛虫などの感染，およびマダニ類の媒介による日本紅斑熱やライム病，重症熱性血小板減少症候群(SFTS)，蚊の媒介によるデング熱，ジカ熱などが挙げられる．一方，再興寄生虫感染症としては赤痢アメーバ，マラリア，肺吸虫，裂頭条虫，包虫，糞線虫，衛生動物領域ではツツガムシ病をはじめマダニ，ヒゼンダニ，ニキビダニ，アタマジラミ，コロモジラミ，ケジラミなどの蔓延が挙げられ，さらにハチ，毒グモ，毒蛇，

表6. 感染症法対象疾患

1類	エボラ出血熱，クリミア・コンゴ出血熱，痘そう，南米出血熱，ペスト，マールブルグ病，ラッサ熱
2類	急性灰白髄炎，結核，ジフテリア，重症急性呼吸器症候群(病原体がコロナウイルス属SARSコロナウイルスであるものに限る)，中東呼吸器症候群(病原体がベータコロナウイルス属MARSコロナウイルスであるものに限る)，鳥インフルエンザ(H5N1)，鳥インフルエンザ(H7N9)
3類	コレラ，腸管出血性大腸菌感染症，細菌性赤痢，腸チフス，パラチフス
4類	E型肝炎，ウエストナイル熱，A型肝炎，エキノコックス症，黄熱，オウム病，オムスク出血熱，回帰熱，キャサヌル森林熱，Q熱，狂犬病，コクシジオイデス症，サル痘，ジカウイルス感染症，腎症候性出血熱，西部ウマ脳炎，ダニ媒介脳炎，炭疽，チクングニア熱，ツツガムシ病，デング熱，東部ウマ脳炎，鳥インフルエンザ(H5N1，H7N9を除く)，ニパウイルス感染症，日本紅斑熱，日本脳炎，ハンタウイルス肺症候群，Bウイルス病，鼻疽，ブルセラ症，ベネズエラウマ脳炎，ヘンドラウイルス感染症，発しんチフス，ボツリヌス症，マラリア，野兎病，ライム病，リッサウイルス感染症，リフトバレー熱，類鼻疽，レジオネラ症，レプトスピラ症，ロッキー山紅斑熱，重症熱性血小板減少症候群(病原体がフレボウイルス属SFTSウイルスであるものに限る)
5類	(全数届出感染症) アメーバ赤痢，ウイルス性肝炎(A型肝炎およびE型肝炎を除く)，カルバペネム耐性腸内細菌科細菌感染症，急性脳炎(ウエストナイル脳炎，西部ウマ脳炎，ダニ媒介脳炎，東部ウマ脳炎，日本脳炎，ベネズエラウマ脳炎およびリフトバレー熱を除く)，クリプトスポリジウム症，クロイツフェルト・ヤコブ病，劇症型溶血性レンサ球菌感染症，後天性免疫不全症候群，ジアルジア症，侵襲性インフルエンザ菌感染症，侵襲性髄膜炎菌感染症，侵襲性肺炎球菌感染症，水痘(入院例に限る)，先天性風疹症候群，梅毒，播種性クリプトコックス症，破傷風，バンコマイシン耐性黄色ブドウ球菌感染症，バンコマイシン耐性腸球菌感染症，風しん，麻しん，薬剤耐性アシネトバクター感染症，百日咳，急性弛緩性麻痺(急性灰白髄炎を除く) (定点届出感染症) (省略) インフルエンザ定点，小児科定点，眼科定点(以上週単位で報告)，性感染症定点(月単位で報告)，基幹定点(週単位で報告) (月単位で報告)
指定感染症	新型コロナウイルス感染症(病原体がベータコロナウイルス属のコロナウイルス(令和2年1月に中華人民共和国から世界保健機関に対して，人に伝染する能力を有することが新たに報告されたものに限る．) (令和2年2月7日施行)

1，2，3，4類および指定感染症は診断後直ちに届け出，5類は7日以内に届け出る．風しん，麻しん，侵襲性髄膜炎菌感染症は5類だが，診断後直ちに届け出る(厚生労働省令第131号，平成29年12月による，および令和元年5月7日による).

1類感染症，ジカウイルス感染症，チクングニア熱，中東呼吸器症候群，デング熱，鳥インフルエンザ(H5N1)，鳥インフルエンザ(H7N9)，マラリア，侵襲性髄膜炎菌感染症，水痘(入院例に限る)，風しんにおいては，届出様式における感染地域の項目に「渡航期間」を記載項目として追加され令和2年1月1日より適用(令和元年11月).

トコジラミなどによる被害や強い毒をもつヒアリの侵入などが問題となっている．

2019年11月に中国の湖北省武漢市で発生した新型コロナウイルス(SARS-CoV-2)による感染症(COVID-19)は，2020年に入ると全世界に広がり，1月31日にはWHOは「国際的に懸念される公衆衛生上の緊急事態」を宣言，3月11日にはパンデミックとの認識が示され，現在世界各国でこの感染症との闘いが続いている．

XIV. 寄生虫学の歴史

　寄生虫学発展の歴史の中で，先人の成し遂げた数々の業績を振り返ることは将来の発展を考える上でも意義のあることである．ここでは日本人の業績に重点を置きつつ世界における重要な発見について年代順に歴史を繙いてみたい．各論のそれぞれの寄生虫の項にも歴史が述べてあるので参照されたい．

4000BC	中国楼蘭で発掘されたこの年代の少女のミイラの頭髪に多数のシラミの卵が見出された
3500～2000BC	わが国青森県の三内丸山遺跡のこの年代の地層の土壌から金原正明らによって多数の鞭虫卵が発見された（1995年発掘，図5）．世界における寄生虫卵の発見の記録の中で最も古いものと思われる
1250～1000BC	エジプトのミイラからマンソン住血吸虫の虫卵が発見された
430～340BC	ブラジルでヒトの糞石の中に鉤虫卵が発見された
400BC	Hippocrates（BC460～375）の時代，すでに回虫，条虫のような大形の寄生虫や肝臓に発生した大きな包虫は認識されていた
174～145BC	中国湖南省長沙で発掘された馬王堆第一号墓のミイラの体内から日本住血吸虫，鞭虫および蟯虫の虫卵が発見された（1972年発掘，149頁の写真参照）
AD341	中国で青蒿素（チンハオスウ）をマラリアの治療に用いたという記録がある（図6，李沢琳教授寄贈）（1頁，総論の扉の写真参照）
686～707	わが国の藤原京時代の邸宅の便所跡の土壌から金原正明らによって多数の回虫，鞭虫，肝吸虫，横川吸虫の虫卵が発見された（1992年発掘，図7）．その後，同じ場所の土壌から山根洋右らによってイヌ回虫と裂頭条虫類の虫卵が見出された
701	大宝律令が制定され，その中の医疾令の中にマラリアに関する記載がある
890～950	ペルーでミイラからズビニ鉤虫の成虫を発見
984	丹波康頼，わが国最初の医学書「医心方（いしんほう）」三十巻を集大成する．主に中国の医書を参考にしたものである．その七巻に九虫（回虫，伏虫，白虫，肉虫，肺虫，胃虫，赤虫，蟯虫，蟯虫）に関する記載あり（図8）
1016	「源氏物語」の「若紫」の段に源氏18歳のとき「わらは病（やみ）にわずらい給ひて……」と，マラリア感染の記述がある
1181	平清盛が高熱で死亡した．おそらくマラリアであったと考えられている
1235	「明月記（めいげつき）」の中に，著者の藤原定家をはじめ父の俊成，子の為家がマラリアに罹患した様子が書かれている
1250	「十六夜日記（いざよいにっき）」にも著者，阿佛尼がマラリアに罹ったことが記されている

図5．三内丸山遺跡から発掘された鞭虫卵

図6．青蒿素によるマラリア治療の記録

図7．藤原京時代の遺跡より発掘された虫卵
（上段右より回虫不受精卵，回虫受精卵，肝吸虫卵，下段右より鞭虫卵2，横川吸虫卵）

図8．丹波康頼肖像（左）と医心方覆刻版（右）
（ともに京都府立医科大学図書館蔵）

1668	Redi，多くの寄生虫を観察し，肝蛭の図を初めて描く．寄生虫学の最初の本を著し，寄生虫学の父といわれる（2頁の挿し絵参照）
1681	Leeuwenhoek，自作の顕微鏡で自体に感染していたランブル鞭毛虫を発見（図9）
1758	Linnaeus，回虫を記載
	Linnaeus，蟯虫を記載
	Linnaeus，メジナ虫を記載
	Linnaeus，肝蛭を記載
	Linnaeus，広節裂頭条虫を記載
	Linnaeus，有鉤条虫を記載
	Linnaeus，瓜実条虫を記載
1771	Linnaeus，鞭虫を記載
1782	Goeze，無鉤条虫を記載
	Goeze，有線条虫を記載
1786	Batsch，単包条虫を記載
1819	Rudolphi，マンソン裂頭条虫を記載
	Rudolphi，縮小条虫を記載
1835	Owen，旋毛虫を記載
1836	Owen，有棘顎口虫を記載
1837	Donne，腟トリコモナスを記載
1843	Dubini，ズビニ鉤虫を記載
1847	藤井好直，日本住血吸虫症に関する片山記（図10）を著す

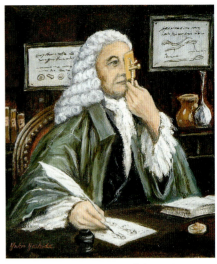

図9．Leeuwenhoek 像（筆者画）

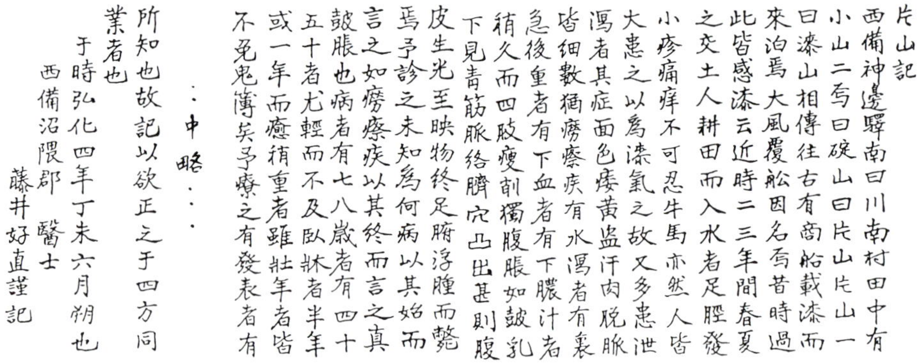

図10．片山記の前半と最後の部分

1852	Bilharz，ビルハルツ住血吸虫を記載
1852	Karl von Siebold，小形条虫を記載（幕末来日したシーボルトの従兄弟，以下同じ）
1852	Karl von Siebold，異形吸虫を記載
1853	Karl von Siebold，包虫を食べさせたイヌの腸管内に単包条虫の成虫を発見
1855	Humbert，有鉤囊虫を試食，3カ月後糞便中に有鉤条虫の体節排出を認む
1856	Leidy，イヌ糸状虫を記載
1859	Leuckart，旋毛虫の生活史を記載
1859	Ercolani，イヌ鉤虫を記載
1863	Leuckart，多包条虫を記載
1863	Demarquay，バンクロフト糸状虫のミクロフィラリアを患者の陰囊水腫中に発見
1864	Cobbold，ロア糸状虫を記載
1865	Leuckart および彼の学生は蟯虫の虫卵を飲み，成虫になるのを確認

1872	Fedtschenko，剛棘顎口虫を記載
1875	Cobbold，肝吸虫を記載
1875	Lösch，ロシアで赤痢アメーバを患者の糞便中に発見するも正式の記載者はSchaudinn（1903）となる
1876	Bavay，糞線虫を記載
1876	Bancroft，バンクロフト糸状虫雌成虫を発見，翌年Cobboldによって記載
1876	Baelz，バンクロフト糸状虫のミクロフィラリアを日本で最初に発見（図11）
1877	Baelz，糞便検査で鉤虫卵を日本で初めて発見
1877	石坂堅壮，肝吸虫を日本で初めて人体から発見したが，鉤虫の類と誤認（図12，13）
1877	Perroncito，無鉤嚢虫をヒトに飲ませ，4カ月後に無鉤条虫の成虫を確認
1878	Patrick Manson，バンクロフト糸状虫が蚊によって媒介されることを発見
1878	Kerbert，ウェステルマン肺吸虫を記載
1978	Scheube，京都で64歳男性の解屍の際にズビニ鉤虫を日本で最初に発見（図14）
1878	Baelz，東京でウェステルマン肺吸虫の虫卵を日本で最初に患者の喀痰中に見出したが原虫の類と誤認
1878	Grassi and Paroma，糞線虫の生活史を記載
1879	Ringer，台湾の淡水でウェステルマン肺吸虫を人体より摘出
1880	Laveran，ヒトのマラリアの病原体を発見（1907年ノーベル賞）
1881	Thomas and Leuckart，モノアラガイが肝蛭の中間宿主であることを発見
1881	Braun，広節裂頭条虫の第2中間宿主が魚類であることを発見
1881	Scheube，京都で28歳の男性の尿道から世界最初のマンソン孤虫を発見するも発表が1884年と遅れる．
1881	清野　勇，山形仲芸，菅　之芳ら，岡山で一樵夫を解剖し，その肺よりわが国で初めてウェステルマン肺吸虫の成虫を発見，中浜東一郎これを1883年に発表
1882	Manson，廈門で一中国人からマンソン孤虫を得，翌年Cobboldはこれを新種として発表
1884	京都の医師豊田脩達，「虫病原論」を刊行
1886	Leichtenstern，鉤虫の経口感染を提唱
1888	間島永徳，甲府で初めて患者の肝臓と脳から日本住血吸虫卵を疑わせる虫卵を発見
1888	飯島　魁，わが国最初の近代的寄生虫学書「人体寄生動物編」を出版（図15）
1889	飯島　魁，広節裂頭条虫の第2中間宿主がマスであることを発見
1889	東京駒場農学校のドイツ人教師Janson，日本のヒツジの膵管から膵蛭を初めて発見し記載
1892	Lönberg，クジラ複殖門条虫を記載
1892	中村総一郎，長崎で大複殖門条虫を患者から発見したが飯島　魁の発表がBlanchardの発表に後れを取る

図11．E. Baelz

図12．石坂堅壮

図13．石坂論文の附図

図14．H. B. Scheube

図15．飯島　魁

1893	Leuckart，回旋糸状虫を記載
1894	Blanchard，大複殖門条虫を記載（後年これがクジラ複殖門条虫のシノニムであることが判明）
1896	三浦謹之助，山崎筆造，小形条虫をわが国で初めて発見
1897	Ross，ヒトのマラリアはアノフェレス属の蚊によって媒介されることを発見（1902年ノーベル賞）
1898	Looss，鉤虫の経皮感染を主張
1902	Dutton，ガンビアトリパノソーマを記載
1902	Stiles，アメリカ鉤虫を記載
1902	高洲謙一郎，わが国最初のアメーバ赤痢症例を報告
1903	Schaudinn，赤痢アメーバを記載
1903	Laveran and Mesnil，ドノバンリーシュマニアを記載
1904	桂田富士郎，5月26日，甲府のネコから日本住血吸虫雄成虫を発見し，さらに他のネコから多数の雌雄成虫を得，新種の記載を行う（図16）
1904	藤浪 鑑，桂田の発見に4日遅れて広島県片山で一農夫を剖検し，得た材料から後日，日本住血吸虫雌成虫を発見（図17）
1904	山村正雄，東京で一婦人から一種の幼虫を発見，翌1905年，飯島魁これを芽殖孤虫と命名記載
1907	田中正鐸，アメリカ鉤虫をわが国で最初に発見
1907	Sambon，マンソン住血吸虫を記載
1908	Nicolle and Manceaux，トキソプラズマを記載
1909	Chagas，クルーズトリパノソーマを記載
1910	Railliet and Henry，東洋眼虫を記載
1910	de Faria，ブラジル鉤虫を記載
1910	小林晴治郎，肝吸虫の第2中間宿主が淡水魚であることを発見（図18）
1911	Looss，セイロン鉤虫を記載
1911	横川 定，アユを中間宿主とする一種の吸虫を発見，1912年，桂田富士郎はこれを新種，横川吸虫として記載（図19）
1912	Delanoë and Delanoë，ニューモシスチス・カリニを記載
1912	Tyzzer，小形クリプトスポリジウムを記載
1913	宮入慶之助，鈴木 稔，日本住血吸虫の中間宿主ミヤイリガイを発見（図20）
1913	Puschkarew，多食アメーバを記載
1913	神保孝太郎，東洋毛様線虫を記載
1914	中川幸庵，ウェステルマン肺吸虫の第2中間宿主がサワガニであることを発見（図21）
1915	Stiles，ランブル鞭毛虫を再記載（原記載はLambl，1859）
1915	恩地與策，西尾恒敬，有害異形吸虫を記載
1916	山田司郎，人体寄生のマンソン孤虫をイヌに与え，マンソン裂頭条虫に発育することを証明
1917	武藤昌知，横川吸虫の第1中間宿主がカワニナであることを発見（図22）
1917	吉田貞雄，回虫の感染後，幼虫が肺を通過して宿主体内移行を営むことを発見（図23）
1918	武藤昌知，肝吸虫の第1中間宿主がマメタニシであることを発見

図16．桂田富士郎

図17．藤浪　鑑

図18．小林晴治郎

図19．横川　定

図20．宮入慶之助（左）と鈴木　稔（右）

1920	中川幸庵，台湾において肥大吸虫の中間宿主がヒラマキガイモドキなど数種のヒラマキガイであることを発見し，本虫の発育史を解明．
1921	森下　薫，同志と東京寄生虫同好会（日本寄生虫学会の前身）を結成，その後マラリア，回虫を研究（図24）
1922	Wagner-Jauregg，マラリア療法により進行性麻痺など末期梅毒を治療（1927年ノーベル賞）
1922	江口季雄，広節裂頭条虫の第2中間宿主にカラフトマス，ベニマスを追加，第1中間宿主が *Cyclops leuckarti* であることを発見
1923	木下益雄，顎口虫の幼虫を日本で初めて人体から発見
1924	大原八郎，日本ではじめて野兎病患者を発見
1925	Tubangui，ドロレス顎口虫を記載
1925	横川　定，アンキロストーマ属鉤虫の経口的感染経路を再認識し，鉤虫の感染後体内移行経路について宮川米次と長年にわたる論争開始
1925	Brumpt，赤痢アメーバに類似した種 *Entamoeba dispar* を独立種として記載
1926	Blacklock，ブユが回旋糸状虫の媒介者であることを発見
1926	浅田順一，浅田棘口吸虫を記載
1926	桂島忠良，日本最初の多包虫症を報告
1927	Brug，マレー糸状虫を記載
1927	緒方規雄，ツツガムシ病の病原体 *Rickettsia tsutsugamushi* を発見
1928	Nicolle，ヒトのシラミが発疹チフスを媒介することを発見（1928年ノーベル賞）
1928	浅田順一，有害異形吸虫の第1中間宿主がヘナタリであることを発見
1929	五島清太郎，初代会長となって日本寄生虫学会が発足（図25）
1935	Chen，広東住血線虫を記載
1936	Prommas and Daengsvang，有棘顎口虫の第1中間宿主および第2中間宿主を発見
1939	宮崎一郎，大平肺吸虫を記載，その他，肺吸虫，顎口虫の研究を行う（図26）
1941	山口左仲，日本顎口虫を記載（図27）
1944	野村精策ら，台湾で広東住血線虫の最初の人体寄生例を発見
1948	Müller，殺虫剤DDTを発見（1948年ノーベル賞）
1948	Shortt and Garnham，ヒトのマラリアの赤血球外発育を発見
1948	田部　浩，ムクドリ住血吸虫を記載
1950	佐々　学ら，八丈小島にマレー糸状虫を発見，また新型ツツガムシ病を発見
1953	亀谷　了，目黒寄生虫館を創設
1954	Rausch，*Diphyllobothrium ursi* を記載
1955	日本寄生虫予防会が発足
1955	Mackerras and Sandars，広東住血線虫の中間宿主（ナメクジ，貝）を発見
1956	Beaver，Larva migrans の概念を確立
1957	大鶴正満ら，局所性腸炎において幼線虫の存在を認め，これがアニサキス，旋尾線虫の発見へと発展
1958	山口左仲，Systema Helminthum I を発刊，以後Vまで刊行
1961	加茂　甫ら，宮崎肺吸虫を記載
1961	横川宗雄，肺吸虫の特効薬ビチオノールを発見（図28）
1965	浅見敬三，日本最初のアニサキス症例を報告

図21．中川幸庵

図22．武藤昌知

図23．吉田貞雄

図24．森下　薫

図25．五島清太郎

1965	Fowler and Carter,原発性アメーバ性髄膜脳炎の最初の症例を報告,Carterは1970年に病原体フォーラーネグレリアを記載
1965	初鹿 了,宮崎肺吸虫の第1中間宿主がホラアナミジンニナであることを発見
1968	Chitwoodら,フィリピン毛細虫を記載
1970	Hutchison and Frenkel,トキソプラズマの生活史を解明
1970	Singh and Das,カルバートソンアメーバを記載
1974	山口富雄,日本で最初の旋毛虫症例を報告
1976	Trager and Jensen,マラリア原虫の赤内型の培養に成功
1976	Frenkel,ニューモシスチス・イロベチイを記載
1979	大村 智,静岡県伊東市川奈ゴルフ場近くで採取した土壌からイベルメクチンを発見(2015年ノーベル賞)
1980	Krotoskiら,マラリアの生活史に肝内休眠型原虫(ヒプノゾイト)の存在を発見
1981	日本寄生虫学会創立50周年式典挙行
1984	馬原文彦,日本で初めて紅斑熱患者を発見,1987年,日本紅斑熱と命名
1986	山根洋右ら,日本海裂頭条虫を記載
1987	川端寛樹,馬場俊一ら,日本ではじめてライム病患者を発見
1988	Edmanら,*Pneumocystis carinii* リボゾームRNA解析から真菌
1989	名和行文,ドロレス顎口虫の人体寄生例を初めて報告
1986	安藤勝彦,日本顎口虫の人体寄生例を初めて報告
1993	Ortega,サイクロスポーラを記載
1998	辻 守康,会長となって第9回国際寄生虫学会を日本で開催
2002	Morganら,ヒトクリプトスポリジウムを記載
2015	屠呦呦,マラリア治療薬アーテスネート開発(2015年ノーベル賞) 大村智,W.C.キャンベルの両氏,オンコセルカ症,リンパ系フィラリア症の治療薬アベルメクチン(後のイベルメクチン)の発見(2015年ノーベル賞)

図26. 宮崎一郎

図27. 山口左仲

図28. 横川宗雄

(写真掲載は物故者に限った)

参考文献

1. 丹波康頼(984):医心方(正宗敦夫編,日本古典全集「医心方二」),718-727,日本古典全集刊行会,東京.
2. 森下 薫(1972):ある医学史の周辺,風土病を追う人と事跡の発掘,日本新薬株式会社 pp.345,京都.
3. 森下 薫(1978):予防医学を基礎づけた人々,自体実験の勇者たち,大阪予防医学協会 pp.252,大阪.
4. 日本寄生虫学会(1981):寄生虫学会50年の歩み,日本寄生虫学会,pp.120.
5. 小島荘明(1993):寄生虫学の歴史と展望,NEW寄生虫学,小島荘明編,3-20,南江堂,東京.
6. Foster WD(1965):A History of Parasitology. E & S Livingstone Ltd. pp.202.
7. Grove DI(1990):A History of Human Helminthology. CAB International, pp.848.
8. Cox FEG(1996):Illustrated History of Tropical Diseases. The Wellcome Trust. pp.453.
9. Theresa Saklatvala(1993):Milestones in Parasitology. Parasitology Today 9:347-348.
10. 吉田幸雄(2001):日本史における寄生虫症——過去,現在そして未来. 感染症,31:15-21,53-61,93-97,102-106,133-143.

各　論

第1部　人体寄生原虫学

中国古代の経典にみられたマラリア患者の図．「発寒病」とあるが，病気の原因は悪魔・悪霊の仕業，すなわち高熱は火炙り，悪寒は注水，頭痛は叩頭によると恐れ戦いている図と思われる
　　　　　　　　　　　　　　　　　　（マレー大学医学部 Prof. Anuar の厚意による）

第1項　人体寄生原虫学　総論

原虫(原生動物) protozoa を定義すると，運動性のある従属栄養の動物性単細胞真核生物ということができる．そしてその単細胞によって必要なすべての機能(摂食・運動・代謝・生殖など)を行っている．これに対し多数の細胞から成り立っている動物を**後生動物** metazoa という．地球上には約65,000種の原虫が知られ，そのうち，約10,000種が寄生種である．本書はこれらの中で医学上重要な種を中心に解説する．

1. 原虫の基本構造(図29)

a. 細胞表層　動物および植物の細胞表層系は本質的な差はなく，原形質の表面は**細胞膜** cell membrane (原形質膜 plasma membrane, plasmalemma；単位膜 unit membrane ともいう)で被われ，さらにその外側には多糖類を持った**糖衣(外皮)** glycocalyx がある．

b. 核 nucleus および仁 nucleolus　原虫の核は**クロマチン(染色質)** が散在している**胞核**と，これが充満している**充核**とに分けられる．胞核はアメーバの類にみられ，RNA を含む仁は核膜の内側に沿って分散し，DNA を含む**カリオソーム** karyosome は核の中央部近くに存在する．

c. 外肉 ectoplasm　原虫の外側部を占め，アメーバ類ではゲル状で主として運動・摂食・排泄などを司る．外肉が分化して種々の小器官 organelle，例えば**偽足(仮足)** pseudopodium，**鞭毛** flagellum，**繊毛** cilium，**波動膜** undulating membrane，**口器** cytostome，**細胞肛門** cytopyge などを形成する．細胞膜の直下に**微小管** microtubule を認めるものが多い．

d. 内肉 endoplasm　原虫の中心部を占めゾル状で，**核**，**ミトコンドリア** mitochondrion，**小胞体** endoplasmic reticulum，**ゴルジ体** Golgi body，**食胞** food vacuole，**リソソーム** lysosome などを内蔵する．主として消化・代謝・生殖・栄養貯蔵などを司る．

2. 原虫の生理

a. 栄養 nutrition　原虫の栄養の摂り方は，食物を偽足で体内に取り込む方法(完全動物性栄養)と，周囲のメジウム中の栄養物を体表から吸収する方法(腐生動物性栄養)とがある．前者のうち液体(例えば蛋白溶液)を取り込むものをとくに**飲作用** pinocytosis という．

b. 分泌・排泄 secretion and excretion　原虫は取り込んだ食物を消化するために体内酵素を分泌する他，組織融解酵素など体外酵素を出す．また代謝産物を排泄する．これらは宿主に対し抗原として，あるいは毒素として作用することがある．

c. 代謝 metabolism　原虫のエネルギー代謝は本質的には他の生物と変わりはない．分子状酸素の消費によって行われる**好気的代謝** aerobic metabolism を行っているものと，無酸素下で乳酸発酵やアルコール発酵のような**嫌気的代謝** anaerobic metabolism を行ってエネルギーを生成しているものとがある．好気的代謝の方がより進化した方法であり，同じ基質からより多くのエネルギーを引き出すことができる．

d. 生殖 reproduction　原虫の生殖は，根足虫・鞭毛虫・有毛虫などは**無性生殖** asexual reproduction を営み，分裂によって増殖するが，胞子虫ではこの他に**有性生殖** sexual reproduction をも行う．

医学上重要な原虫類を分類すると第2項のようになるが，大体4つのグループに大別することができる．それらの形態的特徴を示すと**図29**のごとくで，根足虫はアメーバの類で偽足を持っており，鞭毛虫は1ないし数本の鞭毛を有し，胞子虫は有性・無性両生殖を行い，有毛虫は多数の繊毛を持っている．

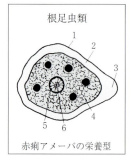
赤痢アメーバの栄養型

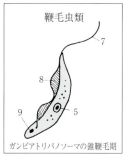
ガンビアトリパノソーマの錐鞭毛期

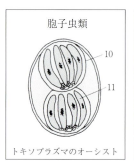
トキソプラズマのオーシスト

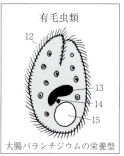
大腸バランチジウムの栄養型

図29. 人体寄生原虫の4つの代表的な形態
1. 細胞膜, 2. 外肉, 3. 偽足, 4. 内肉, 5. 核, 6. カリオソーム, 7. 鞭毛, 8. 波動膜, 9. キネトプラスト, 10. スポロシスト, 11. スポロゾイド, 12. 繊毛, 13. 大核, 14. 小核, 15. 収縮胞

第2項　人体寄生原虫の分類[註1]

Kingdom Protista 原生生物界
Subkingdom Protozoa 原生動物亜界
Phylum Sarcomastigophora 肉様鞭毛虫門
　Subphylum Sarcodina 肉様虫亜門
　　Superclass Rhizopodea 根足虫上綱
　　　Order Amoebida アメーバ目
　　　　Family Endamoebidae エンドアメーバ科
　　○*# *Entamoeba histolytica* 赤痢アメーバ
　　　　* *E. coli* 大腸アメーバ
　　　　* *E. dispar*（和名未定）
　　　　* *E. hartmanni* ハルトマンアメーバ
　　　　* *E. gingivalis* 歯肉アメーバ
　　　　* *Endolimax nana* 小形アメーバ
　　　　* *Iodamoeba bütschlii* ヨードアメーバ
　　　Family Acanthamoebidae
　　　　# *Acanthamoeba culbertsoni*
　　　　　　　　　　　カルバートソンアメーバ
　　○§ *A. castellanii* カステラーニアメーバ
　　○§# *A. polyphaga* 多食アメーバ
　　　Order Schizopyrenida
　　　　Family Vahlkampfiidae
　　　　# *Naegleria fowleri* フォーラーネグレリア
　Subphylum Mastigophora 鞭毛虫亜門
　　Class Zoomastigophorea 動物鞭毛虫綱
　　　Order Kinetoplastida キネトプラスト目
　　　　Family Trypanosomatidae トリパノソーマ科
　　　　# *Trypanosoma brucei gambiense*
　　　　　　　　　　　ガンビアトリパノソーマ
　　　　# *T. b. rhodesiense* ローデシアトリパノソーマ
　　　　# *T. cruzi* クルーズトリパノソーマ
　　　　# *Leishmania donovani* ドノバンリーシュマニア
　　　　# *L. tropica* 熱帯リーシュマニア
　　　　# *L. braziliensis* ブラジルリーシュマニア
　　　　# *L. mexicana* メキシコリーシュマニア
　　　Order Diplomonadida ジプロモナス目
　　○* *Giardia intestinalis* ランブル鞭毛虫
　　　Order Retortamonadida レトルタモナス目
　　　　* *Chilomastix mesnili* メニール鞭毛虫
　　　Order Trichomonadida トリコモナス目
　　○** *Trichomonas vaginalis* 腟トリコモナス
　　　　* *T. tenax* 口腔トリコモナス
　　　　* *Pentatrichomonas hominis* 腸トリコモナス
Phylum Apicomplexa アピコンプレックス門
　Class Sporozoea 胞子虫綱
　　Subclass Coccidia コクシジウム亜綱
　　　Order Eucoccidiida 真コクシジウム目
　　　　Family Eimeriidae アイメリア科
　　　　* *Cyclospora cayetanensis* サイクロスポラ
　　　　Family Cryptosporiidae クリプトスポリジウム科
　　○* *Cryptosporidium hominis*
　　　　　　　　　　　ヒトクリプトスポリジウム
　　○* *C. parvum* 小形クリプトスポリジウム
　　　　Family Sarcocystidae 肉胞子虫科
　　　　# *Sarcocystis hominis* ヒト肉胞子虫
　　○　*S. fayeri* フェイヤー肉胞子虫
　　　　Family Toxoplasmatidae トキソプラズマ科
　　○# *Toxoplasma gondii* トキソプラズマ
　　　　* *Cystoisospra belli* 戦争シストイソスポーラ
　　Suborder Haemosporina 住血胞子虫亜目
　　　Family Plasmodiidae プラスモジウム科
　　○# *Plasmodium vivax* 三日熱マラリア原虫
　　○# *P. falciparum* 熱帯熱マラリア原虫
　　○# *P. malariae* 四日熱マラリア原虫
　　○# *P. ovale* 卵形マラリア原虫
　　○# *P. knowlesi* 二日熱マラリア原虫
　　Subclass Piroplasmia ピロプラズマ亜綱
　　　Family Babesiidae バベシア科
　　　　# *Babesia microti* ネズミバベシア
Phylum Ciliophora 有毛虫門
　Class Kinetofragminophorea
　　Order Trichostomatida 毛口目
　　　Family Balantidiidae バランチジウム科
　　　　* *Balantidium coli* 大腸バランチジウム
Phylum Blastocysta
　　Family Blastocystidae
　　○* *Blastocystis hominis* ヒトブラストシスチス
Phylum Myxozoa
　　○* *Kudoa septempunctata* ナナホシクドア
Phylum Labyrinthomorpha
Phylum Microspora
　従来，原虫とされてきたが最近，真菌類とされた種
　○## *Pneumocystis carinii* ニューモシスチス・カリニ
○## *P. jirovecii* ニューモシスチス・イロベチイ

---

*消化系寄生，#血液または組織内寄生，**泌尿生殖系寄生，§眼寄生，##呼吸系寄生，○印はわが国で医学上とくに重要なもの.

註1　ここに示した分類は1980年，Society of Protozoologistsが発表した方法（Levine ら，J. Protozoology，27：37-58）に基づき人体寄生虫に限定して再編，その後 Ramon（J. E. Microbiol. 45：184, 1998）の意見や最近重要となった種を追加．最近，原虫の分類が遺伝子解析により変革の過程にある．例えば，クリプトスポリジウムはコクシジウムから区別されている．

第3項　赤痢アメーバ　[A] 歴史，疫学，形態と生活史

赤痢アメーバは大腸に寄生しアメーバ赤痢を起こす．また肝臓に転移してアメーバ性肝膿瘍を起こす．最近わが国で国内感染，輸入感染ともに増加し，特に男性同性愛者の間で感染率が高く，AIDSの合併症としても重要である．感染症新法では5類感染症に指定され，本症を診断した医師は7日以内に保健所に届け出なければならない．

【種　名】赤痢アメーバ *Entamoeba histolytica* Schaudinn, 1903

【疾病名】　アメーバ赤痢，アメーバ性大腸炎，アメーバ性肝膿瘍など，症状，病変により疾病名は異なる．

【歴　史】　本虫によると思われる疾患は紀元前から知られていたが粘液血性便を排出している患者から初めて虫体を見出し本症を報告したのはLösch(1875)である．しかし新種の記載を行ったのはSchaudinn(1903)である．わが国では高洲(1902)[註1]が最初の症例を報告した．その後Brumpt(1925)は形態的には同じだが非病原性のものを別種とし，*E. dispar*と命名した(次項参照)．

【疫　学】　従来，世界の感染者数は約5億人とされてきたが，その約90％は*E. dispar*であり，病原性の*E. histolytica*感染者は約4,800万人，年間死亡者は約7万人と報告されている(4頁，表1)．本症は熱帯・亜熱帯の衛生状態の悪い地域で多発するが，最近欧米で同性愛男性の本虫感染率が20～30％と異常に高いことが知られ，AIDSの合併症の一つとなっている．これはoral-anal sexなどの行為により糞便中の嚢子が直接口に入ることによる．したがって本症は**性感染症** sexually transmitted disease (STD) の一つに規定されるようになった．

本症はわが国にも古くからあったと思われるが正確な統計はなく，1950年頃には年間約500例ほどの届け出があった．その後次第に減少していたが1980年以降図30に示すように増加の傾向を示し，2000年以降再増している．この原因は次のような要因が考えられる．①従来からの食品や飲料水による感染(水系感染)．②海外で感染して帰国(輸入感染)．③最近の2,475例の患者の調査[註2]によると89％は男性で，海外渡航歴がなく，大都市に住み，他の性病を合併しており，同性愛行為による感染が強く示唆される．また最近は異性間性交による感染も増加している(性感染症)．④AIDSやその他の免疫不全患者における本症の顕性化(日和見感染)[註3]．⑤重症心身障害者施設内における流行：神奈川県下の5施設で本虫の感染が入居者の1.8～24.7％にみられ(永倉ら[註4])，また山形県下の施設では48.7％にみられた(西瀬ら[註5])．このほか，大阪，香川，福岡，静岡などの施設でも流行が見出されている．

【形態と生活史】　本虫にはその生活史上，栄養型と嚢子の2時期がある．

栄養型 trophozoite：　アメーバ赤痢患者の新鮮な粘液血性便(次項図43)の一部を取って直接鏡検すると，活発に運動している栄養型虫体をみることができる．アメーバ性肝膿瘍の穿刺液(次項図44)の中にも見出される．栄養型は2分裂で増殖する．

栄養型の特徴は図31の①，32～35に示すごとく，①偽足を出して盛んに運動する．②直径は20～50μmで，大きさ・形は種々変化する．③内肉中に赤血球を捕食している．④**カリオソーム**は核のほぼ中央に存在する．

嚢子 cyst：　栄養型は大腸腔内で嚢子となる．これを**嚢子形成** encystation という．栄養型は大腸以外の臓器内や外界では嚢子にならない．嚢子形成の過程は図31の⑤～⑧に示すごとく，まず栄養型はやや縮小して球状に近い前嚢子 pre-cyst となり，次いで嚢子壁が形成されて1核嚢子(図36)となり，さらに核が分裂して2核嚢子(図37)となる．この時期に嚢子内に**類染色質体** chromatoid body やグリコーゲン胞 glycogen vacuole などがみられる．そして最終的に4核を持った成熟嚢子となる(図38，39)．

赤痢アメーバの成熟嚢子の特徴は図31の⑧，図38，39に示すごとく，①ほぼ球形で直径は12～15μm，丈夫な嚢子壁で被われる．②4核を有する(ごく稀に8核)．③カリオソームは核のほぼ中央に位置する．④類染色質体は楕円形，などの点である．このような嚢子がヒトに経口摂取されると小腸で消化液の作用により図31の⑩～⑫に示すように，まず嚢子壁の小穴から4核の後嚢子 metacyst が脱出し，さらに分裂して8個の小さい脱嚢後栄養型 metacystic trophozoite となり，大腸に下って成熟した栄養型となる．

栄養型および嚢子の内部構造は永久標本を作成して観察する(図34，39)．また嚢子はヨード染色をしてもよい(図38)(検査法は第133項参照)．またこの赤痢アメーバに最もよく似て鑑別を要するのは大腸アメーバ(第6項)であるのでその鑑別点を第5項の表7に示した．

【感　染】　ヒトは成熟嚢子を経口摂取して感染する．栄養型や未熟嚢子を飲み込んでも感染しない．一方，嚢子は抵抗力が強く，環境が好適であれば数週間感染力を保っている．これが飲料水や食品を介し，あるいは性交などの際にヒトの口に入る．

註1　高洲謙一郎(1902)：東京医学会雑誌，15(24)：26-43．
註2　IDWR(2007)：44号．
註3　本症はAIDS診断の指標疾患に指定はされていない．
註4　永倉貢一(1992)：感染症，22：97-104．
註5　西瀬祥一ら(2003)：感染症誌，77：922-923．

赤痢アメーバ　27

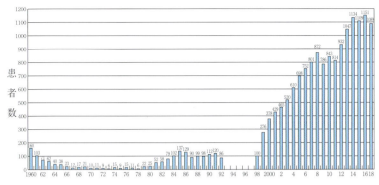

図30. わが国における赤痢アメーバ症届出症例数の推移
(1960-2016)

1960〜1991は厚生省全国統計，1992は全国の14, 1998は15の病院でのデータのみ入手，1993〜1997は入手不能，1999以降は感染症新法施行のため届出数が増加し実態が明らかになっている．
(感染症発生動向調査年別報告数，2018年10月27日現在)

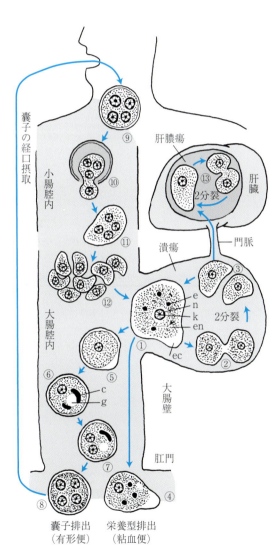

図31. 赤痢アメーバの形態，生活史および感染経路
①栄養型(e：赤血球，n：核，k：カリオソーム，en：内肉，ec：外肉)，②-③大腸組織内2分裂増殖，④栄養型排出，⑤-⑧囊子形成(⑤前囊子，⑥1核囊子(c：類染色質体，g：グリコーゲン胞)，⑦2核囊子，⑧成熟囊子，⑨経口感染，⑩囊子からの脱出，⑪後囊子，⑫8個の脱囊後栄養型，⑬肝内転移，2分裂増殖．

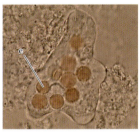

図32. 運動中の栄養型，生鮮標本
偽足および捕食赤血球eに注意

図33. 栄養型，生鮮標本
ノマルスキー微分干渉顕微鏡像，n 核

図34. 栄養型，コーン染色

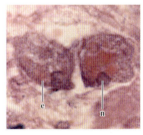

図35. 大腸組織内の栄養型
(生検材料) HE染色

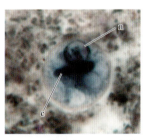

図36. 1核囊子，コーン染色
棍棒状の類染色質体cに注意

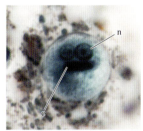

図37. 2核囊子，コーン染色
類染色質体は棍棒状または楕円形

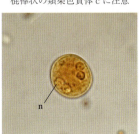

図38. 4核囊子，ヨード染色

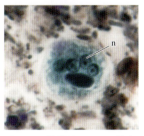

図39. 4核囊子，コーン染色

(図34, 36, 37, 39 山本徳栄 博士 提供)

第4項　赤痢アメーバ　[B] 病理と症状

赤痢アメーバ症は腸アメーバ症と腸管外アメーバ症とに大別される．腸アメーバ症の場合，大腸に潰瘍を生じ粘血便を排出する重症例から囊子のみを排出している軽症例まで種々の段階がある．腸管外アメーバ症の場合，アメーバは主に肝臓，稀に肺，脳などに転移して膿瘍を形成し放置すると重症化する．大腸に病変のある患者の約5％が腸管外に転移するとされているが腸の症状なしに肝膿瘍単独発症する場合もかなりある．

【病　理】

Ⅰ．腸アメーバ症 intestinal amebiasis

赤痢アメーバは**大腸に寄生**し，栄養型虫体は通常大腸の粘膜上で細菌と共生して生活している．ところが何らかの原因により粘膜に侵入を開始すると，組織融解酵素を出して組織を破壊しつつ増殖し，**潰瘍 ulcer**を形成する（種名の histo は組織，lytica は融解の意）．潰瘍は初め帽針頭大であるが次第に融合して大きくなる．また本症の潰瘍は白苔に覆われ（図40）壺形に掘れ込んでいる（図41）のが特徴で周囲の炎症反応は少ない．潰瘍の好発部位は盲腸，次いで上行結腸，S状結腸，直腸，虫垂，横行結腸，下行結腸，回腸末端部の順である．

Ⅱ．腸管外アメーバ症 extraintestinal amebiasis

大腸の潰瘍で増殖した栄養型虫体が門脈中に入ると，まず肝臓に転移するので肝膿瘍を起こす頻度が最も高く，次いで肺臓，脳（図45），脾臓などに転移することがある．アメーバ性の肝膿瘍は右葉に1個生ずることが多いが，時に多発する場合もある（図42）．膿瘍内には肝細胞の破壊によって生じた黄褐色の粘稠な液（図44）が充満し，栄養型虫体は膿瘍内壁付近に多く存在する．細菌は通常陰性である．

【症　状】

症状の強さは虫体の株の病原性，宿主の抵抗力などによって異なり，ほとんど無症状から重症のものまである．

Ⅰ．アメーバ赤痢 amebic dysentery

潜伏期間は4日ないし数カ月と不定．腹痛，下痢をもって始まる．重症の場合下痢はテネスムスを伴い1日数行から数十行に及び，便の特徴は粘液と血液の混じった**苺ゼリー状の粘血便**（図43）である．腹痛は自発痛のほか回盲部やS状結腸部に圧痛がある．発熱はほとんどなく白血球増加や赤沈亢進などはあっても軽度である．適切な治療を施さないと慢性化し下痢と寛解を繰り返し，体重減少，貧血などを示す．時に劇症型があり，激しい下痢，出血，腸穿孔などを起こして死亡することがある．これは潰瘍性大腸炎などと誤診して免疫抑制剤などを多用した場合にみられる．

Ⅱ．アメーバ性大腸炎 amebic colitis

粘血便はほとんどみられず，下痢・腹痛を反復し，時に栄養型虫体を見出す比較的軽症の場合をいう．

Ⅲ．無症状感染者（囊子保有者 cyst carrier または囊子排出者 cyst passer）

前述のような症状を示さず，囊子のみを排出している無症状の感染者は有症者よりもずっと多い．従来の考え方では E. histolytica は1種であり，その栄養型は大腸内で分裂増殖し粘血便などと共に外界に排出されるが，症状が回復し，有形便になると囊子のみを排出するようになる．このような感染者を回復期保虫者 convalescent carrier と呼び，始めから無症状で囊子のみを排出している者を接触保虫者 contact carrier と呼んできた．ところが1925年 Brumpt は形態的に差はないが非病原性のものがあるとし，これを別種として E. dispar と命名し，病原性のあるものを E. histolytica とした．この説はその後あまり顧みられなかったが，1978年，病原性の株と非病原性の株とはアイソザイムパターンが異なるという報告が現れ，さらに1993年 Diamond ら[註1]は，両者は生化学的，免疫学的，分子遺伝学的にも差があるとし，非病原性のものを Entamoeba dispar Brumpt, 1925として独立させることを提唱した．

両種は形態的には区別ができないので鑑別診断は症状の有無とザイモデムパターンや遺伝子解析を用いて決める．また E. dispar の場合は病原性がないので治療の必要はないとされた．ところが最近，橘ら（2000）[註2]は神奈川県の複数の精神障害者施設で50名の無症状囊子排出者の虫種を PCR, monoclonal antibody, zymodeme などの技法で分析したところ，すべて E. histolytica であり E. dispar は存在しなかったという．この結果は無症状囊子排出者の感染種が E. histolytica である場合が決して少なくなく，したがって感染予防の見地からも駆虫も必要であることを示している．また欧米の無症状感染者は E. dispar の感染が多いのに比しわが国では E. histolytica の感染が多いこともわかってきた．

Ⅳ．アメーバ性肝膿瘍 amebic liver abscess

症状は右季肋部痛，不規則な発熱，肝の肥大（図42），悪心，食欲不振などで，白血球増加，赤沈亢進，貧血，肝機能異常などを認め，適切な治療を行わないと次第に衰弱し死亡することがある．

肺膿瘍の場合は胸痛，咳，血痰，発熱などがみられ，脳の場合（図45）には種々の精神・神経症状を呈する．また肛門付近の皮膚に潰瘍を生ずる例もある（図46）．

註1　Diamond et al.（1993）：J. Euk. Microbiol. 40：340-344.
註2　Tachibana et al.（2000）：Parasit. Interntl. 49：31-35.

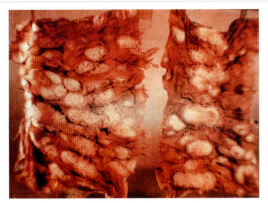

図40. アメーバ赤痢患者の大腸の潰瘍の肉眼的所見
潰瘍は白苔に覆われている.

図41. 壺形に掘れ込んだ潰瘍の組織像
（鈴木俊夫・所沢 剛 両博士の厚意による）

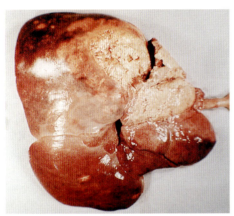

図42. アメーバ性肝膿瘍（黄色い部分）の肉眼的所見

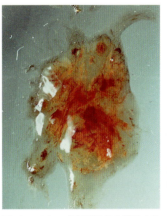

図43. アメーバ赤痢患者の排出する苺ゼリー状粘血便
（Dr. Seitz の厚意による）

図44. アメーバ性肝膿瘍患者（45歳, 女性）から肝ドレナージで採取した濃厚な膿汁（筆者経験例）

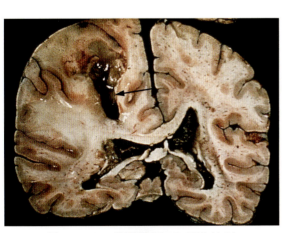

図45. アメーバ性脳膿瘍（40歳, 男性）（矢印）
（所沢 剛 博士の厚意による）

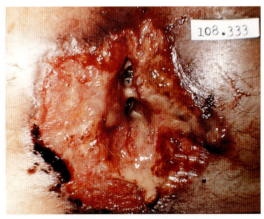

図46. 赤痢アメーバによる肛門の粘膜から周囲皮膚に及ぶ潰瘍

（図40, 42, 46は Dr. Morera の厚意による）

第5項　赤痢アメーバ [C] 診断と治療

粘血便を出している患者をみた場合は必ずアメーバ赤痢を疑い，栄養型虫体の検出に努める．潰瘍性大腸炎と誤診し，免疫抑制剤などを投与すると重症化するので注意を要する．無症状感染者の診断は糞便検査によって嚢子を検出する．アメーバ性肝膿瘍の場合は膿瘍内容液から栄養型虫体を検出する．また組織侵入型のアメーバ症の場合は免疫学的診断法が有用である．最近，副作用の少ない有効な駆虫薬が開発され治療法が一段と進歩した．

【診　断】

Ⅰ．腸アメーバ症

特有の**苺ゼリー状の粘血便**(前項の図43)に注意を払い，これの粘液部分を少量とって40℃位に保温しながら鏡検し，動いている栄養型虫体(第3項の図32)を検出する．またこれらの材料を用いて永久標本を作成し検査する(検査法は第133項参照)．大腸内視鏡による観察(図47)および生検材料の組織学的検査(図48，49)は診断率が高く有用である．

無症状感染者(嚢子保有者) の場合は，その糞便(有形便のことが多い)をヨード染色法などを用いて検査し嚢子を検出する(検査法は第133項参照)．

Ⅱ．腸管外アメーバ症

肝臓，肺臓，脳その他の臓器から虫体を検出するのは容易ではない．そこで下記の免疫学的診断法が有用となる．虫体を見出すには膿瘍穿刺液または排膿液などについて栄養型虫体を目標にして検索する．

腸管外アメーバ症の中では肝膿瘍が最も頻度が高い．その場合，X線像で右横隔膜の挙上，CTスキャン(図50)，MRI，超音波エコー，肝動脈造影などの所見が診断の助けになる．

【免疫学的診断法】

血清中の抗体を検索して診断する方法でOuchterlony法，間接蛍光抗体法，酵素抗体法，向流免疫電気泳動法，ラテックス凝集反応など多くの方法があり，本症の確診率は竹内ら(1989)によると，肝アメーバ症では100％に近い．しかし腸アメーバ症の場合は，組織侵入度の高いアメーバ赤痢などでは90〜95％と高いが，無症状の嚢子保有者では20〜40％と低いという(第137項，表35参照)．また相楽[註1]の得た確診率は肝膿瘍で100％，アメーバ赤痢や大腸炎で47.6％，嚢子保有者では20％であり，本症すべてに抗体価が上昇するとは限らないと述べている．ただ，2019年現在，抗赤痢アメーバ抗体検査キットが国内では使用できなくなった．

今後は，糞便中の特異抗原や遺伝子の検出の重要性が増すと考えられる．免疫クロマトグラフィー法をもちいた検査キットや遺伝子解析による診断法が，E. histolytica と E. dispar との鑑別などに利用されている．

【鑑別診断】

腸アメーバ症の場合は**潰瘍性大腸炎，細菌性赤痢**(表8)，虫垂炎，胃潰瘍，腸癌，腸結核などと鑑別を要する．とくに最近，潰瘍性大腸炎と誤診し免疫抑制剤を多用したため腸穿孔などを起こし重症化した例が少なくない．一方，アメーバ性肝膿瘍では肝癌，肝炎，他の原因による肝膿瘍などと鑑別が必要である．虫の形態では大腸アメーバとの鑑別が大切である(表7)．

【保虫宿主】

赤痢アメーバはヒト以外にイヌ，ネコ，サル，ネズミなどにも自然感染が報告されてきたが，その頻度は著しく低く，主な感染経路はヒト−ヒト間の糞口感染である．

【治　療】

駆虫剤としては最近，下記の薬剤が用いられ有効である．一方，肝膿瘍に対しては従来ドレナージによる排膿が行われたが最近は薬物療法が優先される．

1．メトロニダゾール metronidazole(商品名**フラジール Flagyl**)：メトロニダゾールが第一選択薬である．壊死性大腸炎や大腸穿孔が疑われる場合，静注用メトロニダゾールの投与及び開腹手術の適応を検討する．成人は通常メトロニダゾール(フラジール250mg，内服錠：1,500mg/日，分3，10日間．シスト排出が長期に続く場合，もしくは再燃時には，2,250mg/日に増量して再度加療する．四肢のしびれ・異常感覚など末梢神経炎の副作用が出現したら，使用を中止する．ジスルフィラム様作用を有すため，内服中と内服終了後3日まではアルコール摂取は控える．過敏反応を起こした患者，脳・脊髄に器質的疾患のある患者，血液疾患患者，妊娠3カ月以内の妊婦では禁忌．

2．チニダゾール tinidazole(商品名**チニダゾール錠**)：メトロニダゾールが何らかの理由で使えない場合は本剤を使用．1,200mg/日，分3，7日間．

3．嚢子保有者の治療　糞便内に嚢子のみを排出している感染者は再発の予防と感染源の除去としての見地から駆除が必要とされるが，DNA診断で E. dispar と確診された場合は必要ない．治療薬としては，まず**フロ酸ジロキサニド**が用いられたが，最近はより有効な**パロモマイシン**(商品名，**アメパロモ250mg，Humatin**)が用いられている．用量は1回500mg，1日3回，食後，10日間服用する．85〜87％に有効とされるが妊婦や消化管に障害のある場合は禁忌とされている．

註1　相楽裕子(1991)：第40回日本化学療法学会東日本支部大会抄録，46.

赤痢アメーバ　31

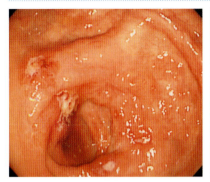

図47. アメーバ赤痢患者の大腸内視鏡所見(50歳代, 男性)

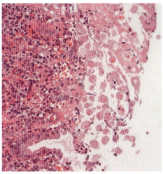

図48. 大腸内視鏡生検材料の組織像
多数の小円形の栄養型虫体をみる(HE染色, 図47の患者)

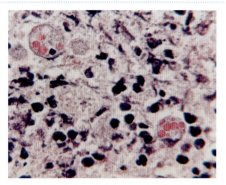

図49. 別の患者の病変部大腸生検材料のPAS染色強拡大像(油浸1,000倍)
赤血球を貪食した栄養体が観察される.

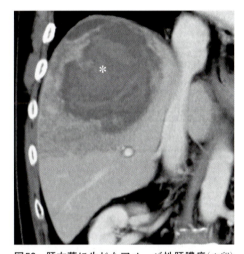

図50. 肝右葉に生じたアメーバ性肝膿瘍(＊印)のCT像(2017年の症例, 63歳, 男性)
肝右葉に径約10cmの膿瘍形成を認める. 血清アメーバ抗体陽性. ドレナージも考慮されたが, メトロニダゾール1,500mg/日, 10日間投与で治療.

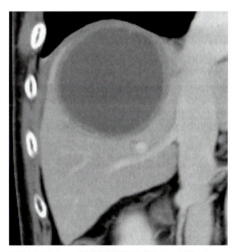

図51. アメーバ性肝膿瘍患者(図50の症例)
メトロニダゾール治療終了後2月目. かつての膿瘍腔消失には1年以上を要した.

(図47, 48, 49 吉川正英 博士 提供, 図50, 51 櫻井伸也 博士 提供)

表7. 赤痢アメーバと大腸アメーバの鑑別点

			赤痢アメーバ	大腸アメーバ
栄養型	生鮮標本	運動	活発	不活発
		赤血球捕食の有無	捕食している	捕食していない
		外肉の発育	発育がよい	発育が劣る
	永染色標本久	赤血球捕食の有無	捕食している	捕食していない
		カリオソームの位置	核の中心	中心をはずれる
嚢子		大きさ(直径)	12〜15μm	15〜25μm
	ヨード染色標本	成熟嚢子内の核の数	4個	8個
		カリオソームの位置	核の中心	中心をはずれる
	永染色標本久	成熟嚢子内の核の数	4個	8個
		カリオソームの位置	核の中心	中心をはずれる
		類染色質体の形	棍棒ないし楕円形	両端尖り裂片状

表8. アメーバ赤痢と細菌性赤痢との主な鑑別点

鑑別点	アメーバ赤痢	細菌性赤痢
発病	多くの場合, 緩徐に発病する	急激に発病する
発熱	平熱のことが多い	発熱する
全身状態	比較的侵されない	侵される
テネスムス	比較的弱い	強い
便の量	多い	あまり多くない
便の性状	粘液および血液が便に混和し, 苺ゼリー状を示し, 時に魚の腸の腐敗したような臭気がある	粘液や膿状物に新鮮血が線状, 点状に付着し精液臭がある
治療剤に対する反応	抗生剤で症状が改善しても根治はしない. メトロニダゾールやチニダゾールが有効	抗生剤が有効, 抗原虫剤は無効

第6項　消化管内寄生の非病原性アメーバおよびヒトブラストシスチス

ヒトの消化管内には赤痢アメーバの他に数種のアメーバの寄生が知られている．これらはほとんど病原性はないが赤痢アメーバとの鑑別上重要となる．またヒトブラストシスチス[註1]はアメーバ類ではないがアメーバの嚢子によく似て間違いやすく，かつわが国でもかなり寄生率が高く，時に下痢の原因となる．

I．大腸アメーバ *Entamoeba coli*

大腸アメーバはその形態が赤痢アメーバに似ているが，腸の組織内に侵入したり他の臓器に転移したりする性質はなく，専ら大腸粘膜上で生活しており，病原性はない．世界中に広く分布し，非衛生的な環境では寄生率は20～30％と高い．わが国では最近少なくなったが，赤痢アメーバとの鑑別上重要である（前項表7参照）．本虫はヒトの他にサルやイヌにも寄生がみられる．

感染者の下痢便の中に栄養型がみられる．大きさは15～50μm，赤痢アメーバの栄養型に比し運動が不活発で，かつ赤血球を捕食していない．永久染色標本を作成してみると，図52-A，54に示すごとく，①外肉の発育が悪く，②赤血球の代わりに雑菌を捕食しており，③カリオソームは核の中心を外れている，などの特徴がわかる．嚢子は通常，有形便の中にみられ，赤痢アメーバの嚢子より大きく直径は15～25μm，生鮮標本をみると円形・油滴状で，中の核が微かにみえる（図55）．ヨードあるいはコーン染色をしてみると成熟嚢子は8核を有し，カリオソームはやはり核の中心を外れている（図52-B，56，57）．また永久染色標本で幼若嚢子をみると，類染色質体は両端が尖り裂片状を示す．

感染方法・発育史などは赤痢アメーバとほぼ同じであるが，病原性がないので駆虫を行う必要はない．

II．歯肉アメーバ *Entamoeba gingivalis*

歯肉アメーバはヒトの歯肉部に寄生し（gingivaは歯肉の意），歯周病の患者によく見つかるが，直接病原性はなく不潔な口腔に寄生率が高いようである．栄養型の大きさは10～20μm，偽足を出して活発に運動する（図52-E）．本虫は栄養型だけしか見出されておらず，感染は直接接触すなわち接吻によると考えられる．

III．ハルトマンアメーバ *Entamoeba hartmanni*

赤痢アメーバとよく似ているが嚢子の直径が約10μmと小さい．従来，赤痢アメーバの小型株とされてきたが，赤血球を取り込まず，病原性もなく，核の構造もやや異なるので独立種とされる（図52-C，D，58）．

IV．小形アメーバ *Endolimax nana*

小形アメーバはその名の示すごとく（nanaは小形の意）大きさは，栄養型6～15μm，嚢子5～8μmと小さい．栄養型（図52-F，59）は1核を有し，大腸粘膜上で分裂・増殖しているが組織侵入性なく，病原性はない．成熟嚢子（図52-G，60）は4核を有する．本虫は世界に広く分布し，わが国でも時にみられる．

V．ヨードアメーバ *Iodamoeba bütschlii*

ヨードアメーバの特徴は嚢子に大きなグリコーゲン胞があり，ヨード染色をするとそれが赤褐色に染まる（図63）．永久染色標本ではこの部は大きな空胞として認められる（図52-I，62）．栄養型は大きさが6～25μmで図52-H，61のごとき形態を示す．嚢子の大きさは6～15μmである．本虫も広く世界に分布し，わが国でも時々みられるがほとんど病原性はない．

VI．二核アメーバ *Dientamoeba fragilis*

本虫は長らくアメーバの1種と考えられてきたが，近年の遺伝子系統解析によってトリコモナス類に分類が変更された（第15項II参照）．

VII．ヒトブラストシスチス *Blastocystis hominis*

従来本虫はヒトの大腸内に寄生する非病原性の酵母の1種と考えられてきたが，1967年Zierdtら[註2]は原虫の1種であるとし，かつ下痢の原因になると報告した．その後Jiangら[註3]は新しい門（Blastocysta）を創設し，ここに配属することを提唱した（第2項参照）．近年の分子分類では，スーパーグループのストラメノパイル（不等毛類）に属する原生生物とされている．

本虫の感染率について最近，筆者らが調べたところによると，京都市内某病院患者1,079名中15名（1.4％），大阪市内某病院患者1,506名中12名（0.8％），京都市内某知的障害者施設122名中21名（17.2％），外国人旅行者14名中11名（78.6％）とかなり高い，また米国の同性愛男性の感染率は50％以上であるという．しかし感染者の大部分は無症状である．

形態は，図52-J，53，64，65に示すごとく，直径8～32μmの球形で，中に大きな空胞があり，細胞質は周辺に押しやられ，1～2個の核とミトコンドリアが存在する．感染は感染者の糞便が口に入ることによる．

治療はメトロニダゾールが用いられたが最近無効との報告がある．トリメトプリム・スルファメトキサゾール合剤（第33項参照）が用いられるが根治し難い．

註1　専門家会議では，用語「*Blastocystis* sp.」の使用を推奨され，この勧告に従うと和名はブラストシスチスとすべきだが，本書では寄生虫学会和名表「*Blastocystis hominis*」に従った．
註2　Zierdt et al.(1967)：Am. J. Clin. Path., 48：495-501.
註3　Jiang et al.(1993)：Parasit Today. 9：2-3.

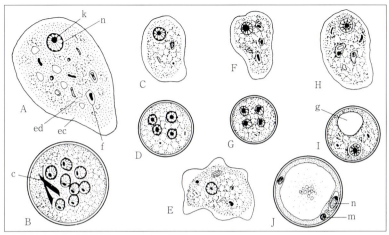
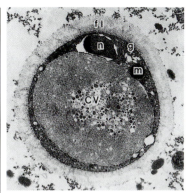

図53. ヒトブラストシスチスの電顕像
cv. 中央空胞, fl. 線維性外被, g. ゴルジ装置, m. ミトコンドリア, n. 核（虫体の直径10μm）

（吉川哲也博士 撮影）

図52. ヒト消化管内寄生非病原性アメーバ類およびヒトブラストシスチスの模式図
A. 大腸アメーバ栄養型, B. 同 嚢子, C. ハルトマンアメーバ栄養型, D. 同 嚢子, E. 歯肉アメーバ栄養型（嚢子はない）, F. 小形アメーバ栄養型, G. 同 嚢子, H. ヨードアメーバ栄養型, I. 同 嚢子, J. ヒトブラストシスチス, n：核, k：カリオソーム, ed：内肉, ec：外肉, f：食胞, c：類染色質体（裂片状）, g：グリコーゲン胞, m：ミトコンドリア

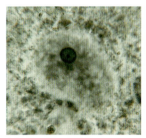
図54. 大腸アメーバの栄養型, HIH 染色[注4]

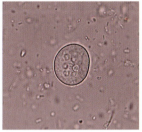
図55. 大腸アメーバの嚢子, 生鮮無染色標本

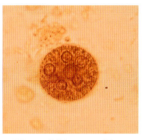
図56. 大腸アメーバ嚢子, ヨード染色

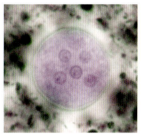
図57. 大腸アメーバ嚢子, コーン染色

（山本徳栄博士 提供）

図58. ハルトマンアメーバの栄養型, HIH 染色

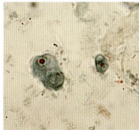
図59. 小形アメーバ栄養型, HIH 染色

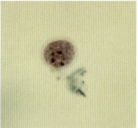
図60. 小形アメーバ嚢子, HIH 染色

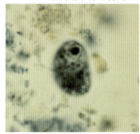
図61. ヨードアメーバ栄養型, HIH 染色

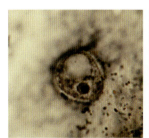
図62. ヨードアメーバ嚢子, HIH 染色

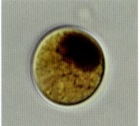
図63. ヨードアメーバ嚢子, ヨード染色

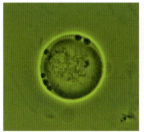
図64. ヒトブラストシスチス, 位相差顕微鏡像

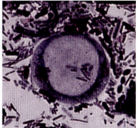
図65. ヒトブラストシスチス, ギムザ染色

（図58～61は Dr. Ash の厚意による）

注4 HIH はハイデンハイン鉄ヘマトキシリンの略. 現在は HIH 染色は用いられずコーン染色が行われる.

第7項　病原性自由生活アメーバ　［A］髄膜脳炎を起こすアメーバ

自然界の水や土壌の中には自由生活をしている多数のアメーバが存在する．これらは非病原性と考えられていたが，ある種はヒトに感染して髄膜脳炎を起こしたり，眼に入って角膜炎を起こすことが知られ，その症状の重さから今後充分注意する必要がある．また最近レジオネラ菌やメチシリン耐性黄色ブドウ球菌（MRSA）がこれら自由生活アメーバの体内で増殖し，病原体の拡散に一役買っていることも判ってきた．

I．フォーラーネグレリア
Naegleria fowleri Carter, 1970

【疾病名】　原発性アメーバ性髄膜脳炎
　　　　　primary amebic meningoencephalitis（PAM）

【疫　学】　1965年オーストラリアで人体感染第1例が発見されてから世界各地で報告され，現在192例を数えるが生存例は4例に過ぎない．日本では1979年に中村ら[註1]が第1例（27歳女性）を報告したが，翌年その種名が *Acanthamoeba culbertsoni* と訂正された[註2]．その後1999年に杉田ら[註3]は佐賀県鳥栖で確実に *N. fowleri* による症例（25歳女性，第9病日に死亡）を報告した．

【形態と生活史】　*Naegleria* 属の特徴はその生活史上，栄養型と囊子の他に鞭毛型の存在することである．

　a．**栄養型**（図66-A）：大きさは11〜40μm．偽足を出して活発に運動する．内肉中に1個の核があり，大きなカリオソームを有する．また雑菌を捕食した食胞や収縮胞も見られる．この栄養型は2分裂で増殖するが環境によって鞭毛型になったり囊子になったりする．

　b．**鞭毛型**（図66-B）：長さ8〜13μm，幅5〜6μm，前端の隆起部から長短2本（時に4本）の鞭毛を出し活発に運動する．これがヒトの鼻腔に入ると栄養型となり粘膜に侵入し感染する．鞭毛型はまた囊子にもなる．

　c．**囊子**（図66-C）：直径10〜17μm，1個の核を有する．囊子内に1個の栄養型を生じ，これが脱囊する．

【感染と病理】　本症はヒトが湖沼での水泳や温泉浴を行ったとき，本虫の栄養型が鼻粘膜に侵入し，嗅神経に沿って脳に入り，増殖して脳を融解する．上記の杉田らの報告を見ると，脳は半球の形状を保てないほど軟化しており，中枢神経系は重篤な化膿性髄膜脳炎の所見を呈し，病変は篩骨洞におよび，病巣にはマクロファージと多数のアメーバを認める．本症の特徴は栄養型しか見出せない点である．

【症　状】　水泳，温泉浴などのあと3〜7日の潜伏期を経て突然，頭痛と発熱を生じ，嘔吐，眼振，項部強直，精神・運動障害，意識混濁，昏睡へと進展し，発病後1〜2週間でほぼ全例が死亡する．

【診　断】　若い男女に多く，水泳や温泉浴と関係が深いが例外もある．脳脊髄液を試験管に取り，21℃以上の室温で数時間放置し沈査からアメーバを検出する．

【治　療】　アンフォテリシンB（1.5mg/kg/日，静注および同量を髄腔内投与，3日間）が主に用いられ，その他，ミコナゾール，リファンピシン，サルファ剤なども併用されている．

II．カルバートソンアメーバ *Acanthamoeba culbertsoni*（Singh et Das, 1970）

　Acanthamoeba は *Naegleria* と種々の点で異なる．すなわち栄養型はやや大きく，多数の**棘状突起**を持ち（acanth は棘の意，**図73**参照），水泳などとは関係なくヒトの肺，生殖器，皮膚などから侵入し体内に存在し，何らかの原因でヒトの免疫能が低下したようなときに増殖し，脳に転移して頭痛，発熱，意識混濁，痙攣などを発する．経過は亜急性ないし慢性とされるが急性の場合もあり予後は不良である．組織学的には**アメーバ性肉芽腫性脳炎** granulomatous amebic encephalitis（GAE）の像を呈する．

　すなわち大脳，小脳の各所に出血性壊死性病巣を認め，巨細胞，リンパ球，好中球，形質細胞などの浸潤を認める．本症の特徴は栄養型の他に囊子が見出せる点である（図67〜70）．またこのアメーバには鞭毛期がない．世界では約400例，わが国では2014年現在，上述の中村ら[註1]の他に野崎ら（56歳，男性）[註4]の報告がある．

III．多食アメーバ *Acanthamoeba polyphaga*（Puschkarew, 1913）

　本種は主に角膜炎（次項）を起こすが髄膜脳炎も起こす．臼杵ら[註5]は本種による慢性の重症髄膜脳炎（28歳，女性，発熱，頭痛，精神運動興奮，痙攣などを示す）の1例を報告した（図71）．

IV．*Balamuthia mandrillaris*

　本種によるアメーバ性肉芽腫性脳炎は1991年に最初のヒト感染例が見出されて以来，世界で約200例の報告がある．わが国では2018年現在までに，Shirabeら（2002, 78歳，女性）[註6]，Bando（2012, 68歳，男性）[註7]，Itoh（2014, 81歳，男性）[註8]を含め合計18症例の報告がある[註9]．

註1　中村俊彦ら（1979）：神経研究の進歩, 23：500-509.
註2　赤井契一郎ら（1980）：神経内科, 12：75-89.
註3　Sugita et al.（1999）：Pathol. Int. 49：468-470.
註4　野崎智義ら（1988）：寄生虫誌, 37（1：補），16.

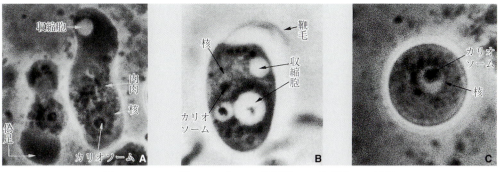

図66. Naegleria 属アメーバの A：栄養型，B：鞭毛型，C：嚢子
（位相差顕微鏡写真，約2,000倍拡大）（塩田恒三 博士 培養・撮影）

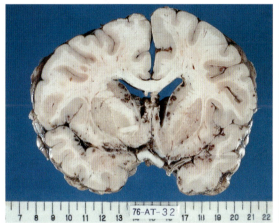

図67. わが国で初めて報告された原発性アメーバ性髄膜脳炎患者の脳の断面(27歳，女性)（後にアメーバ性肉芽腫性脳炎と訂正された）
ほぼ左右相称的に脳室周辺や脳底に多数の病巣が点在している．
（中村俊彦 博士の厚意による）

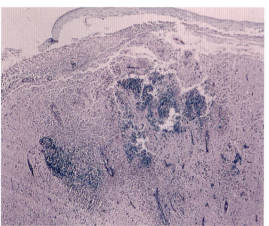

図68. 左患者の大脳の病理組織像
皮質の出血性膿瘍(ヘマトキシリン・エオジン(HE)染色)

図69. 上の病巣中に多数見出された栄養型虫体

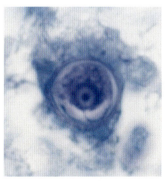

図70. 同じく上の病巣中に散発的に見出された嚢子と思われる虫体

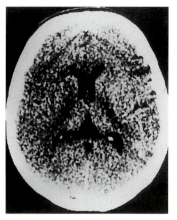

図71. 臼杵らの報告した A. polyphaga による髄膜脳炎患者の脳の CT スキャン像．両側の高度の浮腫を示す(臼杵豊之，村主節雄 両博士の厚意による)

註5 臼杵豊之ら(1992)：寄生虫誌，42(1：補)，163-164．
註6 Shirabe(2002)：Neuropathol. 22：213-217．
註7 Bando et al.(2012)：Pathol. Int. 62：418-423．
註8 Itoh et al.(2014)：Neuropathol. Sep 3.
註9 Hara et al. (2019)：Neuropathology. 39：251-258．

第8項 病原性自由生活アメーバ [B] 角膜炎を起こすアメーバ

外界で自由生活をしているアメーバ類の中でヒトの眼に入って重症の角膜炎を起こすもののあることがまず欧米で知られ、とくにソフトコンタクトレンズ装着者に多く発症することもわかってきた．わが国でも1988年に最初の症例が発見されて以来関心が深まり，症例が増加している．

【種　名】　わが国で角膜炎を起こすアメーバは次の2種が主なものである．

1. カステラーニアメーバ
   Acanthamoeba castellanii（Douglas, 1930）
2. 多食アメーバ
   Acanthamoeba polyphaga（Puschkarew, 1913）

【疾病名】　アカントアメーバ角膜炎
　　　　　acanthamoeba keratitis

【歴史と疫学】　上記のようなアメーバによる難治性角膜炎がNagington[註1]の報告以来，英国，米国，ドイツ，オランダなどで200例以上報告されている．そしてその約85％はコンタクトレンズ装着者で，残りは外傷による発症である．さらにソフトコンタクトレンズ装着者の発症率はハードレンズに比し圧倒的に高いことが知られている．わが国でも1988年，石橋ら[註2]が第1例を報告して以来，2015年現在までに感染者は数百例に達し，角膜感染症の重要な位置を占めている．

【分類と形態】　このAcanthamoeba属には約20種が記載されているが，目下その分類は確定していない．そこで石井ら[註3]は囊子の形態によって大体次のようなグループに分けることを提唱している．

第1群 Astronyxid 群
Acanthamoeba astronyxis など：図72-aに示すごとく外囊子壁と内囊子壁はほぼ同じ厚さで内囊子は星状を呈し，外囊子壁に接している．

第2群 Polyphagid 群
Acanthamoeba polyphaga, A. castellanii など：図72-bおよび図74に示すように多角形（帆立貝状，星状，時に円形）を示し，直径は11～18μmである．

第3群 Culbertsonid 群
Acanthamoeba culbertsoni など（前項参照）：図72-cに示すごとく外囊子壁は極めて薄く，内囊子壁に付着し，ほぼ円形を示す．

アカントアメーバの栄養型は図73に示すように**棘状偽足 acanthopodium**を出して運動するのが特徴で，大きさは20～35μmである．

【症　状】　主として片眼性に起こり，強い眼痛，結膜の毛様充血，視力障害などを訴え，角膜混濁，輪状潰瘍へと発展する（図76）[註4]．大抵の場合，角膜ヘルペスと診断され抗ウイルス剤，抗生剤，副腎皮質ステロイド剤などが投与されるが根治せず，寛解と増悪を繰り返す．

【診　断】　上記のような症状を有する患者を診たときは本症を疑い，病巣擦過物を採取して鏡検し，図75, 77に示すような栄養型または囊子を検出する．また一部を培養に移し病原体を増殖させ診断を確定する．

【検査法】
1. 染色法：患者の眼から，あるいは培養から得た材料はそのままスライドグラスに塗って位相差顕微鏡でみる（図73, 74, 77）．また染色には，グラム，ギムザ（図75），パパニコロ染色（図78）などの方法が用いられる．
2. 培養法：本来これらのアメーバは自由生活種なので培養は容易である．遠藤ら[註5]によると1.5％寒天平板培地に材料を置き，26～30℃の暗所で約1週間培養する．この際，餌として大腸菌，納豆菌，酵母抽出液などを用いる．アメーバを保存するには継代培養は不必要で，乾燥したこの培地を室温で保存すればよい．

【感染経路】　角膜は移植が容易であるという事実が示すごとく，元来免疫防御力の弱い器官である．この角膜の微小な傷からアメーバが侵入し増殖するのである．またこのアメーバの囊子は非常に乾燥に強く，広く外界に存在している．例えば鶴原ら[註6]は土壌から54～70％に山浦ら[註7]は砂場から82～86％に，屋内塵から78％に囊子を見出した．一方，コンタクトレンズ保存液からもしばしば検出される．

【治　療】　アカントアメーバに対する特効薬はなく，治療は困難なことも多い．1）病巣掻爬，2）抗アメーバ作用のある点眼薬，3）抗真菌薬の全身投与の3者併用が推奨される．点眼薬は，抗真菌薬と消毒薬に分けられる．抗真菌薬は栄養体には効果があるが，シストには効きにくく，一方消毒薬は角膜の組織が破壊される欠点がある．

【予　防】　レンズおよび保存液の消毒が大切．ソフトコンタクトレンズの場合，コールド滅菌（化学消毒）は不完全なので加熱滅菌（80℃，1時間程度）を行うのがよい．また手洗い，レンズの使い捨て期間を守ることも大切である．

註1　Nagington（1974）：Lancet, 2：1537-1540.
註2　石橋康久ら（1988）：日眼会誌，92：963-972.
註3　石井圭一（1992）：第48回日本寄生虫学会西日本大会シンポジウム資料．
註4　塩田　洋ら（1998）：あたらしい眼科，5：1697-1703.
註5　遠藤卓郎ら（1992）：モダンメディア，38：445-450.
註6　鶴原　喬ら（1991）：原生動物誌，24：25-26.
註7　山浦　常ら（1993）：寄生虫誌，42：361-364.

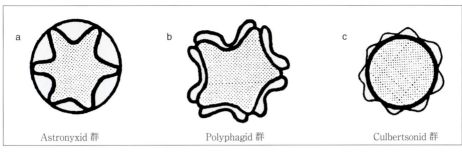

図72. Acanthamoeba 属の囊子による分類
(石井ら，1992による)[註3]

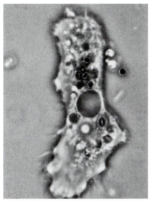

図73. *Acanthamoeba castellanii* の栄養型虫体
体表に多数の棘状偽足を出す．

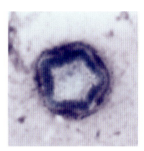

図74. *Acanthamoeba castellanii* の囊子
(図73, 74は法政大学 石井圭一教授の厚意による)

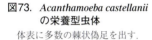

図75. 下記の患者より採取した *Acanthamoeba* sp. の囊子のギムザ染色像

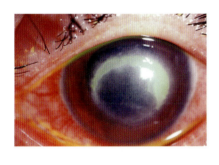

図76. *Acanthamoeba* 属アメーバによる角膜炎
蛍光色素点眼により潰瘍部分が緑色に染まっている．1988年，徳島大学で見出された38歳の女性で，コンタクトレンズ使用による発症．

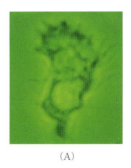

(A)　　　　　(B)

図77. 左の患者の角膜から検出された *Acanthamoeba* sp. の栄養型(A)および囊子(B, 5個)（共に位相差顕微鏡写真）

(図75, 76, 77は徳島大学 三村康男 教授，塩田 洋 教授，伊藤義博 博士の厚意による)

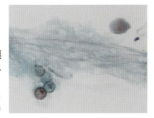
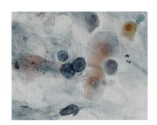

図78. 難治性アカントアメーバ角膜炎患者の角膜擦過物のパパニコロ染色
多数のアカントアメーバシストが観察される．　　(山田 稔 博士 提供)

第9項　トリパノソーマ科原虫　総論

この科の原虫の特徴は**キネトプラスト** kinetoplast と称する特殊な器官を有し，かつ生活史上のある時期に1本の**鞭毛** flagellum を持つことである．第13～15項で述べる原虫は複数の鞭毛を持つ．これら鞭毛を有する原虫を総称して**鞭毛虫** flagellate と呼ぶ．

キネトプラストは従来，鞭毛の運動を司る器官と考えられ，運動基質とか動原核とか呼ばれたが，最近の研究によると，これは線維性，円盤状の核様物で1個の巨大ミトコンドリアの内部に位置し，DNA より成り，核分裂に先行して分裂する．機能はまだよくわかっていないが，虫体の生命の本質にかかわる器官らしい．

わが国には古くからこの科に属する人体寄生原虫は分布していないが，世界的には重要な人体寄生虫を含み，それらは**トリパノソーマ属**と**リーシュマニア属**の2属に含まれている．

【**形　態**】　この科の原虫は生活史上，種々変態し，従来それらを**トリパノソーマ型，クリシジア型，レプトモナス型，リーシュマニア型**の4型(**図80**)に分けていたが最近では次のごとく6型に分ける(**図79**)．

1. **錐鞭毛期** trypomastigote stage　従来のトリパノソーマ型に相当し，体は長く，ほぼ中央に核があり，キネトプラストは体の後端(鞭毛の出ている方が前方である)近くにある．鞭毛はこの付近の**生毛体** blepharoplast から起こって体表に現れ，蛇行して体前端で遊離している．鞭毛と虫体との間には**波動膜** undulating membrane が形成されている．

2. **後鞭毛期** opisthomastigote stage　キネトプラストは体後方にあり，鞭毛はこの付近から起こっているが波動膜はない．

3. **上鞭毛期** epimastigote stage　従来のクリシジア型に相当し，キネトプラストは核の付近にあり，鞭毛はこの付近から起こり，体表に出て短い波動膜を作る．

4. **前鞭毛期** promastigote stage　従来のレプトモナス型に相当し，キネトプラストは体前端近くにあり，この付近から鞭毛を出す．波動膜はない．

5. **襟鞭毛期** choanomastigote stage　体が短く前端が截断状，キネトプラストは核の前方にあり，付近から鞭毛が出る．

6. **無鞭毛期** amastigote stage　従来のリーシュマニア型に相当し，円形で鞭毛を欠く．

【**生活史**】　この科に属する人体寄生原虫は種々の昆虫を**媒介者** vector として生活史を完遂しているが，その様相はそれぞれの原虫で異なる．

Trypanosoma brucei gambiense および *T. brucei rhodesiense*(**図81**)は人体内では錐鞭毛期で増殖し，昆虫に入ると上鞭毛期となり，さらに錐鞭毛期となって唾液腺に集り，ヒトを刺咬したとき人体に入るが，この錐鞭毛期を人体内にいるものと区別して**発育終末トリパノソーマ型** metacyclic trypomastigote form と呼ぶ．

T. cruzi(**図82**)は人体の細胞内で無鞭毛期，次いで上鞭毛期となり，血中では錐鞭毛期となる．昆虫体内では上鞭毛期を経て発育終末トリパノソーマ型となり，これが昆虫の糞に現れヒトに侵入する．

Leishmania donovani, L. tropica および *L. braziliensis*(**図83**)などは人体内で無鞭毛期で増殖し，これが昆虫に入ると前鞭毛期となって増殖し，刺咬時にヒトに注入される．

上記のように昆虫の刺咬時，原虫が唾液腺経由で侵入するグループを **salivaria**，糞の中に現れて刺し口から侵入するものを **stercoraria** という．

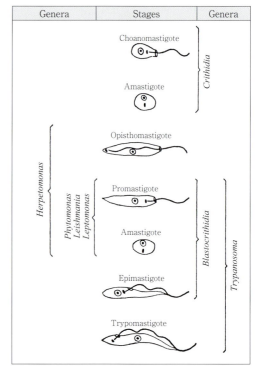

図79. トリパノソーマ科原虫の各属とその発育型との関係　　　(Hoare による[註1])

註1　Hoare CA(1967)：Evolutionary trends in Trypanosomes. Advances in Parasitology. V：47-91, Academic Press, NewYork.

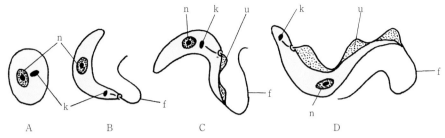

図80. 人体寄生トリパノソーマ科原虫の生活史上の主な型と各部の名称
　鞭毛は細胞膜が陥入してできた壺状の穴を通って外に出ている.
　A. 無鞭毛期, B. 前鞭毛期, C. 上鞭毛期, D. 錐鞭毛期, f. 鞭毛, k. キネトプラスト, n. 核, u. 波動膜

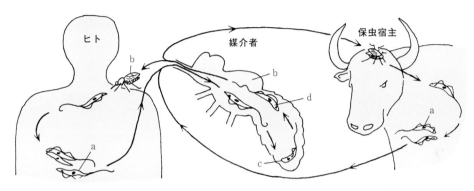

図81. *Trypanosoma brucei gambiense* および *T. brucei rhodesiense* の生活史
　a. 錐鞭毛期, b. ツェツェバエ, c. 上鞭毛期, d. 発育終末トリパノソーマ型

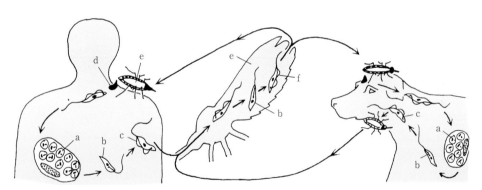

図82. *Trypanosoma cruzi* の生活史
　a. 無鞭毛期, b. 上鞭毛期, c. 錐鞭毛期, d. サシガメの糞, e. サシガメ, f. 発育終末トリパノソーマ型

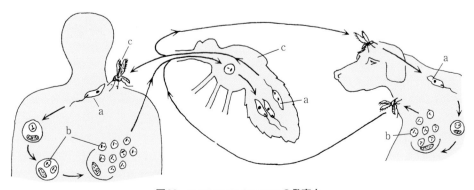

図83. *Leishmania donovani* の発育史
　a. 前鞭毛期, b. 無鞭毛期, c. サシチョウバエ

第10項　ガンビアトリパノソーマおよびローデシアトリパノソーマ

この両種のトリパノソーマはアフリカの中央部に分布し，アフリカ睡眠病の病原体として世界的に重要な寄生虫である．ツェツェバエという吸血昆虫が媒介する．日本には分布しないが，時々輸入感染症例がみられる．

Ⅰ．ガンビアトリパノソーマ *Trypanosoma brucei gambiense* Dutton, 1902

【疾病名】　アフリカ睡眠病 African sleeping sickness（African trypanosomiasis ともいう）．

【分　布】

本症は図86に示すようにアフリカの南・北緯約15度，ビクトリア湖から西海岸にわたって流行している．その理由はこの原虫を媒介する *Glossina palpalis* グループのツェツェバエ（図87）がこの地域に分布するからである．

本症はわが国には分布しないが，根岸ら[註1]はボツワナで感染し，帰国後発病した1日本人女性症例を報告した．本例はその感染地，急性症状などから次のローデシアトリパノソーマ症と考えられる．

【形態と生活史】

ツェツェバエは雌雄ともに昼間吸血する．人体内での発育は前項の図81に示す通りである．錐鞭毛期の原虫は人血中で2分裂で増殖し，虫体の長さは14～33μm，幅2～4μmで，大きさ，形態とも変異に富む（図84）．このような原虫が媒介者であるツェツェバエに摂取されると，その体内で図81に示すごとく発育・増殖し，発育終末トリパノソーマ型となって次の感染源となる．昆虫体内で発育が完了するには2～5週間を要する．ヒトを主な宿主とする．

【症　状】

症状は比較的慢性に経過する．感染すると1～2週間の潜伏期の後，原虫は血中，次いでリンパ節に入り増殖する．ツェツェバエ刺咬部には赤色の丘疹を生じ，頭痛，関節痛，リンパ節腫脹，肝脾腫大などを示す．原虫が血液脳関門を通過して中枢神経系に侵入する時期になると，神経痛，意識混濁，精神障害，嗜眠，貧血などを起こし，全身衰弱で死亡する（図88）．

【診　断】

血液，リンパ節穿刺液，脳脊髄液などの塗抹ギムザ染色標本から原虫を検出する．しかし虫体が少ないときはPCR法が有効である．最近，室内で飼育した無感染のツェツェバエに，凍結保存した患者の血液を吸わせ，上鞭毛期にしてから培養に移す方法が考案された．免疫学的診断法としてはELISA法がよく用いられる．

Winterbottom 徴候（頸部の無痛性リンパ節腫脹）（図89）なども初期診断上の助けとなる．

【治　療】[註2]

1）感染初～中期（血液，リンパ節寄生期）

　a）**スラミン** suramin：初めに5mg/kgをゆっくり静注し過敏性をテストする．次いで20mg/kg（最大1g）を週1回，合計5回静注する．

　b）**ペンタミジン** pentamidine isethionate：4mg/kg/日を筋注あるいは点滴静注，7日間．

2）感染中～末期（中枢神経期）

血液脳関門を通過する薬剤を用いる．

　a）**エフロルニチン** eflornitine：200mg/kgの点滴静注1日2回，7日間

　ニフルチモックス nifurtimox：15mg/kg/日　1日3回（経口），10日間を併用．

　b）**メラルソプロール** melarsoprol：2.2mg/kg/日，緩徐に静注，10日間．

髄液細胞増多があるときなど，プレドニゾロン1mg/kg/日（最大40mg）の併用．

重篤な副作用には十分注意すること．

【予　防】

流行地に滞在するときはスラミン1g（成人量）の筋注，またはペンタミジン3～4mg/kg，1回注射しておくと約3カ月間感染予防効果があるとされる．一方，ツェツェバエ対策として，青色と白色の布で作ったトラップでハエを捕集し新感染者を激減させたというウガンダでの報告もある．

Ⅱ．ローデシアトリパノソーマ *Trypanosoma brucei rhodesiense* Stephens et Fantham, 1910

この原虫もやはりアフリカ睡眠病の病原体であるが，その分布域がガンビアトリパノソーマの分布域の東南にあり，一部の地帯を除きほとんど重なっていない（図86）．その理由は本症の主要な媒介者である *Glossina morsitans* グループのツェツェバエの分布域が異なっているからである．

この原虫の形態（図85），生活史，症状などはガンビアトリパノソーマに似ているが，異なるところは野獣や家畜が主な宿主で，ヒトに感染したときの症状がさらに重く急性の経過をとり死亡率が高い．治療は上記と同様に行うがエフロルニチンは有効でないとされている．

註1　根岸昌功ら（1984）：感染症誌，58：435-439．
註2　寄生虫症薬物治療の手引き https://www.nettai.org/

ガンビアトリパノソーマおよびローデシアトリパノソーマ

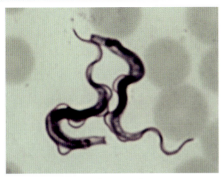

図84. ガンビアトリパノソーマ
血中の錐鞭毛期虫体

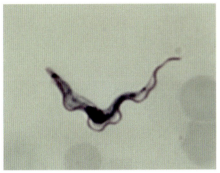

図85. ローデシアトリパノソーマ
血中の錐鞭毛期虫体（形態上ガンビア
トリパノソーマと区別できない）

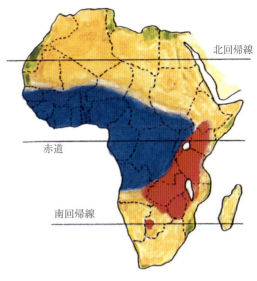

図86. ガンビアトリパノソーマ症(青)とローデシア
トリパノソーマ症(赤)の分布域　　（Faust より）

図87. ツェツェバエ
Dr. Seitz の手から吸血中の *Glossina palpalis*
（Dr. Seitz の厚意による）

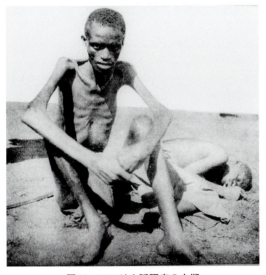

図88. アフリカ睡眠病の末期
（Faust, Beaver, Jung：Animal Agents and Vectors of Human Diseases より，故 Dr. Beaver の厚意による）

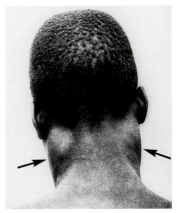

図89. Winterbottom 徴候(矢印)
（左に同じ，故 Dr. Beaver の厚意による）

第11項　クルーズトリパノソーマ
付．その他のトリパノソーマ

クルーズトリパノソーマはアメリカ大陸で，2013年の時点で約800万人が感染し(WHO)，シャーガス病を起こしている重要な寄生虫である．本症はサシガメという吸血昆虫が媒介し，わが国には分布しないが，南米からの移住者のなかに感染者も確認され，国内献血事業でも留意が必要である．

【種　名】　クルーズトリパノソーマ
　　　　　　Trypanosoma cruzi Chagas, 1909
【疾病名】　シャーガス病 Chagas' disease
　　　　　　(American trypanosomiasis ともいう)
【分　布】　この原虫はヒト以外にもイヌ，ネコ，アルマジロなど種々の動物に感染しており，米国の多くの州，および中南米全域に分布しているが，ヒトの感染は主としてメキシコ以南にみられる（図93）．移民を介した輸入感染症として，北米だけでなく欧州や日本[註1]でも報告され，最近では輸血や臓器移植による伝播例，さらに母子の垂直感染例[註2]も報告されている．

【形態と生活史】　ヒトの血中には錐鞭毛期の虫体が存在するが分裂・増殖はしない．この形態的特徴は，虫体がC字形に彎曲し，体長は$18〜22\mu m$と小さいのにキネトプラストは大きい（図90）．ところが筋・肝・脾・心臓などの細胞内では無鞭毛期の虫体となり，2分裂で増殖する．これは直径$2〜4\mu m$のやや楕円形で，大きなキネトプラストを有する（図91, 92）．この無鞭毛期の虫体は上鞭毛期の虫体や前鞭毛期の虫体にもなるが最終的には錐鞭毛期の虫体になる．これが媒介者のサシガメに吸われると，その体内で上鞭毛期を経て発育終末トリパノソーマ型となり糞の中に現れる（図82参照）．昆虫の体内で発育を完了するのに約10日を要する．

　媒介者となるサシガメは比較的大きな昆虫で多くの種類が知られているが，次のような種が重要である．
1. *Triatoma infestans*（図94）　アルゼンチンなど南米の南部．
2. *Rhodnius prolixus*（図95）　南米の北部および中米．
3. *Panstrongylus megistus*（アカモンサシガメ）　ブラジル．

サシガメに刺されると激しい痛痒があり，ヒトが刺し口を掻くとき，皮膚上に排出された昆虫の糞便中のトリパノソーマが傷口に擦り込まれて感染する（stercoraria，第9項参照）．サシガメは夜間人家内に出没し吸血する．雌雄の成虫，若虫，幼虫とも吸血し本症を媒介する．

　最近，南ブラジルでサトウキビのジュースを飲んで45名がシャーガス病を発症し6名が死亡した．これは感染サシガメの糞が一緒にジュースに絞り込まれ経口感染を起こしたものと考えられる（三浦，2005）．

【症　状】
1) 潜伏期：サシガメに刺されると，そこにchagomaと呼ばれる瘤を生じ，1〜2週間の潜伏期の後発症する．
2) 急性期：主に小児にみられ，高熱，発疹，リンパ節炎，肝脾腫大，Romaña徴候（顔面の片側性の眼瞼浮腫）（図97）を起こし，時に死亡例もみられるが大部分はその後，無症状に経過する．
3) 慢性期：感染後，数年〜十数年を経て心臓障害，心肥大（図96），巨大食道，巨大結腸など種々の重篤な症状を起こし死亡する例が多い．

【診　断】
1) 上記の特徴的な諸症状に注意する．
2) 原虫の検出：急性期では血液，リンパ節穿刺液などの塗抹・ギムザ染色標本を作り原虫を検出する．PCR法による核酸検出も有用である．慢性期にはこれらの材料からは検出できない．
3) 培養：NNN培地などを用い培養する．
4) 動物接種：採取材料をラット，マウスなどに注射しその体内で増殖させる．
5) **媒介体診断法 xenodiagnosis**：飼育した無感染サシガメに疑わしい患者の血液を吸わせ，2週間後に昆虫の腸管内で増殖した原虫を検索する（体外診断法）．
6) 免疫学的診断法：ELISA法，蛍光抗体法，イムノクロマト法（迅速検査）などが用いられる．

【治　療】　現在，下記の2剤が用いられている．
ニフルチモックス（商品名ランピット）：$8〜10mg/kg/$日，分4，1〜4カ月連用，急性期のみに有効，食欲不振，神経症状などの重い副作用がみられる．

ベンズニダゾール（商品名ラダニール）：$5〜10mg/kg/$日，分2，1〜2カ月間投与．急性期のみならず慢性期にも効果がみられるという．やはり重い副作用がしばしばみられる．妊婦，腎・肝不全者には禁忌．

その他のトリパノソーマ

ランゲルトリパノソーマ *Trypanosoma rangeli* は中南米の各地域でサシガメによって媒介され，ヒトにも感染するトリパノソーマである．クルーズトリパノソーマに似た点が多いが，ヒトにおいてほとんど無症状である．

ルイストリパノソーマ *Trypanosoma lewisi* はネズミに感染しているトリパノソーマでわが国にも存在する．トリパノソーマの実験や観察によく利用される．

註1　Imai et al. (2019)：Trop Med Health. 47：38
註2　Imai et al. (2014)：Emerg Infect Dis. 20：146-148.

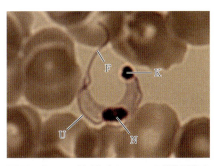

図90. クルーズトリパノソーマの錐鞭毛期の虫体
(F.鞭毛, K.キネトプラスト, N.核, U.波動膜)

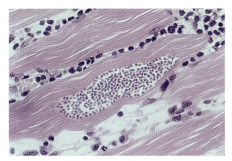

図91. クルーズトリパノソーマの無鞭毛期の集塊
(心筋内寄生) (神原廣二 教授の厚意による)

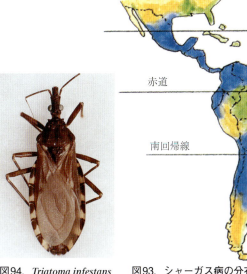

図94. *Triatoma infestans*
(体長約24mm)

図93. シャーガス病の分布域(青色の部分)
獣類の感染の範囲はもっと広い

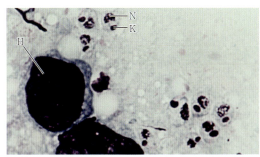

図92. クルーズトリパノソーマの無鞭毛期
(脾臓塗抹標本, H.宿主細胞の核, 他は図90と同じ)

図95. 吸血中の *Rhodnius prolixus* の若虫
(Dr. Seitz の手甲から吸血中) (Dr. Seitz の厚意による)

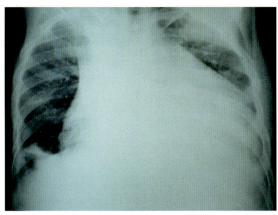

図96. 心臓肥大を呈するシャーガス病患者の X 線像
(多田 功 教授の厚意による)

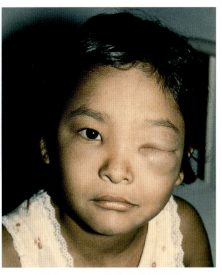

図97. Romaña 徴候(左眼瞼浮腫)
パラグアイの9歳の女児(青木 孝 博士の厚意による)

第12項　リーシュマニア

リーシュマニア属原虫によって起こるヒトのリーシュマニア症はサシチョウバエという昆虫によって媒介される世界的に重要な人獣共通寄生虫症である．わが国には分布しないが，輸入症例が時々見られる．本症はヒトの内臓を侵す内臓リーシュマニア症と粘膜および皮膚を侵す粘膜・皮膚リーシュマニア症とに大別される．

リーシュマニアの分類について

リーシュマニアを形態的に分類することは困難で従来，地域や症状の差によって分類していたが，最近はアイソザイムパターン，モノクロナル抗体，DNA解析などの方法で細かい分類が進み，L. donovani 群，L. tropica 群，L. braziliensis 群，L. mexicana 群に分け各群の中に図98に示すような種が一定の地域に分布している．

I．ドノバンリーシュマニア Leishmania donovani（Laveran et Mesnil, 1903）

本虫はカラ・アザール kala-azar（内臓リーシュマニア症 visceral leishmaniasis，黒熱病 black fever ともいわれる）の病原体で，図98に示す地域に分布している．日本には分布しないが第二次世界大戦の頃，主として中国で感染したと思われる症例が約400例知られている．1966年以降の日本人症例としては11例報告がある．感染地は中国，インド，エチオピアなどである．

ヒト，イヌなど終宿主の体内では直径2～4μmの球形～楕円形の**無鞭毛期**の状態で肝・脾などの細網内皮系細胞とくにマクロファージ内に寄生し分裂増殖する（図99）．媒介者は**サシチョウバエ sand fly** という体長2～3mmの昆虫で，*Phlebotomus papatasi*[註1]（図100），*P. argentipes* などが重要種である．これが患者を吸血すると原虫は中腸内で**前鞭毛期**となって増殖し，次の吸血時これがヒトに注入される（図83参照）．最近，非流行地で静注薬物の回し打ちなどによる感染が起こっている．

症状は約3カ月の潜伏期の後，高熱をもって始まり，次第に肝・脾の腫大（図102），貧血，白血球減少などが進み，放置すると衰弱して死亡する．

診断は骨髄，リンパ節，脾臓などの穿刺液の塗抹ギムザ染色標本中に無鞭毛期虫体を検出する．各種免疫反応やDNA診断も利用されている．

治療は現在，5価アンチモン製剤の**スチボグルコン酸ナトリウム**（商品名 Pentostam）が第1選択とされ，1日20mg/kg（最大800mg）を最低20日間静注または筋注する．国内ではリポゾーム化アムホテリシンB（商品名　アムビゾーム点滴静注用）が保険承認されている[註2]．

II．熱帯リーシュマニア Leishmania tropica（Wright, 1903）

旧世界リーシュマニア症 old world cutaneous leishmaniasis（東洋瘤腫 Oriental sore ともいわれる）の病原体である．図98に示す地域に分布し，この内 L. tropica は都市型でイヌを保虫宿主とし，顔に潰瘍（図101）や結節（図103）を生ずる．一方，L. major は農村型で齧歯類を保虫宿主として四肢に潰瘍を生ずるのが特徴である．わが国には分布しないが国際交流によって患者が漸増し，1977年以来18例の輸入症例が報告されている[註3]．

治療は，薬剤の全身および局所投与のほか，凍結療法などが組み合わされることがある．全身投与の際には，国内ではアムビゾームが用いられる[註2]．

III．ブラジルリーシュマニア Leishmania braziliensis Vianna, 1911[註4]

本虫は**アメリカ粘膜皮膚リーシュマニア症 American mucocutaneous leishmaniasis** の病原体で，図98に示す地域に分布し，数種の虫種を含んでいる．新大陸のリーシュマニア症の媒介者は，**Phlebotomus** 属ではなく，**Lutzomyia** 属のサシチョウバエである．

本虫は本来，森林の齧歯類などを固有宿主とし，ヒトは好適な宿主でないので異常な反応を示すと考えられる．ペルーではこの疾患を **espundia** と呼ぶ．症状はかなりひどく顔面では病変が皮膚から粘膜へ拡大し，図105に示すような組織欠損に至る．混合感染を生じ，発熱，体重減少，呼吸障害などを発し，死亡することもある．1967年以来数例の輸入症例が報告されている．

一方ペルーなどの高地で主として皮膚を侵す **uta** と呼ばれるリーシュマニア症がある．これはイヌを保虫宿主とする *L. peruviana* によるとされている．

IV．メキシコリーシュマニア Leishmania mexicana Biagi, 1953

これは病変が皮膚に限られ，粘膜に波及しないのが特徴で，メキシコやグアテマラでみられ，**chiclero ulcer**（チューインガム採取者の潰瘍の意）と呼ばれている．病変は比較的慢性かつ軽症で，顔，とくに耳に丘疹，潰瘍，落屑などを生ずる（図104）．

註1　phlebotomus なる語は血を抜き取るという意味を持つ．
註2　「寄生虫症薬物治療の手引き」https://www.nettai.org/
註3　真貝美香ら（1991）：Clin. Parasit. 2：21-23.
註4　橋口義久（1985）：新大陸のリーシュマニア症，日熱医会誌，13(3)：205-243.

リーシュマニア　45

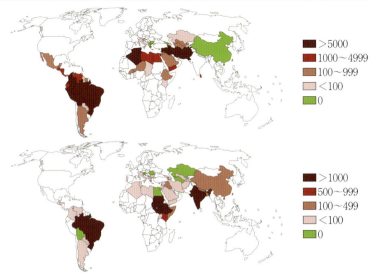

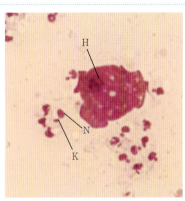

図99. ドノバンリーシュマニアの無鞭毛期
N. 核，K. キネトプラスト，
H. 宿主細胞の核

図98. 世界のリーシュマニア症の流行地（2018年の患者発生数）
上：皮膚リーシュマニア症，下：内臓リーシュマニア症
（WHO 資料 https://www.who.int/leishmaniasis/burden/en/）

図100. サシチョウバエ
（*Phlebotomus papatasi*，筆者が
イランで入手したもの）

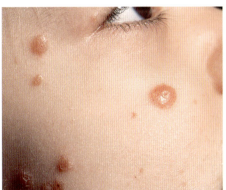

図101. 熱帯リーシュマニア症の初期の多発性
潰瘍．北アフリカの小児患者
（Dr. Seitz の厚意による）

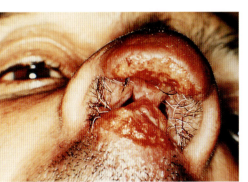

図102. カラ・アザール患者の肝脾腫
（故 Dr. Beaver の厚意による）

図103. 熱帯リーシュマニア症の
患者の顔に生じた結節
（Dr. Zaman の厚意による）

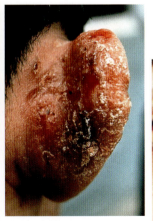

図104. メキシコリーシュマニ
ア症の皮膚病変，とく
に耳に多い
（Dr. Stahl の厚意による）

図105. ブラジルリーシュマニア症の粘膜・
皮膚病変，鼻中隔欠損がみられる
（Dr. Morera の厚意による）

第13項　ランブル鞭毛虫　[A] 基　礎

ランブル鞭毛虫は最近わが国で，海外旅行中の感染，閉鎖施設内での集団感染，同性愛者間での感染などを含め増加の傾向にある．糞便中の囊子で汚染された食品や飲料水の摂取により感染する．感染症新法では5類感染症に指定されており，本症を診断した場合届け出の義務がある．

【種　名】　ランブル鞭毛虫
　　　　　　Giardia intestinalis (Lambl, 1859)
【疾病名】　ジアルジア症 giardiasis
　　　　　　ジアルジア性下痢 giardial diarrhea

【種名の変遷】　本虫は Leeuwenhoek が1681年に自作の顕微鏡で自分の糞便中に見出したのが最初の発見といわれるが（18頁参照），正式に本虫を記載したのは Lambl で，1859年に *Cercomonas intestinalis* という名前を与えた．その後，1915年に Stiles は Giard と Lambl の名前を用いて ***Giardia lamblia*** と呼ぶことを提唱し，世界で広く用いられ，わが国でもランブル鞭毛虫という和名が与えられた．ところが最近，やはり原記載の種名を生かして *G. intestinalis* とするのが正しいという説が興り，世界的に認められるようになった．したがって本書も永らく *G. lamblia* を用いてきたが今後は *G. intestinalis* を用いることにする．和名は従来通りランブル鞭毛虫が用いられる．

【分　類】　Giardia 属の原虫は多くの動物から多くの種が報告されているが，現在，以下の3群にまとめられている．① *Giardia agilis* group（主に両棲類に寄生），② *Giardia muris* group（齧歯類，鳥類，爬虫類に寄生），③ *Giardia intestinalis* group（ヒトを含む哺乳類，鳥類，爬虫類に寄生）．

【分布・疫学】　世界に広く分布し，衛生状態の悪い地域にとくに多い．正確な統計はないがおそらく数億の感染者が世界に存在するものと思われる．わが国では第二次世界大戦後の生活困窮期には住民の5〜10％が感染していたが，その後，次第に減少した．ところが最近，熱帯地域とくにインド，ネパールなどを旅行した者に感染が増加している（**旅行者下痢 traveler's diarrhea**）註1, 2．また欧米では水道管に汚水が混入し，水道水による本虫の集団感染が起こったり（**水系感染症 waterborn giardiasis**）註3，わが国も含め同性愛男性の間で感染が増え（oral-anal sex などによる **性感染症 sexually transmitted disease, STD**），AIDS の合併症としても注目されている．

わが国では感染症新法により本症の届け出が義務付けられた2000年から2017年までの年間報告数は，少ない年で53例，多い年で137例となっているが実際の感染者はもっと多いと思われる．

【形態と生活史】　本虫にはその生活史上，栄養型と囊子の2時期がある．

栄養型 trophozoite：図106，108に示すように特異な形相を示し印象的である．長径12〜15μm，短径6〜8μm，前方は円く後方は尖る．背面は凸状で腹面は凹み**吸着円盤 adhesive disc**（sucking disc ともいう）を形成し，これで粘膜に吸着する．核は2個あり，中にカリオソームを有する．吸着円盤の後方にある**中央小体 median body** は微小管の束で以前，副基体といわれた構造であるが機能は目下不明である．栄養型虫体の横断面の微細構造を図111に示す．

4対8本の鞭毛は図106に示すごとく虫体中央上方の**生毛体 blepharoplast** から発し，まず体内鞭毛となって体内を走った後，遊離鞭毛となる．前側鞭毛 anterolateral flagella は発進後交差して体前方を走り側方に遊離する．側鞭毛 lateral flagella と腹鞭毛 ventral flagella は腹面中央で，後鞭毛 posterior flagella は後端で遊離している．

栄養型は鞭毛により活発に運動し，2分裂で増殖する．栄養は飲作用 pinocytosis により体表から摂取する．

囊子 cyst：図107，109，110に示すように楕円形で長径8〜12μm，短径6〜8μm，成熟囊子には4個の核と**曲刺 curved bristle**（これは吸着円盤の破片らしい）や，鞭毛の遺残物などがみられる．

【保虫宿主】　ヒト以外の動物に寄生している Giardia がヒトに感染するかどうか，という問題は重要で欧米での研究をみると，ヒトの Giardia はイヌやビーバーによく感染すること，水道水による流行で，その水源に棲息するビーバーにかなりの率で Giardia が感染していること，などからこれら動物に寄生している種がヒトに感染可能とする説が有力である（人獣共通感染症 zoonosis）．最近，伊藤ら（2001）は日本のイヌ1,035頭の糞便を調べ151頭（14.6％）に本虫を検出した註4．

註1　山浦　常ら（1980）は600名の青年海外協力隊員を検査し103名に本虫の感染を認めた（寄生虫誌，29：75）．
註2　木村明生ら（1992）は大阪空港検疫で1986〜1991年のインド・ネパール旅行者の内，下痢を起こした692名中59名に感染を認めた（日熱医会誌，20：291-297）．
註3　Craun（1986）によると米国で水道管に汚水が混入し本症の流行が発生した事件が90件あり，23,776名が感染したという（Lancet, Aug. 30：513）．
註4　伊藤直之ら（2001）：感染症誌，75：671-677．

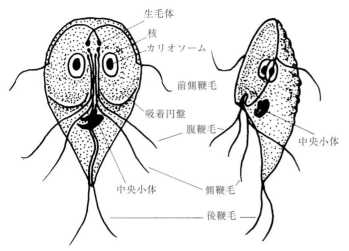

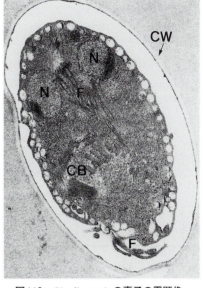

図106. ランブル鞭毛虫の栄養型
左：腹面像，右：側面像

図107. ランブル鞭毛虫の嚢子

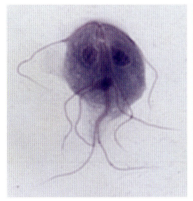

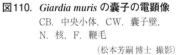

図108. ランブル鞭毛虫の栄養型のギムザ染色標本
（京都市在住，59歳，女性患者の胆汁中の虫体）

図109. ランブル鞭毛虫の嚢子
（merthiolate-iodine-formalin (MIF)液保存標本）

図110. *Giardia muris* の嚢子の電顕像
CB. 中央小体，CW. 嚢子壁，N. 核，F. 鞭毛

（松本芳嗣 博士 撮影）

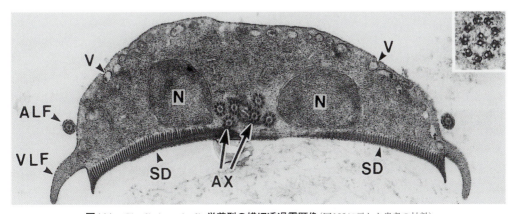

図111. *Giardia intestinalis* 栄養型の横切透過電顕像（図108に示した患者の材料）
ALF：前側鞭毛，AX：体内鞭毛，N：核，SD：吸着円盤，V：空胞，VLF：腹側縁（12,000倍）．
右上の挿入写真は鞭毛断面写真（50,000倍），微小管2つが1組となり，中央の1組を周りの9組が取り囲んでいる

（吉川尚男 博士 撮影）

第14項　ランブル鞭毛虫　[B] 臨　床

ランブル鞭毛虫はヒトの小腸に寄生し，普通，組織侵入性はないとされているが多数寄生すると激しい下痢を起こす．診断は下痢便中に栄養型を，有形便中に囊子を検出して行う．また十二指腸ゾンデ採取液中に運動する虫体を発見したときはまず本虫を考える．メトロニダゾールなど有効な駆虫薬で駆虫する．

【寄生部位】

栄養型はヒトの十二指腸，空腸上部，時に胆囊や胆管などの粘膜上に寄生する(図112, 113)．本虫は従来，組織侵入性はないと考えられていたが Brandborg ら (1967)[註1]，Morecki ら (1967)[註2]，木原ら (1980)[註3] は，それぞれ光顕や電顕で本虫が粘膜組織内に侵入しているのを認めた．栄養型は被囊して囊子となり糞便と共に外界に排出される．

【感　染】

ヒトは汚れた手や食器，生野菜，飲料水などを介し，囊子を経口摂取することによって感染する．とくに小児に感染が成立しやすい．

【症　状】

ジアルジア症 giardiasis を起こす．潜伏期間は2～8週間，主症状は下痢で，1日20行に及ぶ激しい水様下痢から軟便まで種々で，脂肪性下痢 steatorrhea を示すこともある．本虫による下痢をとくに**ジアルジア性下痢 giardial diarrhea** という．その他，腹痛，鼓腸，食欲不振，胆囊炎様症状，肝機能異常値などを示すことが多いが発熱を示すことは少ない．

最近，低γグロブリン血症，腸内分泌型 IgA の低下，AIDS，免疫抑制剤の投与などでヒトの免疫能が低下したとき本虫が著明に増加することが知られてきた．このようなとき栄養型虫体は広く腸管上皮を覆い(図113)，その刺激によって急性炎症を起こし，吸収不良症候群を呈する．しかし少数寄生の場合はほとんど無症状で糞便中に持続的に囊子を排出するにとどまる．これを**囊子保有者 cyst carrier** と呼び，感染者の多くはこれである．しかし他のヒトへの感染源として重要である．

【診　断】

栄養型または囊子を検出して診断を確定する．栄養型は下痢便，または十二指腸ゾンデ採取液沈渣の中にみられ，それらを1滴取って鏡検すると，図114, 115に示すような虫体が活発に運動している．十二指腸ゾンデ採取液中に活動する小虫体を見出したときはまず本虫を想起すべきである．栄養型の染色にはギムザ染色が最も便利である(前項図108)．

囊子は一般に有形便中にみられる．まず少量の便をヨード染色液で薄く溶いて鏡検するか(図116)，硫酸亜鉛遠心浮遊法または蔗糖液濃度勾配法などの集囊子法で集める(図117,

118)．またコーン染色を施すと図119のごとく染まる．これらの検査法と染色法は第133, 134項に記載してある．

【培　養】

Diamond's TT1-S-33培養液で培養可能であるが，主として研究用に用いられ，一般に診断用には普及していない．

【免疫診断】

間接蛍光抗体法，補体結合反応，ELISA 法などが検討されているが，直接虫体を検出する方が迅速かつ確実なので免疫学的手法は本症の診断にはあまり用いられていない．

【治　療】

最近，有効な駆虫薬が販売されている．筆者は下記の2を第1選択薬としている．

1. メトロニダゾール metronidazole(商品名**フラジール Flagyl**)：成人量750mg/日(250mg錠剤3錠)，分3，5～10日連用．服薬中は飲酒を禁ずる．実験的に催奇性があるので妊婦には投与しない．

2. チニダゾール tinidazole(商品名**チニダゾール錠**)：成人量400mg/日(200mg錠剤2錠)，分2，5～10日連用．服薬中は禁酒．また2g/日，分3，1～2日投与の大量短期療法も有効である．

薬剤耐性も報告され，治療効果が認められない場合にはアルベンダゾール，ニタゾキサニド，パロモマイシン等に変更する．低γグロブリン血症や分泌型 IgA 低下症など免疫不全が背景にある場合にはしばしば難治性である．

【予　防】

囊子は湿った状態では抵抗力が強く，21℃水中で1ヵ月，8℃で2～3ヵ月，-20℃でも10時間生存する．また1～3%クロラミン24時間処理で90%，10%クロラミン1時間処理で70%の囊子が生存している．したがって飲料水の通常の塩素消毒では死なない[註4]．しかし，60℃数分以上加熱すると死ぬ．流行地では生水，生野菜のみならず，汚れた食器などにも注意を払うことが必要である．

註1　Brandborg et al. (1967)：Gastroenterology, 52：143-150.
註2　Morecki & Parker(1967)：ibid, 52：151-164.
註3　木原　彊ら(1980)：日消会誌, 77：368-376.
註4　中林敏夫(1989)：最新医学, 44：737-743.

ランブル鞭毛虫　49

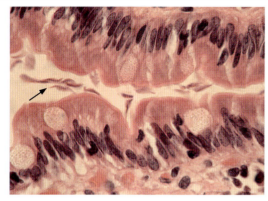

図112. 前項図108の患者の小腸生検の切片，HE 染色標本
腸絨毛間に多数の栄養型がみられる（矢印）．

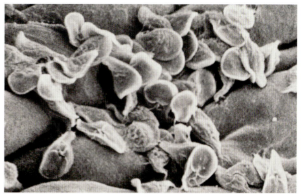

図113. 栄養型の走査電子顕微鏡写真
患者の小腸生検材料．多数の栄養型が小腸粘膜上を覆っている．

図114. 栄養型の位相差顕微鏡写真
（患者の十二指腸ゾンデ採取液，無染色）

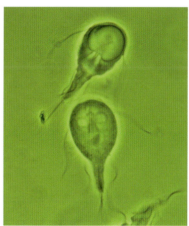

図115. 左図の強拡大写真

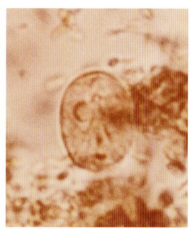

図116. 嚢子のヨード染色標本
患者の糞便をヨード・ヨードカリ溶液で溶いて鏡検する．

図117. 蔗糖液濃度勾配法で集めた嚢子
（ネパールで感染した一医学生の糞便材料）

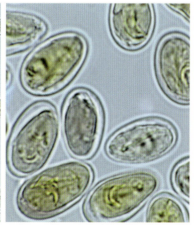

図118. 左図の強拡大写真

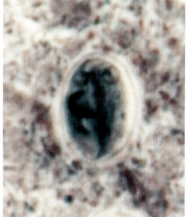

図119. 嚢子のコーン染色
（山本徳栄 博士 提供）

第15項　腟トリコモナスおよび消化管内寄生鞭毛虫類

腟トリコモナスは腟内に寄生し腟炎を起こすので産婦人科領域の疾患である．男性の尿道にも寄生し，性交によって感染する．世界中に分布し，わが国の婦人にもかなり感染している．尿沈渣中に動く虫体を見出したときはまず本虫を考える．口腔トリコモナス，腸トリコモナス，メニール鞭毛虫もわが国で時々感染がみられる．

I．腟トリコモナス
Trichomonas vaginalis Donné, 1837

【疫　学】　わが国の成年女性では大体5～10％，男性では1～2％に感染しているといわれるが最近減少の傾向にある．コマーシャルセックスワーカーの感染率は高く，外国の調査では寄生率50％以上も珍しくない．

【形態と生活史】　この原虫は栄養型のみ存在し，嚢子の時期はない．虫体は洋梨状で平均長径10～15μm，短径6～12μm，図120-A，121に示すごとく軸索 axostyle が縦に走り，後端で体外に突出している．体前端部から5本の鞭毛が出ており，そのうち4本は遊離鞭毛であるが1本は虫体との間に波動膜 undulating membrane を形成しながら後方に向かい，体のほぼ中央で終わり，その先端は遊離していない．波動膜に一致して虫体側に肋 costa が存在する．細胞口 cytostome は不明瞭，細胞質内顆粒はやや大きく肋や軸索の周辺に多い．本虫はミトコンドリアを欠く，栄養は体表から吸収し，通常，縦2分裂で増殖する．

【寄生部位】　婦人の腟の粘膜上に寄生する．尿道やバルトリン腺にも寄生するが子宮内に侵入することは稀で，組織侵入性もない．男性では前立腺や尿道に寄生するが，寄生期間は女性に比し短い．

【感　染】　嚢子の時期はなく，感染は専ら栄養型によって行われ，性交によって直接移行する（direct transmission）．ちょうど，女性が終宿主で男性が伝播者 transmitter のような役割をしているといえる．本虫の蔓延は夫婦間以外の性交によって拡大するので**性感染症（STD）**の一つということができる．しかし産婦人科における内診時，風呂のまたぎ，ドーナツ型便座なども感染の可能性がある[註1]．稀に生後数カ月の女児にみられるが，これは出産時，母からの感染と思われる[註2]．一方，42℃以上ある日本の風呂の中での感染は起こらないと考えられる．

【症　状】　主症状は**腟炎** vaginitis で腟分泌物が増量し，外子宮口付近を観察すると特有の緑色泡状の分泌物を認め，帯下（たいげ）も増え外陰部糜爛（びらん），瘙痒感，灼熱感を訴える．時に子宮頸管炎，卵管炎などを起こす．種々の細菌の増殖が同時にみられる．また統計によると子宮頸癌患者の本虫感染率は一般人の3～6倍高いといわれる．

男性の場合は時に尿道炎を起こすが大抵の場合，無症状である．

【診　断】　腟の上皮を軽く掻きとって鏡検すると検出率が高い．また腟分泌液，尿沈渣中にも検出される．男性では尿沈渣，前立腺分泌物中に見出される．とにかく尿沈渣中に運動する小虫体を検出したときはまず本虫を想起すべきである．塗抹標本を作りギムザ染色をする（図121）（検査法は第133項，134項参照）．

【培　養】　本虫は嫌気性なので高層液体培地がよい．古くから多くの培地が考案されているが，浅見培地，日水培地などがよい．pHを6前後に調整する．治癒の判定は培養法によるのがよい[註3]．

【治　療】　下記の2剤が有効であるが，性的パートナーも同時に治療することが肝要である．

1. メトロニダゾール metronidazole（商品名**フラジール** Flagyl）：250mgの錠剤を朝夕1錠ずつ経口投与する．同時に250mgの腟錠を1日1回1錠腟内に挿入．5日間の使用でほぼ治癒する．服薬中は禁酒，また妊婦への投与は避ける．最近，薬剤抵抗性出現が報告された．

2. チニダゾール tinidazole（商品名**チニダゾール錠**）：200mgの錠剤，朝夕1錠ずつ経口投与，同時に200mgの腟錠1日1回1錠，腟内に挿入し，5日間続ける．服薬中は禁酒．

II．二核アメーバ
Dientamoeba fragilis Jepps et Dobell, 1918

従来はアメーバ類に分類されてきたが，近年の分子分類によりトリコモナス類に再分類された大腸寄生の原虫である．非病原性とされてきたが，最近の症例および疫学研究によって腹痛，下痢，食欲不振，疲労感をみる二核アメーバ症 dientamoebiasis の原因として注目されている．国内での検出報告は蛋白漏出性胃腸症に本原虫を検出した1例があるのみだが，世界的には一定数の症例が蓄積されつつある．

本原虫は基本的にアメーバのように偽足で運動する栄養型のみが糞便中に検出されるが，運動性が極めて乏しく，また栄養型の長径が5～15μmと一定しないこともあり，直接法での検出は極めて難しい．便塗抹検体のギムザ染色では断片化した顆粒状染色質が特徴的な2核が可視化される（図120-B）．

治療には，メトロニダゾール，パロモマイシンなどが用いられる．

III．口腔トリコモナス
Trichomonas tenax

ヒトの口腔に寄生し，病原性はなく，わが国における寄生率などもよくわかっていない．ところが本虫の呼吸器寄生例が諸外国で43例以上報告され，わが国でも最近，高知で第2例目が報告された[註4]（第1例は1894年）．それは胸膜炎の70歳の同性愛男性の胸水中に多数見出されたもので，自然気胸により気道中の虫体が胸腔に入ったのではないかと考えられる．

形態は腟トリコモナスに類似するが，これより小さく（長径6～8μm，短径5～6μm），波動膜および肋が長く，虫体の後方にまで及んでおり，細胞内顆粒が微細で，細胞口を

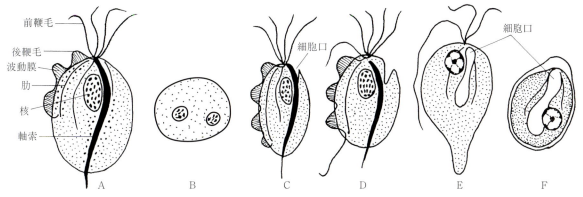

図120. 腟トリコモナスおよび主な消化管内寄生鞭毛虫の模式図
A. 腟トリコモナス, B. 二核アメーバ, C. 口腔トリコモナス, D. 腸トリコモナス,
E. メニール鞭毛虫栄養型, F. メニール鞭毛虫囊子

図121. 婦人の腟より採取した腟トリコモナスの栄養型　ギムザ染色

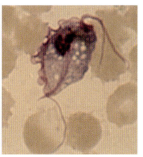

図122. ATL患者にみられた3前鞭毛のトリコモナス　長い遊離後鞭毛に注意(中林敏夫教授の厚意による)

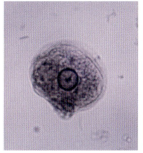

図123. メニール鞭毛虫栄養型　鞭毛はよく見えない．トリクローム染色　(Dr. Ashの厚意による)

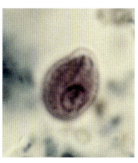

図124. メニール鞭毛虫の囊子　トリクローム染色　(Dr. Ashの厚意による)

認める，などの違いがある(図120-C).

IV. 腸トリコモナス
Pentatrichomonas hominis

ヒトの大腸とくに盲腸に寄生する．虫体は長径7～15μm,短径7～10μm，図120-Dに示すごとく前方に5本の遊離鞭毛が走り，他の1本は後方に向かい，虫体との間に波動膜を形成する．この鞭毛が虫体の後端近くで離れ，長い遊離鞭毛を形成するのが本種の特徴である．また細胞口を有し細菌を捕食する．組織侵入性はないが下痢の原因となる．

寄生率は比較的高く，わが国でも時々下痢便の中に認められる．海外旅行で感染する例があり，大阪空港検疫所の調査で0.64%に本虫を検出したという[註5]．さらに中林らは患者の血性便中に多数の本虫と思われる虫体を発見した(図122)[註6]．虫体の染色はギムザ染色がよい．治療はメトロニダゾール，チニダゾールなどの内服による．

V. メニール鞭毛虫
Chilomastix mesnili

本虫には栄養型と囊子とがある．栄養型(図120-E, 123)は洋梨状で後端が尖り，長径10～15μm，短径6～10μm，前方から3本(1本は長く，2本は短い)の鞭毛を出す．瓢箪型の細胞口があり細菌などを捕食する．核は体前方に位置し中にカリオソームを認める．囊子(図120-F, 124)はレモン状で長径6～10μm，短径5～6μm，中に1個の大きな核と細胞口を認める．

世界中に広く分布し，衛生状態の悪い地方ではかなり多い．わが国では稀であるが海外旅行者や来日外国人に時々見出される[註7,8]．また成人T細胞白血病(ATL)に合併した症例が東京で見出された[註9]．

本虫はヒトの大腸に寄生し，病原性はほとんどない．栄養型は下痢便中で活発に運動している．一方，囊子は主として有形便中にみられる．ヒトは囊子を摂取して感染する．

註1　河村信夫(1982)：日本医事新報, 3033：151.
註2　鈴木禾甫(1983)：日本医事新報, 3091：28-31.
註3　河村信夫(1989)：最新医学, 44：770-773.
註4　大倉俊彦ら(1985)：日熱医会誌, 13：295-299.
註5　木村明生ら(1987)：感染症誌, 61：789-795.
註6　中林敏夫(1989)：最新医学, 44：737-743.
註7　岡田裕也ら(2011)：Clin. Parasit. 22：51-53.
註8　森本徳仁ら(1996)：日熱医会誌, 24：177-180.
註9　杉山悦朗ら(1988)：寄生虫誌, 34(増)：83.

第16項　クリプトスポリジウム

クリプトスポリジウム属には多数の種があるが，2002年ヒトに寄生するのは新種のヒトクリプトスポリジウムであるとされた．本種は小腸の粘膜上皮細胞の微絨毛に寄生し，無性生殖と有性生殖とを繰り返し，糞便中にオーシストを排出する．主症状は下痢である．免疫正常者に感染した場合，症状は軽いが免疫不全者の場合は重症となり，AIDS の指標疾患となっている．わが国でも最近症例が増え，さらに飲料水汚染による数百名〜数千名規模の集団感染が起こり，感染症新法では5類感染症に指定され，新興感染症として注目されている．

【種　名】　ヒトクリプトスポリジウム
Cryptosporidium hominis **Morgan et al., 2002**
【疾病名】　クリプトスポリジウム症
cryptosporidiosis

【歴史と疫学】　1907年 Tyzzer はマウスの胃腺から一種の原虫を発見し，1910年に *Cryptosporidium muris* と命名した．さらに彼はマウスの腸粘膜から小形の原虫を見出し，1912年 *Cryptosporidium parvum* と命名した．その後ヒトに感染するのはこの *C. parvum* とされ**小形クリプトスポリジウム**という和名が与えられた．ところが2002年，本属の遺伝子解析の結果，ヒトに感染しているのは新種の *C. hominis* が最も多く，次いでウシ由来の *C. parvum*，稀に鳥類由来の *C. meleagridis* の感染もみられる，ということになった[注1, 2]．

1975年，米国で人体感染が発見されて以来，今や感染率は先進国で1〜4％，発展途上国で10〜30％と推定されている．わが国では井関[注3]が本虫の研究を開始し，鈴木ら(1986)[注4]が人体感染初例を報告して以来，海外感染，AIDS 合併など数十例の報告に止まっていたが，1994年，神奈川県平塚市の雑居ビルで地下の水道受水槽が廃水に汚染され461名が本虫に感染し下痢を起こした．また1996年には埼玉県越生町で簡易水道が本虫に汚染され9,140名（全住民の74％）が感染した[注5]．その後も北海道(2002, 2013)[注6]，長野県(2004)[注7]，愛媛県(2006)，青森県(2010)でも集団発生が起こり，2014年までに約800例報告された．牧場体験などでウシとの接触により *C. parvum* に感染した例がかなりある．欧米では本虫の集団感染が多数発生しており，最大の事例は1993年米国のミルウォーキーで水道水を介して40万人が感染し，AIDS患者などを含め約400人が死亡した[注8]．**水系感染症 waterborn disease** の典型的な例である．

【形態と生活史】　(図125参照)　成熟オーシスト①は類円形で，直径が4.5〜5.0μmと小さく，壁は薄く，中に4個のスポロゾイトと1個の残体を有する(図126)．これがヒトに経口摂取されると小腸内で脱嚢し②，小腸粘膜細胞の**微絨毛に侵入する**③．虫体は微絨毛内で発育し(図129)，栄養体④を経て分裂体⑤となり，8個のメロゾイトを有する成熟分裂体⑥となる．次いでこれが破れ，8個のメロゾイトが放出される⑦．このメロゾイトは再び微絨毛に入って③〜⑦の多数分裂 schizogony(無性生殖)を繰り返すものと，雄・雌に分かれて生殖体形成 gametogony(有性生殖)に入るものとに分かれる．

雄では侵入したメロゾイト⑧は発育して雄性生殖母体⑨となり，鞭毛を有しない16個の雄性生殖体⑩〜⑪を生ずる．一方，雌では侵入したメロゾイト⑫は雌性生殖母体→雌性生殖体となり，雄性生殖体⑪と合体受精する⑬．受精した融合体⑭は発育して4個のスポロゾイトを有する成熟オーシスト⑮となり，遊離して糞便と共に外界に排出される⑯〜⑰．しかし一部のスポロゾイトは再び微絨毛に侵入して多数分裂を行う③．

【症　状】　免疫正常者に感染した場合でもしばしば下痢・腹痛などを起こす．しかし比較的軽症に経過し自然治癒する例が多い．またほとんど無症状に経過する場合もある．ところが AIDS など免疫不全者 immunocompromised host に感染した場合は激しい下痢が慢性化し，しばしば予後は不良となる．このため，本症は AIDS 診断の指標疾患に指定されている(第34項，**表14**参照)．

【診　断】　検便でオーシストを検出する．その方法は，①糞便を塗抹し，**Kinyoun 染色**を行う(図127)．この際，赤く染まったものはすべてクリプトスポリジウムとは限らないので内部の形態に注意する(染色法は第133項参照)．②蔗糖遠心沈殿浮遊法で糞便からオーシストを集め位相差または微分干渉顕微鏡などで鏡検する(図128，検査法は第133項参照)．③生検材料の組織学的検査(図129)．④その他，蛍光抗体法，虫種の鑑別には DNA 診断が用いられる．

【治　療】　ニタゾキサニドが唯一健常人における下痢症状の期間短縮に有効とされる．免疫不全者における治療効果についてはまだエビデンスはない．

1. ニタゾキサニド(商品名 **Alinia**：免疫正常者には0.5g/日，3日間，免疫不全者には1〜2g/日，分2，14日間投与する．

2. パロモマイシン(商品名 **アメパロモ**)：1.5〜2.25g/日，分3，14日間服用．アジスロマイシン600mg/日を併用．

【感染予防】　本虫のオーシストは抵抗力が強く，通常の塩素消毒や消毒液では死滅しない．ところが最近，紫外線30〜40ミリジュール照射が有効との報告がある．また給水管を銅管にすると本虫が障害を受け不活化するという報告もある[注9]．

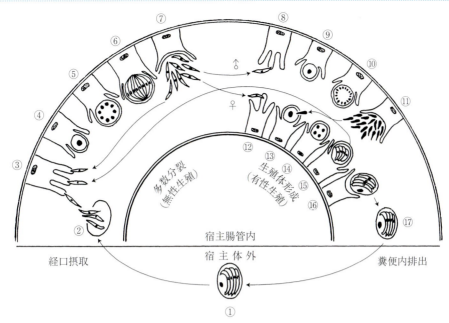

図125. クリプトスポリジウムの生活史(説明は本文参照)
(次項のイソスポーラ(図132)との違いは，寄生部位，雄性生殖体の形態，宿主体外での発育などである)

図126. クリプトスポリジウムのオーシスト
(4個のスポロゾイトと残体がある)

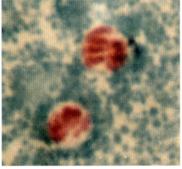

図127. 患者の糞便中のクリプトスポリジウムのオーシスト
(Kinyoun染色により赤く染まり，中にバナナ形のスポロゾイトが見える)
(南京医学院 陳 錫慰 講師の厚意による)

図128. クリプトスポリジウムのオーシスト
(蔗糖遠心沈殿浮遊法で糞便より集虫，無染色標本)

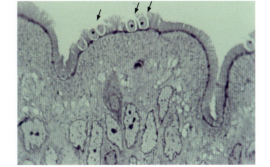

図129. 微絨毛層に寄生するクリプトスポリジウム
(矢印，ギムザ染色)
(図128, 129は金沢大学 井関基弘 教授の厚意による)

註1 Morgan-Ryan et al.(2002)：J. Eukaryotic Microbiol. 49：433-440.
註2 所 正治，井関基弘(2004)：治療，86：2704-2708.
註3 Iseki M(1979)：Jpn. J. Parasit. 28：285-307.
註4 鈴木了司ら(1986)：日熱医会誌，14：13-21.
註5 Yamamoto N et al.(2000)：J J A Inf D. 74：518-526.
註6 IASR(2014)，35：185-191.
註7 山本徳栄ら(2005)：Clin. Parasit. 16：53-57.
註8 Smith HV et al.(1998)：Parasit. Today, 14(1)：14-22.
註9 笹原武志ら(2006)：感染症誌，80：377-381.

第17項 戦争シストイソスポーラおよびサイクロスポーラ

シストイソスポーラ属の中でヒトに寄生するのは戦争シストイソスポーラで，小腸粘膜上皮細胞に寄生して下痢を起こす．サイクロスポーラは1993年に発見された新しい原虫で，やはり小腸粘膜上皮細胞内に寄生し下痢の原因となる．

【種　名】　戦争シストイソスポーラ
　　　　　　Cystoisospora belli Wenyon, 1923
【疾病名】　イソスポーラ症　isosporiasis
【疫　学】　本虫はVirchowが1860年に剖検により初めて見出したとされるが，正式の記載は1923年，Wenyonによってなされた．これより先1891年に*Isospora hominis*が記載されたが，これはウシが中間宿主になっていることが判明し，肉胞子虫属に移された．なおbelliという語は戦争という意味で，第1次世界大戦のときに多くの兵士が本虫に感染したので名付けられた．世界に広く分布し，わが国でも散発的に見出されていたが殆ど無害と考えられていた．ところが1972年に筆者ら[註1]が典型的な重症例を報告してから2014年までに約30例報告されている．最近，本虫が免疫不全者に感染すると激しい症状を呈することが判明し，本症はAIDS診断の指標疾患に指定された（第34項，表14参照）．ブラジルで131名のAIDS患者の糞便を調べたところ13名に本虫のオーシストを認めたという[註2]．

【形態と生活史】　シストイソスポーラの生活史は図130，132に示すごとく前項に記載したクリプトスポリジウムによく似ているが異なる点を述べると，まずヒトの糞便内に排出されたオーシストは未熟で単細胞（図130，133）で，これが外界で発育して2個のスポロブラストを生じ，これはスポロシストとなり次いで中に4個ずつのスポロゾイトを持つようになる．これを**胞子形成**という．オーシストは長径20～33μm，短径10～19μmと比較的大きい．

このオーシストがヒトに経口摂取されると図132に示すようにスポロゾイトは小腸上部の粘膜上皮細胞（微絨毛ではない）に侵入して栄養体となり（図131），次いで分裂体となり，細胞を破壊して多数のバナナ形のメロゾイトを放出し，これがまた新しい細胞に侵入する．ここまでの**多数分裂**の過程は同じであるが，次の**生殖体形成**で生じた雄性生殖体はクリプトスポリジウムと異なり鞭毛を持っている．シストイソスポーラではこのようにして形成された未熟オーシストが糞便とともに体外に出て外界で成熟オーシストにまで発育する．

【症　状】　主症状は頑固な下痢で，潜伏期間は約1週間である．免疫正常者では比較的軽症に経過するがAIDSなど免疫不全者では難治性の水様下痢が繰り返し持続し，軽度の発熱，消化吸収不良，体重減少，全身衰弱などをきたし，死亡する例もある．

【診断と検査】　下痢便をスライドグラスにとって鏡検しオーシストを見出すのが一番よい（図133）．蔗糖遠心沈殿浮遊法やホルマリン・エーテル遠沈法（第133項参照）を用いてオーシストを集めるのもよい．また小腸粘膜生検により虫体を検出することもできる（図131）．

【治　療】　ニューモシスチス肺炎の特効薬であるトリメトプリム・スルファメトキサゾール合剤（ST合剤）が有効．成人量，1日8～10錠を4回に分けて服用，1～2週間続ける（ST合剤については第33項参照）．

【種　名】　サイクロスポーラ
　　　　　　Cyclospora cayetanensis Ortega, 1993
【疾病名】　サイクロスポーラ症　cyclosporiasis
【疫　学】　本虫は熱帯地域の発展途上国で感染率が高いが欧米諸国においても流行地旅行者や流行地から輸入した野菜などを介しての感染が増加している[註3,4]．わが国では1996年の初例以来2014年現在までに41例報告されたが，その殆どは外国での感染である[註5,6,7]．米国では308例，カナダでは約1,500例の報告がある．

【形態と生活史】　本虫の生活史はシストイソスポーラに似ているが形態は大いに異なる．すなわちオーシストは円形で直径は8～10μmと小さく，未熟オーシストは桑実状の顆粒が充満し（図134），成熟すると中に2個のスポロシストを生じ，さらに各々のスポロシストの中に2個のスポロゾイトを生ずる（図135）．ヒトはこの成熟オーシストを飲料水や生野菜・果物などとともに摂取して感染する．未熟オーシストには感染力はない．

【症　状】　下痢，腹痛，食欲不振，体重減少などでAIDS患者などでは難治性の下痢が続き衰弱する．

【診　断】　検便で特有のオーシストを検出する．蔗糖遠心沈殿浮遊法で集める．未熟オーシストが検出される場合が多い（図134）．またオーシストは自家蛍光を発するので蛍光顕微鏡で検査する（図136）．

【治　療】　戦争シストイソスポーラと同様に行う．

註1　増田正典ら（1972）：Medicina, 9：674-678.
註2　Sauda FC et al.(1993)：J. Parasit. 79：454-456.
註3　井関基弘ら（1999）：最新医学, 54：1564-1572.
註4　増田剛太ら（2002）：感染症誌, 76：416-424.
註5　小林泰一郎ら（2009）：Clin. Parasit. 20：90-92.
註6　榊原祐子ら（2010）：日消会誌, 107：1290-1295.
註7　藤原美樹ら（2013）：感染症誌, 87：306-307.

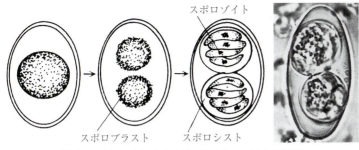
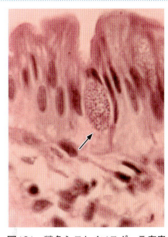

図130. 戦争シストイソスポーラのオーシストの発育
(写真は患者の糞便中のオーシストを培養し成熟させたもの)

図131. 戦争シストイソスポーラ症患者の小腸生検標本中に見出された虫体(矢印)(筆者経験例)

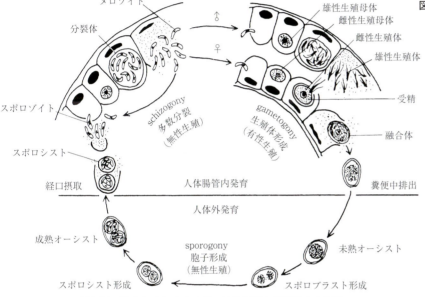
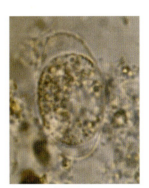

図132. 戦争シストイソスポーラの生活史(説明は本文参照)

図133. 上記戦争シストイソスポーラ症患者の糞便中に見出された未熟オーシスト

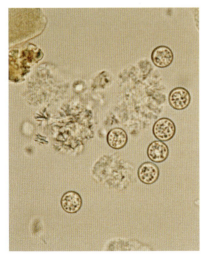
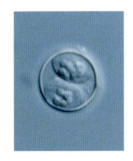

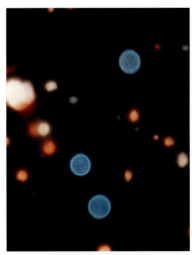

図134. サイクロスポーラの未熟オーシスト. 蔗糖遠心沈殿浮遊法で集めた無染色標本

図135. サイクロスポーラの成熟オーシスト

図136. サイクロスポーラの自家蛍光像 (青色) (図134, 135の写真, 136は井関基弘教授の厚意による)

第18項　トキソプラズマ　[A] 基　礎

トキソプラズマは世界に広く分布し，日本においても重要な寄生虫の一つで，成人の約10％が感染していると思われるが，ほとんどが不顕性感染の形をとり症状を現さない．しかし重要なことは，本虫が妊婦に初感染したとき虫体が胎児に移行して重篤な症状を示すこと，および免疫不全の際に本症が顕性化することで，トキソプラズマ脳症はAIDSの重要な指標疾患の一つとなっている（第34項，表14参照）．本虫の終宿主はネコであり，人獣共通感染症としても重要である．

【種　名】　トキソプラズマ Toxoplasma gondii
　　　　　　（Nicolle et Manceaux, 1908）
【疾病名】　トキソプラズマ症 toxoplasmosis
【歴　史】　1908年，NicolleとManceauxはチュニスでヤマアラシの1種 Ctenodactylus gundi から本虫を発見し Leishmania gondii と名付けたが，翌年，新属 Toxoplasma を設け，これに配した．ヒトからの最初の発見は1922年のJanku，あるいは1937年のWolfとされる．日本では1911年に峰が福岡のモグラから見出し，1954年には宮川らが小児から報告したが，確実な人体例は松林（1956）の報告とされる．

　本虫は長らく栄養型と嚢子しか知られていなかったため，分類学上の位置が不明であった．ところが1965年にHutchisonはトキソプラズマを感染させたネコの糞便をマウスに食べさせたところ感染が起こったので，ネコの糞便の中に本虫の感染型が出現するとした．その後，Hutchisonら（1970）およびFrenkelら（1970）の研究によりトキソプラズマの終宿主はネコであり，その小腸粘膜上皮細胞の中で有性生殖を行い，糞便の中にオーシストが現れ，それが次の感染源になることが明らかになった（図137）．すなわち本虫はコクシジウムの1種であり，従来，ネコの便の中にみられ，Isospora bigemina の小形株とされていたものは，実はトキソプラズマのオーシスト（図140）であったのである．

【宿　主】　ネコ科の動物が終宿主となり，ヒトをはじめ200種以上の哺乳類や鳥類が中間宿主になる．
【疫　学】　本虫のヒトにおける不顕性感染率は川島ら[註1]の群馬での調査によると1994年では19％，それが2003年には13.1％と減少を示した．また宮崎県で行われた2004年までの7年間の調査では妊婦10.3％，若年者9.6％を示した[註2]．なお，トキソプラズマ脳症はAIDSの指標疾患の一つであるが，国内HIV陽性者のトキソプラズマ抗体陽性率は8.27％でHIV非感染者と差がなかった[註3]．

【形態と生活史】
1. **急増虫体 tachyzoite**　急増虫体とは終宿主の小腸粘膜以外の細胞内および中間宿主の細胞内で盛んに分裂増殖している時期の虫体をいう（tachyはspeedyの意）．形態は図138に示すごとく半月形（toxónは弧状の意）で後方は鈍円，前方はやや尖る．長径4〜7μm，短径2〜3μm．光学顕微鏡では中央の大きな核と細胞内顆粒くらいしか判別できないが，電子顕微鏡でみると図141に示すような胞子虫特有の構造が認められる．この虫体は**内生出芽** endodyogeny（母虫体の中に新しい2個の娘虫体が生じ，これが母虫体を破壊して出てくる）という特殊な方式で増殖する．

2. **緩増虫体 bradyzoite**　宿主に抗体が生ずると急増虫体は減少し筋肉や脳で**嚢子 cyst** を形成する（図139）．これは球形（大きなものは直径100μm）で被膜につつまれ免疫系の影響を回避する．中に多数の緩増虫体を蔵し，この虫体は形態的にはtachyzoiteと同じであるが内生出芽でゆっくりと増殖しているのでbradyzoite（bradyはslowの意）と名付けられた．

3. **オーシスト oocyst**　終宿主のネコが図137に示したいずれかの方法で本虫の初感染を受けると，腸の粘膜上皮細胞の中でシストイソスポーラ（前項図132）と同様の有性生殖を行い，1〜3週間の間だけオーシストを糞便内に排出する．これは外界で発育し（20℃で3〜4日），中に合計8個の**スポロゾイト sporozoite** を生ずる（図140）．オーシストの長径×短径は12×10μmである．

【感　染】　ヒトが本虫に感染するのは以下に述べるごとく，上述の3つの型がすべて感染可能である．
1. **急増虫体による感染**　経口摂取した場合，急増虫体は消化液に弱いのでほとんど感染しない．しかし実験中の事故などで大量の虫体が眼，鼻，有傷皮膚などに接触すると侵入し，急性感染を起こす．
2. **嚢子による感染**　ブタやヒツジの肉を生で食べ，その中に存在する嚢子を摂取すると，中の緩増虫体が遊離し，消化管壁に侵入して感染する．緩増虫体は急増虫体より消化液に対する抵抗力が強い．
3. **オーシストによる感染**　ネコの糞便中の成熟オーシストをヒトが経口摂取するとスポロゾイトが遊離し，腸管壁から侵入し急増虫体となって増殖する．
4. **胎盤感染**　上述のいずれかの方法によって妊婦がトキソプラズマの**初感染**を受けると，急増虫体となって増殖し，**虫血症** parasitemia を起こし，これが胎盤を通って胎児に移行し，先天性トキソプラズマ児を分娩することがある．妊婦が再感染の場合はすでに免疫を獲得しているのでこのようなことはないとされている．この胎盤感染が医学上最も重要である．

[註1] 川島悟美ら（2005）：74回日寄会抄録，74．
[註2] Sakikawa M et al. (2012)：Clin Vaccine Immunol. 19：365-367．
[註3] Hoshina T et al. (2020)：J Infect Chemother. 26：33-37．

トキソプラズマ　57

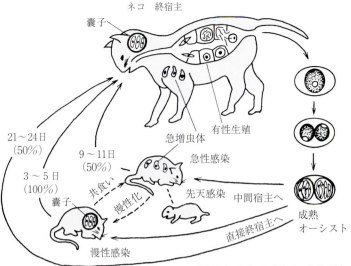

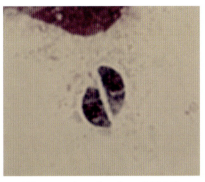

図138. トキソプラズマの急増虫体
感染マウスの腹水を塗抹．ギムザ染色

図137. トキソプラズマの生活史
図中の日数はネコがそれぞれの型を摂取してからオーシストを排出するまでの期間．（％）はそれぞれの場合の感染率を示す．（Frenkel ら，1970にその後の知見を追加）

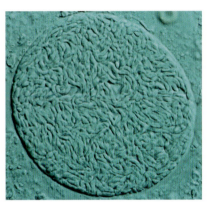

図140. トキソプラズマのオーシスト
感染ネコの糞便中に検出（無染色）．中に2個のスポロシストを有し，その各々の中に4個ずつ，計8個のスポロゾイトを有する．

図139. トキソプラズマの嚢子
多数の緩増虫体を含む，感染マウスの脳より圧平無染色標本　（Dr. Seitz の厚意による）

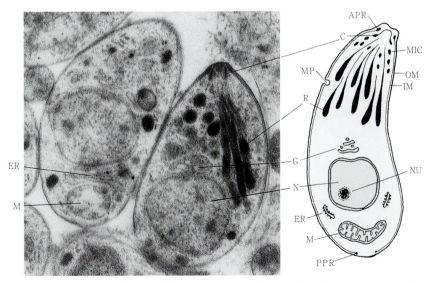

図141. トキソプラズマの急増虫体の電顕像
APR．前極輪 anterior polar ring, C．円錐体 conoid, ER．小胞体 endoplasmic reticulum, G．ゴルジ装置 Golgi body, IM．内膜 inner membrane, M．mitochondrion, MIC．microneme, MP．micropore, OM．外膜 outer membrane, N．核 nucleus, NU．仁 nucleolus, PPR．後極輪 posterior polar ring, R．rhoptry, APR と PPR の間に20数本の subpellicular microtubules が走っている．

（赤尾信吉 博士の厚意による）

第19項 トキソプラズマ [B] 臨床

先天性トキソプラズマ症がわが国で時々発見され，産婦人科および小児科領域で問題となる．症状は無症状から死に至るまで区々である．診断には種々の免疫学的方法およびDNA診断が考案されている．

【症状】

1. 先天性トキソプラズマ症

妊娠中の母体が本虫の**初感染**を受けると，母体は無症状に経過するが，急増虫体が胎盤を通って胎児に移行し先天性トキソプラズマ症を起こすことがある．妊娠中の母子感染であるTORCH症候群の一つである．

先天性トキソプラズマ症の特徴的な症状としては，(1) **網脈絡膜炎** retinochoroiditis（図142），(2) **水頭症** hydrocephalus（図143, 144, 145, 146），(3) **脳内石灰化像**（図147, 148），(4) **精神・運動障害**が挙げられ，**4大徴候**といわれているが，この症候がすべて揃うとは限らない．その他，発熱，リンパ節腫脹，黄疸，貧血，脳炎，心筋炎などがみられる．これらの患児の約12％は4年以内に死亡するといわれるが，生存者でも知的障害，小頭症，運動障害など後遺症を残す場合が多い．

2. 後天性トキソプラズマ症

生後ヒトが本虫に感染して抗体陽性となってもほとんどの場合無症状（不顕性感染）に経過する．しかし免疫能が低下すると顕性化し，リンパ節炎，発熱，網脈絡膜炎などの症状を発する．AIDS患者では**トキソプラズマ脳炎**（図150）は留意すべき疾患である（発症率：日本国籍AIDS患者の1.5％，外国籍患者の6.4％）．

【診断】
虫体が検出されれば確実であるが虫体検出は困難な場合が多い．一方，本症には種々の免疫学的診断法が考案されている．先天性トキソプラズマ感染児では早期薬剤投与がその後の発症を予防するので早期診断が重要である．診断には次のような方法が用いられる．

1. 虫体検出
患者の脳脊髄液の沈渣やリンパ節の割面の塗抹標本を位相差顕微鏡でみるか（図149），ギムザ染色をして虫体を検出する（前項図138），またこれら材料をマウスの腹腔内に注射し原虫を増殖させるか，マウスの抗体価の上昇をみて判断する．

2. 免疫学的診断法
種々の方法があるが，AIDS患者に本症が合併した場合は下記の診断基準がしばしば適用できないことが判明したので注意を要する．

1) **色素試験**（Sabin-Feldman dye test, DT）：本法の原理は，生きた急増虫体はアルカリ性メチレン青によく染まるのであるが，accessory factor（特定のヒトの血清）と称する補体様因子と共に抗体を作用させると染色性を失う，という現象を利用したものである．一応50％以上の虫体が染まらないときの血清希釈が16倍以上を陽性とする．本法は最も信頼性の高い方法であるが，生きた虫体の常時保有，accessory factorの検定などの点から特定の施設でのみ実施可能である．

2) **間接赤血球あるいはラテックス凝集反応**（IHA，ILA）：ヒツジその他の動物の赤血球あるいはラテックス粒子にトキソプラズマ抗原を吸着させておき，被検血清と合わせる．もし抗体が存在すれば血球あるいは粒子を凝集させる．IHAでは抗体価256倍以下陰性，512倍疑陽性，1,024倍以上陽性，ILAでは32倍を陽性とする．

3) **酵素抗体法**（ELISA）：検査用プレートの各穴にトキソプラズマ抗原を付着させ，倍数希釈被検血清を加える．血清中に抗体があれば抗原と結合する．洗浄後，酵素をラベルした抗ヒトIgGを加え，次いで発色させる．上記のDTおよびILAの検出率によく一致する．本症では，感染初期から出現するIgM抗体は，年余にわたり陽性となる．IgG抗体avidity（結合力）は，肝初期には低いが経過とともに高くなる．IgM陽性例で，IgG-avidity低値の場合に初感染と判断できる．

4) **PCR法**：PCRを用い羊水，臍帯血，その他の材料から本虫遺伝子を検出する．特異性は高いが，検出感度は高くない．

5) **画像診断**：造影CTやMRなどの画像も診断の手助けとなる．リング状の造影効果像が特徴的であるが，悪性リンパ腫等との鑑別が重要である．

【治療】
急性感染では治療は推奨しないが，遷延時や重症例では，ピリメタミンやスルファジアジンが使われる．妊婦の初感染で胎児に感染がない場合にはスピラマイシン，胎児に感染がある場合にはピリメタミンやスルファジアジンが使われる．骨髄抑制の予防には葉酸製剤が併用される．代替両方としてST合剤が使われることもある．薬剤量や使用の詳細については他書を参考にされたい註1．

【予防】
わが国各地のブタ，ヒツジ，イヌ，ネコ，ヤギなどの筋肉から10～30％に本虫の嚢子が検出される．また子猫の約1％から本虫のオーシストが見出されるので感染源はかなり多いと思われる．したがって適齢期の女性は妊娠の前に検査を受け，抗体陽性であれば一応安心してよいが，陰性であれば妊娠期間中はヒツジやブタの生肉，ネコの糞便などに注意を払う必要がある．もし妊娠期間中に反応が陽転し，検査毎に抗体価が上昇するようなら感染が疑われる．

註1 寄生虫症薬物治療の手引き10版 https://www.nettai.org/

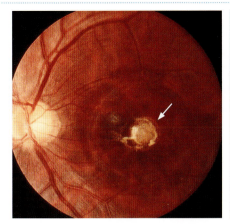
図142. 先天性トキソプラズマ症患者の眼底．網脈絡膜炎による黄斑部の限局性瘢痕像（矢印）
（京都府立医科大学眼科提供）

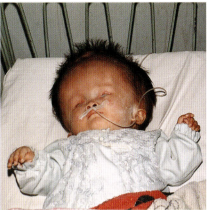
図143. 水頭症の患児
（台湾高雄医学院　陳　添亨 教授の厚意による）

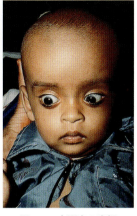
図144. 水頭症の患児
（シンガポール大学 Dr. Zaman の厚意による）

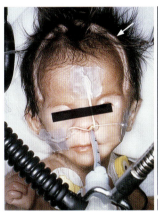
図145. 内水頭症による頭蓋の陥没
（矢印，生後4カ月，女児，1987年 筆者経験例）
（早野尚志 博士の厚意による）

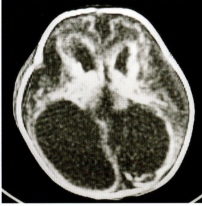
図146. 左の患児の頭部 CT 像
頭蓋陥没，脳の空洞化がみられる

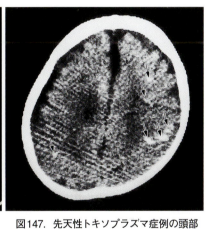
図147. 先天性トキソプラズマ症例の頭部 CT 像
生後2カ月半の女児，大脳皮質の多発性散在性石灰沈着（矢印）と脳の萎縮
（国立舞鶴病院　小西清三郎 副院長の厚意による）

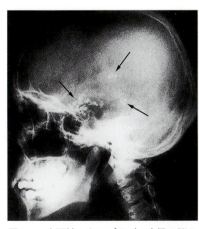
図148. 先天性トキソプラズマ症児の脳の石灰化像（矢印）
（故 中山一郎 博士の厚意による）

図149. 図145患児リコール中に検出した急増虫体
（位相差顕微鏡像）

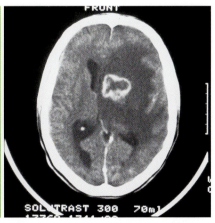
図150. AIDS 患者に生じたトキソプラズマ脳炎の CT 像
（Dr. Seitz の厚意による）

第20項　肉胞子虫

肉胞子虫には多数の種があり，ヒトを終宿主として糞便内にオーシストを排出するもの，あるいはヒトが偶発的に中間宿主となり筋肉内に肉胞嚢（ザルコシスト）を形成するものなどが知られていたが，最近，馬肉の生食によりウマを中間宿主，イヌを終宿主とする肉胞子虫に感染する症例がわが国で連続して発生し，新たな食中毒の原因として注目されている．

【歴史】　1843年Miescherはマウスの筋肉内に初めて肉胞嚢sarcocystを発見し，Kühn(1865)もブタから同様の肉胞嚢を見出しSynchytrium miescherianumと命名したが後にSarcocystis属に配属された．このような肉胞嚢は筋肉内で管状をしているのでMiescher管，中の小体はRainey小体と名付けられた．

この肉胞子虫の生活史は主に草食動物を中間宿主としてその体内で無性生殖を行い，その肉を食べる肉食動物を終宿主としてその体内で有性生殖を営む．今までに多くの種が記載されたが主要な種とその特徴を表9に示した．ヒトでは2つの病態が知られ，一つはヒトが終宿主となる場合の消化管感染症で下痢が主症状となる．もう一つは，動物（終宿主）が排出したオーシストをヒトがそれを経口摂取することで，消化管を経て筋肉内にて肉胞嚢を形成する病態で，主として発熱と筋肉痛の症状があらわれるが数週間程度で寛解する[註1]．以下にヒトに感染する種について解説する．

I．ヒト肉胞子虫 Sarcocystis hominis

本種は以前 Isospora hominis と呼ばれ，前項の Cystoisospora belli と同様の生活史を営んでいると考えられていたが，実は中間宿主（ウシ）を必要とする原虫であることが判明したので Cystoisospora 属でなく Sarcocystis 属に配され，Sarcocystis hominis と呼ぶこととなった．

本種の生活史は図151に示すごとく，ヒトの糞便内に排出されたオーシストから生じたスポロシストをウシが摂取するとスポロゾイトが現れ腸管壁に侵入し，次いで血管内皮細胞に入って増殖し，約1ヵ月後には筋肉細胞に移行して肉嚢胞を形成する．約2ヵ月後には感染可能なメロゾイトmerozoite（bradyzoiteあるいは単にzoiteともいう）を多数内蔵する肉胞嚢が完成する．これは長さ数mmの管状で壁は厚く線状を有する．内部は隔壁によって小部屋に分かれ多数のメロゾイトを内蔵している（参考図152, 153）．各々の計測値は表9に示すとおりである．この肉胞嚢を牛肉と共にヒトが生食すると遊離したメロゾイトは腸管上皮細胞に侵入し，直ちに有性生殖を行い胞子形成を完了してオーシストを糞便内に排出する．症状は，時に食欲不振，下痢，腹痛などを示すが概して軽症である．症例報告もそれほど多くない．

II．クルーズ肉胞子虫 Sarcocystis cruzi

本種の中間宿主はウシ，終宿主はイヌである．本種のウシにおける感染状況は，Onoら[註2]によると日本産牛の6.3%，米国産牛の36.8%，豪州産牛の29.5%を示し，村田ら（2014）[註3]の最近の調査によると国産牛の感染率は，心筋78.6%，舌60%，ハラミ33.3%と，特に心筋に高率であった．本種によるヒトの感染症例はあまり報告がないが，肉胞嚢には毒性蛋白質が存在することから下痢など発症の可能性があり，特に心臓の生食には注意が必要である．

III．フェイヤー肉胞子虫 Sarcocystis fayeri

本種は表9に示すごとくウマを中間宿主，イヌを終宿主とする肉胞子虫である．従来，馬肉は寄生虫の感染が少なく安全な食品と考えられてきた．ところが2011年9月に熊本県の肉屋で購入した**馬刺し**を食べた13人の内7人が嘔吐，下痢を起こし，また同時期に同じ肉屋の馬刺しを食べた別の男女7人の内4人が同様の症状を訴えた[註4]．残った馬肉を調べたところ Sarcocystis fayeri の肉胞嚢が検出された．その後，斉藤[註5]は家族発生5症例を報告した．しかしいずれの例も症状は軽く1〜2日で治癒した．斉藤によると本種虫体内の15kDa蛋白質は下痢原性を有することが証明されたという．

馬肉内の S. fayeri の証明は顕微鏡検査と遺伝子検査とによる．検鏡によりザルコシストおよびブラディゾイト（図152, 153）を確認し，遺伝子検査を併用して確定する．

厚生労働省によると2006〜2011年の間，原因不明の食中毒198件のうち33件は馬刺しを食べており，本種による疑いがある．馬刺し用の肉の約6割は豪州，米国などからの輸入肉で，その約7割が本種に感染しているという．また村田ら[註3]の調査によると日本産馬肉の33.3%，カナダ産馬肉の84.6%，イタリア産馬肉の50%に感染がみられた．これら肉胞子虫の種の診断は顕微鏡的検査に加え遺伝子検査によって確定される．

感染予防としては，馬肉の−20℃，48時間冷凍が有効である．

IV．リンデマン肉胞子虫 Sarcocystis lindemanni

これはヒトの筋肉内に見出された肉胞嚢に対して名付けられた種名である．Beaverら[註6]はこの種が本当に独立して存在するならば常にヒトがある肉食獣に食われていなければならないと考え，世界中の症例40例を検討した結果，リンデマン肉胞子虫を独立種とすべき根拠は一つもなく，各種の動物の肉胞子虫がたまたまヒトに感染し，肉胞嚢を形成したものと結論した．最近マレーシアで100例のヒト解剖体の舌を調べたところ，21例に肉胞嚢を見出したという[註7]．

表9. 生活史が解明された主な肉胞子虫

| 種名 | | 中間宿主 | 終宿主 | スポロシストの大きさ(μm) | メロゾイトの大きさ(μm) | 病原性 | シスト壁の厚さ(μm) | Heydornらの命名 |
古い名称	新しい名称							
Sarcocystis fusiformis	*S. cruzi*	ウシ	イヌ	10.8×16.3	10〜14	+	0.5	*S. bovicanis*
	S. hirsuta	ウシ	ネコ	7.8×12.5	13〜15	−	6.0	*S. bovifelis*
	S. hominis	ウシ	ヒト	9.3×14.7	7〜9	−	5.9	*S. bovihominis*
S. tenella	*S. ovicanis*	ヒツジ	イヌ	9.9×14.8	14〜17	+	厚い	*S. ovicanis*
	S. tenella	ヒツジ	ネコ	8.1×12.4	12〜15	−	薄い	*S. ovifelis*
S. miescheriana	*S. miescheriana*	ブタ	イヌ	9.6×12.6	14	?	?	*S. suicanis*
	S. porcifelis	ブタ	ネコ	8×13	?	+	?	
	S. suihominis	ブタ	ヒト	9.3×12.6	15	−	?	*S. suihominis*
S. bertrami	*S. bertrami*	ウマ	イヌ	10×15.2	3.2〜6.5	?	薄い	*S. equicanis*
	S. fayeri	ウマ	イヌ,ヒト	8×12	?	?	薄い	——

(Dubey(1977)およびMehlhornら(1978)に追加[8,9])

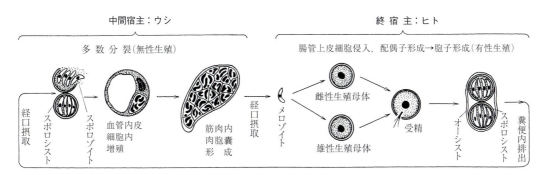

図151. ヒト肉胞子虫 *Sarcocystis hominis* の生活史

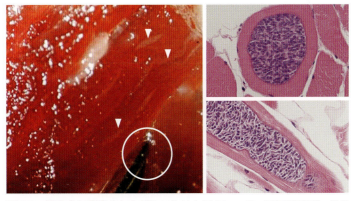

図152. 馬肉内に検出されたザルコシスト(左図の▽印,実体顕微鏡像,○は22Gの注射針先端)とそのHE染色(右図,上下は短軸および長軸切片像)
馬肉内のザルコシストは長くて数mm程度で白く,脂肪組織との区別が難しい.遺伝子検査を併用し検査精度を確保する.

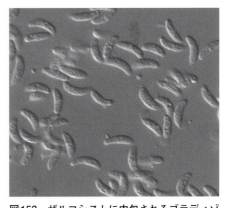

図153. ザルコシストに内包されるブラディゾイト(微分干渉顕微鏡像,15μm×5μm)

(図152左図,図153 IASR 2012, 33:147-148, HE染色図 八木田健司博士 提供)

註1 八木田健司(2012):IASR, 33:157-158
註2 Ono et al.(1999):Parsit. Interntl. 48:91-94.
註3 村田理恵ら(2014):Clin. Parasit. 25:71-73.
註4 大畠律子ら(2012):IASR, 33:158-159
註5 斉藤守弘(2012):モダンメディア, 58:351-358.
註6 Beaver et al.(1979):Am. J. Trop. Med. Hyg. 28:819-844.
註7 Wong et al.(1992):Trans. Roy. Soc. Trop. Med. Hyg. 86:631-632.
註8 Dubey(1977):Parasitic Protozoa III:176-191, Academic Press.
註9 Mehlhorn et al.(1978):Advances in Parasitology, 16:43-91, Academic Press.

第21項　マラリア　[A] 歴史と生活史

マラリアは地球上における第一級の感染症であり，感染者は今世紀初頭の時点で約5億，死亡者は年間約200万人と推定されていたが，最近，発展途上国の経済発展と撲滅作業により減少している．一方，わが国の土着マラリアは撲滅されたが，海外との交流が盛んになるとともに輸入マラリアが後を絶たず問題となっている．

【歴史】　マラリアという病気は紀元前から知られていたが(総論歴史参照)，1753年にTortiはこの病気を**Malaria**と名付けた．malは悪い，ariaは空気を意味し，悪い空気(瘴気miasma)が原因と考えた．しかし1880年にLaveranが病原体を発見し，1897年にはRossがヒトのマラリアはアノフェレス属の蚊が媒介することを発見し原因がはっきりした．LaveranとRossはこの功績によりノーベル賞を受賞した．

第二次世界大戦後WHOはマラリア撲滅運動を世界的に行い，一時大きな成果を収めたが，その後行き詰まり，マラリアは依然，猖獗を極めている(第26項図165参照)．わが国にも古くからマラリアが流行していたが(17頁参照)，第二次大戦後，経済の発展と国土の開発に伴い姿を消した．ところが日本人の海外渡航が増えるにつれ，現地で，あるいは帰国後，発病する例が多くなってきた．また感染した外国人旅行者，留学生，労働者などの入国も増えている．

【病原体】　マラリアの病原体はPlasmodium属の原虫で，この属には多数の種があり，ヒトに寄生する主な種は次の4種であるが最近サルに寄生している**二日熱マラリア原虫** *Plasmodium knowlesi*のヒトへの感染が問題となっている(第26項参照)．

1. *Plasmodium vivax*　　　　三日熱マラリア原虫
2. *Plasmodium falciparum*　　熱帯熱マラリア原虫
3. *Plasmodium malariae*　　　四日熱マラリア原虫
4. *Plasmodium ovale*　　　　卵形マラリア原虫

【生活史】　マラリアの生活史は1980年，**肝内休眠型原虫(ヒプノゾイトhypnozoite**という)の発見によって大幅に書き改められた[註1]．上記の1と4は生活史上このヒプノゾイトのサイクルを持っているが，2と3は持っていない．以下に三日熱マラリア原虫を例にとって生活史を説明する(図154，155，156，163参照)．

1) 人体内における発育(無性生殖)

マラリア感染蚊に刺されると**スポロゾイトsporozoite**(図154-①)が人体内に入り，これは血流によって肝臓に運ばれ速やかに肝細胞に侵入する．その後この内の一部は**分裂体schizont**②へと発育するが，他のものは**ヒプノゾイト**③となって休眠期に入る．分裂体へと進んだものは数千個の**メロゾイトmerozoite**④を生じ，肝細胞を破壊して現れ赤血球に侵入する．一方，休眠型へと進んだものは数カ月後に分裂を開始し，肝細胞を出て赤血球に侵入する．これが**再発**の原因である．以上のように赤血球に侵入する以前の肝臓内の発育を前赤血球内発育pre-erythrocytic schizogonyまたは**赤血球外発育**(略して**赤外発育**)exoerythrocytic schizogonyという．そしてその虫体を**赤外型**または**組織型tissue form**という．

赤血球に侵入したメロゾイトは，**早期栄養体early trophozoite**⑤(**輪状体ring form**ともいう)となり，次いで**後期栄養体late trophozoite**⑥(**アメーバ体ameboid form**ともいう)となる．次いで分裂が起こり，**幼若分裂体young schizont**⑦，**成熟分裂体mature schizont**⑧となり，**メロゾイト**⑨が完成し，赤血球を破壊して脱出し，さらに各々は新しい赤血球に侵入して同様のサイクルを繰り返す．これを**赤血球内発育**(略して**赤内発育**)erythrocytic schizogonyといい，その虫体を**赤内型**という．

赤血球内で発育を繰り返すうちに，一部の原虫は**雄性生殖母体microgametocyte**⑩と**雌性生殖母体macrogametocyte**⑪になる．これは蚊に吸われると蚊体内で有性生殖を営むが，吸われないと早晩消滅する．

以上が人体内における**無性生殖**，すなわち**多数分裂schizogony**である．赤内発育ではヘモグロビンに由来する特殊な褐色の色素が形成され，これは脾臓や骨髄などに沈着する．これを**マラリア色素**という．

2) 蚊体内における発育(有性生殖)

吸い込まれた雄性生殖母体は蚊の中腸の中で成熟し，6～8個の**雄性生殖体microgamete**⑬を生ずる．その形態が鞭毛に似ているので**鞭毛放出exflagellation**⑫という．一方，雌性生殖母体は**雌性生殖体macrogamete**⑭となる．ここまでの過程を**生殖体形成gametogony**といい，以後スポロゾイト形成までの過程を**胞子形成sporogony**という．

さて雄性生殖体と雌性生殖体は合体受精して**融合体zygote**⑮となり，次いで運動性のある**虫様体ookinete**⑯となり蚊の中腸壁に侵入し，その外側に**オーシストoocyst**⑰を形成する．これは次第に大きくなり，中に多数のスポロゾイトを形成し，壁が破れてこれを体腔内に放出する．スポロゾイトは次第に蚊の唾液腺に集まり，吸血時に吻を通って人体内に注入される．以上が蚊の体内における**有性生殖**である．

註1　Krotoski et al.(1980)：Brit. Med. J. 280：153-154.
　　　ヒプノゾイトの語源はギリシャ神話にでてくる眠りの神Hypnos.

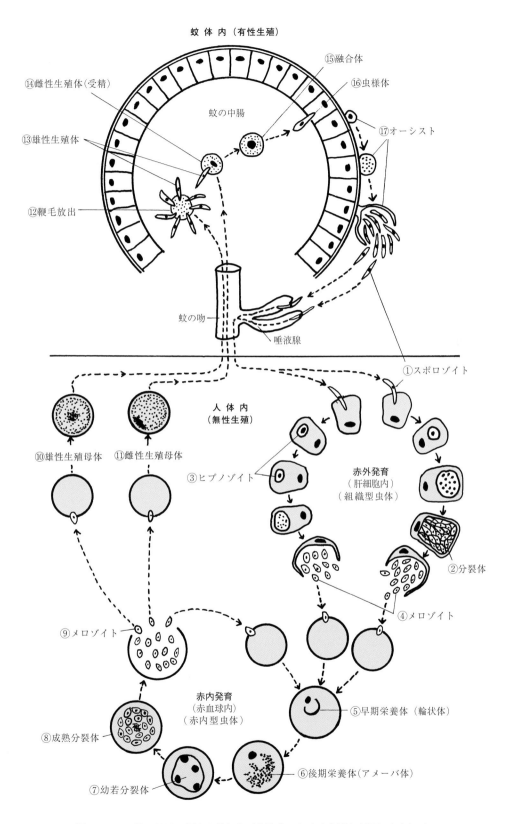

図154. 三日熱マラリア原虫の蚊および人体内における生活史(説明は本文参照)

第22項　マラリア　[B] 形態と発育

I. 三日熱マラリア原虫
Plasmodium vivax (Grassi et Feletti, 1890)

スポロゾイトが人体に入り肝細胞に侵入すると，一部の虫体は図155-Ⓐに示すように6～7日間の赤外発育を行って多数のメロゾイトを生じ，これらが赤血球に侵入して赤内発育を開始し，そのため初回の発病が起こる．ところが肝臓に残存する**ヒプノゾイト**はその後数カ月たつと発育を開始してメロゾイトを生じ赤血球に侵入して**再発 relapse** の原因となる．その後も別のヒプノゾイトが発育を開始する．

早期栄養体（輪状体）は直径2.5～3μmと大きく，また感染赤血球も大きくなるのが本種の特徴で，ギムザ染色では赤いクロマチン顆粒（核）とそれをとりまく青い原形質を認める（図156，163-D）．これは次第に発育し原形質はアメーバ状となる（図156，163-E）．そして赤血球膜に多数の赤い小さな**シュフナー斑点 Schüffner's dots** を認める（図163-E）．この斑点はギムザ染色液をpH7.2～7.4に調製するとよく染まる．次いで原虫は分裂を開始し円形の分裂体となる．この中には12～18個のメロゾイトが形成され（図156，163-F），これは赤血球を破壊してとび出し新しい赤血球に侵入する．この際に発熱が起こる．この1サイクルに要する時間は**48時間**である（足かけ3日毎の発熱）．

雌性生殖母体は直径10～12μm，ほぼ円形で原形質は青く染まり，核は赤く染まって虫体の辺縁に位置する（図156，163-G）．雄性生殖母体は，やや小さく原形質・核とも染まり方が弱く，かつ核は中央に存在し境界が鮮明でない（図156，163-H）．蚊体内での有性生殖に要する期間は23～28℃で8～10日である．

II. 熱帯熱マラリア原虫
Plasmodium falciparum (Welch, 1897)

最初の赤外発育は前者と同じく肝細胞内で行われるが，発育が早く5～6日で赤内型が現れる（図155-Ⓑ）．本原虫の特徴はスポロゾイトはすべて分裂体に発育してメロゾイトを作り，これが血中に放出され，その後，原虫が肝細胞に残らない点である．したがってその後，肝細胞からメロゾイトが補給されることはない．しかし薬剤投与などにより一時原虫が消失しても，血中に少数残っていた虫体が再び増殖して発症することがある．これを**再燃 recrudescence** といって**再発**と区別している．熱帯熱以外の種でもこのような再発症は再燃という．

輪状体の特徴は直径が1.5μmと小さく，時に2個のクロマチン顆粒を持ち，赤血球の辺縁に位置することが多く，また1つの赤血球にしばしば2～3個の虫体が侵入する（図156，163-I）．しかし時に輪状体が大形で他種と誤診することがあるので注意する．さらに被寄生赤血球は大きくならぬこと，**モーラー斑点 Maurer's dots**（やや大形で少数，図163-J）を認めることも特徴である．

本種原虫の分裂体は普通，末梢血中には現れず，脳，骨髄，心臓などの毛細血管の中で発育している．しかし重症になると末梢血に出てくる（図156，163-K）．分裂体のメロゾイトの数は8～18個で，赤血球内での1発育サイクルに要する時間は**大体48時間**であるが不規則である．本種の著明な形態的特徴は生殖母体が鎌状（半月状，falciparumは鎌形の意）を示すことで，これを**半月体 crescent** と呼んでいる（図156，163-L, M）．これは末梢血中にみられ，雌性生殖母体は雄性生殖母体に比し細長く，核・原形質ともに染まり方が強い．蚊体内での発育に要する期間は23～28℃で17～18日である．

III. 四日熱マラリア原虫
Plasmodium malariae (Laveran, 1881)

最近の説によると本種にヒプノゾイトは存在せず，13～16日の赤外発育の後メロゾイトはすべて血中に入る（図155-Ⓑ）．本種は30～40年もたってから再燃することがあるが，これは少数の原虫が血中に存続するためと解されている．輪状体はP. vivaxに似るが帯状を示しやすい（図156，163-N）．アメーバ体はしばしば帯状を示し**帯状体 band form** と呼ばれる（図156，163-O, P）．被寄生赤血球は膨大せず，また時に斑点がみられ，これを**チーマン斑点 Ziemann's dots** という．成熟分裂体の中には8～10個のメロゾイトが形成され菊花状にならぶ（図156，163-Q）．赤内発育1サイクルに要する時間は**72時間**である（足かけ4日毎の発熱）．生殖母体は*P. vivax*に似ているがこれより小さい（図156）．蚊体内での発育完了期間は23～28℃で28日である．

IV. 卵形マラリア原虫
Plasmodium ovale Stephens, 1922

赤外発育の期間は9日間で，その後の肝細胞内での発育は三日熱マラリア原虫と同様である（図155-Ⓐ）．被感染赤血球がしばしば卵形を示すのでこの名が生じた（図156，163-R, S）．また赤血球の一端が鋸歯状 fimbriation を呈し，シュフナー斑点に似た斑点をみる．赤血球はやや大きくなる．成熟分裂体（図156，163-T）は6～12個のメロゾイトを有する．生殖母体は*P. vivax*に似ている（図156）．赤内発育に要する時間は**48時間**，蚊の体内での発育期間は25℃で16日である．

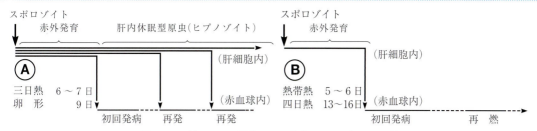

図155. 4種マラリア原虫のヒト体内における行動の比較

三日熱および卵形マラリアは肝細胞内にヒプノゾイトが残り，あとで発育してメロゾイトを血液中に送り再発の原因となる
熱帯熱および四日熱マラリアは肝細胞内に残らないが，血中に残存する虫体が再び増殖して再燃を起こす

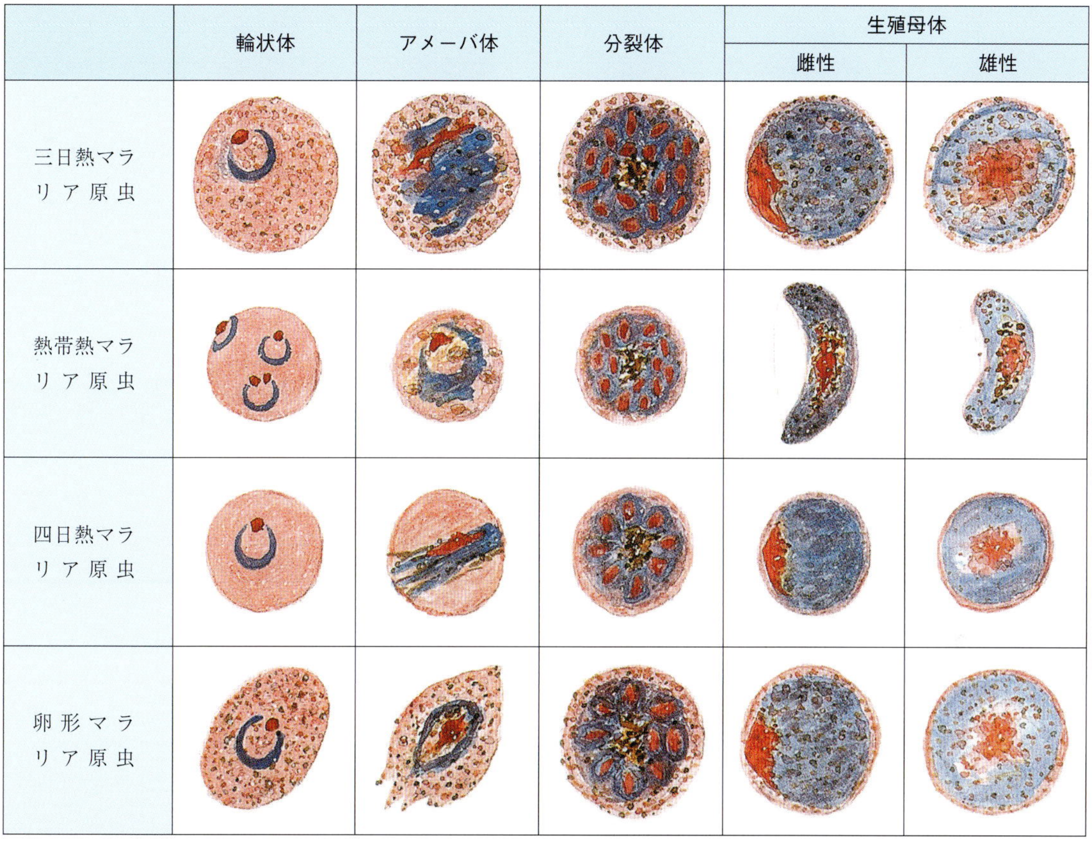

	輪状体	アメーバ体	分裂体	生殖母体 雌性	生殖母体 雄性
三日熱マラリア原虫					
熱帯熱マラリア原虫					
四日熱マラリア原虫					
卵形マラリア原虫					

図156. ヒト寄生4種マラリア原虫の発育上の主な形態的特徴（説明は本文参照）

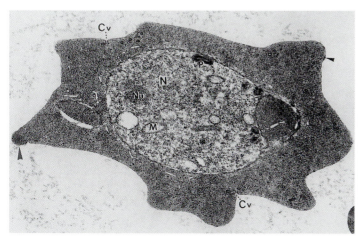

図157. 卵形マラリア原虫の栄養体が寄生している赤血球の電子顕微鏡像

患者は29歳，日本人男性，ケニアで感染，帰国後発病(1983年5月)．他のマラリア種も基本的に類似の構造を示すが細部において異なる

Cv：caveola-vesicle complex（シュフナー斑点と考えられる），矢印：赤血球外縁の小隆起と塊状突起，M：原虫のミトコンドリア，N：核，Nu：仁，P：マラリア色素

（筆者経験例，松本芳嗣 博士 撮影）

第23項　マラリア　[C] 感染，症状および免疫

マラリアの主症状は発熱であるが，その周期はマラリアの種類によって異なり，三日熱マラリアと卵形マラリアは48時間毎，四日熱マラリアは72時間毎，熱帯熱マラリアは不規則ながら48時間毎に発熱が起こる．また発熱以外にも頭痛，筋肉痛，肝脾腫大，黄疸，貧血，消化器症状など種々の症状を示す．とくに熱帯熱マラリアの場合は急性の経過をとり，脳症，腎不全などを起こし適切な処置を施さないと死亡することがあるので注意を要する．

【疾病名】　ヒトのマラリアはその病原体の名称または症状に合わせて次のごとく呼ばれている．
1. 三日熱マラリア　vivax malaria または tertian malaria
2. 熱帯熱マラリア　falciparum malaria または malignant tertian malaria
3. 四日熱マラリア　quartan malaria
4. 卵形マラリア　ovale malaria

上記のうち熱帯熱マラリアが最も症状が重く，死亡率も高いので**悪性マラリア** malignant malaria と称し，他はそれ程でもないので**良性マラリア** benign malaria と呼んでいる．

【感　染】　マラリア原虫を保有しているアノフェレス属の蚊に刺され，スポロゾイトがヒトに侵入して感染するのが普通であるが，この他に輸血，麻薬の回し打ち，注射針の誤刺事故などでマラリア原虫を有する血液が直接注入されて感染・発症することもある．

【症　状】
1. 潜伏期　蚊によって注入されたスポロゾイトはまず肝細胞に侵入し，分裂増殖して多数のメロゾイトを生じ，これが血液中に放出され赤血球に侵入する．そして何回か赤内発育を繰り返して原虫数が発熱限界数に達すると発症する．感染から発症までの最短の潜伏期間は次のごとくマラリアの種類によって異なる．
    (1) 三日熱マラリア　　10〜14日
    (2) 熱帯熱マラリア　　5〜10日
    (3) 四日熱マラリア　　13〜21日
    (4) 卵形マラリア　　　11〜16日

しかし実際の潜伏期間はもっと長い．わが国の統計によると，熱帯熱マラリアはそのほとんどが1カ月以内に発病しているのに対し，三日熱マラリアでは45％が1カ月以内，22％が2カ月ないし1年以内，6％が1年以上経て発病している．また四日熱マラリアは40年以上経過して再燃した例が何例か知られている．

2. 発熱 fever　発熱の数日前から全身倦怠，頭痛，筋肉痛，背痛，食欲不振などの前駆症状があり，次いで急に発熱が起こる．この際まず悪寒を生じ，三日熱および四日熱の場合は戦慄を伴うことが多い（寒期）．次いで急激に体温が上昇し，39〜41℃に達する（暑期）．2〜4時間後には多量の発汗をもって解熱する（発汗期）．このような熱発作はそれぞれのマラリア原虫の赤内発育に要する時間に一致して起こる（図158，159，160）．

    (1) 三日熱マラリア　　48時間毎
    (2) 熱帯熱マラリア　　48時間毎（不規則）
    (3) 四日熱マラリア　　72時間毎
    (4) 卵形マラリア　　　48時間毎

しかし実際には発病初期にはどのマラリアも毎日発熱する．とくに熱帯熱マラリアの場合，熱型は不規則である．さらに混合感染，重複感染，抗生剤使用などにより乱れる場合があるので熱型にあまり頼ってはならない．

発熱のメカニズムについては種々の意見があるが，赤血球が破壊され，その中に存在するマラリア色素や原虫の新陳代謝産物が血中に遊離し，これが脳の体温調節中枢を刺激するという説や，一種のアナフィラキシー現象であるという説もある．

3. 脾腫 splenomegaly　発病の初期にはみられないが，発熱を繰り返しているうちに脾臓が次第に大きくなってくる．正常な脾臓の重さは120g位であるが時に数kgにも達する（図161，162）．これは破壊された赤血球の処理とマラリア毒素の影響と解されている．

4. 貧血 anemia　造血能を超えて赤血球の破壊が繰り返されると貧血が起こってくる．なお，発熱・脾腫・貧血はマラリアの三徴とされるが，脾腫や貧血は急性のマラリア患者では認めないことも多い．

5. その他の症状　上記の他，肝腫 hepatomegaly，消化器障害なども起こるが，熱帯熱マラリア以外の場合はその後慢性の経過をとるが時に栄養不良，他の感染症併発などにより死亡することもある．

6. 重症マラリアについて
熱帯熱マラリアの場合，とくに免疫のないヒトが感染したような場合，急性の経過をとり，発症後1〜2週間で脳症，腎不全，出血傾向，肺水腫/ARDS，アシドーシスなどを起こして死亡することがある．その理由は，三日熱と卵形マラリア原虫は若い赤血球を好み，四日熱マラリア原虫は老赤血球を好むのに対し，熱帯熱マラリア原虫は老若を問わず攻撃するので破壊される赤血球が多くなるためと，脳性マラリアにおいては，感染した赤血球が脳毛細血管内壁に付着し，毛細血管を閉塞（図163-W）するために生ずると考えられている．熱帯熱マラリアだけでなく，三日熱マラリア，二日熱マラリア（後述）でも重症例が報告されている．WHOの重症マラリアの定義を表（次項）に示す．

【免　疫】　マラリア感染に対する免疫応答は種々観察され診断などに応用されているが，感染防御免疫は不完全であ

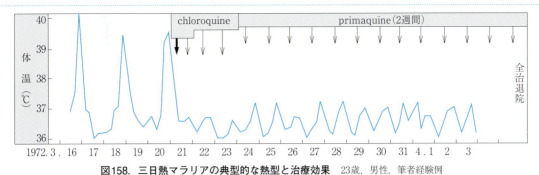

図158. 三日熱マラリアの典型的な熱型と治療効果　23歳，男性，筆者経験例

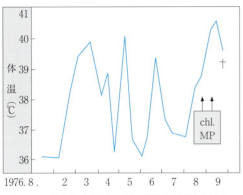

図159. 熱帯熱マラリアの不規則な熱型（死亡例）
37歳，男性，筆者経験例

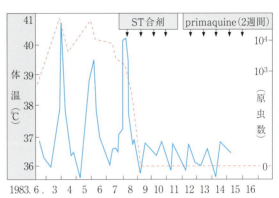

図160. 卵形マラリアの典型的な熱型と治療効果
29歳，男性，筆者経験例．破線は無性型原虫数の推移

図161. マラリア脾腫を示す台湾山地原住民（高砂族）の小児
（故 森下　薫博士の厚意による）

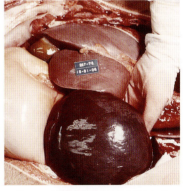

図162. 熱帯熱マラリアで死亡した患者の脾腫
図159に示した症例

る．しかし流行地で繰り返し感染を受けているヒトは感染しにくいし，そこで生まれた子供も生後3カ月位までは感染しにくい（母体からの免疫）という現象はみられる．

　マラリアの免疫は終生免疫ではなく **premunition** というタイプをとり，少数でも原虫が体内に存在する間だけ免疫は維持され，治癒して原虫がいなくなると消失する．マラリアの免疫は原虫の種類によって異なり，また発育段階でも異なり非常に複雑である．抗原性を発揮するのはスポロゾイトとメロゾイトの時期とされ，これらの表面に存在する抗原蛋白に対する抗体を作用させると肝細胞や赤血球への侵入を阻止できるという動物実験の成績もあるが，これを応用したヒトに対するワクチンなどはまだ成功していない（第26項参照）．

第24項　マラリア [D] 診　断

マラリアの診断は，まず発熱患者を診たときマラリアを疑うことから始まる．次いで血液検査を行ってどの種のマラリアであるかを確定する．これはその後の治療方針を決める上で必要である．近年，免疫学的診断法やDNA診断法の開発が進んだ．マラリアは感染症新法で全数届出の4類感染症に指定されており，患者を診断したときは直ちに保健所に届け出なければならない．

【診　断】

1. 臨床診断　前項に述べた症状を熟知し，とくに海外渡航後の高熱患者を診たときはまずマラリアを疑う．しかし，時に帰国後1年以上を経て発病することもあり，また熱型も乱れることも多い．熱帯熱マラリアの場合は早期に適切な治療を行わないと重症化して死亡することがあるので注意を要する．

2. 血液検査　検査法は第134項に述べてあるが，まず患者の血液塗抹ギムザ染色標本を作成し，マラリア原虫の種を決定する（図156，163）．わが国において，患者がマラリアで発熱しているのであれば血中原虫数はかなり多く，顕微鏡下で**血液薄層塗抹標本 thin blood smear**中に必ず見つかるはずである．一方，流行地などで原虫数の少ない慢性感染者を検出するような場合は**血液厚層塗抹標本 thick blood smear**を作って検査する．採血は耳朶，指頭，静脈いずれでもよい．採血時間はいつでもよいが，発熱患者ではほぼ6時間毎に検査し，各発育段階の原虫を観察すると診断上有益である．

川本[註1]は血液塗抹標本をアクリジンオレンジ液で染色し，簡易蛍光顕微鏡観察によりマラリアの迅速診断に好結果を得た（図163-U，V．手技は第134項参照）．

3. 原虫密度 parasite density（PD）または**原虫数 parasite count**　血液1μl中の原虫密度（PD）は，塗抹標本上で白血球を200個数える間にマラリア原虫に感染している赤血球がいくつあったかを数え（X），そのときの血液1μl中の白血球数（W）から求める．

$$PD = W \times \frac{X}{200}$$

4. 免疫学的診断法　従来，血中の抗体検出のために間接蛍光抗体法やELISA法が用いられてきたが，最近は，血流中のマラリア原虫抗原（histidine-rich protein 2：HRP-2やlactate dehydrogenase：pLDH）を免疫クロマト法で短時間に検出する簡易迅速診断法（RDT法）が開発され，国外で広く使用されている．

5. PCR法によるDNA診断法　この方法は目的とする原虫特異的なDNAを増幅させて検出する方法である．非常に鋭敏であり4種のヒトマラリアやサルマラリア原虫の鑑別にも有用である[註2]．

【鑑別診断】
インフルエンザ，肝炎，腸チフス，デング熱など高熱を発する疾患と鑑別を要する．また熱帯熱マラリアで脳症を起こした場合はウイルス性脳炎やてんかんと誤診されやすい．

【培　養】
マラリア原虫の培養は，1976年 Tragerら[註3]が熱帯熱マラリア原虫を用いて本格的培養に成功し，その後，多くの改良法が報告された．安定した培養が可能になり，薬剤やワクチンの開発研究が飛躍的に発展した．

表10．WHOによる重症マラリアの定義

臨床的特徴	検査所見
・意識障害，昏睡 ・疲はい（支えないで座れない） ・哺乳不良，経口摂取不能 ・24時間以内に2回以上の痙攣 ・頻呼吸 ・ショック ・黄疸 ・ヘモグロビン尿 ・出血傾向 ・肺水腫（レントゲン検査による）	・低血糖（<40mg/dL） ・代謝性アシドーシス（重炭酸<15mEq/L） ・重症貧血（Hb<5g/dL） ・ヘモグロビン尿 ・高原虫血症（非流行地域：>2%） ・高乳酸血症（>15mEq/L） ・腎機能障害（血清クレアチニン>3.0ng/dl）

註1　Kawamoto et al.（1992）：Parasit. Today, 8：69-71.
註2　Komaki-Yasuda et al.（2008）：PLOS One, 13：e0191886.
註3　Trager and Jensen（1976）：Science, 193：673-675.

図163．ヒト寄生4種マラリア原虫の代表的形態

A：蚊の中腸の外側に生じた多数のマラリアのオーシスト（Tulane大学標本）．**B**：蚊の体腔内に現れたスポロゾイト．**C**：ヒトの肝臓に生じた組織型の分裂体．**D～H**：三日熱マラリア原虫．**D**：輪状体，赤血球は膨大しSchüffner斑点あり．**E**：アメーバ体，赤血球は膨大しSchüffner斑点あり．**F**：分裂体．**G**：雌性生殖母体．**H**：雄性生殖母体．**I～M**：熱帯熱マラリア原虫．**I**：輪状体，輪状体は小さく，赤血球は膨大しない．**J**：アメーバ体（左），Maurer斑点あり．**K**：分裂体，患者死亡の直前に末梢血中に出現する．**L**：雌性生殖母体，細長く，核・細胞質とも濃く染まる．**M**：雄性生殖母体，鈍円で，核・細胞質ともやや淡く染まる．**N～Q**：四日熱マラリア原虫．**N**：輪状体，斑点はない．**O**：早期栄養体，帯状を示す傾向あり．**P**：アメーバ体，帯状体．**Q**：分裂体．**R～T**：卵形マラリア原虫．**R**：輪状体，Schüffner様斑点あり．**S**：アメーバ体，典型的な卵形と鋸歯状縁を示す，斑点あり．**T**：分裂体．**U**：アクリジンオレンジ染色による三日熱マラリアの分裂体．**V**：アクリジンオレンジ染色による熱帯熱マラリアの生殖母体（U，Vは川本文彦博士の厚意による）．**W**：熱帯熱マラリアで死亡した患者（図162）の脳の切片標本，毛細血管の中に多数の被感染赤血球（黒い点々）がつまっている．

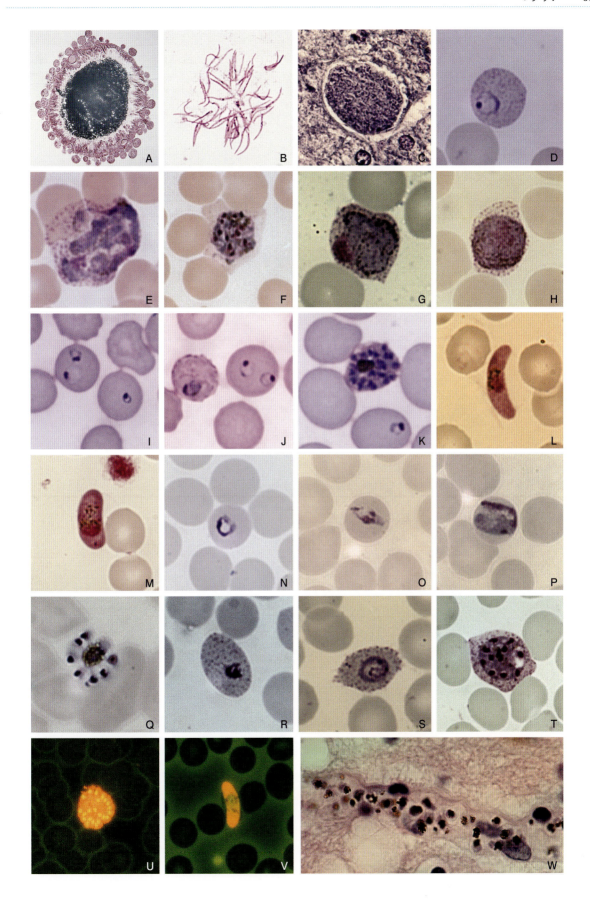

第25項 マラリア ［E］治療と予防

最近わが国では輸入マラリア症例が増加しており，とくに熱帯熱マラリアは治療が遅れると生命にかかわるので適切な処置ができるよう常に準備が必要である．また薬剤耐性を示すマラリアが存在するので治療薬の選択に注意が必要である．

抗マラリア薬として最も有名な**キニーネ** quinine は，南米の現地人がマラリアに対する解熱剤として用いていたキナの樹皮を17世紀前半に宣教師がヨーロッパに持ち帰り広く用いられるようになったものである．キニーネはキナ樹皮から精製されるアルカロイドの一つで4-メタキノリンに属し，その基本構造を参考にしてその後多くの抗マラリア薬が開発されてきた．また，古くより中国で抗マラリア薬として用いられてきた青蒿 *Artemisia annua* という薬草(1頁の図参照)からアルテミシニンが精製され，現在マラリア治療薬の一つに付け加えられている．第二次世界大戦後のマラリア治療の中核をなしてきたのはクロロキンであるが，薬剤耐性の拡大と共に使用範囲が限定され，現在治療に使用される抗マラリア薬は目まぐるしく変化し続けている．常に新しい情報を入手して治療に当たる必要がある．わが国においては「国内未承認薬の使用も含めた熱帯病・寄生虫症の最適な診療体制の確立」に関する研究班が組織され，治療薬を供給しているので，必要に応じ関係機関に相談するとよい．

I．マラリア治療薬の特性

今のところ人体に寄生するマラリア原虫のすべての発育ステージに有効な抗マラリア薬はまだ見つかっておらず，薬剤の種類によって作用スペクトルは異なる．抗マラリア薬に求められる最も重要な作用は赤血球内で増殖する赤内型原虫を殺すことであるが，三日熱，卵形マラリアの場合はそれだけでは不十分で，肝細胞内に存在するヒプノゾイトも殺さないと再発する．また，ハマダラカへの伝播阻止を考えたときには生殖母体を殺す作用も重要である．いくつかの抗マラリア薬についてこれらの作用を**表11**にまとめた．

II．薬剤耐性の問題

前述のごとくクロロキンに耐性を示す熱帯熱マラリアが現れたが，これは1960年にコロンビアとタイで初めて見出され，今やほとんど全世界の流行地に分布している．WHOは薬剤耐性の程度により**図164**のごとく分類している．したがってクロロキンは熱帯熱マラリアに対しては通常使用しないがその他のマラリアに対してはなお有効である．しかし最近，クロロキン耐性の三日熱マラリアが一部地域で報告されたり，さらにファンシダール，メフロキン，キニーネなどに対する耐性や多剤耐性の熱帯熱マラリアの出現も報告されるようになった．薬剤耐性の出現をできるだけ遅らせる方策として，2種薬剤の併用や合剤の開発も行われている．

表11．抗マラリア薬の作用スペクトル

	殺赤内型増殖虫体	殺生殖母体	殺肝細胞内原虫
キニーネ	+	+/−*	−
クロロキン	+	+/−*	−
プログアニール	+	−**	−
ピリメタミン	+	−	−
メフロキン	+	−	−
プリマキン	−	+	+

*マラリアの種によって作用が異なる．**殺生殖母体作用はないが本剤服用後原虫が蚊に吸われても蚊体内で発育できない

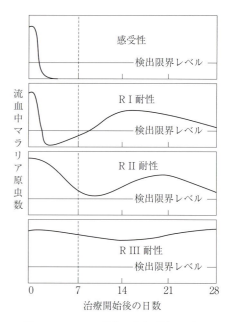

図164．マラリア原虫の薬剤耐性の分類
感受性株では薬剤投与後原虫は消滅するが，耐性株では検出される．その現れ方を RI〜RⅢに分類している．
（WHO Technical Report Series 529, 1973より改変）

III. マラリア治療の実際

マラリア治療薬の選択はマラリア原虫の種によって異なるので，最初に正確に種の鑑別をすることが重要である．熱帯熱マラリアはしばしば重症化し死の転帰をとることもあるので，迅速な治療の開始が求められる．

1. 熱帯熱マラリアの治療

重症化しておらず合併症のない熱帯熱マラリアの場合，次の①～④のいずれかの薬剤を用いて治療を行う．

① アルテメテル・ルメファントリン配合錠（リアメット配合錠）：成人には1回4錠を1日2回，3日間食後に経口投与する．小児には体重に応じた投与量を1日2回，3日間食後に経口投与する．

② アトバコン250mg/塩酸プログアニル100mg 合剤（Malarone）：1日4錠，頓用，3日間．食事または乳製品とともに服用．多剤耐性熱帯熱マラリアに有効．

③ メフロキン mefloquine（メファキン）：メフロキン塩基15mg/kgを頓用．耐性が予想される地域での感染者に対しては25mg/kgを6～8時間間隔で分2服用．時に神経症状を呈することがあり，精神病や癲癇の既往を有する患者への投与は禁忌．

④ キニーネ塩酸塩水和物（塩酸キニーネ「ホエイ」）：1回500mgを1日3回，7日間投与する．ドキシサイクリン1回100mgを1日2回またはクリンダマイシン1回600mgを1日3回，7日間併用する．

2. 重症マラリアの治療

WHOではアーテスネート注射薬を第一選択薬として推奨しているが，日本では入手困難であり，また承認された抗マラリア薬の注射製剤がない．したがって，重症マラリア患者は熱帯病治療薬研究班薬剤使用機関に紹介することになる．ただし転院に時間を要し，上記①から④の抗マラリア薬がすぐに入手できる状況では，これらの薬剤を投与することも検討する．

⑤ キニーネ注射薬（キニマックス）：キニーネ塩基8mg/kgを5％ブドウ糖液500mlに溶解し，約4時間かけて点滴静注し，これを必要に応じ8～12時間毎に繰り返す．原虫寄生率が1％未満になり，経口摂取が可能となれば上記①から④に変更する．なお，治療前に意識障害がみられた場合には，マラリア後神経的症候群（post-malaria neurological syndrome）の発症するリスクが高いためメフロキンは避けることが望ましい．

原虫に対する治療だけではなく，呼吸管理，血液透析，不整脈への対応，血糖管理などの全身管理が必要であり集中治療室で治療されることが望ましい．細菌感染の可能性がある場合には抗菌薬を使用する．

3. 三日熱，卵形，四日熱マラリアの治療

三日熱，卵形，四日熱マラリアは死に至るような合併症を生じることは稀である．薬剤耐性も今のところあまり問題はない．諸外国で第一選択となっているクロロキン（下記⑥）は日本では使用できない．上記①から③を用いて赤内型原虫に対する治療を行う．

⑥ クロロキン chloroquine（ニバキン）：クロロキン塩基として初回600mg，6時間後300mg，さらに24時間，48時間後に300mgずつ投与する．最近は輸入薬 Avloclor（リン酸クロロキン）を初回4錠，6，24，48時間後に2錠宛計10錠投与する．

4. 三日熱，卵形マラリアに対する根治療法

三日熱と卵形マラリアは，肝細胞内に休眠型原虫（ヒプノゾイト）が残存するため赤内型原虫に対する治療のみでは再発のおそれがある．したがってクロロキンなどで赤内型原虫を完全に殺した後さらにプリマキンを投与し再発を予防する．

⑦ プリマキン primaquine：プリマキン塩基15mgを1日1回頓用，14日間服用．本薬剤の投与によりグルコース-6-燐酸脱水素酵素（G-6PD）欠損者に溶血性貧血を生じることがあるので，投与前に酵素測定することが望ましい．G-6PD欠損症は日本人には比較的稀である．

IV. マラリアの予防

マラリアの予防は，一般的予防と抗マラリア薬の予防的内服に分けられる．ワクチンの開発研究もさかんに進められているが，まだ実用段階に入っているものはない．以下に日本人が熱帯・亜熱帯地域を旅行する場合を想定して一般的予防と予防内服の概略について述べる．

1. 一般的予防

マラリアはハマダラカの吸血により感染するので，蚊に刺されないための方策がもっとも重要である．まず旅行に先立って訪問地域のマラリア感染の危険度の情報を入手しておく．一般論として流行地であっても大都会では感染のリスクは低く，田舎にいくほど高い．また標高1,500m以上の高地ではハマダラカは棲息しにくい，など蚊の習性を知っておくことも重要である．ハマダラカは夜間吸血嗜好性のものが多いので夕暮れから夜間の外出は控えたほうがよい．野外に出るときは長袖，長ズボンを着用し，昆虫忌避剤も利用する．住居は網戸を完備し，できればエアコンを効かせる．就寝時には蚊帳を用いる．蚊取り線香や防虫スプレーも有効である．

2. 予防内服

マラリア予防内服の方針については諸説があり，滞在の期間によっても異なるが次の方法が用いられている．

(1) クロロキン：塩基として300mgを週1回服用．この使用は熱帯熱マラリアが稀な地域に限定される．

(2) クロロキンとドキシサイクリンの併用：上記クロロキン300mg 週1回服用に加えてドキシサイクリン100mgを連日服用．熱帯熱マラリアが時にみられ，時にクロロキン耐性も報告されている地域に応用可能である．

(3) メフロキン：塩基として250mgを週1回服用．熱帯熱マラリアが広く分布している地域で使用が可能であるが，副作用に対する注意も必要である．

(4) アトバコン250mg/塩酸プログアニル100mg 合剤（Malarone）：1日1回1錠を食後に内服する．流行地に到着する24時間前から開始し，滞在中は毎日，流行地を離れた後も7日間内服を続ける．

第26項　マラリア　[F] 疫　学　付. 二日熱マラリア

世界のマラリア

マラリアは図165に示すごとく世界の熱帯，亜熱帯に広く分布し，21世紀初頭までは年間の罹患者3〜5億人，死亡者150〜270万人を出していた．WHOは1955年**マラリア根絶計画** malaria eradication program を開始し，その基本方針はDDTの残留噴霧（第125項参照）により吸血後壁にとまった蚊を殺すというものであった．この計画は一時大いに奏功したが，DDT抵抗性の蚊の出現，DDTの使用禁止，経済的理由などによって行き詰まり1960年頃から再び流行が盛り返してきた．WHOはその後種々の対策を講じてきたが，1998年からユニセフや世界銀行などの協力を得て新たに**マラリア巻き返し計画** roll back malaria program を発足させ，感染予防，治療薬の普及などきめ細かい対策を行い，2015年のWHO報告によると感染者は2億1,400万人，死亡者は年間438,000人に減少している．

日本のマラリア

日本にも古くからマラリアが流行していたことは古文書から明らかで，オコリ（瘧）とかワラワヤミと称されていた（総論XIV. 寄生虫学の歴史. 参照）．日本のマラリアは三日熱マラリアで**シナハマダラカ** Anopheles sinensis や**オオツルハマダラカ** A. lesteri によって媒介され，宮古・八重山諸島には，この他に**コガタハマダラカ** A. minimus によって媒介される熱帯熱マラリアが流行していた．とくに日本の太平洋戦争敗戦直後この地域ではいわゆる**戦争マラリア**により住民約3万人の半数以上が罹患し，3,647名が死亡したと記録されている．

日本における**土着マラリア** indigenous malaria の患者の数は不明な点が多いが，20世紀の初め頃までは大体20万人位常在していたようである．しかしその後次第に減少し，1935年頃には年間2万人位の発生になっていた（図166）．日本での主な流行地は富山，石川，福井，滋賀，愛知など本州中央部であった．ところが，中国との戦争，つづいて太平洋戦争に突入するに及んで，外地で感染し帰国してくるいわゆる**輸入マラリア** imported malaria が増加し，1945年日本の敗戦の後1〜2年の間に合計60万〜100万人と推定されるマラリア感染者が帰国した．そして当時，生活レベルが低く，蚊も多く，これらを感染源として大流行が起こるのではないかと心配されたが，一部に小流行をみただけで急速に減少し，1965年頃には患者数が年間10名程度となった．このように日本で自然にマラリアが減少した主な理由は，シナハマダラカのマラリア媒介の能率があまりよくなかったこと，夏だけしか蚊が発生せず流行が制限されたこと，工業化で蚊の発生水域が少なくなり，農薬や殺虫剤の大量使用で発生がおさえられたこと，などである．

このようにして日本はもはやマラリアの心配はなくなったと考えられたが1970年頃から輸入マラリアが増加してきた．それは日本の経済発展にともない発展途上国との交流が盛んになったからである．1年間の海外渡航者は2016年には1,711万人，一方，発展途上国を含む外国人の入国者数は同じく2016年2,403万人に達した．このような理由から年間100名を超える輸入マラリア患者が報告されたが最近70名前後とやや減少している（図167）．

また**空港マラリア**と呼ばれるマラリアがある．これは空港近くの住民が航空機で運ばれてきた感染蚊に刺されて発症するもので，最近の30年間に世界で87例（内5例死亡）報告されており，わが国でも過去に疑わしい例が1例あった．

一方，**輸血マラリア** transfusion malaria の問題が戦前からあり，1994年現在75症例（内，戦前約35例）を数える．また最近，注射針誤刺（2例），覚醒剤注射（9例），血小板輸血（2例）などによる感染が報告されている[註1]．

二日熱マラリア原虫　*Plasmodium knowlesi*[註2]

本種は数種のサルに自然感染しているが，1965年ヒトの自然感染例が見つかり，その後2004年ボルネオ島で患者血液の遺伝子検査を実施したところ多数の *P. knowlesi* の感染者が見出され，今や**第5のヒトマラリア**と称される．現在，本種の感染者はボルネオ島，マレー半島，タイ，ミャンマー，フィリピン，シンガポール，ベトナムから報告されており，2013年にわが国初の輸入感染症例が報告された．患者は35歳の日本人男性で，マレーシアで野外研究を行って帰国後発病した[註3]．

症状は39〜40℃の発熱が24時間毎に起こるのが特徴で，**二日熱マラリア**と名付けられた．頭痛，関節痛，腹痛，血小板減少などを認めるが軽症〜中等症に推移する．しかし稀に重症化し今までに6例の死亡例の報告がある．この日本人症例は比較的軽症に推移した．本症の診断は，その形態が四日熱マラリアに似ているので血液塗抹標本のみでは困難で遺伝子検査に頼らざるを得ない．

本症の治療は，本虫にヒプノゾイトの時期がないのでプリマキンを投与する必要はなく，第25項記載のクロロキンあるいはメフロキンの単味投与を行う．

註1　狩野繁之ら（1994）：日熱医会誌，22：193-198.
註2　川合　覚（2010）：モダンメディア，56：139-145.
註3　狩野繁之ら（2013）：第82回日寄会抄録，102.
註4　IASR（2018），39：167-169.

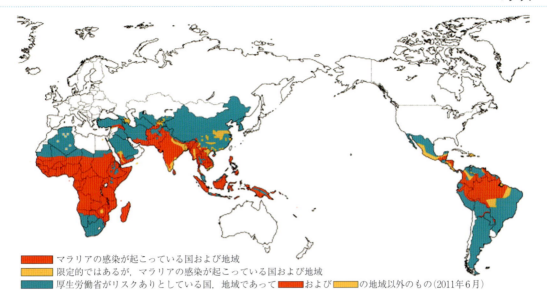

図165. 2011年における世界のマラリア流行状況
（厚生労働省検疫所 FORTH ホームページ（https://www.forth.go.jp/news/2012/04091307.html），2011年発表の WHO 資料による）

■ マラリアの感染が起こっている国および地域
■ 限定的ではあるが，マラリアの感染が起こっている国および地域
■ 厚生労働省がリスクありとしている国，地域であって ■ および ■ の地域以外のもの（2011年6月）

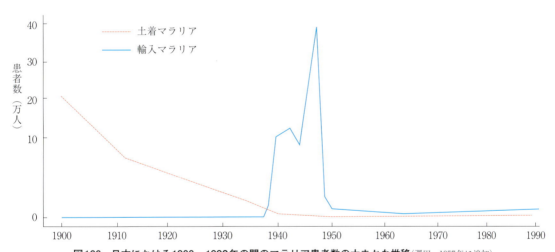

図166. 日本における1900～1992年の間のマラリア患者数の大まかな推移（澤田，1957年に追加）

図167. 日本における近年の輸入マラリア症例の年別・原虫種別届出数（2006～2017）註4

＊2006年は第13週からの届出数　＊＊その他3例を除く（感染症発生動向調査：2018年7月11日現在届出数）

第27項　バベシアおよび大腸バランチジウム

バベシアは野生動物の赤血球に寄生する原虫でダニが媒介する．欧米では人体寄生例が多数知られていたが，わが国では最近，第1例が報告された．大腸バランチジウムはわが国の動物にも感染しており，稀に人体寄生例がみられる．

I．ネズミバベシア *Babesia microti*

バベシアは広く世界の家畜や野生動物に感染しているが1957年にユーゴスラビアで人体寄生が見出されて以来，欧米で輸血による感染を含め多数の症例が報告された．バベシアには多くの種があるがヒトに寄生した種は *B. microti*（米国）と *B. divergens*（欧州）とである．最近，斉藤ら(1999)[註1]によりわが国最初の人体感染例が報告された．症例は淡路島在住の40歳男性で溶血性貧血治療のためステロイドを数カ月間投与され，全赤血球の約50％がバベシアに感染していた（図169）．形態およびDNA診断の結果 *B. microti* と同定され，感染は貧血発病の約1カ月前に受けた輸血によるものと考えられた．その理由はドナーから本虫の遺伝子断片が発見されたからである．患者もドナーも海外渡航の前歴はないので，わが国土着のバベシアの感染と思われる．

わが国には数種のバベシアが分布しており *B. microti* は塩田ら(1983)[註2]がすでに大津の野鼠から見出していた（図168）．しかし遺伝子解析の結果，上記の人体寄生種とやや異なり神戸型と大津型とに区別している．赤血球内におけるバベシアは熱帯熱マラリアに似ており鑑別を要する．人に感染した場合の症状は無症状から重症まで様々である．最近ヤマトマダニの唾液腺からバベシアが検出され，このダニによる媒介が示唆されている．

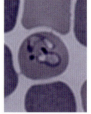

図168．アカネズミに自然感染している *Babesia microti*
（塩田恒三 博士 採集）

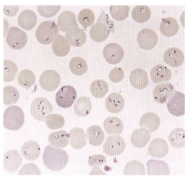

図169．わが国で初めて人体から見出された *Babesia microti*
（神戸大学 斉藤あつ子 博士の厚意による）

II．大腸バランチジウム *Balantidium coli*

本虫は有毛虫門に属し，原虫の中で最も進化したグループで，世界に広く分布し，主にブタやサルの大腸に寄生しているが，時にヒトにも寄生が見られる．

栄養型は図170左に示すごとく楕円形で多数の**繊毛 cilia**で被われ，これで運動する．長径は50〜80μm，短径は40〜60μmとかなり大きい．大核は栄養核で代謝に関与し，小核は生殖核で遺伝情報を伝える．虫体の活力が衰えると2個体が**接合 conjugation** し，小核の一部を交換し賦活する．嚢子は図170右に示すような直径45〜65μmの球形で腎臓型の大核を有する．

本虫が大腸に寄生すると図171に示すごとく腸管壁に侵入し，組織を破壊するので下痢，血便を生ずる．下痢便の中には栄養型，有形便の中には嚢子が排出されるので，これを検出して診断する．感染は嚢子を摂取することによる．中内(1990)は茨城県で88頭のブタを検査したところ全例に感染を認めた．人体寄生例はわが国では稀であるが最近，岐阜で16歳男子の症例が報告された[註3]．

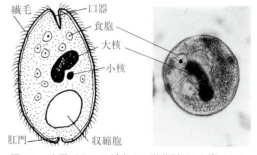

図170．大腸バランチジウムの栄養型(左)と嚢子(右)

繊毛／口器／食胞／大核／小核／肛門／収縮胞

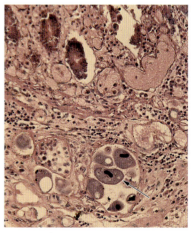

図171．ブタ大腸壁内に侵入寄生している大腸バランチジウム

註1　斉藤あつ子ら(1999)：感染症誌，73：1163-1164．
註2　塩田恒三ら(1983)：寄生虫誌，32：165-175．
註3　加納正嗣ら(1993)：感染症誌，67：899．

第28項 ナナホシクドア

2008年頃からヒラメの刺身喫食による食中毒が知られ始め，原因が粘液胞子虫類のナナホシクドアであることが判明し，クドア食中毒と名付けられた．その後，調査が進むにつれ本症は全国的に発生しており，2017年現在までに合計千数百例報告されている．症状は嘔吐，下痢，腹痛であるが一過性で重症化はしない．輸入養殖ヒラメが原因とする報告が多かったが，現在では養殖ヒラメよりも天然ヒラメの刺身喫食による患者発生が増えている．

【種 名】
　　ナナホシクドア *Kudoa septempunctata*
　　Matsukane et al., 2010
【疾病名】　クドア食中毒[註1, 2]
【疫 学】　2008年頃からヒラメの刺身による食中毒が知られ始め，2009年には愛媛県で100例以上の集団感染事例が起こり，その後も全国から報告が相次ぎ，2011年にその原因が**粘液胞子虫**の *Kudoa septempunctata* であることが認定された[註2, 4]．本種は2010年に Matsukane らが韓国より輸入した養殖ヒラメから発見し新種の記載を行った寄生虫である[註3]．2011年6～12月の間に473例の報告があり，厚生労働省は2013年より本症を全国食中毒統計に加え，2013～2014年の2年間に673例発生したと報告した．その後も毎年200例前後の患者発生を認めている．北海道から九州まで全国的に見られ，季節的には8～10月に多発している．原因は韓国産養殖ヒラメの生食による事例が多かったが，現在では天然ヒラメを生食した事例が増えている．．

【形態と生活史】　Kudoa 属の寄生虫は魚の筋肉内に寄生する粘液胞子虫で，その生活史はよくわかっていないが，ゴカイのような環形動物と魚類との間で感染が行き来しているとされている．その中で *K. septempunctata* は主にヒラメの筋肉内に寄生しているがシストを形成しないので肉眼で見ることはできない．

魚肉内に存在する粘液胞子は**図172**に示すごとく胞子内に5～7個の極嚢が花弁状に並んでいる．大きさは直径約10μmである．

【症 状】　ヒラメの刺身摂取2～7時間後から激しい嘔気，嘔吐，腹痛が生じ，続いて下痢，発熱などが起こる場合があるが一過性で軽症に経過し重症化することはない．またヒトの消化管に定着寄生することもない．

【検 査】　魚肉の塗抹標本を作製し，生で鏡検（**図172**）するかメチレンブルー染色を行って鏡検する（**図173**）．またPCRによる遺伝子検査も行われている．

【治 療】　特効的な治療薬はないが，重症化する例はなく，殆ど一両日以内に自然治癒する．

【感染源と予防】　感染源のヒラメについて農林水産省の資料によると，わが国の市場に出回っているヒラメの内養殖ヒラメの約半数は韓国からの輸入であるという．また摂取した胞子の

図172．ナナホシクドアの粘液胞子（生鮮標本）

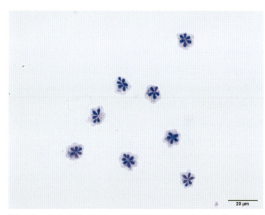

図173．ナナホシクドアの粘液胞子のメチレンブルー染色像

（図172，173は国立感染症研究所　八木田健司 博士 提供）

数が少数の場合は発症せず数千万個に達すると発症するという．

感染予防法としては魚肉の－20℃，4時間の冷凍，あるいは75℃，5分の加熱で感染力は失活するが，刺身としての価値は失われる．清潔な環境で養殖されたヒラメの輸入と，出荷前の検査が重要である．

註1　小西良子（2012）：クドア食中毒総論 IASR，33：149-150.
註2　大西貴弘（2012）：モダンメディア，58：205-209.
註3　Matsukane et al.（2010）：Parasitol. Res. 107：865-872.
註4　Kawai et al.（2012）：Clin. Infect. Dis. 54：1046-1052.

第29項 ニューモシスチス [A] 分類と疫学

ニューモシスチスは1912年Delanoë夫妻によってラットの肺から発見されPneumocystis cariniiと命名された．その後これが免疫不全のヒトに感染すると重篤な肺炎を起こすことが判明し，エイズの指標疾患としても大いに注目されてきた．この病原体は発見以来，原虫の一種と考えられてきたが，近年では塩基配列の解析等から真菌に配すべき生物と考えられている．しかし筆者は本症について詳細な研究を行ってきたので本書で解説することにする．またヒトに感染するのはP. cariniiではなくP. jiroveciiであるという説が大勢となった．したがって本書はP. cariniiを示す略称Pcを改め，これらを包含するPneumocystisの略としてPnを用いることにする．

【種名】

1. **ニューモシスチス・カリニ**
   Pneumocystis carinii Delanoë et Delanoë, 1912
   主としてラットに感染している種

2. **ニューモシスチス・イロベチイ**（新名）
   Pneumocystis jirovecii Frenkel, 1976
   主としてヒトに感染している種

【疾病名】

ニューモシスチス肺炎 Pneumocystis pneumonia

最近までニューモシスチス・カリニ肺炎 *Pneumocystis carinii* pneumonia，あるいは簡単に**カリニ肺炎**と呼ばれてきたが，後述するごとく最近ヒトに感染するのはP. jiroveciiということになったのでカリニという語句を除き**ニューモシスチス肺炎**と称するのが適当ではないかと考える．また全身の臓器に播種することがあり，そのような場合は**ニューモシスチス症 pneumocystosis**と称するのが適当と考える．

【歴史，分類および種名の変遷】

Pneumocystis（以下Pnと略）を初めて顕微鏡下にみたのはChagasで1909年のことである[註1]．彼は*Trypanosoma cruzi*を感染させたモルモットの肺にPnの囊子を見出し図も描いているが，新しい生物とは気づかず，自分が感染させた*T. cruzi*が肺の中でschizogonyを行い，8個のmerozoiteを生じたものと考えた．その後，Carini（1911），Vianna（1911），Walker（1912）らも種々のTrypanosomaを感染させた実験動物の肺にPnを見出したがChagasと同様に考えた．さらにChagasは1911年にヒトの肺からも見出して報告している．

一方Delanoë夫妻もパリでTrypanosomaの研究を行いラットの肺にChagasやCariniと同様の囊子様小体を見出したが，夫妻はこれは新しい生物であると結論し，1912年に*Pneumocystis carinii*と命名し新種の記載を行ったのである[註2]．しかしその後約40年間，本種は単なる動物の寄生原虫であると考えられ医学者の注意を引くことはなかった．ところが1952年，Vaněkらが，当時ヨーロッパで虚弱乳幼児の間で流行していた間質性形質細胞性肺炎の病原体が本種であることを突き止めてからにわかに研究が医学の領域で盛んになった．

このようにP. cariniiはヒトに重篤な肺炎を引き起こすと考えられてきたが，1976年，FrenkelはラットにあるPnがヒトに感染する証拠はないことと，ラットとヒトから得られたPnの抗原性が異なるというKim（1972）の成績を引用し，ヒトに感染しているPnをPneumocystis jiroveciと命名し，新種の記載を行った[註3]．この説はその後採用されなかったが，21世紀に入ってDNA解析の結果，別種説が有力となり，ヒトに感染している種をP. jiroveciiと称することになった（植物分類に変更され語尾のiが2つとなる）．和名は未定で種々の仮称が用いられたが，最近ニューモシスチス・イロベチイが定着しつつあるので本書もそれを採用することにした．

さらに大きな変化としては，Pnはその発見以来，真菌説も存在したが，大方の研究者はその形態，生活史，培養条件，治療薬に対する効果などから原虫説を採り，筆者も寄生原虫として研究を行ってきた．ところが最近の分子遺伝学的研究によると原虫よりもむしろ真菌にホモロジーが高いという結果や[註4,5]，囊子壁の構成多糖が酵母に存在するβ-1,3-glucanであるという報告[註6]も現れ，現在，真菌説が大勢を占めるに至った．

【ニューモシスチス肺炎の疫学】

前述のごとく1952年にVaněkは，当時ヨーロッパで栄養の悪い乳幼児の間で流行していた間質性形質細胞性肺炎の病原体がこのPnであることを発見したのであるが，その後この肺炎は幼児と成人とを問わず，免疫不全に伴って発症することが明らかとなり，次に示すような基礎疾患に随伴して起こることが明らかとなった．

1. 未熟児，栄養不良児など虚弱児
2. 先天性免疫不全児
3. 免疫抑制剤投与中の患者
4. 後天性免疫不全症候群（AIDS）

Pnは免疫正常者の体内では増殖が抑制され無害の常在菌として存在しているが，ひとたび宿主が免疫不全に陥ると激しく増殖して病原性を発揮する．このような疾患を**日和見感染 opportunistic infection**と称し，このような病原体を**日和見病原体 opportunistic pathogen**と呼んでいる．Pn以外にウイルスではヘルペス，サイトメガロ，細菌ではクレブシエラ，緑膿菌，真菌ではカンジダ，アスペルギルス，原虫ではトキソプラズマ，クリプトスポリジウムなどが代表的な日和見病原体である．最近は癌に対する強力な化学療法，自己免

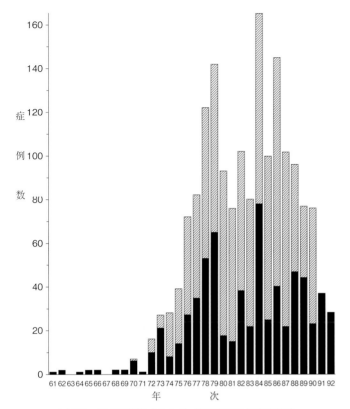

図174. 日本で報告された Pn 肺炎症例の年次的推移
黒い部分は論文あるいは学会発表，斜線の部分は日本病理剖検輯報所蔵の症例数を示す．

図175. 日本で報告された Pn 肺炎の年齢別，基礎疾患別にみた頻度
▥ 先天性免疫不全，▨ 白血病，■ 悪性リンパ腫，▧ その他の悪性腫瘍，□ 自己免疫疾患，▤ 腎移植，▦ AIDS，▒ その他の疾患，基礎疾患不明など

疫疾患・臓器移植後の免疫抑制剤の多用，さらに AIDS による免疫不全などに乗じて起こるこの日和見感染が問題となっている．**図176**は米国の AIDS 患者の日和見感染の状況を示している．わが国でも1999年末までの1,149例の AIDS 患者の調査で46％が **Pn** 肺炎，21％がカンジダ症，12％が AIDS 消耗性症候群を示したと報告されている．

わが国における **Pn** 肺炎の発症状況をみると，まず吉村（1961）註7の最初の症例の報告以来，**図174**に示すごとく次第に増加したが，1984年以降は一般化したためか症例報告は減少している．次にこれら全症例について **Pn** 肺炎発症の原因となる基礎疾患を筆者らが分析したのが**図175**である．まず生後1年未満では先天性免疫不全が最も多く，以後は高年齢に至るまで白血病が大きなウエイトを占めている．さらに壮年期以後は加齢と共に悪性リンパ腫，その他の悪性腫瘍，自己免疫疾患などが増加する．腎移植後の発症は20〜30歳代に多い．また最近の特徴は AIDS に伴う発症である（第34項参照）．

Pn 肺炎は現在，適切な方法によって治療・予防が可能であり，この点からも正確な知識が医師に要求される．

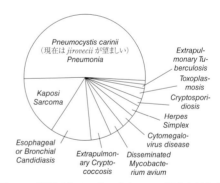

図176. 米国で約6万人の成人 AIDS 患者を対象として行われた日和見感染の頻度調査成績

註1　Chagas (1909)：Mem. Inst. Oswaldo Cruz, 1：159-218.
註2　Delanoë et al. (1912)：C. R. Academie des Sciences, 155：658-660.
註3　Frenkel (1976)：Nat. Cancer Inst. Monograph, 43：13-30.
註4　Edman et al. (1988)：Nature, 334：519-522.
註5　Watanabe et al. (1989)：Mol. Biochem. Parasit. 32：163-168.
註6　Matsumoto et al. (1989)：J. Protozool. 36：21s-22s.
註7　吉村義之ら (1961)：医学の歩み，38：158-160.

第30項　ニューモシスチス ［B］形態と生活史

前項で述べたごとくヒトに感染するのは *P. carinii* ではなく *P. jirovecii* であるということになったが，これは DNA の塩基配列が異なるというだけで形態や生活史などに差異は認められない．この Pneumocystis (Pn) は主に宿主の肺胞内に寄生し，アメーバ状の栄養型と球状の囊子の時期とがある．栄養型は2分裂で増殖するほか囊子を形成し，内部に生じた8個の囊子内小体が脱囊し栄養型になって増殖する．また Pn は有性生殖を行うことも明らかとなった．

【形　態】

光学顕微鏡的所見　　Pn に感染しているヒトまたは動物の肺の割面をスライドグラスに押しつけて塗抹し，ギムザ染色を施して鏡検すると（方法は第136項参照），**栄養型 trophozoite** と**囊子 cyst** とが観察できる．

栄養型は図177および182-C に示すごとくアメーバ状不定形で，大きさは2～10μm，淡青色に染まる細胞質と赤色点状の核を認める．囊子は図177および図182-B，C，D に示すごとく直径4～6μm の球状で，囊子壁はギムザに染まらず透明輪として見え，中に**囊子内小体 intracystic body** を認める．これは成熟囊子では8個存在するが未熟囊子ではそれ以下である．囊子内小体は丸く，全体に濃く青く染まることもあれば，バナナ形を示し，青い細胞質と赤い核を識別できることもある．

ギムザ染色の代わりに**メテナミン銀染色 Gomori's methenamine silver stain**（図182-F，I）または**トルイジンブルーO 染色 Chalvardjian's toluidine blue-O stain**（図182-E，J）を施すと今度は囊子壁は強く染まるが囊子内小体は染まらない．前者の場合，囊子内に**括弧状構造物 parenthesis-like structure** がみえるのが特徴であるが，これは囊子壁の肥厚した部分と考えられる．これらの染色では囊子は球状の他，碗状，三日月状に陥没したものが認められる（染色法は第136項参照）．

電子顕微鏡的所見　　栄養型は図178，179に示すごとく肺胞内に存在し，Ⅰ型肺胞上皮細胞に密着して寄生している．不定形で偽足や**管状突起 tubular expansion** を出している．**外被 pellicle** は薄く20～30nm で，内層の単位膜 unit membrane と外層の電子密度の高い層とから成っている．中に核，ミトコンドリア，小胞体，リボゾーム，顆粒などを認める．発育が進むと栄養型は次第に丸くなり**前囊子 precyst**（図180）となり，ミトコンドリアの増生と凝集をみるようになる．核は大きくなって中に**シナプトネマ構造 synaptonemal complex** を認める．

囊子は図181に示すごとく球形で，直径4～6μm，囊子壁は3層構造で70～140nm と厚くなり，中に囊子内小体の断面を認める．この囊子内小体が脱出すると囊子は虚脱陥没する（図177）．

【生活史】

多くの電子顕微鏡的研究を総合し，かつ最近，筆者らの教室で Pn の前囊子前期にシナプトネマ構造を発見し[注1]，減数分裂を行う生物であることがわかり，図177に示すような新しい生活史を提唱した．すなわち脱囊した囊子内小体は小形栄養型となり，これは合体して diploid の大形栄養型となる．これは前囊子期に入ると減数分裂を行って最終的に8個の haploid の核を形成し，これが膜でかこまれ囊子内小体となる．以上が囊子形成の有性生殖過程であるが，この他に栄養型は2分裂で増殖したり，栄養型の中に娘栄養型を形成して増殖する方法（内生出芽）もある．さらに厚膜の囊子内に娘栄養型を形成することも観察されている（図177）．

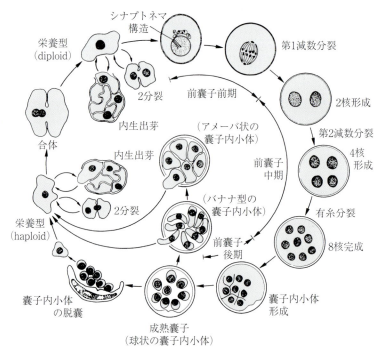

図177．Pneumocystis の生活史の模式図
（説明は本文参照）

[注1] Matsumoto and Yoshida (1984)：J. Protozool. 31(3)：420-428．
Yoshida (1989)：J. Protozool. 36(1)：53-60．

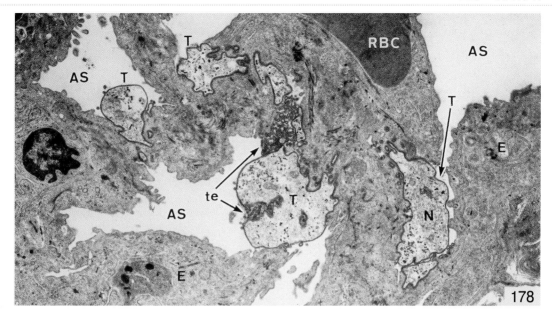

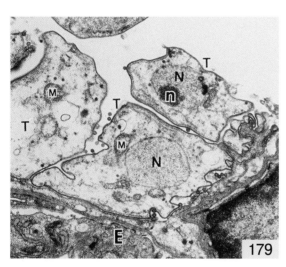

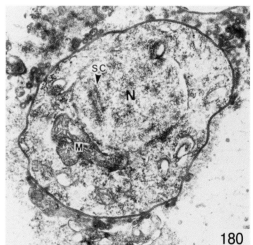

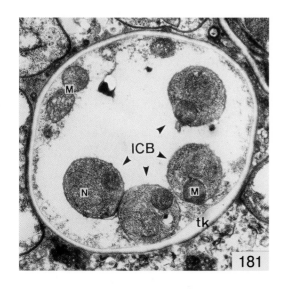

図178〜181．Pneumocystis の電子顕微鏡像

図178． 肺胞（AS）内における栄養型（T）の寄生状態．肺胞上皮（E）に密着している．te は管状突起，RBC は赤血球（8,400倍）

図179． 多形性を示す栄養型（T）．外被は薄く，1核（N）を有し，核内には仁（n）を認める．また数個のミトコンドリア（M）がある（9,500倍）

図180． 前嚢子の初期．全体的に楕円形となるが外被はまだ薄い．核は大きくなり，中にシナプトネマ構造（SC）を認める．これは減数分裂の存在を意味する．ミトコンドリア（M）の凝集が始まる（15,000倍）

図181． 成熟嚢子．嚢子壁は3層構造を示し厚くなる．とくに厚い部分（tk）がある．4個の嚢子内小体（ICB）の断面を見る．各々の中に1個の核（N）とミトコンドリア（M）を認める（13,600倍）

（図178は筆者，図179〜181は松本芳嗣 博士 撮影）

第31項　ニューモシスチス ［C］病理

Pnの栄養型は主として肺胞内に寄生し，肺胞被覆層の中で生活し，I型肺胞上皮細胞に密着して寄生する．したがって栄養型や嚢子が多数寄生すると肺胞に充満しガス交換を著しく妨げる．ところが最近，とくにAIDS患者で，病原体が肺のみならず全身感染を起こす例が報告されている．

【肺の肉眼的所見】　本肺炎で死亡したヒトの肺は大きく，重く，硬く，肝臓様と形容される（図182-A），メスで切ると抵抗があり，押しても割面からあまり滲出液が出てこない．それは肺胞内に粘稠な物質が充満し，無気的になっているからである．

【肺の組織学的所見】　まず感染肺を型のごとく固定しパラフィン包埋切片を作成し，ヘマトキシリン・エオジン（HE）染色を施して観察すると図182-Gに示すごとく肺胞は強く拡大し，中に網目状の物質が充満している．これは**蜂窩状泡沫物質 honeycombed material** と称される構造で本肺炎の特徴的所見である．HE染色のみでは一様にエオジンによって赤く染まり病原体を識別し難いが，メテナミン銀染色を行うと図182-Iに示すごとくPnの嚢子が染め出される．さらに電子顕微鏡や，JB-4樹脂包埋薄切切片光顕法（図182-L）などを用いて観察すると，この泡沫物質は多数の栄養型と嚢子の集塊であることがわかる．組織切片中の嚢子を検出する方法は上記メテナミン銀染色の他に簡便なトルイジンブルーO染色もある（図182-J）．これらの手技については第137項にくわしく述べてある．

一方，間質の病変は病型によって種々である．まず前項で述べた虚弱児型，または比較的慢性に経過したPn肺炎では上記，蜂窩状泡沫物質の充満の他に間質の増生・肥厚と形質細胞（図182-H）の浸潤が特徴で，間質性形質細胞性肺炎と呼ばれるゆえんである．これに反し，免疫抑制剤の大量投与などによって誘発されたPn肺炎では炎症性反応が抑制されるため間質の増生や形質細胞の浸潤などはみられない場合が多く，蜂窩状泡沫物質の充満，肺胞上皮の剥離，断裂，硝子様膜の形成などが主病変である．

【病原性】　Pnは若干の例外はあるが肺胞内のみで増殖し組織侵入性はない．したがって本肺炎の激しい呼吸困難の原因は，その光顕ならびに電顕像から考えると，多数の栄養型の肺胞上皮への密着，ならびに肺胞内に充満した栄養型ならびに嚢子集塊によって物理的にガス交換が阻害され，**alveolar capillary block**（肺胞毛細管ブロック，ACブロック）に陥るためと考えられる．

【発症のメカニズム】　まず早産児や栄養不良児など虚弱児に発症するPn肺炎は，かつて戦争や飢饉のときにみられたもので現在先進国ではみられない．強い栄養不良による免疫能の低下に起因するものと思われる．次に各種の先天性免疫不全疾患に随伴して小児期に発症するPn肺炎が一定の頻度でみられる．また最近は癌の化学療法として強力な抗癌剤や免疫抑制剤が用いられたり，自己免疫疾患の治療のため，または臓器移植後の拒絶反応を抑えるために免疫抑制剤が長期間使用されているが，このような疾病の治療経過中に発症するPn肺炎が先進国では最も多い．さらに1981年以降はAIDS患者での発症が顕著で，これはHIVによる免疫担当細胞の破壊による免疫不全に起因している．

図182．ニューモシスチスおよびニューモシスチス肺炎
A．悪性リンパ腫の化学療法中に本肺炎を併発し死亡した61歳女性の肺．大きく，重く，硬く肝臓様である．B．成熟嚢子の位相差顕微鏡像．8個のバナナ形の嚢子内小体，および嚢子壁の肥厚部が見える．C．栄養型（T），嚢子（C），赤血球（R）を示す．感染肺塗抹・ギムザ染色標本．栄養型はアメーバ状不定形で紫染する1個の核を有す．嚢子は球形で最大8個の嚢子内小体を有する．嚢子壁は染まらない．D．典型的な嚢子を示す．横の赤血球よりやや小さい．E．嚢子．トルイジンブルーO染色．嚢子壁が青紫色に強く染まるが嚢子内小体は染まらない．急性リンパ性白血病の化学療法中に本肺炎を併発した8歳男子の経皮的肺吸引材料．F．嚢子．メテナミン銀染色．嚢子壁が黒褐色に強く染まり，中に括弧状構造物（矢印）と称する2個の斑点の染まるのが特徴．嚢子内小体は染まらない．G．全身性エリテマトーデス（SLE）に対する抗免疫療法中に本肺炎を併発して死亡した28歳女性の肺の切片のHE染色像．肺胞は拡張し，蜂窩状泡沫物質が充満し無気的になっている．HE染色ではPnを検出することは困難である．H．Gの症例の肺の間質に多数認められた形質細胞（楕円形，核は車軸状，細胞質は好塩基性濃染）．I．Gの症例で，メテナミン銀染色とHE染色の二重染色．肺胞内に嚢子が黒く染め出される．J．急性白血病の化学療法中に本肺炎を併発して死亡した34歳男性の肺の切片のトルイジンブルーO染色．多数のPnの嚢子壁が紫色に染め出されている．K．腎移植後，免疫抑制療法中に本肺炎を併発した25歳男性の喀痰中の嚢子のトルイジンブルーO染色（喀痰集シスト法による）．L．筆者の教室の塩田が開発したJB-4樹脂包埋薄切切片ギムザ強染色標本（ラット肺）．肺胞中の泡沫物質は多数の栄養型（T）と嚢子（C）によって構成されていることがわかる．Mは肺胞マクロファージ．

ニューモシスチス 81

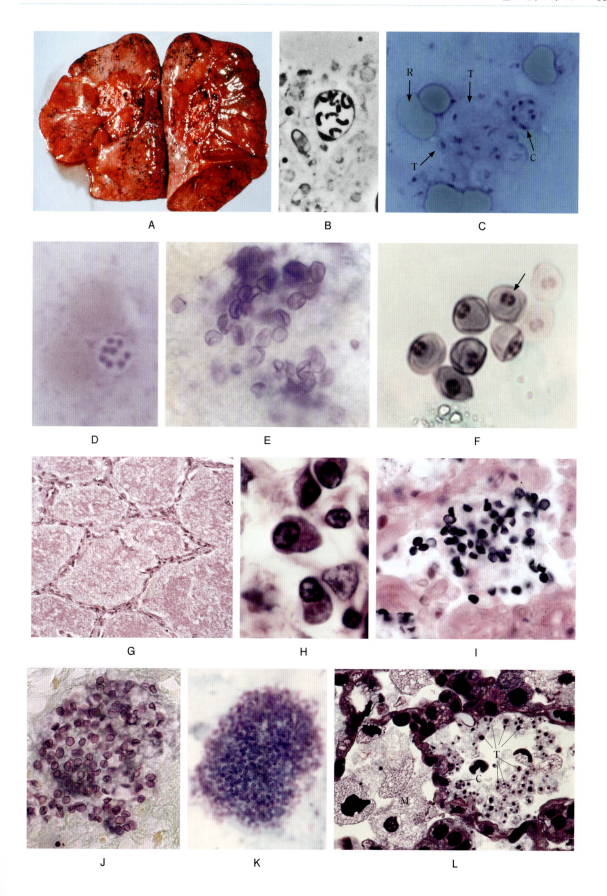

第32項 ニューモシスチス ［D］症状と診断

Pn肺炎の症状の特徴は咳嗽，発熱，呼吸困難，胸部X線像の両側性びまん性陰影，動脈血酸素分圧の低下などで，診断の基本は臨床症状からいち早く本肺炎を疑い，病原体の検出に努め，早急に治療に入ることである．

【症　状】

わが国など先進国で発生しているPn肺炎は，先天性免疫不全，種々の基礎疾患に対する抗癌剤や免疫抑制剤の投与，AIDSなどに起因するものがほとんどであり，全年齢層にみられる．その主な症状は以下のごとくである．

1）**発症の時期**　基礎疾患に対する抗癌・抗免疫療法を開始してから2～4カ月の頃に好発時期がある．しかしその後も免疫不全が存在する限り発症しうる．

2）**臨床症状**　初発症状としては，空咳や息苦しさが続き次第に増強してくる．喀痰はあまり出ない．次いで多呼吸，頻脈が起こり，突然発熱する．熱は38℃前後のこともあれば40℃以上に達することもある（図183）．さらに呼吸困難が強くなり，チアノーゼを示し，酸素を与えても好転しない．これは前項で述べたごとく，病原体が肺胞内に充満し，物理的にガス交換を阻害し，肺胞毛細管ブロックに陥っているためと考えられる．

本肺炎の症状として最も特徴ある所見は動脈血酸素分圧の低下と胸部X線像の変化である．

3）**動脈血酸素分圧（PaO_2）**　正常値は，90～100mmHgであるがこの値が1/2ないし1/3に低下する．一方，$PaCO_2$（正常値38～43mmHg）は，CO_2が比較的容易に拡散するので異常値を示すことは少ない．

4）**胸部X線像**　本症の初期には肺門を中心として両肺野に淡いびまん性の霞がかかったような陰影が現れてくる．これはacinous shadowと呼ばれる小さな粒状影の集合で，次第に肺の辺縁部へ拡大し，融合して極期には全面スリ硝子状となる（図184，185）．またCT像（図186）も特異な所見を示し参考となる．本肺炎は適切な治療が施されないとほぼ全例が死亡する．

5）**全身感染**　Pnが肺から全身の臓器に転移して増殖し，組織の壊死を起こすことが最近知られ，とくにAIDSの場合に多い．その機序はよくわかっていないが，ペンタミジンの吸入療法中によく起こる．理由はこの療法の場合，肺のPnは殺されても，薬剤の血中濃度が上がらないため転移したPnは殺されないからではないかと考えられる．

【診　断】

A. 臨床診断

本肺炎の診断はその特有の基礎疾患と臨床症状からPn肺炎を疑うことから始まる．そして病原体の検出に努め，一刻も早く治療に踏み切り，患者の救命に努めることが大切である．

B. 病原体検出による診断

Pnを検出するのが最も確実な診断である．開胸的肺生検，閉鎖的肺生検，気管支鏡的肺生検などは検出率は高いが侵襲が大きいので重症の患者には実施し難い．最近は次のような方法がよく用いられている．
1）経皮的肺吸引
2）喀痰集シスト法
3）気管支洗浄法（BAL）

経皮的肺吸引は20～23ゲージの細い注射針を用い，右側第4・第5肋間で穿刺し少量の肺胞滲出液を採取し，塗抹・染色して鏡検する方法で，気胸や出血などの合併症も少ない（図182-E）．また1～2日間の全喀痰を採取し囊子を集める喀痰集シスト法（図182-K），あるいは気管支内洗浄液を調べる気管支洗浄法なども検出率が高い．

C. 免疫学的診断

間接蛍光抗体法，ELISA法，その他の方法で患者の血中抗体を検出し診断しようとする試みが数多く行われたが，その成績は必ずしも一致せず，本症は免疫不全状態下に起こる疾患であり，抗体検査により確実な診断を下すことは無理とする意見もある．一方，宿主に吸収された抗原物質をOuchterlony法などで検索し，診断に役立てる方法が実用化されている[註1]．

D. Polymerase chain reaction（PCR）による診断

最近急速に発展したDNA診断法で，Pnのみに反応するプライマーを用い増幅させることによって，検体中の微量のPnをも検出できる[註2]．しかしあまりにも鋭敏なので潜在感染の場合でも陽性に出る．早期診断や治療効果の判定などに有用とされる．

【潜在感染】

Pnは広く免疫正常のヒトや動物にも潜在感染していると考えられてきた．例えばPiferら[註3]は120例の正常児の抗体保有率を追跡したところ，出産後4年の間に60～80％がPnに感染したらしく抗体陽性になったという．また医師や看護師は一般人に比し抗体保有率が高いという成績もある．一方，動物においても自然感染は普通にみられ，筆者らはドブネズミ，アカネズミ，イヌ，サルなどの肺にPnを見出した．

最近の調査[註4]によると，わが国の医科系大学の実験動物飼育施設44カ所のうち12施設がPnに汚染されており，無菌的に取り扱われているSPFマウス飼育室でさえ8.6～30.4％にPnが検出されたという．それほどPnの潜在感染は広く行きわたっているといえる．

註1　辻　守康（1981）：臨床と細菌．8：315-319.
註2　Kitada K et al.(1991)：J. Clin. Microbiol. 29：1985-1990.
註3　Pifer LL et al.(1978)：Pediat. 61：35-41.
註4　Serikawa T et al.(1991)：Lab. Animal Sci. 41：411-415.

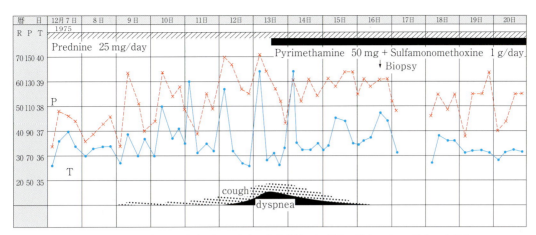

図183. 急性リンパ性白血病(8歳，男児)の化学療法の経過中に発症したPn肺炎の症状と
ピリメタミン・サルファモノメトキシン合剤による治療効果
治療開始4日目に経皮的肺吸引を行いPn検出(図182-E)(筆者経験例)

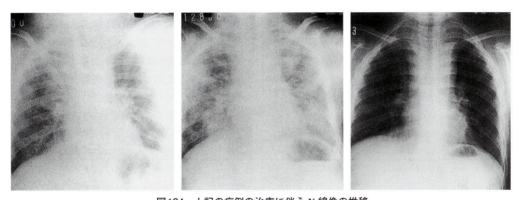

図184. 上記の症例の治療に伴うX線像の推移
左：症状のほぼ極期，中央：治療開始5日目，右：治療終了後2週間目

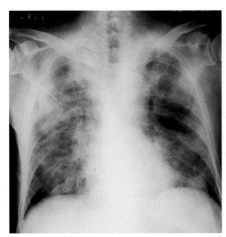

図185. 食道癌に対する化学療法と放射線療法が終了した時点でPn肺炎を発症した64歳男性の胸部X線像

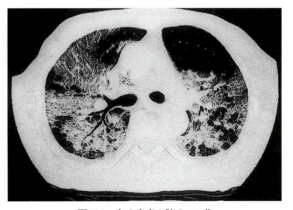

図186. 左の患者の肺のCT像
(京都府立医科大学第一内科 内藤裕二 博士の厚意による)

第33項 ニューモシスチス ［E］治療と予防

本肺炎は早期に適切な処置を施せば60〜80％救命できるが，さもないとほぼ全例が死亡する．治療薬はペンタミジン，ピリメタミン合剤，ST合剤の順に現れたが現在はST合剤が第一選択である．一方，本肺炎の発症を予防するために予防薬投与が広く行われている．最近マラリアに有効なアトバコンが治療と予防に有効と報告された．

【治　療】

1. トリメトプリム・スルファメトキサゾール合剤
（Co-trimoxazole，ST合剤）（商品名バクタ，バクトラミン）

1974年Hughesらによって本肺炎に有効なことが報告された．本剤はわが国でも抗生剤として販売されており，本肺炎治療の第一選択薬となっている．しかしAIDS患者では副作用の発現頻度が高く（後述），そのため本剤が使用できない場合には下記のペンタミジンを用いる．

用量は1日量 trimethoprim 20mg/kg, sulphamethoxazole 100mg/kgで，4回に分け6時間毎に経口投与し，14日間連用する．1錠中に前者80mg，後者400mgを含有しているので体重60kgの人の1日量は15錠となる．副作用は骨髄抑制と消化器症状である．本剤の注射薬を用いるときの用量は前者15mg/kg，後者75mg/kg，ゆっくり静注，14日間連用する．

2. ペンタミジン pentamidine isethionate
（商品名ベナンバックス）

本剤は元来 *Trypanosoma brucei gambiense* によって起こるアフリカ睡眠病の治療薬であるが（第10項参照），1963年Ivádyらはこの薬剤がPn肺炎に有効であることを初めて報告した．**用量**は3〜4mg/kg/日を5％ブドウ糖液300mlに希釈し，2時間以上かけて点滴静注，1日1回，14日間投与する．有効な場合は2〜3日で劇的に症状が改善するが副作用もかなりあり，腎障害，膵内分泌異常，骨髄抑制などを生ずる場合がある．

最近Montgomeryら[注1]は，AIDSに併発した本肺炎15例に本剤の**吸入療法**(0.6gを6mlの蒸留水にとかし，エアゾール状にして吸入，毎日20分，3週間連用)を行い，13例を治癒せしめた．この方法によると薬剤は約24時間肺胞内に残留して直接殺虫的に働き，かつ体内に吸収されにくいので副作用も少ないという．その後，同様の報告や改良法が相次いで報告されている．

3. ピリメタミンとサルファ剤の合剤
（商品名ファンシダール）

本合剤は第25項に述べたごとくマラリアなど原虫性疾患に有効な薬剤であるが，1971年にKirbyらが初めて本肺炎に用いた．

用量は成人の場合，ファンシダール錠(1錠中 pyrimethamine 25mg, sulfadoxine 500mg含有)を初日3錠，翌日から2錠ずつ，14日間経口投与する．小児でも比較的大量を用い，5〜10歳で初日2錠，以後1錠，5歳以下では初日1錠，以後半錠を与える．副作用として骨髄抑制をみることがあるので葉酸の併用も考慮する．

4. ステロイド剤の併用

中等症以上のPn肺炎患者には1mg/kg/日程度のプレドニゾロンを併用し，2〜3週間かけて漸減する方法をとると予後が良いとされる．

治療効果

上記薬剤の治療効果に関する報告は世界で数多くあるが，わが国の治療成績を今宿(1984)がまとめたものを**表12**に示す．どの薬剤を用いるにしても治療開始が早いほど救命率は高まる．また幸いなことに現在，この3薬剤に対するPnの耐性株は現れていない．

AIDSに併発したPn肺炎の特殊性とその治療

Pn肺炎が従来の免疫不全患者に起こった場合と，AIDS患者に併発した場合とでは種々の点でかなり違うことが判明した．AIDS併発Pn肺炎の特徴を示すと，

① Pn肺炎発症率が60％以上と極めて高い．
② 臨床像は潜行性で慢性であり，発熱，PaO_2，X線像などの所見も緩和であるが症状が長引く．
③ 再発率が30％以上と高い．
④ 治療してもなかなか治らない．また肺の中のPnもなかなか陰性にならない．
⑤ ST合剤を使用したときの副作用(全身発疹，発熱など過敏症)が異常に強く現れる．米国の統計によると副作用発生率64.7％（非AIDSの場合は11.8％）と高い．
⑥ ST合剤に代わる治療法としては前述のペンタミジンの吸入療法やファンシダールが用いられる．

【感染経路】

おそらく結核と同じように肺から気道を上がってきたPnの栄養型あるいは嚢子が咳やくしゃみや会話の際に他のヒトに感染する，いわゆる飛沫感染が主と考えられる．免疫不全の入院患者に本肺炎が起こった場合，すでに潜在感染していたPnが増殖したのか，あるいは院内で新たに感染したのか，どちらかであるが，最近北田ら[注2]はPn肺炎患者のベッドの付近の環境からPCRでPnを検出した．もしもPnが外界の環境で生存し感染力を保有するとすれば病室内での間接感染が問題となろう．いずれにしてもこのような**易感染性の患者 (compromised host)** はできるだけ清潔な環境で治療することが大切である．

【予　防】

米国の St. Jude Children's Research Hospital では小児白血病の化学療法中に本肺炎が頻発し(**図187**)，癌の治療を頓

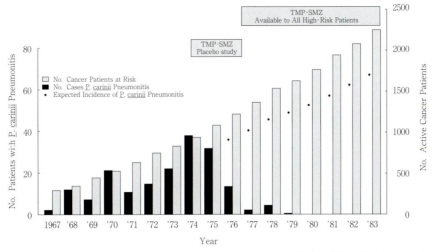

図187. 米国の St. Jude Children's Research Hospital において Pn 肺炎の危険にさらされている小児癌患者と本肺炎を起こした患者の年次的推移(本文参照)
(とくに1975年以後の予防投薬の効果,TMP-SMZ は ST 合剤のこと)
(Dr. Hughes の厚意による)

表12. 小児白血病治療中に発症した Pn 肺炎に対する種々の薬剤の治療効果

	薬 剤	治療例数	治癒例数	治癒率
1	ST 合剤	146	112	76.7%
2	ペンタミジン	21	9	42.8%
3	ピリメタミン・スルファモノメトキシン	11	8	72.7%
4	2と3併用	36	20	55.6%
5	無治療	24	0	0%

(今宿博士,1984年の集計による)

表13. Pn 肺炎に対する ST 合剤予防投与の効果

	化学療法実施小児白血病患者	Pn 肺炎発生数(%)
予防投与開始前 1974〜1977	49	15 (30.6%)
予防投与開始後 1978〜1981	65	3 (4.6%)
1982〜1986	116	0 (0%)

(京都府立医科大学小児科の成績)

挫させてしまうところから,発症予防法が考案された.それは白血病の化学療法の全期間を通じ,前記の ST 合剤を治療量の約 1/5 量,連日投与する方法である.まず1974年から1976年にかけて160人の白血病患者を二分し,1群に偽薬,他の群に予防薬を与えたところ,前群からは21%に本肺炎が発生したのに対し,後群からはまったく発生しなかった.そこで1977年以後は全例に予防投薬を開始したところ,同図に示すごとく本肺炎は著明に減少し,1980年以後は皆無となり,かつ副作用も大したものは起こらなかったと報告した.

以来この方法がわが国の多くの機関でも行われるようになり,いずれも良好な予防効果を示している.**表13**は筆者の大学の小児科で行った予防投与の成績で,投与以前の **Pn** 肺炎発生率は30%以上であったのが,投与以後は次第に低下し,1982年からはまったく発生を見なくなった.最近は連日投与でなく,週3日の投与で同じ予防効果のあることもわかってきた.同じく筆者の大学の内科の春山ら[註3]は造血器悪性腫瘍の患者(成人)の化学療法に際し,ST 合剤 6 錠/日,分3,週2日の予防投与を行った群(23例)と,全く行わなかった群(25例)とを比較したところ,後群からは3例の **Pc** 肺炎が発生したが,前群からは皆無であったと報告した.

一方,AIDS ウイルス(HIV)のキャリアーが **Pn** 肺炎を発症して AIDS になってゆくのを防ぐため,とくにヘルパーT 細胞(CD 4$^+$)が 200/μl 以下になると,ST 合剤(バクタ錠 1日1〜2錠,連日,または1日2錠,週3回投与)による予防法が適用される.しかしやはり ST 合剤は副作用が多く,そのときにはペンタミジン吸入(1回300 mg,月1回)に変更する.

註1 Montgomery AB et al.(1987): Lancet, Aug. 29 : 480-483.
註2 北田一博(1993): 感染症誌, 67 : 838-839.
註3 春山一枝(1981): 第23回日本臨血学会,抄録,176.
[参考資料] 吉田幸雄:ニューモシスチス カリニ肺炎,p. 1-269,1981,南山堂,東京.

第34項 後天性免疫不全症候群(AIDS)

ヒト免疫不全ウイルス(human immunodeficiency virus；HIV)の感染によって免疫不全が生じ，日和見感染症や悪性腫瘍が合併した状態．HIV に感染した後，CD4陽性リンパ球数が減少し，無症候性の時期(無治療で数年から10年程度)を経て，生体が高度の免疫不全症に陥り，日和見感染症や悪性腫瘍が生じてくる．ニューモシスチス肺炎をはじめ，寄生虫原虫疾患では，トキソプラズマ脳症，クリプトスポリジウム症，イソスポラ症が AIDS の指標疾患となっている．

【HIV の感染経路】

人体内で HIV は主として血液，精液，腟分泌液中に存在し，稀に唾液，乳汁などからも見出される．主な感染経路(risk factor)は次のごとくである．

①**男性同性愛者**：直腸内に射精された精液中の HIV が直腸の傷から侵入する．あるいは逆に直腸からの血液中の HIV が陰茎の傷に侵入する．

②**異性間性交**：精液・腟分泌液中の HIV の相互感染．当初は同性愛者間の感染が注目されたが，最近は世界的に異性間性交による感染が増大している．

③**静脈用麻薬常習者**：他人の血液が混じった注射器を用いて麻薬の回し打ちによる感染．

④**輸血**：汚染血液の輸血による感染．

⑤**凝固因子製剤投与**：HIV に汚染された血液製剤を投与された血友病あるいはその他の疾患の患者．

⑥**母子感染**：子宮内または周産期における感染．

⑦**その他**：臓器移植，人工授精，注射針針刺事故．

【AIDS の疫学—世界】

2018年年末現在，WHO によると世界の HIV 感染者は約3,790万人と推定され，その3分の2以上はアフリカ地域に暮らす．全感染者の62％は抗レトロウイルス治療(ART)を受けており，新たな感染および死亡者数は減少傾向にあるものの，2018年の1年間に新たに170万人の新規感染者と AIDS による関連疾患で77万人の死亡者が発生している．

【AIDS の疫学—日本】

HIV 感染症は感染症法の第5類感染症である．発生動向は，厚生労働省が主催するエイズ動向委員会によって3カ月ごとに分析され公表される．2016年の新規報告数は1,448件(新規 HIV 感染者1,011例，新規エイズ患者437例)で，日本人国籍男性の同性間性的接触による感染が約6割を占めた．調査を開始してからの累計報告数(凝固因子製剤による感染例を除く)は2.7万件を超えている．最近の新規報告数は横ばいの状態が続いている．一方で，把握されない感染者もなお多く，エイズ発症により初めて HIV 感染が判明する例(いわゆる「いきなりエイズ患者」)も毎年400件以上(新規 HIV 報告数の約3割)報告されている．2016年6月末現在における累積感染者数を感染経路別にみると，AIDS 患者では異性間の性的接触による者2,874名，同性間の性的接触による者3,315名，静注薬物濫用60名，母子感染18名，凝固因子製剤774名，その他233名，不明1,770名となっている．またわが国での献血検体中の HIV 抗体陽性状況をみると，2015年度491万検体中53例(10万件あたり1.08件)が陽性であり，他の先進国に比し高い数字である．その理由は，採血時の問診の不徹底，献血を検査目的利用，などが考えられる．

【AIDS と日和見感染症】

HIV 感染者が何らかの疾患を生じたとき AIDS と認定されるのであるが，その**指標疾患**として最も多いのがニューモシスチス肺炎である．赤痢アメーバ症の合併がかなりの頻度で見出されるが指標疾患ではない(図176参照)．

表14. 指標疾患 indicator disease

A．真菌症
1．カンジダ症(食道，気管，気管支，肺)
2．クリプトコッカス症(肺以外)
3．コクシジオイデス症
　(1)全身に播種したもの
　(2)肺，頸部，肺門リンパ節以外の部位に起こったもの
4．ヒストプラズマ症
　(1)全身に播種したもの
　(2)肺，頸部，肺門リンパ節以外の部位に起こったもの
5．ニューモシスチス肺炎
B．原虫症
6．トキソプラズマ脳症(生後1カ月以後)
7．クリプトスポリジウム症(1カ月以上続く下痢を伴ったもの)
8．イソスポラ症(1カ月以上続く下痢を伴ったもの)
C．細菌感染症
9．化膿性細菌感染症(13歳未満で，ヘモフィルス，レンサ球菌等の化膿性細菌により以下のいずれかが2年以内に，2つ以上多発あるいは繰り返して起こったもの)
　(1)敗血症　(2)肺炎　(3)髄膜炎　(4)骨関節炎
　(5)中耳・皮膚粘膜以外の部位や深在臓器の膿瘍
10．サルモネラ菌血症
　(再発を繰り返すもので，チフス菌によるものを除く)
11．活動性結核(肺結核または肺外結核)*
12．非結核性抗酸菌症
　(1)全身に播種したもの
　(2)肺，皮膚，頸部，肺門リンパ節以外の部位に起こったもの
D．ウイルス感染症
13．サイトメガロウイルス感染症(生後1カ月以後で，肝，脾，リンパ節以外)
14．単純ヘルペスウイルス感染症
　(1)1カ月以上持続する粘膜，皮膚の潰瘍を呈するもの
　(2)生後1カ月以後で気管支炎，肺炎，食道炎を併発するもの
15．進行性多巣性白質脳症
E．腫瘍
16．カポジ肉腫
17．原発性脳リンパ腫
18．非ホジキンリンパ腫
19．浸潤性子宮頸癌*
F．その他
20．反復性肺炎
21．リンパ性間質性肺炎／肺リンパ過形成：LIP/PLH complex(13歳未満)
22．HIV 脳症(認知症または亜急性脳炎)
23．HIV 消耗性症候群(全身衰弱またはスリム病)

*C11活動性結核のうち肺結核および E19浸潤性子宮頸癌については，HIV による免疫不全を示唆する所見がみられる者に限る．
(厚生労働省ホームページ．https://www.mhlw.go.jp/bunya/kenkou/kekkaku-kansenshou11/01-05-07.html)

第2部　人体寄生蠕虫学

I．線形動物（線虫類）

A frightening replica of Breughel's painting "The blind leading the blind". In many villages, the ravages of onchocerciasis are such that one guide has to lead 3 or 4 blind neighbours(Courtesy WHO).
上記はWHOの説明文による．アフリカの回旋糸状虫流行地の写真．Breughelはフランドールの風俗・風景画家(1525～1569)（第63項参照）．
（WHO畠　一彦氏の厚意による）

フィラリア（バンクロフト糸状虫）による両下肢の象皮病を患っている女性の図．東京国立博物館所蔵の国宝「病草紙」中の絵，常磐光長原作，狩野晴川の模写，時は平安末期頃とされる（第59，60項参照）．
（尾辻義人博士の厚意による）

睡眠中，蟯虫が産卵のため肛門からはい出している図．「新撰病草紙」より（第45項参照）．
（東北大学附属図書館医学分館所蔵，同館の許可を得て掲載）

第35項 人体寄生蠕虫学　総論

蠕虫 helminth という語は worm（虫）という意味のギリシャ語から由来したもので，元来，動物の腸に寄生している虫という意味で用いられたが，近年は腸に限らず，各種臓器に寄生する虫，さらには自由生活をしている近縁のものをも広く含めるようになった．蠕虫という語は動物系統分類上の名称ではなく，便宜上用いられる群の名称で，寄生虫学上では単細胞の**原虫** protozoa に対し多細胞の寄生虫を示す名称として用いられている．**人体寄生蠕虫学** human helminthology（あるいは medical helminthology）というのは，これらの中で医学上重要なものについて研究する学問である．

寄生蠕虫の特徴としては，まず体制が寄生生活に適したように変形している．例えば体を宿主に固着するための**吸盤** sucker とか**鉤** hook などを有するものがある．また栄養は宿主から与えられるため，消化器官の発達程度は一般に低く，例えば吸虫類では消化管は肛門を有せず盲管に終わり，条虫類では全く消化管を欠き，栄養は体表から吸収するようになっている．ところが生殖器官は，種属保存のため著しく発達している．

また蠕虫は体外酵素を出しているが，これは蠕虫が宿主からの攻撃を防いだり，またある時は宿主の組織を融解してこれを摂取したり，体内移行を行ったりするのに役立っている．

蠕虫の中には線虫類のように**雌雄異体** gonochorism のものもあれば吸虫類や条虫類のように**雌雄同体** hermaphroditism のものもある．しかし吸虫でも住血吸虫は雌雄異体であり，線虫類の一種である糞線虫の寄生世代は**単為生殖** parthenogenesis を営むなど例外もある．

蠕虫の中には，その生活史を全うするために中間宿主を必要とするものが多い．中間宿主を1つ必要とするもの，2つ必要とするものなど種によって決まっている．したがってそのような蠕虫は中間宿主の存在しない地域には分布しない．

原虫感染の場合と蠕虫感染の場合とでは種々の点で違いがあるが，特異な点をいくつか述べると，原虫は宿主体内で分裂増殖するが，蠕虫は原則として虫の数が増加してゆくことはなく，1個の虫卵または1隻（寄生虫の場合，隻という言葉がよく用いられるが，匹といってもさしつかえない）の幼虫が感染すると1隻の成虫となる．しかし，ある種の寄生虫では虫体数の増加することがある．例えば糞線虫では，腸管内に産み出された幼虫がそこで発育して感染幼虫となり粘膜や皮膚に侵入し成虫になる．また小形条虫では産み出された虫卵が腸管内で孵化して幼虫が腸粘膜に侵入し，次の世代に発育する．このような現象を**自家感染** autoinfection といっている．また宿主側の免疫学的応答も原虫と蠕虫とでは異なり，例えば蠕虫感染のときには末梢血中に好酸球増加のみられることが多いが，原虫感染の場合には原則としてみられない．

蠕虫の分類

人体寄生虫学上，重要な蠕虫類は次のごとく分類されている．太字で示した群に医学上重要な寄生虫が含まれている．

Phylum Nematoda　線形動物門
　Class Secernentea　双腺綱（**Phasmidia**）
　　　回虫，蟯虫，鉤虫，広東住血線虫，糞線虫，顎口虫，糸状虫など．
　Class Adenophorea　双器綱（**Aphasmidia**）
　　　鞭虫，毛細虫，旋毛虫など．
　Class Nematomorpha　類線形動物綱
　　　鉄線虫など．
Phylum Platyhelminthes　扁形動物門
　Class Trematoda　吸虫綱
　　　肝吸虫，横川吸虫，肺吸虫，棘口吸虫，肝蛭，日本住血吸虫など．
　Class Cestoidea　条虫綱
　　　広節裂頭条虫，日本海裂頭条虫，クジラ複殖門条虫，無鉤条虫，有鉤条虫，単包条虫，多包条虫，小形条虫など．
Phylum Acanthocephala　鉤頭虫門
　　Moniliformis dubius など．
Phylum Annelida　環形動物門
　　ヒル類など．

第36項　線形動物　総論

　地球上には約50万種に及ぶ線形動物（線虫）が存在するといわれるが，その多くは自由生活種で，淡水中や土壌中あるいは海水中など，水分のある所に棲息している．試みに庭園の土壌を一握り取ってガーゼにつつみ，40℃位の湯につけてみると多数の線虫が泳ぎ出してくる．寄生生活を営む線虫は約8万種といわれ，動物のみならず植物（マツノザイセンチュウなど）にも寄生している．人体寄生線虫は現在約50種が知られているが，この中にはわが国でも重要なものが少なくない．

線虫の一般形態

　線虫はその名の示すごとく線状（円柱状）で細長い．成虫の大きさは種々で，旋毛虫のように2mm位の小さいものからメジナ虫の雌のように1mに達するものまである．雌雄異体で，一般に雄より雌のほうが大きい．

　線虫の**体壁** body wall は，**角皮** cuticle，**角皮下層** hypodermis および**筋肉** muscle からなっている（図188）．角皮は角皮下層から分泌され，半透明で比較的強靭で，細胞構造はなく，3層（cortical layer, median layer および basal layer）からできている．通常，多数の**横紋理** transverse striation（**横輪** annulation ともいう）が輪状に存在し，屈曲運動しやすい構造になっている．

　角皮下層は虫体の全長にわたって背腹の正中線および左右において体腔中に隆起し，筋層を4群に分けている．この索を**縦走索** longitudinal cord といい，背部のものを**背索** dorsal cord，腹部のものを**腹索** ventral cord，左右のものを**側索** lateral cord と呼ぶ（図188）．

　線虫の体壁の筋肉は縦走筋のみで輪状筋はない．虫体の横断面における筋肉の配列状況から線虫を次の3つのタイプに分けている（図188）．

　A.　**多筋細胞型** polymyarian type　各区間の筋細胞の数は多く，紡錘状に体腔内に突出している（回虫科）．

　B.　**部分筋細胞型** meromyarian type　各区間の筋細胞の数は少なく，おおむね2個である（鉤虫科，蟯虫科）．

　C.　**全筋細胞型** holomyarian type　筋細胞は小さく，かつ多く，ぎっしりと一層に並んでいる（鞭虫科）．

　筋肉層の内側は**体腔** body cavity であるが，線虫の体腔は中胚葉性の上皮がないので真の体腔ではなく**擬体腔** pseudocoel（または原体腔）と呼ばれる．この中には**体腔液** haemolymph が充満し，消化管や生殖器などを取り囲んでいる．体腔液は栄養や老廃物の運搬を行っている．

　消化管は図189に示すごとく単管で体前端の口に始まり，食道，腸，直腸を経て肛門に開いている．口は**口腔** buccal capsule を形成するものと形成しないものがあり，また**口唇** lip や**歯** tooth を有するものと有しないものとがある．**食道** esophagus の形態は線虫の種によってそれぞれ特徴がある．回虫や鉤虫では，その横断面をみると筋線維が放射状に並び，中に三叉状の管腔がある．筋肉の収縮によるポンプ作用で食物を吸い込む．食道の末端は太くなり**食道球** esophageal bulb を形成するものもある．**腸管** intestine は単層円柱上皮で覆われ，**直腸** rectum を経て**肛門** anus に開く．雌の肛門は腹側に開くが，雄では肛門と生殖孔とが合して**総排泄腔** cloaca を形成している．

　分泌腺について，まず線虫の食道の筋肉内に**食道腺** esophageal gland がある．これは1つの背側食道腺と，2つの亜腹側食道腺とからなっており，食道腔に開口しており，消化にあずかると考えられている．また食道の両側にアンフィッド

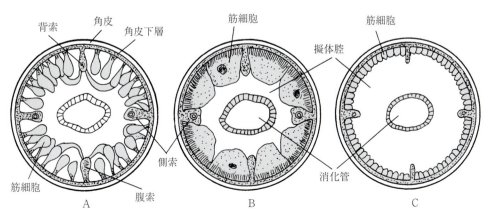

図188．線虫の筋肉の配列による分類
A．多筋細胞型，B．部分筋細胞型，C．全筋細胞型

腺（双器腺ともいう）amphidial gland や排泄腺 excretory gland を有する線虫もある．これらの機能はまだよくわかっていないが，消化酵素や種々の体外酵素を産出する以外に次に述べるような排泄，感覚などにも関与すると考えられている（図189）．

排泄系は左右の側索の中を縦に走る2本の側管がそれであり，体前端近くの排泄橋 excretory bridge で合流し，排泄管 excretory canal を通って排泄孔 excretory pore に開く（第46項図238参照）．体腔液中の老廃物はこの経路で体外に排泄されるが，上記の排泄腺もこれに関与するという説もある．

神経系の中枢は食道の中央部分を取りまく神経輪 nerve ring であり，ここから前後に4本の神経幹が出て，さらに枝分かれして末梢に分布する．上記アンフィッド腺は1対あって体前端に開孔（第46項図243参照）するが，分泌機能の他に感覚機能を有すると考えられている．すなわち周囲のメジウムがこの孔の中に入り，周囲の状態を察知するとされている．また尾端近くにあるファスミッド phasmid も同様の機能を有するものと思われる．その他，口部，頭部，生殖孔付近には感覚乳頭 sensory papilla があり接触感覚を司っている．

生殖系（図189）のうち，雄性生殖系はまず細長い管状の精巣 testis に始まり，輸精管 vas deferens，貯精嚢 seminal vesicle，射精管 ejaculatory duct を経て総排泄腔に開く．交尾を助ける器官として交接刺 spicule，副交接刺（導刺帯）gubernaculum，交接嚢 copulatory bursa，肋 ray など種によってそれぞれ異なった器官がある．雌性生殖系は，細い管状の卵巣 ovary に始まり，輸卵管 oviduct，受精嚢 seminal receptacle を経て子宮 uterus に連なる．虫卵は子宮から排卵管 ovijector，膣 vagina を経て陰門 vulva から産下される．陰門は腹側正中線上で開口するが，その位置は虫種によって一定している．通常，交尾によって精子は雌虫の受精嚢に蓄えられ，卵細胞がここを通るとき受精する．精子はアメーバ様の形をしている．

線虫の生理・生態・生活史

人体寄生線虫を寄生部位によって分けてみると次のごとくである．

1）腸管内成虫寄生　　ヒトを固有宿主とし，その腸管内に成虫が寄生する（回虫，鉤虫，鞭虫，蟯虫，東洋毛様線虫，糞線虫など）．

2）組織内成虫寄生　　ヒトを固有宿主とし，その組織内に成虫が寄生する（バンクロフト糸状虫，マレー糸状虫，回旋糸状虫，メジナ虫，旋毛虫など）．

3）組織内幼虫寄生　　ヒトを非固有宿主とする線虫の幼虫が人体組織内に寄生する（イヌ回虫，イヌ糸状虫，広東住血線虫，顎口虫，アニサキスなど）．

線虫の種によって上記のごとく，それぞれ好適な場所に棲息し，腸内容，血液，組織液などを摂取して生活している．代謝は嫌気的なものが多いが，種により，また発育時期によって好気的代謝を行うものもある．

線虫の雌成虫は次の世代を虫卵として，あるいは幼虫として産下する．ある種の線虫の虫卵は産下後，外界で数時間（蟯虫）あるいは2～3週（回虫）経過すると中に幼虫を形成するようになり（幼虫形成卵 embryonated egg という），ヒトがこれを経口摂取すると感染する．またある種では虫卵が外界の土壌の上で孵化し発育して感染幼虫 infective larva となり，これがヒトの皮膚を貫いて，あるいは経口摂取されて感染する（鉤虫，東洋毛様線虫）．また糞線虫は外界で感染幼虫と自由生活の雌雄成虫に分かれて発育するなど複雑な生活史を示す．

一方，線虫の中には中間宿主を必要とするものもある．例えばバンクロフト糸状虫やマレー糸状虫では，ヒトの血中に存在するミクロフィラリアと呼ばれる幼虫が蚊に吸われ，回旋糸状虫ではブユに吸われ，その体内で感染幼虫にまで発育した後，次回の吸血時にヒトに侵入する．また顎口虫などは第1中間宿主（ケンミジンコ）と第2中間宿主（淡水魚など）を必要とし，さらに待機宿主（雷魚など）を介してヒトに感染することもある．

以上のように線虫は，それぞれの種によって特有の生理，生態，生活史を持っており，それらについては各項で詳しく説明する．

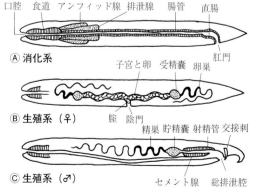

図189．線虫の構造略図
　Ⓐ消化系，Ⓑ生殖系（雌虫），Ⓒ生殖系（雄虫）

第37項 人体寄生線虫の分類[註1]

Phylum Nematoda　線形動物門
 Class Secernentea　双腺綱（Phasmidia）
  Order Ascaridida　回虫目
   Family Ascarididae　回虫科
    ○* *Ascaris lumbricoides*　回虫
    ○# *A. lumbricoides suum*　ブタ回虫
    ○# *Toxocara canis*　イヌ回虫
     # *T. cati*　ネコ回虫
     # *Baylisascaris procyonis*　アライグマ回虫
   Family Heterocheilidae　ヘテロケイルス科
    Subfamily Anisakinae　アニサキス亜科
     ○* *Anisakis simplex*
     ○* *A. physeteris*
     ○* *Pseudoterranova decipiens*

  Order Oxyurida　蟯虫目
   Superfamily Oxyuroidea　蟯虫上科
    ○* *Enterobius vermicularis*　蟯虫

  Order Strongylida　円形線虫目
   Superfamily Ancylostomatoidea　鉤虫上科
    ○* *Ancylostoma duodenale*　ズビニ鉤虫
     * *A. ceylanicum*　セイロン鉤虫
     # *A. braziliense*　ブラジル鉤虫
     *# *A. caninum*　イヌ鉤虫
     A. tubaeforme　ネコ鉤虫
     A. kusimaense　串間鉤虫
     * *A. malayanum*　マレー鉤虫
    ○* *Necator americanus*　アメリカ鉤虫
   Superfamily Trichostrongyloidea　毛様線虫上科
    * *Trichostrongylus orientalis*　東洋毛様線虫
    * *T. colubriformis*　蛇状毛様線虫
    * *T. axei*　皺胃毛様線虫
    * *Haemonchus contortus*　捻転胃虫
   Superfamily Metastrongyloidea　擬円形線虫上科
    ○# *Angiostrongylus cantonensis*　広東住血線虫
     * *A. costaricensis*　コスタリカ住血線虫

  Order Rhabditida　桿線虫目
   Superfamily Rhabdiasoidea　桿線虫上科
    ○* *Strongyloides stercoralis*　糞線虫

  Order Spirurida　旋尾線虫目
   Suborder Spirurina　旋尾線虫亜目
    Superfamily Gnathostomatoidea　顎口虫上科
     ○# *Gnathostoma spinigerum*　有棘顎口虫
     ○# *G. doloresi*　ドロレス顎口虫
     ○# *G. nipponicum*　日本顎口虫
     ○# *G. hispidum*　剛棘顎口虫
    Superfamily Thelazioidea　テラジア上科
     ○** *Thelazia callipaeda*　東洋眼虫
    Superfamily Spiruroidea　旋尾線虫上科
     ○*# *Crassicauda giliakiana*（Type X）
    Superfamily Filarioidea　糸状虫上科
     ○# *Wuchereria bancrofti*　バンクロフト糸状虫
     # *Brugia malayi*　マレー糸状虫
     # *Onchocerca volvulus*　回旋糸状虫
     # *O. dewittei japonica*
     # *Loa loa*　ロア糸状虫
     ○# *Dirofilaria immitis*　イヌ糸状虫
     # *Mansonella perstans*　常在糸状虫
     # *M. streptocerca*　捻尾糸状虫
     # *M. ozzardi*
   Suborder Camallanina　カマラヌス亜目
    Superfamily Dracunculoidea　蛇状線虫上科
     # *Dracunculus medinensis*　メジナ虫

 Class Adenophorea　双器綱（Aphasmidia）
  Superfamily Trichuroidea　毛頭虫上科
   Family Trichuridae　鞭虫科
    ○* *Trichuris trichiura*　鞭虫
    # *Calodium hepaticum*　肝毛細虫
    * *Paracapillaria philippinensis*　フィリピン毛細虫
   Family Trichinellidae　旋毛虫科
    ○*# *Trichinella spiralis*　旋毛虫
    *# *T. pseudospiralis*　擬旋毛虫
    *# *T. britovi*

---

*ヒトの消化器系寄生，#血液または組織内寄生，**眼寄生，○印は現在わが国で医学上重要なもの．

註1　本分類は Chabaud：CIH Keys to the Nematode Parasites of Vertebrates, CAB（1974）および Beaver ら：Clinical Parasitology, 9th ed. Lea & Febiger（1984）を参考とした．その後，変遷がある．例えば *Capillaria philippinensis* は *Paracapillaria philippinensis* とされた．（Moravec F（2001）：J Parasitol. 87：161-164.）

第38項 回虫 [A] 疫学と形態

回虫は世界中の衛生状態の悪い地域に分布し，現在約14億人が感染している．わが国にも昔から存在し，とくに第二次世界大戦の戦中・戦後の生活困窮期には国民の80％以上が感染し，結核と共に国民病といわれた．ところが経済が急速に発展し生活が安定するにしたがって減少し，最近はほとんど感染者を見なくなり，関心が薄れた．しかし，時に遭遇し，胆道系や膵管に迷入し強い症状を発することがあるので注意を要する．

【種 名】 回虫 *Ascaris lumbricoides* Linnaeus, 1758
【疾病名】 回虫症 ascariasis
【疫 学】 回虫は体長30cmもある大形の線虫で人目につきやすく，Hippocratesの時代から知られていた．わが国でも昔から人々に感染し，第二次大戦前後はその極に達したが，戦後経済の発展と共に減少し，最近は非常に少なくなった．この大きな理由は人糞を肥料として用いてきた農耕文化が，化学肥料・農薬大量使用に変化し，さらに下水道の完備，便所・便器の改良が普及したからである．しかし現在，完全になくなったわけではない[註1]．山村地域でまだ感染者は存在し，また最近の有機農業・自然食ブームで糞尿使用の復活や，感染外国人の入国，輸入食品，海外での感染など，感染の機会はなお存在する．むしろ医師や検査技師などの診断能力の低下により誤診の可能性も無視できない．

【成虫の形態】 成虫の体長は雌が30cm，雄が20cmに達し，体幅はそれぞれ5mmおよび4mmで，生きた状態では淡紅乳白色である（図190）．lumbricoidesというのはミミズのようなという意味である．肉眼で雌雄を鑑別することができる．すなわち雄のほうは体が短く，やや細く，そして尾端が腹側に弧状に曲がり，その先端近くに針状の交接刺がある（図191, 192, 198）．

頭部をみると口嚢を有せず，図197に示すように1個の**背唇 dorsal lip**と2個の**亜腹唇 subventral lip**を有し，前者の表面には2個，後者には1個ずつの**乳頭 papilla**がある．これは感覚を司るものと思われる．各口唇の内縁には数百個の小さな鋸歯状の歯が馬蹄形に配列している（図204参照）．3つの口唇で囲まれた中央部分が口腔に相当し，この底に三叉状の食道の入口がある．

回虫を解剖してみると図193に示すごとく，食道は円柱状で短く，これに続いて扁平な，やや灰色をした単管の腸管が続き，尾端近くの腹側にある肛門で外界に開口している．

雌虫体の，ほぼ前1/3の所の腹側に陰門が開口しているが，この部が図191に示すようにくびれている（**交接輪**という）．この部に雄の尾端が巻きついて，交接刺を陰門に挿入して交尾をするのである．陰門に続いて1本の短い**膣**があり，次いで2本の太い**子宮**が後方に向かって走り，次いで受精嚢，輸卵管となり，さらに細く長い糸状の**卵巣**が続いている．子宮内には虫卵が充満し，継続的に陰門から産下される（図193, 196）．

雄の生殖器は図189©に示すごとく糸状の**精巣**に始まり，**輸精管**，**貯精嚢**，**射精管**と続き，尾端近くで消化管末端と合して**総排泄腔**を形成し外界に開く．ここに図198に示すような針状の丈夫な**交接刺**がある．

【虫 卵】 回虫から産下される虫卵には**受精卵 fertilized egg**と**不受精卵 unfertilized egg**とがあり，形態が異なる．したがって糞便検査においてはこの両方に注意を払う必要がある．受精卵（図194）は楕円形で，最外層には金平糖のように凸凹した**蛋白膜 protein coat**がある．回虫の子宮内卵は無色であるが，ヒトの糞便内に現れた虫卵は黄褐色である．これは蛋白膜が胆汁色素に染まったためである．蛋白膜の内側には比較的厚いキチン質の丈夫な**卵殻 egg shell**があり，さらにその内側には薄い**卵黄膜 vitelline membrane**がある．産下後間もない虫卵は1個の球形の卵細胞を有し，これと卵殻との間に三日月状の空間がみられる．受精卵の大きさは長径50〜70μm，短径40〜50μmである．

不受精卵は，図195に示すように形が一定せず細長いのや，左右非相称のものが多い．受精卵に比べ，卵殻，蛋白膜ともに発育が悪く薄い．内部には大小の顆粒が存在する．大きさは長径63〜98μm，短径40〜60μmである．不受精卵はその後，発育することはない．

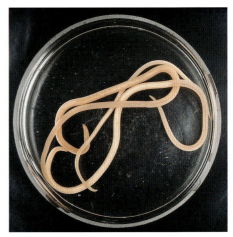

図190．生きた状態の回虫成虫（雌2隻，雄1隻）

註1 松岡裕之ら（2015）：Clin. Parasit. 26：138-140
鈴木 潤ら（2015）：Clin. Parasit. 26：135-137

回虫　93

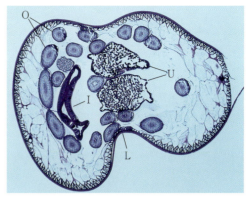

図196. 回虫雌成虫の中央部横切像
I. 腸管, O. 卵巣, U. 子宮, L. 側索

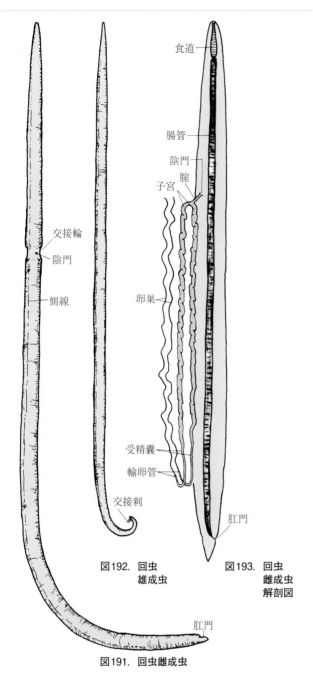

図191. 回虫雌成虫
図192. 回虫雄成虫
図193. 回虫雌成虫解剖図

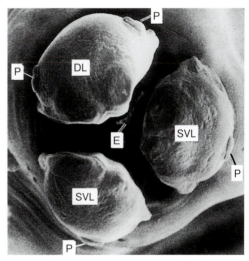

図197. 回虫頭部口唇の走査電顕像 (150倍)
DL. 背唇, SVL. 亜腹唇, P. 乳頭, E. 食道入口

図194. 回虫の受精卵

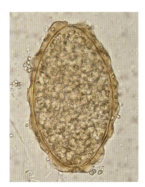

図195. 回虫の不受精卵

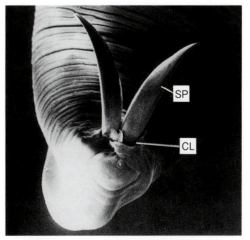

図198. 回虫雄成虫尾部の走査電顕像 (50倍)
SP. 交接刺, CL. 総排泄腔

第39項　回　虫　[B] 生活史と臨床

回虫に感染するのは幼虫形成卵を飲み込むことによる．回虫の成虫は時に胆管や虫垂に迷入することがあり，激しい腹痛を生ずる．消化管内回虫の駆虫薬としてはピランテル パモエイトが最も多く使われている．

【生活史】　ヒトの糞便と共に外界に出た受精卵は，その後，適当な温・湿度の下では図200に示すごとく発育し2～3週後には**幼虫形成卵 embryonated egg** となる．これをヒトが経口摂取すると感染する．不受精卵や未発育の受精卵を飲み込んでも感染しない．虫卵は手指や野菜に付着したり，または塵と共に食品の上に散布されたりしてヒトの口に入る．虫卵の蛋白膜は粘稠で物に付着して運ばれやすい．回虫は経皮感染はしない．

幼虫形成卵の中で脱皮が2回行われ，第3期幼虫を生ずる．このような虫卵がヒトに嚥下されると小腸で孵化し，体長約260μmの第3期幼虫が現れる．これは図200に示すように小腸壁に侵入し，門脈に入って肝臓に運ばれ，さらに血流によって心臓から肺臓に達する．肺では数日滞在して著明に発育し，次いで肺胞に出て気管支，気管を上行し，咽頭で嚥下され，再び小腸に到達する．このようにして体内移行（肺移行）を終えた幼虫はその後，腸管内で2回脱皮を行い，虫卵摂取後2～3カ月を要して成虫となる．このような回虫が感染後体内移行を行うことを発見したのは吉田貞雄（1917）である（総論20頁参照）．回虫の寿命は大体1～2年である．

【症　状】　回虫は上述のように感染の初期に肺移行を行うので，一時に多数の虫卵を飲み込んだような場合は喘息様ないし肺炎様症状を呈する．すなわち咳，発熱，呼吸困難，X線上一過性の肺浸潤像，末梢血好酸球増加などがみられ，いわゆる**レフラー症候群 Löffler syndrome** または **PIE 症候群 pulmonary infiltration with eosinophilia** に一致する症状を示す．

成虫が小腸内で静かに寄生している場合は大した症状はなく，時々起こる腹痛・下痢・食欲不振または異常亢進などである．しかし次のような場合は突然激しい腹痛を発し**急性腹症 acute abdomen** として開腹手術の適応になることがある．すなわち多数の回虫が塊状にもつれ腸閉塞 ileus を起こした場合，また回虫は小孔に頭を突っ込む性質があるので胆管，膵管，虫垂などに侵入し塞栓した場合などである．また回虫が胃内に迷入したときは胃痙攣様発作を起こして患者を苦しめ，しばしば口から虫体を吐出する．この他，回虫の腸穿孔による腹膜炎や肝侵入による肝膿瘍なども知られている（図199）．山口（1988）によれば最近，弘前で70歳の女性が劇症の黄疸で死亡し，剖検してみると肝臓に120隻の回虫が寄生していたという．要するに回虫の害はこのような虫体の迷入の際に最も大きく，かつ診断も困難である．

【診　断】　腸管内に寄生している回虫を診断するには糞便検査が最もよい．回虫の雌は1日に約20万個もの虫卵を産出するので，検査法としては集卵法を用いなくても直接塗抹法で十分である（検査法は第138項参照）．このとき，受精卵がみられれば，雌雄の存在が明らかであり，不受精卵のみの場合は雌の単性寄生が推定される．また虫卵が見出されない場合でも回虫症を全く否定することはできない．雄虫のみの場合や未成熟雌虫の寄生の場合には虫卵はみられないからである．

造影剤を飲ませてX線胃腸透視を行い，注意して観察すると回虫は陰影欠損としてしばしば見出すことができる（図202）．また最近は小腸内視鏡やカプセル内視鏡を用い回虫を直接みることもできる．

【治　療】　回虫駆虫薬は古くからサントニンや海人草が用いられたが最近は次の薬剤が用いられている．

1. ピランテル パモエイト pyrantel pamoate
（商品名コンバントリン）

投与量は5～10mg/kg頓用である．目安としては100mg錠剤を15歳以上5錠，12～14歳4錠，9～11歳3錠，4～8歳2錠，2～3歳は本剤のシロップ2mlまたはドライシロップ1包を投与する．食事を制限する必要はなく，食間または就寝前に服用させる．副作用はほとんどないが妊婦には投与しないほうがよい．

2. メベンダゾール mebendazole
（商品名メベンダゾール）

200mg/日，分2，3日間投与．体重20kg以下の小児は半量とする．下剤は不必要，妊婦には投与しない．

図199．肝臓に迷入した回虫(矢印)
(58歳，女性，金子　仁 教授の厚意による)

回虫　95

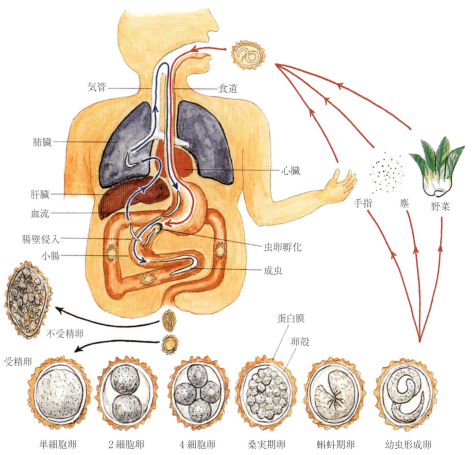

図200. 回虫の虫卵の形態，発育，感染経路（赤線）および体内移行経路（青線）など生活史を示す
（理解に便利なため，人体各臓器の位置および走行はやや変化させてある）

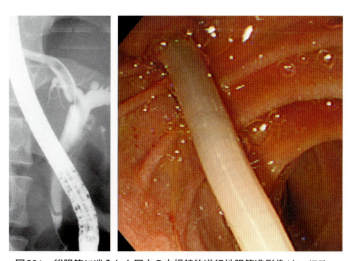

図201. 総胆管に迷入した回虫の内視鏡的逆行性胆管造影像（左，細長い透亮像が回虫）と内視鏡的摘出中の像（右）
激しい上腹部痛の28歳，男性症例
（Mitoro A et al. (2007)：Gastrointestinal Endoscopy, 65：327）

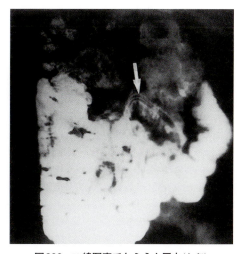

図202. X線写真でとらえた回虫（矢印）
（京都府立医科大学 小児科 提供）

第40項　ブタ回虫，イヌ回虫，ネコ回虫およびアライグマ回虫

ヒトに寄生する回虫の他に，地球上には多くの種類の回虫が存在し，それぞれの固有宿主動物に寄生している．その中には時に幼虫が，また稀に成虫がヒトに寄生することがある．

I．ブタ回虫 *Ascaris lumbricoides suum* Goeze, 1782

広く世界に分布しブタに寄生している．本種はヒトに寄生している回虫と口部の歯の大きさが異なるという説(真喜屋ら，1988)もあるが形態的に区別困難なので同種説，別種説，亜種説などがあるが，本書では亜種説を採用する．両種の違いは，回虫はヒトに，ブタ回虫はブタに寄生するという点で，ブタ回虫を実験的にヒトに与えた結果をみると，未熟成虫あるいは成虫にまで発育したという報告もあるが陰性に終わったという論文が多い(濃野1920, Payne1925)．しかしいずれも肺炎様の症状を発しているので幼虫が体内移行を行ったことは間違いない[註1]．

わが国においては，ブタ回虫による幼虫移行症(次項参照)が発生していることが知られている．症状は高度の好酸球増加，血中IgE高値，咳，発熱，肺および肝の多発性病変などで，抗ブタ回虫抗体は高値だが糞便中に虫卵は認めない．臨床的にイヌ回虫またはネコ回虫による幼虫移行症と区別できず，詳しい抗体検査により鑑別が可能なこともある(図208)．

II．イヌ回虫 *Toxocara canis* (Werner, 1782)

世界に広く分布しイヌ科の動物を固有宿主としている．わが国でも普通にみられる．成虫(図203)の体長は雌約18cm，雄約10cm，頭部の形態は回虫に類似している．また各口唇の内縁には鋸歯状の歯(図204)が数百個並んでいる．この歯の形態は回虫やネコ回虫とほとんど同じである．イヌ回虫の頭部の左右には**頸翼** cervical alae(図207)と称する翼状の隆起があり，これは体の割に小さく，最大幅はほぼ中央にある．これに対しネコ回虫のそれは体の割に大きく，かつ最大幅は後ろ1/4の所にあるのが鑑別点である．虫卵(図206)は楕円形で，長径80〜85μm，短径70〜75μm，その形態は回虫やブタ回虫とはかなり異なっている．

イヌ回虫は特異な生活史を有し，それが医学的にも重要となる．すなわちイヌ回虫の成虫は主に生後6カ月未満の仔イヌに寄生しており，成犬にはほとんどみられない．仔イヌが幼虫形成卵を飲み込むと，前項で述べた回虫と同様の体内移行を行って小腸で成虫となるが，成犬が飲み込んだ場合は成虫にまで発育することができず，第3期幼虫のまま体内諸臓器，とくに筋肉内に蓄えられる．そして雌犬が出産前になると，それら幼虫は一斉に胎盤を通って仔イヌの肝臓に移行する．これを**胎盤感染** placental infectionという．そして出産後仔イヌの体内で幼虫は速やかに肺，気管を経由して小腸に達し成虫となる．

このようにイヌ回虫は仔イヌ以外の動物に感染すると成虫にならず，幼虫のまま体内諸臓器に移行し，そこにかなり長期間滞在する．これによって生ずるヒトの疾患を**幼虫移行症**といい，次項で詳しく解説する．

III．ネコ回虫 *Toxocara cati* (Schrank, 1788)

主としてネコに寄生し，成虫の体長は雌約12cm，雄約6cm(図203)，虫卵の大きさは75×65μmである．及川(1989)が関西の成猫802頭の糞便を調べたところ19％に本虫の虫卵を認めた．また上野ら(1999)[註2]はネコ回虫の若成虫3隻を吐出した5歳男子例を報告した．これはわが国では初めて，世界では27例目に当たる．

ネコ回虫もイヌ回虫と同様，幼虫移行症の原因になると考えられているが，この両種をマウスに感染させてみると体内移行状態が異なるので人体内でも異なった行動をするのではないかと考えられている．すなわちイヌ回虫では感染1週間以後，幼虫はほとんど体筋と脳に集まるがネコ回虫ではほとんどが体筋に集まり，脳には少ない．またネコ回虫は乳汁による感染は起こすが胎盤感染は起こさない，などの点もイヌ回虫と異なる．

IV．アライグマ回虫 *Baylisascaris procyonis* (Stefanski & Zarnowski, 1951)

本虫は北米のアライグマに広く寄生しており，本虫によるヒトの幼虫移行症が北米で31例報告されている．神経系に寄生し，7例は死亡，残りも重症の神経系後遺症を残している[註3]．このうち17例は2歳以下の小児であった．アライグマはわが国にペットとして輸入され，それが野生化している．最近，本虫に感染しているアライグマと同施設内の兎に本虫の集団感染があり，脳神経症状を発したので，今後ヒトへの感染が危惧される[註4]．

註1　森下　薫(1953)：蛔虫及蛔虫症，33-40，永井書店，大阪．
註2　上野良樹ら(1999)：Clin. Parasit. 10：54-56.
註3　Graeff-Teixeira C et al. (2016)：Clin Microbiol Rev. 29：375-399. Kawakami V et al. (2018)：MMWR Morb Mortal Wkly Rep. 67(2)：79-80.
註4　Sato H et al.(2002)：Parasit. Int. 51：105-108.

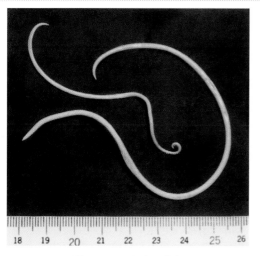

図203. イヌ回虫の成虫
雌と雄(尾端の巻いているほう)

図204. ネコ回虫の歯列の走査電顕像
回虫, ブタ回虫, イヌ回虫にも同様の歯がある

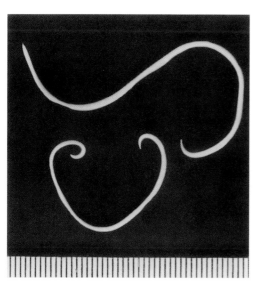

図205. ネコ回虫の成虫
雌(上)と雄(下)

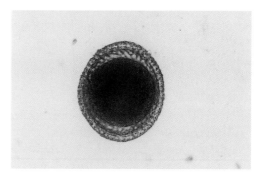

図206. イヌ回虫の虫卵

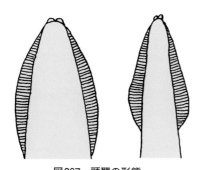

図207. 頸翼の形態
左:イヌ回虫, 右:ネコ回虫

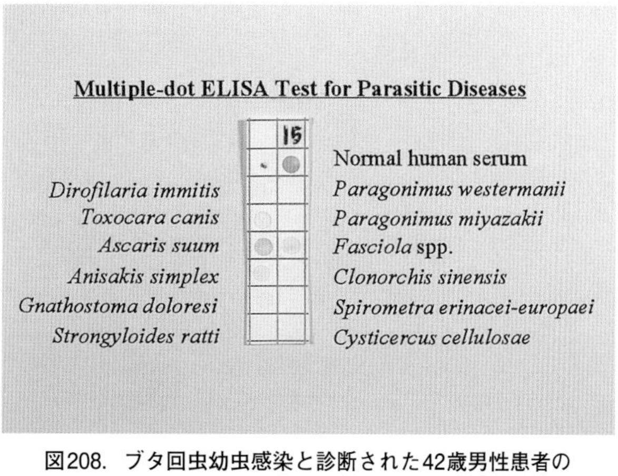

図208. ブタ回虫幼虫感染と診断された42歳男性患者の dot-ELISA 像

(宮崎大学 名和行文 教授の厚意による)

第41項 幼虫移行症

ヒト以外の動物を固有宿主とする寄生虫の感染型がヒトに侵入した場合，成虫に発育することができず幼虫のままヒト体内を移行し種々の症状を引き起こす．このような症候群を幼虫移行症という．本症の原因となる寄生虫の種類は多く，人獣共通寄生虫症の大きな部分を占めているが最も典型的なのはイヌ回虫幼虫移行症である．

歴 史

幼虫移行症 larva migrans の概念を打ち立てたのは米国のBeaver[註1]で，そのきっかけとなったのは Wilder[註2]の発見である．すなわち彼女は米国で1950年，網膜芽細胞腫の診断の下に摘出された46例の小児の眼球を調べたところ24例に線虫の幼虫を発見し，はじめ鉤虫の幼虫と記載したが後にNichols(1956)によってイヌ回虫の幼虫と訂正された．

幼虫移行症を起こす寄生虫

1. 線虫類　イヌ回虫，ネコ回虫，ブタ回虫，アニサキス，テラノバ，ブラジル鉤虫，イヌ鉤虫，広東住血線虫，有棘顎口虫，剛棘顎口虫，ドロレス顎口虫，日本顎口虫，旋尾線虫，イヌ糸状虫など．
2. 吸虫類　宮崎肺吸虫，ムクドリ住血吸虫など．
3. 条虫類　マンソン孤虫，有鉤嚢虫，包虫など．

幼虫移行症の型

1. 皮膚幼虫移行症 cutaneous larva migrans

幼虫が主として皮内あるいは皮下を移行する場合で，ブラジル鉤虫，イヌ鉤虫，顎口虫，旋尾線虫，イヌ糸状虫，マンソン孤虫などが主なものである．この中で線状の皮膚炎を起こす場合を**皮膚爬行症** creeping eruption という（図212，258，305，310，318参照）．

2. 内臓幼虫移行症 visceral larva migrans

幼虫が肝，肺，脳，脊髄，眼，筋肉，消化管，腎など深部の臓器や組織に移行する場合をいう．ブタ回虫，イヌ回虫，ネコ回虫，アニサキス，テラノバ，広東住血線虫，イヌ糸状虫，包虫，多頭条虫，宮崎肺吸虫などがあるが，鉤虫類，顎口虫類，マンソン孤虫などが深部に移行することもある．眼・中枢神経への移行では，単数の幼虫移行でも症状は出やすく，眼・中枢神経型とも呼ぶことがある．ブタ回虫幼虫による移行症は後述のイヌあるいはネコ回虫幼虫感染症と酷似する．また，アライグマ回虫幼虫の中枢神経移行では，2mm近いその大きさ故に組織障害性が大きく，外国では死亡例の報告がある．わが国では，まだヒトの移行症の報告はないが，アライグマの野生化が問題になっており注意が必要である．

イヌあるいはネコ回虫幼虫感染症 toxocariasis

イヌ回虫の幼虫形成卵あるいは幼虫をヒトが摂取した場合，第3期幼虫が肺，肝臓，眼球などの身体各所に移行することがある．ヒトがイヌ回虫に感染するのは，①幼虫形成卵の摂取，②ウシやトリの生肉やレバーに存在する幼虫の摂取による．経路①は，イヌやネコの糞便に汚染された公園の砂場や虫卵の付着した被毛が感染源となる．日本では②が多く，したがって成人例が多い．食物媒介性疾患の側面が強い．本症は小児に好発するが成人例も報告されている．

【症 状】　肝臓・肺に多数の幼虫が移行すると咳，喘鳴，顔色不良，発熱，発育不良，異食症などを生じ，肝腫脹，高度好酸球増加，γグロブリン高値などを認め，画像診断では小結節影となることが多い．病理学的には好酸球肉芽腫で，時に虫体の断面を見出すことがある（図211）．人体内を移行している幼虫は体長約400μm，体幅20μm前後の第3期幼虫（図213）で，それ以上には発育しない．しかし，肝臓・肺への少数寄生では自覚症状に乏しい不顕性症例（図214）もある．吉田らの報告を見ると，成人例の約2～3割は無症状あるいは非常に軽微な症状しか示さない潜在型である[註3]．イヌ回虫幼虫の眼寄生は前述の Wilder 以来，世界で多数報告され，2～16歳の小児に片眼性にみられ，網膜の腫瘍と間違われやすい．わが国で最初の報告をした吉岡(1966)[註4]の症例は8歳の女児で，左眼がきらきら光るいわゆる猫目を呈し失明した．網膜膠腫の診断の下に眼球摘出を受けたが，その組織標本の中にイヌ回虫幼虫の寄生が認められた（図209，210）．その後2例[註5,6]の眼寄生が追加された．

【診 断】　多くの場合，幼虫を検出することは困難であるので，生活歴，食歴，症状とともに，イヌ回虫幼虫分泌抗原を用いた免疫診断が重要である．生検で幼虫を検出すれば確実である．

【治 療】　アルベンダゾール albendazole（商品名**エスカゾール**）を1日10～15mg/kg，3分服，2～4週間連用．

【疫学と予防】　わが国で眼から虫体を検出したのは上記3例，皮膚から1例であるが，免疫学的に診断されたものは数多い．2003～2014年に免疫学的に本症と診断された217例の内48%は生の肉やレバーを食していた．日本では生食用レバーの販売が禁止されているため国外，特に韓国で感染した例が増えているという[註3]．

註1　Beaver PC(1956)：Exper. Parasit. 5：587-621.
註2　Wilder HC(1950)：Tr. Am. Acad. Ophth. & Otolar, 55：99-109.
註3　吉田彩子ら(2014)：Clin. Parasit. 25：34-37.
　　　Yoshida A et al. (2016)：Eur J Clin Microbiol Infect Dis, 35：1521-1529
註4　吉岡久春(1966)：臨床眼科，20：605-610.
註5　伊集院信夫ら(1999)：臨床眼科，53：1305-1307.
註6　赤尾信吉ら(2003)：Clin. Parasit. 14：71-73.

幼虫移行症 99

図209. 網膜膠腫として摘出された8歳の少女の左眼

水晶体後方硝子体中に線虫を含む好酸球性肉芽腫あり（矢印），網膜剥離を認める

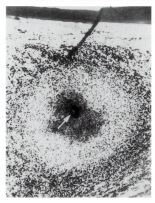

図210. 左図の拡大図

矢印の所にイヌ回虫幼虫の断面を認める
（図209，210は吉岡久春 教授の厚意による）

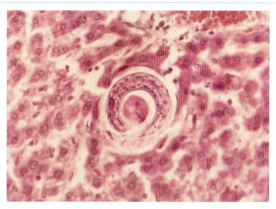

図211. イヌ回虫幼虫形成卵をマウスに経口投与し48時間後，肝臓に移行した第3期幼虫

（織田 清 博士による）

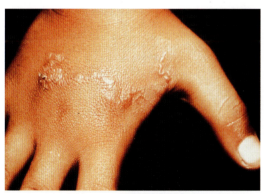

図212. 幼虫皮膚移行症
（Dr. Zaman の厚意による）

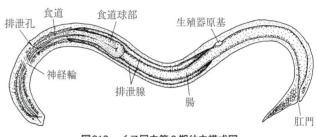

図213. イヌ回虫第3期幼虫模式図

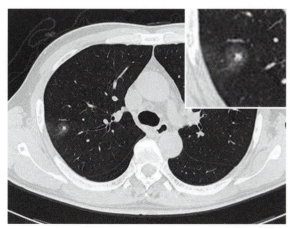

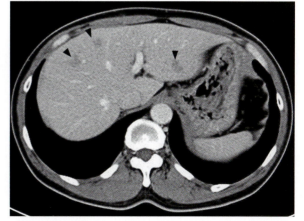

図214. 無症候性内臓トキソカラ症

58歳男性，無症状．健診にて好酸球増加を指摘．1年前から毎週生レバーを食していた（2012年より生レバーの提供は禁止されている）．肺および肝臓に小結節性病変を認める．

（吉川正英 博士 提供）

第42項　アニサキス　［A］歴史，分類，疫学および形態

アニサキスと呼ばれる一群の線虫はクジラやイルカを終宿主として成虫はその胃内に寄生しており，幼虫はサバやイカなど多種の待機宿主の体内に寄生している．ヒトがこれらを生食するとその幼虫が胃壁や腸壁に穿入し激しい腹痛を起こす．魚を生食する習慣のあるわが国では特に症例が多く，わが国で最も重要な寄生虫症の一つとなっている．

【歴　史】　1955年，オランダのロッテルダムの病院で腹痛を訴える患者の手術が行われ，回腸末端部の粘膜に穿入している小線虫が摘出された．その後も同様の症例が12例も続いたが種名が不明であった．1960年になって van Thielらは，この線虫はニシンの筋肉内に寄生している *Eustoma rotundatum* の幼虫であると発表したが1962年に Anisakis 属の幼虫であると訂正した．その後，欧米の漁業国，中でもオランダ，ドイツ，フランス，米国などで多数の症例が報告された．

一方，わが国では魚を生で食べる習慣があるので本症は以前からあったと思われるが，1960年頃までは医学界で全く知られていなかった．サバなど青魚の食あたりなどとして片付けられていたものと思われる．もっとも1957年から1963年にかけて大鶴・横川らが回虫の幼虫と思われる線虫の穿入による腸炎や肉芽腫を報告したが虫種が不明であった．わが国で最初にアニサキス症として症例報告を行ったのは浅見ら（1965）[註1]で，それ以来本症の研究が急に活発になった．

【分　類】　患者から摘出される幼虫，および感染源となっている魚介類から採集される幼虫は，その成虫が最近まで未解明であったため，幼虫の形態で表15および図215に示すごとく約10種に分類され，その中でヒトから見出される種を Anisakis Ⅰ型，Anisakis Ⅱ型，Pseudoterranova A 型と呼んできた．ところが近年，研究が進み Anisakis Ⅰ型は ***Anisakis simplex*** を含む種の，Anisakis Ⅱ型は ***Anisakis physeteris*** を含む種の，また Pseudoterranova A 型は ***Pseudoterranova decipiens*** を含む種の幼虫であることが証明された．

さらに最近，寄生虫の分子系統分類が進むにつれて *Anisakis simplex* sensu lato（広義）は *A. simplex* sensu stricto（狭義）と *A. pegreffii* と *A. berlandi* の3種の同胞種（sibling species）に分類されるようになった．一方，*Pseuterranova decipiens*（広義）も *P. decipiens* sensu stricto（狭義），*P. azarasi*，*P. cattani*，*P. krabbei*，*P. bulbosa*，*P. decipiens* の6種の同胞種に分類されるようになった[註2]．

【疫　学】　アニサキス症の世界での累積数は米国で約70例，欧州で約500例とされているがわが国では格段に多く，石倉（2003）[註3]の集計によると1996年6月の時点で28,123例となっている．さらに最近，杉山ら（2013）[註4]は医療機関から提出されるレセプトにアニサキスの傷病名のあるデータを集計し，年間の感染者を7,147人と推定している．

次に上記の虫種の中でヒトから見出されるのは *Anisakis simplex*（狭義）が最も多いが *Pseudoterranova decipiens*（広義）もかなり多く769例報告されている[註3]．一方 *Anisakis physeteris* の感染例はわが国では3例と少ない．

【形　態】　日本近海の魚介類から採取されるアニサキス属およびその近縁の線虫の種類とその模式図を表15と図215に示した．この中で医学的に最も重要である *A. simplex*（広義）を中心に述べると，その成虫と幼虫は図217に示すごとくで，大きさは表15に示すとおりである．幼虫はサバなどの内臓の表面（図216）で，とぐろを巻いた状態で存在するが筋肉内に見つかることもある．頭端には**穿歯 boring tooth** と称する突起があり，次いで細長い食道（正確には食道筋質部）があり，次にやや太い胃（正確には食道腺質部）があり腸に続く．図215に示すごとく *A. simplex*（**A**）の胃は *A. physeteris*（**B**）の胃より長く，かつ腸に続くところが斜めになっている．また *A. simplex* の尾部は短く鈍円で尾端に**尾突起 mucron** を有するが *A. physeteris* は肛門以下が細長く尾突起がない．

Pseudoterranova decipiens（広義，**E**）の幼虫は魚の内臓の表面でとぐろを巻かないで遊離して存在しており，筋肉内にも存在する．その体長・体幅は表15に示すように *Anisakis* 属のものよりやや大きく，図215に示すような腸盲嚢を有しているのが特徴である．*Raphidascaris*（**F**）は胃盲嚢を有し，*Contracaecum*（**G**）は腸盲嚢と胃盲嚢とを有している．

註1　Asami K（1965）：Am. J. Trop. Med. Hyg. 14：119-123.
註2　有薗直樹（2011）：京都府保環研年報，56：1-5.
註3　Ishikura H（2003）：Progress Med. Parsitol. Japan, 8：451-473.
註4　杉山　広ら（2013）：Clin. Parasit. 24：44-46.
註5　小山　力ら（1969）：寄生虫誌，18：466-487.
註6　Shiraki T（1974）：Acta Med. Biol. 22：57-98.

アニサキス

表15. 日本近海の魚介類に見出されるアニサキス属および近縁線虫の分類

幼虫の形態に基づく分類	図215	成虫の形態に基づく分類	同胞種(成虫形態では区別できず、遺伝子配列により分類)	成虫 体長×体幅(mm)	幼虫 体長×体幅(mm)	幼虫が寄生している主な魚介類
Anisakis type Ⅰ[a]	A	A. simplex sensu lato[a],[c]	A. simplex sensu stricto[a],[d]	♀ 95-140×2.3-3.5 ♂ 60-120×1.2-2.5	18-34×0.4-0.6 (平均25.0×0.5)	マサバ, ニシン, イカ, カツオ
			A. pegreffii[a]			
			A. berlandi			
		A. typica[a]	＊(＊遺伝子解析不要)			
		A. ziphidarum	＊			
		A. nascettii	＊			
Anisakis type Ⅱ[a],[b]	B	A. physeteris[a]	＊	♀ 130-200×3.5-5.0 ♂ 100-145×3.0-4.0	25-33×0.5-0.7	キンメダイ, スルメイカ
Anisakis type Ⅲ[b]	C	A. brevispiculata	＊			キンメダイ, スケソウダラ
Anisakis type Ⅳ[b]	D	A. paggiae	＊			キンメダイ, スケソウダラ
Pseudoterranova spp.[a]	E	P. decipiens sensu lato[a],[c]	P. decipiens sensu stricto[d]	♀ 32-47×1.0-1.4	11-37×0.3-1.0 (平均29.8×0.9)	スケソウダラ, オヒョウ, マダラ
			P. azarasi[a]			
Raphidascaris spp.	F	Raphidascaris spp.	＊			マアジ
Contracaecum spp.	G	Contracaecum spp.	＊			マアジ, スケソウダラ

a) 日本で人体症例の報告がある種．
b) 第3期幼虫の形態から A. brevispiculata と A. paggiae を Anisakis type Ⅱ と分類する報告もある．
c) sensu lato，広義の種（形態種）を示す用語で，複数の同胞種を包含する．
d) sensu stricto，狭義の種（DNA レベルの解析等に基き決定される種）を示す用語．　　　(小山ら1969, Shiraki 1974にその他のデータを追加)[註5,6]

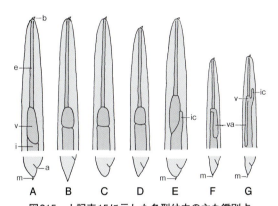

図215. 上記表15に示した各型幼虫の主な鑑別点
　　a. 肛門, b. 穿歯, e. 食道, i. 腸, ic. 腸盲嚢, m. 尾突起, v. 胃, va. 胃盲嚢
　　A～G 各幼虫の分類名称は表15参照　　　　(小山ら，1969；Shiraki, 1974)[註5,6]

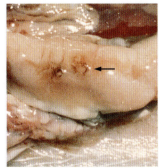

図216. サバの内臓の表面に寄生している
Anisakis simplex 第3期幼虫(矢印)

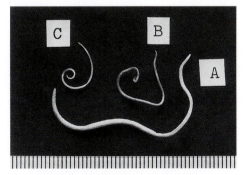

図217. Anisakis simplex の成虫と幼虫
　A．雌成虫，B．雄成虫，C．第3期幼虫
　A，B はオットセイ，C はサバより採取

第43項　アニサキス　[B] 生活史と病理

アニサキス類線虫はクジラ，イルカ，アザラシなど海棲哺乳類を終宿主とし，オキアミを中間宿主，サバ，イカなどの魚介類を待機宿主として生活史を営んでいる．ヒトは主としてこの待機宿主を生で食して感染するのであるが，幼虫が消化管粘膜に穿入すると即時型過敏反応を起こし，数日経過すると好酸球性肉芽腫を形成する．また幼虫は胃，腸以外の臓器に異所寄生することがある．

【生活史】（図218）

Anisakis simplex（広義）の成虫はスジイルカ，ネズミイルカ，イシイルカ，シワイルカ，ミンククジラ，コイワシクジラなど主に鯨類の，また*Pseudoterranova decipiens*（広義）の成虫は主としてアザラシ，トドなど鰭脚類の胃壁に頭部を穿入して寄生し，その虫卵は糞便と共に海中に放出される．海中で卵から孵化した第2期幼虫は中間宿主である**オキアミ**などの甲殻類に摂取され，第3期幼虫へと発育し，これが待機宿主となる魚やイカに食われるとその体内で第3期幼虫のまま寄生を続ける．そしてこれらが終宿主に食われるとその胃内で成虫となるのであるがヒトがこの第3期幼虫を食べると胃壁や腸壁に穿入し腹痛を起こす．この際，ヒトの腸管内で1回脱皮して第4期幼虫になることはあるが成虫にまで発育することはない．

【感染源】（表16）

わが国でアニサキス症の感染源になる魚介類は120種以上知られている．本症の原因となる幼虫は①*Anisakis simplex*（狭義）が大半を占め，その感染源はサバ（しめ鯖を含む）が最も多い．最近，サケ（シロサケ）の筋肉寄生も報告された[註1]．同胞種の*A. pegreffii*感染症例の報告もある．次いで②*Pseudoterranova decipiens*（広義）の症例が多く，タラなどを待機宿主として1990年中頃までに769例報告されたが，最近の分子同定によると日本近海を含む北西太平洋に分布するのは同胞種の*P. azarasi*とし，人体寄生例も報告されている[註2]．③*Anisakis physeteris*の感染症例は少なく感染源はよくわからないがキンメダイに寄生率が高く，スルメイカの寄生率も高いと言われる．一方，オキアミにおけるアニサキス幼虫の寄生状況は影井[註3]の報告によると数百匹〜数千匹に1匹程度であるが食物連鎖で魚類に蓄積され高率になるのであろう．

【病　理】

1. アニサキス症の好発部位　表17に示すごとくAnisakis属幼虫は胃以外に腸寄生や異所寄生が多く，腸の場合は回盲部が最も多い．一方Pseuterranova属幼虫は殆ど胃寄生で，吐出例が30％に見られる．

2. 病理学的所見　肉眼的所見としては，幼虫穿入部の粘膜下に限局性の小指頭大の腫瘤を形成しているが粘膜面は変化のないことが多い．感染後短時日内であれば頭部を消化管壁に穿入した虫体が存在し（図219），これは内視鏡で見ることもできる（図221, 222）．

組織学的所見としては虫体を中心として限局性あるいはび漫性の好酸球の浸潤が著しく，その他，浮腫，充血，出血，結合織の増殖などがみられ，その状態によって**好酸球性肉芽腫 eosinophilic granuloma**，膿瘍 abscess，蜂窩織炎 phlegmonなどと診断される．

また幼虫穿入後短時日内であれば幼虫の断面がほぼ完全に観察され（図220），虫種の診断に役立つが，時間がたっていると虫体は変性・崩壊している．

表16．各種の魚・イカ類におけるAnisakis幼虫の寄生率

分布	種類	寄生率（%）	最高寄生数
A. 北日本海域を中心として分布するもの	スケソウダラ	100	360
	サクラマス	100	167
	マダラ	96	24
	ニシン	77	52
B. 日本沿岸（太平洋，日本海）に分布し，季節的に北上，南下するもの	マアジ	51	676
	ヒラサバ	81	109
	スルメイカ	42	19
	サンマ	5	1
	カタクチイワシ	3〜11	2
C. 温暖水域に広く分布し，回遊性の大きなもの	アカマンボウ	100	100
	カツオ	90	20
	ゴマサバ	55	5
	ハガツオ	33	2
	マグロ	0	0
D. 日本近海で比較的定着性のもの	イシガキダイ	0	0
	マコガレイ	0	0
	ヒイカ	0	0
	モンゴウイカ	0	0
	コウイカ	0	0
	ヤリイカ	0	0

（小林ら，1996にその後の成績を追加）

表17．Anisakis幼虫とPseudoterranova幼虫の胃壁および腸壁侵入性の相違（日本の12,586例の統計）

			内訳：
Anisakis症	胃寄生	11,629例	腹腔内遊離17例，大網・腸間膜各6例，腹壁・食道・卵巣・腹部皮下・肝・口腔粘膜各2例，膵・リンパ節・胸腔・咽頭粘膜各1例
	腸寄生	567例	
	異所寄生	45例	
Pseudoterranova症	胃寄生	335例	
	腸寄生	0例	
	不明	10例	

（石倉，1989の参考資料による）

註1　杉山　広（2017）：Clin Parasitol. 28：32-35.
註2　Arizono N（2011）：Emerg. Inf. Dis. Jour. 17（3）．
註3　影井　昇（1989）：最新医学，44：781-791.

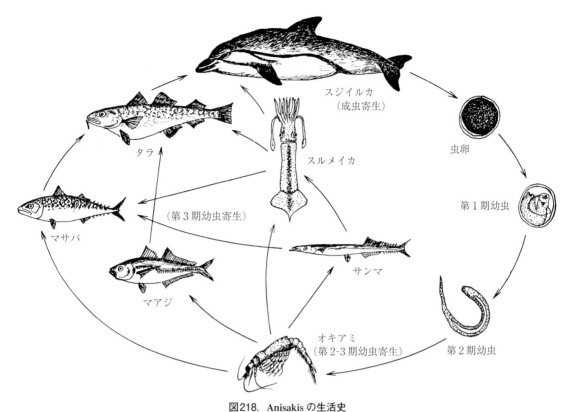

図218. Anisakis の生活史
(大島, 1966；影井, 1968(一部改変), および動物図鑑参考)

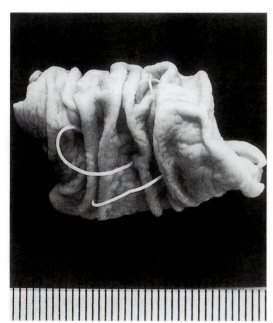

図219. サバより採取した Anisakis simplex (広義) 幼虫をイヌに経口投与し, 24時間後に剖検, 胃壁に穿入していた幼虫

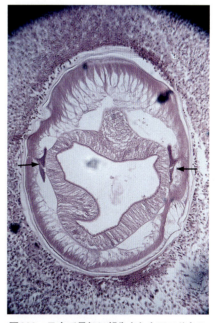

図220. 日本で最初に報告されたアニサキス症例の虫体横断面
双葉状の側索(矢印)が特徴である
(浅見敬三ら, 1965による)

第44項　アニサキス ［C］臨　床

症状は，胃アニサキス症の場合は心窩部，腸アニサキス症の場合は主に下腹部の激痛で，時に急性腹症として開腹手術が行われる．しかし最近は問診によって本症が疑われれば直ちに内視鏡検査を行い，幼虫を摘出して診断と治療が一挙に終了するようになった．しかし腸アニサキス症の場合はなお診断と治療に困難が伴う．

【疾病名】　アニサキス症　anisakiasis

本症は *Anisakis* 属または *Pseudoterranova* 属の線虫の幼虫によって発症するのであるが，これらはアニサキス亜科に属するので一括してアニサキス症と呼んでいる．

【症　状】

アニサキス幼虫の消化管穿入による症状には**激症型**と**緩和型**とがある．この差異の理由は，なお不明であるが，過去に感染して感作されている人は再感染により**即時型過敏反応 immediate type hypersensitivity** を起こし，消化管の攣縮や粘膜浮腫，狭窄により激症型となり，一方，初感染の場合は異物反応にとどまり軽症に経過するのではないかと考えられている．食道や大腸アニサキス症もあるが主には胃であり小腸がこれに次ぐ．消化管外臓器に迷入することも稀に起こる．

1．胃アニサキス症
生の魚類を食べて1～8時間後に強い**心窩部痛 epigastralgia** を訴え，しばしば悪心，嘔吐を伴う．胃潰瘍の穿孔あるいは胆石症などと誤診され，開腹手術を施行されることが過去にあったが，最近では内視鏡技術の進歩により手術を免れるようになった．一方，軽症で気付かないこともある（緩和型）．末梢血液像は多くの場合中等度の白血球増加をみるが，好酸球増加は顕著でなく，約30％の例に軽度上昇を認める程度である．

2．小腸アニサキス症
激症型の場合は，やはり生魚摂取後，数時間ないし十数時間後から強い下腹部痛を生じ，悪心，嘔吐，腹部膨満感などを伴う．発熱はないが虫垂炎，腸閉塞，腸穿孔などと誤診され，**急性腹症 acute abdomen** として開腹手術を受けることがある．緩和型の場合はしばしば自覚症状を欠く．血液像も胃アニサキス症の場合とほぼ同じである．

【診　断】

診断の要諦はまずアニサキス症を念頭におき，発症前に摂取した食品について詳しく問診することである．胃アニサキス症が疑われれば直ちに内視鏡を用い胃壁に穿入している幼虫を直接観察し（図221），次いで内視鏡の鉗子を用いて幼虫をつまみ出す（図222，226）．これによって虫種の同定に全体標本が提供され，かつ開腹手術を行うことなく治療が完結し，最も推奨すべき方法である．かつては，X線胃腸透視によってもかなりの頻度に幼虫を見出すことができた（図225）が現在は，内視鏡検査で発見されることが圧倒的に多い．複数寄生例も多い（図224）．他の緊急を要する急性腹症との鑑別には慎重を要す．

小腸アニサキス症の場合は内視鏡で小腸の全域を詳しく観察することは一般には困難なので，X線検査による虫体の検出，粘膜浮腫像，またCTや超音波検査による腸壁の肥厚，管腔の狭窄，腹水などの所見を参考にする．大腸や食道アニサキス症の場合は内視鏡検査が有用である．

免疫学的診断法として，間接赤血球凝集反応，Ouchterlony法，免疫電気泳動法，ELISA法など種々の方法が試みられているが，まず初感染の場合は抗体が生ずるのに10～20日かかるので実用性に乏しい．しかし再感染の場合は24時間以内に抗体の急上昇がみられるので，とくに腸アニサキス症など内視鏡的診断の困難な例においては参考になる．

好発時期：年間を通じ，どの時期に患者発生が多いかについて多くの研究者の調査がある．好発時期は感染源となる魚介類の漁獲期と密接に関係する．かつてはサバやイワシ，さらに北方のタラ，オヒョウの漁獲期と関係して，12～3月の寒期に多いといわれていたが，最近では，サンマの漁獲期である8～11月に好発することが多い．また初ガツオの漁獲期である4～6月に好発した年もある．

年齢・性別罹患率：これも上記の研究者の調査結果によると，アニサキス症例の最年少者は3歳，最年長者は88歳であったが，30歳代が最も多く，次いで40歳代，50歳代，20歳代の順であった．性別にみると，男性が女性の1.3～2.5倍多くなっている．これは壮年層の男性の生魚摂取の機会が多いことによるのであろう．

【治　療】

前述のごとく内視鏡による虫体摘出が最良であるが，複数寄生例がかなりあり，最高140隻以上寄生していた例もあるのでくまなく探す必要がある．一方，腸アニサキス症の場合は摘出が困難なので駆虫薬の開発が望まれる．

【予　防】

表15および表16に示した魚類のうち寄生率の高いものの生食は危険である．筆者の教室で時々市販のサバ寿司を買って検査してみると，かなりの頻度にアニサキスの幼虫を認め，これをイヌに食わせたところ感染が成立した（図227，228，223）．

幼虫は高温には弱く60℃数分で死亡する．低温の場合，2℃では50日も生きているが，－20℃にすると数時間で死亡する．オランダでは1968年以来，ニシンは－20℃，24時間以上の冷凍を義務づけた結果，患者が激減したという．

アニサキス 105

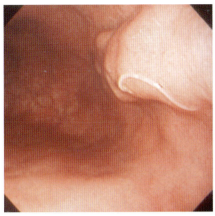

図221. 胃壁穿入中のアニサキス幼虫
大弯のヒダの浮腫性肥厚

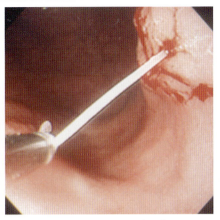

図222. 鉗子で摘出中の像
（図221，222 松村雅彦 博士 提供）

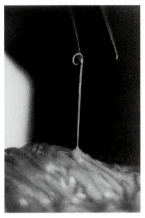

図223. 図227のサバ寿司から取り出した幼虫をイヌに与え，24時間後開腹．胃壁に穿入し感染力のあることを示す

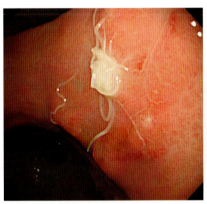

図224. 胃角後壁側の浅い小潰瘍に多数のアニサキス幼虫が集簇
（松本昌美 博士 提供）

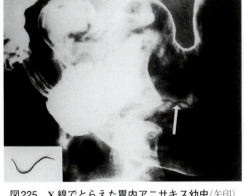

図225. X線でとらえた胃内アニサキス幼虫（矢印）
左の挿入写真はこの虫体を内視鏡鉗子で摘出したもの（同定の結果 Anisakis simplex（広義）の幼虫であった）（故 高田 洋博士 提供）

図226. 内視鏡鉗子で摘出した直後のアニサキス幼虫

図227.（左）市販のサバ寿司に見出されたアニサキス幼虫

図228.（右）別のサバ寿司から見出されたアニサキス幼虫
（図227，228とも，筆者の教室で撮影）

第45項　蟯虫

蟯虫は世界に広く分布しており，熱帯・亜熱帯よりもむしろ温帯の衛生状態の悪い人口密集地に多い．一般に小児に寄生率が高いが成人にもかなり感染している．わが国では寄生率は次第に低下してきたが，それでも保育所，幼稚園，小学校などで大体1〜5%に寄生がみられ，寄生率の点ではわが国で最も高い寄生虫である．

【種　名】　蟯　虫　*Enterobius vermicularis*（Linnaeus, 1758）

【疾病名】　蟯虫症　enterobiasis, oxyuriasis

【形態と生活史】　蟯虫の成虫はヒトの**盲腸**およびその周辺に棲息し，頭部を粘膜に付着させて寄生している．

雌成虫は体長8〜13mm，体幅0.3〜0.5mmの白色の小さな虫で肉眼でみると体の後端が鋭く尖っているので**pinworm**といわれる（図229, 230）．雄成虫はさらに小さく，体長2〜5mm，体幅0.1〜0.2mmで，尾端が強く腹側に曲がっている（図229, 230）．

顕微鏡で虫体の構造を観察すると，雌雄とも頭端には3個の口唇がある．また頭端の角皮は背腹に膨隆している．食道下部は球状を呈する．

雌では体の前1/3の腹側に陰門が開く．陰門から比較的長い腟が続き，腟は上下2本の子宮に連なる．次いで子宮は輸卵管，卵巣と続く．肛門は体の後1/4の所で腹側に開く（図230）．

雄では尾端近くに総排泄腔が開き，ここに1本の交接刺がある．また，尾部の角皮上には数個の乳頭がある．

雌は，その子宮内に虫卵が充満してくると，ヒトの腸管内では産卵せず，主として夜間，ヒトが睡眠中肛門括約筋が緩んでいるときに腸管を下って肛門からはい出し，肛門周囲の皮膚上に一挙に子宮内の全虫卵を産下し（約10,000個），そこで死亡する（87頁の絵図参照）．

虫卵は長径45〜50μm，短径25〜30μm，無色で，卵殻はやや厚くその外側に滑らかな蛋白膜を有する．図231, 232に示すごとく，虫卵の一側は削いだようになり，ちょうど柿の種のような形をしている．産下直後の虫卵はすでに蝌蚪期にまで発育しており，その後，数時間で幼虫形成卵となり，感染可能となる．

【感　染】　雌虫が肛門から出て，肛門周囲に産卵するとき瘙痒感があり，そこを掻くと虫卵が手指に付着し，それが口に入ると感染する．また虫卵は下着や敷布に付着し撒布され，塵と共にヒトの鼻腔，口腔に入ったり食品の上に落ちたりする．したがって家族内感染が多い．

ヒトが幼虫形成卵を飲み込むと十二指腸で孵化し，幼虫は2回脱皮を行った後，盲腸に達し，虫卵摂取後2〜3週間で成虫となり，摂取後7〜8週間で産卵を行う．蟯虫は中間宿主を必要としないし，また幼虫は宿主体内移行もしない．終宿主はヒトであるがチンパンジーも感染しているという．

【症　状】　少数の蟯虫が腸管内に寄生している場合はほとんど無症状であるが多数になるとその刺激により下痢・腹痛を起こす．また幼児においては肛門周囲の瘙痒感のため不機嫌・夜泣き・不眠などの神経症，さらに発育不良，会陰部の糜爛・湿疹などを起こす．蟯虫による虫垂炎は古くから知られているが（図233, 234, 235），他の腸管壁にも侵入して潰瘍，膿瘍，肉芽腫を形成したり，腸管を穿通して腹膜炎を起こしたり，女性では腟・子宮・卵管を経由して腹腔に出て大網腫瘤を形成したり，尿道に入って膀胱炎を起こしたり，このような例がわが国内外で報告されている[註1]．

【診　断】　虫卵は肛門周囲の皮膚上に産下されるので糞便内にはほとんど含まれない．したがって虫卵検出は**肛囲検査 anal swab**による．すなわち図236に示すように，舌圧子をセロファンテープで覆い，糊面を肛囲に接触し虫卵を付着させ，スライドグラスに貼りつけて鏡検する．また自分で実施できる検査用紙も販売されている．しかし，ただ1回の検査では検出率が低いので少なくとも3日間連続して行い，それも朝，排便の前に検査するのがよい．この検査は厳密にいえば死亡した雌虫を確認したにすぎないことも念頭におくべきである．

また，組織切片標本に現れた虫体断面での蟯虫の特徴は両側に見える棘状の**側翼**の断面である（図235）．

【治　療】

1. ピランテル　パモエイト pyrantel pamoate（商品名コンバントリン）

体重1kg当たり5〜10mg，1回の服用で約90%の虫卵陰転率を示す．治癒しなければさらにもう1回投与する．

2. メベンダゾール mebendazole

1回100mg，1日2回，2〜3日間投与，2〜3週間後にもう1回投与．体重20kg以下の小児は半量とする．

1，2とも，下剤は不必要．副作用はほとんどない．

【感染予防】　家庭内や幼稚園などで感染が起こるので部屋の掃除を十分行う．また下着や敷布を清潔にし，爪を切り，手をきれいにする習慣をつける．駆虫は家族一斉に行うのがよい．

[註1]　白木　公ら（1974）：寄生虫誌，23：125-137．

蟯虫 107

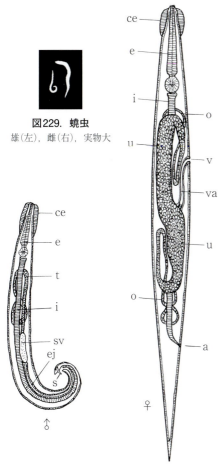

図229. 蟯虫
雄(左), 雌(右), 実物大

図230. 蟯虫の成虫
a. 肛門, ce. 頭部膨大部, e. 食道, ej. 射精管, i. 腸管, o. 卵巣, s. 交接刺, sv. 貯精嚢, t. 精巣, u. 子宮と充満する虫卵, v. 陰門, va. 腟

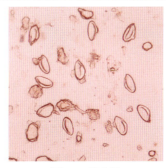

図231. 蟯虫卵
セロファンテープ標本, 弱拡大

図232. 蟯虫卵
強拡大

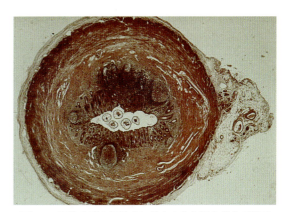

図233. 切除虫垂の切片中に見出された蟯虫成虫の断面
(Dr. Zaman の厚意による)

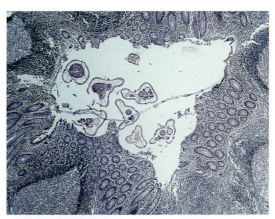

↑図234. 切除虫垂の切片中に見出された蟯虫成虫の断面
(Tulane 大学標本)

図235. 蟯虫成虫の横断面, 両側棘状の側翼の断面が特徴
(矢印) (上の標本の一部拡大)

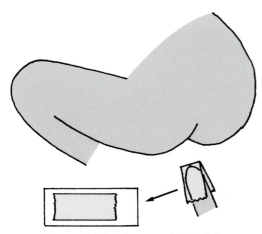

図236. 蟯虫卵検出のための肛囲検査法
舌圧子にセロファンテープをかぶせ肛門周囲の虫卵を付着させスライドグラスに貼りつけて検査する

第46項　鈎　虫　[A] 歴史およびズビニ鈎虫成虫の形態

鈎虫は世界の熱帯・亜熱帯・温帯に広く分布し，感染者は約6〜7億といわれている．本虫は口に咬器を有し小腸粘膜に咬着し，絶えず吸血して貧血を起こす．わが国にも昔から蔓延していたが最近著しく減少した．しかし世界的に重要な寄生虫であり，海外で感染して帰国する例もあるのでやや詳しく解説する．

歴　史

鈎虫を最初に発見したのはイタリアのAngelo Dubiniで，1838年5月，一農婦を解剖し，小腸から見出したが発表せず，その後100例の解剖の内20例以上に鈎虫を見出し，1843年に *Agchylostoma duodenale* と命名した．しかしAgchylostomaはAnchylostomaの誤記で，後にさらにAncylostomaと改められた．語源はギリシャ語でancyloは弯曲，stomaは口の意である．虫体が釣り針のように鈎状に曲がり，口腔を有し，十二指腸に住むとして命名したらしい．わが国では明治以来**十二指腸虫**と呼び慣れてきたが，本虫は十二指腸には少なく小腸上部から中部に寄生するので，第二次大戦後，和名は**鈎虫**と改められた．英名は**hookworm**である．

世界には約100種の鈎虫が存在するが，ヒトを固有宿主とするのは**ズビニ鈎虫**と**アメリカ鈎虫**である．熱帯地方ではイヌ，ネコを固有宿主としているセイロン鈎虫がかなりヒトに感染している．わが国で最初に鈎虫を発見したのはScheubeで明治11年(1878)京都療病院(京都府立医科大学の前身)で64歳男性の解剖の際にズビニ鈎虫を見つけた(横田穣，1954)註1．

わが国では1960年頃まではズビニ・アメリカ両種鈎虫が農村に濃厚に分布していたが最近は著しく減少した．しかし現在でも時々農山村僻地で土着の感染者をみたり，また外国で感染した患者に遭遇する．セイロン鈎虫はわが国では奄美・沖縄に分布している．

ズビニ鈎虫 *Ancylostoma duodenale*
(Dubini, 1843)

【成虫の外形】　雌虫の体長×体幅は10〜13mm×0.6〜0.7mm，雄虫のそれは7〜10mm×0.4〜0.5mmである．虫体は死後背方にそり返り(死後強直 rigor mortis)，C字形をしていることが多い(図237)．そして口腔は背方に開いている．鈎虫は種によって特有の曲がり方をするので慣れれば肉眼で見当がつく(図237，244)．生きた虫体は半透明肌色で，その腸管内にしばしば摂取した血液をみる．雌は前後両方とも次第に細くなるが，雄の尾端は**交接嚢 copulatory bursa**があるので開花状に広がっている．体表面には多数の**横紋理 transverse striation**がある．食道の中央部の外表両側に**頸部乳頭 cervical papilla**があり，これは種によって形態を異にす

る．ズビニ鈎虫では円錐状で先端は鈍円である(図242)．

【頭部の構造】　雌雄とも同じ構造で，大きな**口腔 buccal capsule**を有する．口腔(図239，243)には著明な2対の歯牙，すなわち**内腹歯 inner ventral teeth**と，これより大きい**外腹歯 outer ventral teeth**とがあり，内腹歯の内側に小さな**副歯 accessory teeth**がみられる．口腔の下方には切れ込みがあり，その両側の突起を**背側歯 dorsal teeth**と呼ぶこともある．口腔の腹側基底部にlancetと称する1対の突起がある．

腺の構造と機能については次項で述べる．

【雄虫の構造】　図238に示すごとく口腔に続いて筋肉質の食道があり，次いで単管の腸管が続き最後は交接嚢内の総排泄腔に開口する．精巣は糸状で蛇行し貯精嚢に連なり，次いで射精管となって総排泄腔に開口するが，その周囲に**セメント腺(前立腺) cement gland**がある．この腺の両側付近に2本の黄色長針状の交接刺(図238，247)があり，また1個の小さい副交接刺が存在する．

雄の尾端にある**交接嚢**(図240)は傘を開いたように横に広がり，大きな左右の**側葉 lateral lobe**と小さな1つの**背葉 dorsal lobe**とに分かれ，これらは筋肉質指状の**肋 ray**で支えられており，交尾に際し雌の体を把握するのに役立つ．側葉を支える肋は腹側(図の右側)より**腹肋 ventral ray**(これは腹腹肋と腹側肋の2本が密着している)，次いで1本の太い幹から3分した**外側肋 externo-lateral ray**，**中側肋 medio-lateral ray**，**後側肋 postero-lateral ray**がある．ズビニ鈎虫ではこの3本の側肋がほぼ等間隔に離れているのが特徴である．背葉には1本の**背肋 dorsal ray**があり，途中で左右の側葉に向かって**外背肋 externo-dorsal ray**を送り，末端は2分し，さらにその先端はフォーク状に2ないし3分している．雄虫では口腔と交接嚢の形態が種の鑑別上重要である．

【雌虫の構造】　雌虫の腸管は尾端のやや上方の肛門で腹側に開口する．生殖器は糸状の卵巣に始まり輸卵管を経て子宮に連なり，子宮内部に虫卵を蔵する．子宮の末端は排卵管，腟を経て陰門に開口する．陰門は虫体の中央よりやや後方で腹側に開口する(図238)．雌虫の尾端は円錐形に終わり，先端に鋭い針状の**尾突起 mucron**を有する(図241)．雌虫では口腔と尾端の形態，陰門の位置などが種の鑑別点となる．

註1　横田　穣(1954)：小林博士古稀記念誌, 8-14.

鉤 虫 109

図237. ズビニ鉤虫の成虫
雄(上), 雌(下)

図239. ズビニ鉤虫の頭部
at. 副歯, dt. 背側歯, ivt. 内腹歯, l. ランセット, ovt. 外腹歯

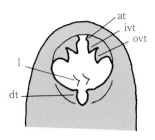

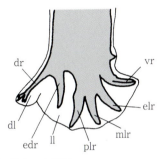

図240. ズビニ鉤虫の交接嚢
dl. 背葉, dr. 背肋, edr. 外背肋, elr. 外側肋, ll. 側葉, mlr. 中側肋, plr. 後側肋, vr. 腹肋

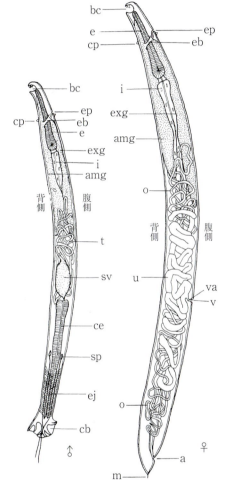

図238. ズビニ鉤虫の成虫
a. 肛門, amg. アンフィッド腺, bc. 口腔, cb. 交接嚢, ce. セメント腺, cp. 頸部乳頭, e. 食道, eb. 排泄橋, ej. 射精管, ep. 排泄孔, exg. 排泄腺, i. 腸, m. 尾突起, o. 卵巣, sp. 交接刺, sv. 貯精嚢, t. 精巣, u. 子宮, v. 陰門, va. 腟

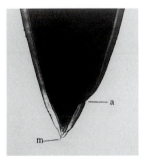

図241. ズビニ鉤虫雌成虫の尾端
a. 肛門, m. 尾突起

図242. ズビニ鉤虫成虫の頸部乳頭
先端は鈍円(走査電顕像)

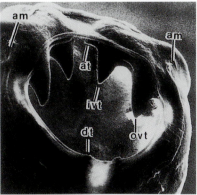

図243. ズビニ鉤虫口部の走査電顕像
am. アンフィッド腺開口部
(その他の略語は図239参照)

第47項　鉤　虫　[B] アメリカ鉤虫成虫の形態

アメリカ鉤虫は前項のズビニ鉤虫と，成虫の形態，幼虫の形態，生活史，感染経路，病害など種々の点で異なるので区別する必要がある．ここでは両鉤虫の成虫の差異について述べる．

アメリカ鉤虫 *Necator americanus*
（Stiles, 1902）

【歴　史】　Necator というのはラテン語で"neco"すなわち"殺し屋"という意味である．アメリカ鉤虫は Stiles によって米国で発見されたためその名があるが，Looss や Leiper は本虫は奴隷と共にアフリカから移入されたのではないかと考えた．一方，最近の考古学的研究によるとブラジルで430～340BC頃のヒト糞石から鉤虫の虫卵が見つかったり，AD890～950頃のペルーのミイラからズビニ鉤虫成虫が発見されたりして，氷河期にモンゴロイドがベーリング海を渡って持ち込んだことも考えられる[註1, 2]．わが国でアメリカ鉤虫を最初に発見したのは田中正鐸である[註3]．

【分　布】　ズビニ鉤虫とアメリカ鉤虫の分布については多くの調査成績があるが，世界的にみてアメリカ鉤虫のほうが分布域が広く，かつ熱帯・亜熱帯に多い．ズビニ鉤虫はむしろ温帯，あるいはやや高地に分布する．わが国においても南九州，南四国，南西諸島などはアメリカ鉤虫が多く，近畿，中国，中部地方などはズビニ鉤虫が多い．しかし関東平野，富山などはアメリカ鉤虫が多いので，あまり細かくは論じられない．

アメリカ鉤虫は形態のみならず発育史，感染経路，病害，駆虫薬の作用などの多くの点でズビニ鉤虫と異なるので，両者は区別して考えることが大切である．

【成虫の外形】　ズビニ鉤虫と鑑別すべき点を中心に解説すると，まず雌の体長は10～12mmでズビニ鉤虫とほぼ同じぐらいであるが，雄は6～8mmと小さい．また雌雄とも体幅が小さく，それぞれ0.3～0.5mm，0.2～0.3mmである．アメリカ鉤虫の死後強直はズビニ鉤虫と反対に，腹方に屈曲し，口は背方に向かって開く．その形は特有で乙字型ないしΩ型をしており，少し慣れれば肉眼でズビニ鉤虫と区別ができる（図244）．また陰門の位置がアメリカ鉤虫では体の中央より前にあるので交尾しているときの形も異なる（図245, 246）．

【頭部の構造】　頭部の構造は雌雄とも同じで，ズビニ鉤虫とは大いに形態を異にする．すなわち，アメリカ鉤虫は歯牙を持たず**歯板 cutting plate** を持っている（図248, 252）．また口腔内の細かい突起などもズビニ鉤虫と異なっている．

【腺の構造】　鉤虫には性腺以外に，食道腺，アンフィッド腺，排泄腺の3種類の腺が体前半に存在することが知られている．それらの構造と機能はまだ十分わかっていないが，Chitwood 夫妻その他の研究[註4]によると**食道腺 esophageal gland** は食道の内部にあり，2つの subventral esophageal gland と1つの dorsal esophageal gland があり，前者は食道腔内に開口し，後者は口腔内に開口する．これらは消化酵素を出すものと思われている．**アンフィッド腺 amphidial gland**（前項の図238）は Looss が**頭腺 cephalic gland** と称したもので，虫体の両側に1対あり，体前方約1/4の所から始まり，上行して口腔の両側で体外に開口している（前項の図243）．アンフィッド腺は一種の感覚器で，この管の中へ虫体周囲のメジウムが入り，周囲の状況を把握するとされているが，この他に分泌機能もあるらしい．

排泄腺 excretory gland（頸腺 cervical gland ともいう）（前項の図238）は腹側に1対あり，体の前1/3ないし1/2のところまで垂れ下がっている大きな腺で，上方は**排泄橋 excretory bridge** 付近で両方の側管を結ぶ**横管 transverse canal** と連絡があるようで，これらは**排泄孔 excretory pore**（前項の図238）に開口している．機能は排泄の他に分泌機能もあるらしい．

【雄虫の構造】　交接囊の構造がズビニ鉤虫と大いに異なる．すなわち図249に示すごとく，(1)交接囊が縦に長く，釣り鐘状である．(2)背肋(dr)が根元から2本に分かれている．(3)後側肋(plr)と中側肋(mlr)は相接し，外側肋(elr)はこれらと離反している．(4)外背肋(edr)は細く長い．(5)交接刺の先端はズビニ鉤虫では針状に尖っているが，アメリカ鉤虫では鉤状である（図247）．

【雌虫の構造】　ズビニ鉤虫と異なる点は，陰門の位置が虫体の中央よりやや上方にある点（図246）と，尾端に針状の尾突起のない点である（図250）．

【頸部乳頭の形態】　ズビニ鉤虫の頸部乳頭は前項の図242に示したように円錐状で先端が鈍円であるが，アメリカ鉤虫では円錐状で先端は尖っている（図251）．

註1　寺田　護(1994)：治療，76：1001-1009．
註2　Ball PAJ(1996)：Illustrated History of Tropical Diseases, Wellcome Trust, London, 319-325.
註3　田中正鐸(1907)：東京医学会誌，21：784-918．
註4　Chitwood and Chitwood(1974)：Introduction to Nematology. Bird (1971)：Structure of Nematodes. McLaren(1974)：Intern. J. Parasit. 4：25.

鉤虫 111

図244. アメリカ鉤虫の成虫
雄(上)，雌(下)，頭部は左

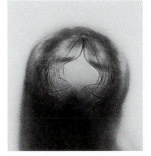
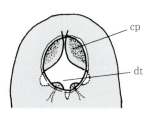

図248. アメリカ鉤虫の頭部
cp. 歯板，dt. 背側歯

図245. ズビニ鉤虫の交尾像
陰門の位置(V)に注意，雌の頭部は左

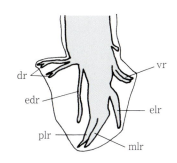

図249. アメリカ鉤虫の雄の交接囊(略語の説明は図240参照)

図246. アメリカ鉤虫の交尾像
陰門の位置(V)に注意，雌の頭部は左

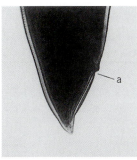

図250. アメリカ鉤虫の雌の
尾端(尾突起を有せず)

図251. アメリカ鉤虫成虫の頸部乳頭
(先端尖る)（走査電顕像）

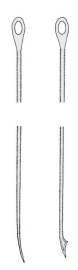

図247. 交接刺
ズビニ鉤虫(左)，アメリカ鉤虫(右)
先端の形態に注意

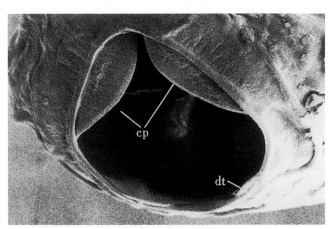

図252. アメリカ鉤虫の口部の走査電顕像(略語は図248参照)

第48項　鉤虫　[C] 発育と生活史

鉤虫の成虫はヒトの小腸の中部から上部にかけて寄生し産卵する．糞便と共に外界に出た虫卵は発育し孵化する．孵化した幼虫は土壌中で感染幼虫にまで発育し，これがヒトに感染してくる．ズビニ鉤虫は経口感染が主であるのに対し，アメリカ鉤虫は経皮感染が主である．感染後の体内移行経路も両種鉤虫で異なる．

【虫卵の形態と発育】

鉤虫の成虫は小腸の粘膜に咬着し**吸血**しながら生活している（図260，261）．雌1隻1日当たりの産卵数はズビニ鉤虫で約10,000個，アメリカ鉤虫で約5,000個である．

ヒトの新鮮な糞便の中には通常4分裂期卵がみられる（図253）．虫卵の形態および大きさはズビニ・アメリカ両鉤虫ともほぼ同じで，薄い卵殻を持ち，長径50〜60μm，短径40〜45μmで無色である．この4分裂期卵は宿主体外で十分な湿度と酸素と，適当な温度条件（25〜28℃が最適）の下では細胞分裂を行い，図253に示すごとく桑実期，蝌蚪期を経て幼虫形成卵となる．雌虫単独寄生の場合には不受精卵（図253）がみられるが，回虫の不受精卵ほどしばしば見出されるものではない．

【外界における幼虫の発育】

この幼虫形成卵は土壌の上などで孵化し第1期幼虫が現れる（図254-A）．これは食道の2ヵ所に膨大部を持ち，**ラブジチス型幼虫** rhabditiform larva と呼ばれる．この第1期幼虫は，はじめ体長が0.3mm程度であるが，盛んに摂食して発育し，第1回の脱皮を行って第2期幼虫となる．これは，はじめ0.5mm位であるが摂食して発育し0.6〜0.7mmとなる．この期の幼虫は食道が棍棒状で末端がやや膨大しており，**フィラリア型幼虫** filariform larva と呼ばれる（図254-B）．この幼虫はやがて体表角皮の下に新しい第3期幼虫を生ずるが，自然界では脱皮せず，被鞘（残っている第2期の角皮を**鞘** sheath と呼ぶ）したまま長期間，土の中や水の中で摂食することなく生存し，ヒトへの感染の機会を待っている．したがってこの時期の幼虫を**感染幼虫** infective larva あるいは**被鞘幼虫** sheathed larva と呼ぶ（図265参照）．この感染幼虫は鉤虫卵を有するヒトの糞便を培養すると4〜5日で得られる（第50項参照）．

【ズビニ鉤虫の感染経路と発育】（図254, 255）

感染幼虫がヒトに飲みこまれると胃または小腸上部で鞘の前端が破れ第3期初期幼虫が現れる．これは**小腸粘膜に侵入**し，ここに2〜3日滞留して発育し（図259参照），第3回目の脱皮を行い第4期幼虫となって小腸腔内に現れる．第4期幼虫は**原始口嚢** provisional buccal capsule（図254-D）を有するのが特徴である．これはさらに発育し第4回目の脱皮を行って第5期となる（図254-E）．これは成虫の体制をそなえているが生殖器はまだ未熟である．感染幼虫摂取後1ないし1.5カ月を要して成熟虫となり，交尾雌は産卵を開始する．

一方，小腸粘膜に侵入した第3期初期幼虫の一部は腹腔に出たり，または血流に入って肺・気管に移行し，咽頭から食道・胃を経て小腸に達し，その後，上と同様の発育を行うことがある（図255）．この際，**若菜病**（第49項参照）を起こすことがある．

ズビニ鉤虫は経皮感染も可能で，感染幼虫がヒトの皮膚に接触すると脱鞘し，第3期初期幼虫は皮内に侵入し，血流またはリンパ流に入って肺に達し，肺で発育することなく速やかに肺胞に出て，気管，食道，胃を経て小腸に達すると粘膜に侵入し，以後経口感染の場合と同様の発育を行う（図255）．

ズビニ鉤虫の感染は**経口感染** oral infection が主であり，**経皮感染** cutaneous infection は従である．

【アメリカ鉤虫の感染経路と発育】（図255）

アメリカ鉤虫の感染は経皮感染が主であり，経口感染は従である．感染幼虫がヒトの胃内に取り込まれると幼虫は死滅する．しかし幼虫は口腔粘膜からは侵入可能であり，その後は以下に述べる経皮感染の場合と同様の経路をたどって発育する．したがって広義の経口感染は可能ということになる．

感染幼虫は皮膚に接触すると脱鞘し，皮内に侵入し，ここに2〜3日滞留する（図257参照）．次いで血流またはリンパ流に入り肺に達すると，ここで約1週間滞留して**著明に発育**し，原始口嚢を有する第3期末期幼虫となる．これらは次いで気管，食道，胃を経て小腸に達すると脱皮し第4期幼虫となる．これはもはや小腸粘膜に侵入しない．その後，第4回目の脱皮を終えて第5期となり，感染幼虫侵入後約2カ月を要して成熟虫となる．

【鉤虫の感染経路】

経口感染は，感染幼虫の付着した生野菜などを食べることにより，また経皮感染は土の上，あるいは草の葉などにはい上り，その水滴中に存在する感染幼虫に触れたような場合経皮侵入する．さらに最近の研究によると，とくにズビニ鉤虫の感染幼虫がニワトリ，ウシ，ブタなどに摂取されると，その筋肉内で第3期幼虫のまま長期間存在し，このような動物の肉をヒトが生食すると感染が成立する．すなわち**待機宿主**を経由する感染経路のあることが知られてきた．

鉤虫 113

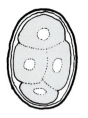  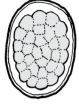 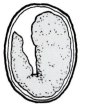  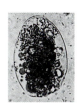

　　4分裂期卵　　　　桑実期卵　　　蝌蚪期卵　　　幼虫形成卵　　　不受精卵

図253. 鉤虫の虫卵の発育

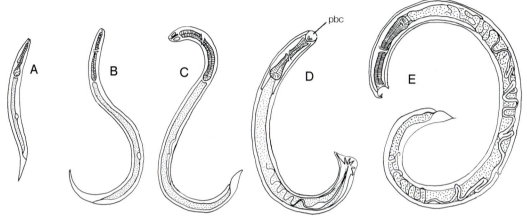

図254. 鉤虫の幼虫の発育

A. 第1期幼虫（ラブジチス型幼虫），B. 第2期幼虫（フィラリア型幼虫），C. 第3期中期幼虫，D. 第4期中期雄幼虫，E. 第5期幼若雌成虫　A, Bは外界，C〜Eは宿主体内に存在する．pbc. 原始口嚢

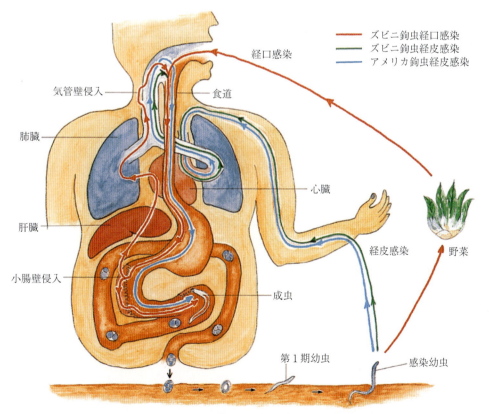

図255. ズビニ・アメリカ両種鉤虫の感染経路と宿主体内移行経路

第49項　鉤　虫　[D] 症状，診断および治療

鉤虫に感染して間もない頃，一部の幼虫が肺や気管に移行し，若菜病と称する喘息様の症状を示すことがある．また鉤虫は成虫になると小腸粘膜に咬着して吸血するので，寄生数が多いと貧血を来す．診断は糞便中の虫卵を検出するか，糞便を培養して幼虫を検出して行う．駆虫薬はピランテル パモエイトを用いる．

【疾病名】　鉤虫症 hookworm disease
【症　状】　鉤虫感染による症状は感染幼虫侵入後，比較的短時日内に起こってくるものと，長期間鉤虫の成虫が腸管内に寄生することによって起こるものとに分けて考えられる．

1. 感染幼虫の経皮侵入による皮膚炎

鉤虫の感染幼虫がヒトの皮膚に侵入すると皮膚炎を生ずるが，ズビニ鉤虫，アメリカ鉤虫およびセイロン鉤虫などヒトを固有宿主とする鉤虫の場合は比較的小規模の**点状皮膚炎**を示すことが多い（図256，257）．この際，幼虫侵入の数時間後から赤色点状の丘疹を生じ，瘙痒感著しく，水疱や膿疱を生ずることもある．自然界においてもこのような皮膚炎（ground itch）はしばしばみられ，人糞を施肥したあとの農作業の際によく起こるので，わが国では"肥まけ"とか"肥かぶれ"などといわれてきた．通常1～2週間で皮膚炎は消退する．

ところがヒトを非固有宿主とするブラジル鉤虫やイヌ鉤虫の幼虫が侵入すると，皮内ないし皮下に比較的長期間滞留し，かつ移動するため線状の皮膚炎を生ずる．これを**皮膚爬行症 creeping eruption**（図258）といい，皮膚の損傷が著しいことがある．

2. 若菜病

わが国のある地方で，大根の間引菜のような若菜の浅漬けを食べたあとで悪心，嘔吐を催し，2～3日後から咽頭の瘙痒感と共に咳嗽発作が始まり，時に1カ月以上も続くことがある．これが若菜病で，若菜を食べた家族のほぼ全員に発症し，若菜の中にある種の毒物が存在するのではないかと考えられ，朝鮮では菜毒症と呼ばれてきた．ところが山崎（1951）は，本症は鉤虫の感染によるものであることを明らかにした．その後，多数の学者による人体実験の結果，ズビニ鉤虫の感染幼虫を経口感染させたときに本症が必発することが明らかとなった．したがってわが国ではズビニ鉤虫の多い山陰や近畿などに本症が多かった．しかし最近は減少した．

若菜病の主な症状は，①夜間にとくにひどい喘息様咳嗽発作，②胸部X線上一過性の肺浸潤像，③時に80％に達する末梢血の好酸球増多，④喀痰中に好酸球およびシャルコー・ライデン結晶の出現，などで**Löffler症候群**あるいは**PIE症候群**（第39項参照）に一致する．本症はアメリカ鉤虫では起こりにくい．その理由は本症はアレルギー反応であるが，幼虫の組織内侵入も一因であり，ズビニ鉤虫は気管壁などに侵入するが，アメリカ鉤虫はしないことによると考えられている（図255）．

3. 成虫の消化管内寄生による症状

ズビニ・アメリカ両種鉤虫はヒトの腸管粘膜に咬着し吸血しており（図260，261），その病像の主体は**貧血**である．自覚的には，顔面，可視粘膜の蒼白，動悸，全身倦怠，頭痛，頭重，めまい，息切れ，爪の扁平ないし匙状変形（図262）など種々の症状がある．また**異食症 allotriophagy**（または**pica**）といって木炭・生米・壁土など異常なものを食べたがることもある．

他覚的には，赤血球数，ヘモグロビン値，色素指数，ヘマトクリット値，血清鉄値などの低下，好酸球の増加などが認められ，赤血球は小球性，低色素性となる．

この**鉤虫性貧血 hookworm anemia**の本態は鉤虫の咬着，吸血による腸管からの出血に起因する鉄欠乏性の貧血である．したがって寄生虫体数が多いほど，貧血の程度が強い．またズビニ鉤虫の吸血量はアメリカ鉤虫よりも多く，病害は大体3～5倍と考えられている．

【診　断】

鉤虫感染の診断は糞便検査による．その検査法の精細は次の項で述べるが，大切なことは鉤虫卵の検査には**飽和食塩水浮遊法**が適していること，また**糞便の培養**を行って感染幼虫を得る方法が最も検出率が高く，かつ虫種の鑑別もできる．小腸内視鏡で虫体を発見することもある（図263）．

【治　療】

1. 貧血の治療

鉄欠乏性貧血の治療を行う．経口鉄剤（フマル酸第一鉄やクエン酸第一鉄など）投与が主体となる．空腹時投与が望ましいが食後投与でもよい．

2. 鉤虫の駆虫

古くから種々の薬が用いられたが，現在わが国で最も一般的なものは**ピランテル パモエイト**（商品名コンバントリン）である．用法は回虫の場合と同じである（第39項参照）．本剤は投薬後，下剤を与える必要はないが，寄生成虫を採取したいときには投薬約2時間後に塩類下剤を与え，下痢便を検査して虫を集める．

この他，最近，**メベンダゾール**（第39項参照）や**アルベンダゾール**（成人量400mg 単回投与）も有効である．海外ではアルベンダゾールが使われることが多い．

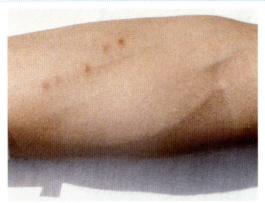
図256. セイロン鉤虫の感染幼虫を筆者の皮膚の上において感染させたときに生じた点状皮膚炎

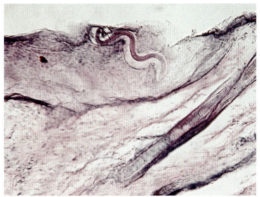
図257. アメリカ鉤虫の感染幼虫を侵入させた仔イヌの皮膚組織像

図258. イヌ鉤虫の感染幼虫による皮膚爬行症

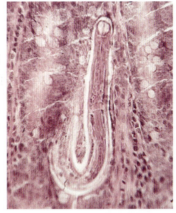
図259. 仔イヌの腸粘膜内で発育中のズビニ鉤虫第3期幼虫
（原始口囊ができている）

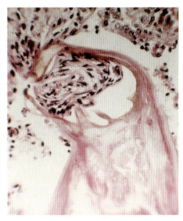
図260. 腸粘膜を口腔内に入れ咬着しているアメリカ鉤虫成虫
（Dr. Morera の厚意による）

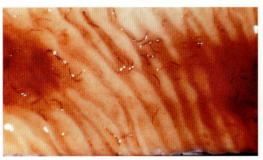
図261. 多数の鉤虫の寄生とこれによる小腸粘膜からの出血
（Dr. Morera の厚意による）

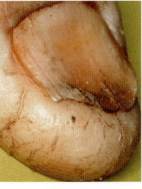
図262. 鉤虫性貧血患者にみられた爪の匙状変形
（Dr. Zaman の厚意による）

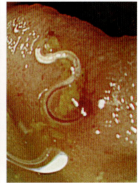
図263. 小腸内視鏡でとらえた鉤虫の成虫
（菊池英亮 博士 提供）

第50項　鈎虫　[E] 検査法

糞便中から鈎虫卵を検出する方法としては飽和食塩水浮遊法が最も適している．また糞便中の虫卵を感染幼虫にまで育てる培養法は検出率も高く，かつ感染幼虫の形態でズビニ・アメリカ両種鈎虫の鑑別ができる．

I．飽和食塩水浮遊法（図266）

寄生虫卵を糞便中から検出する方法はいろいろあるが（第138項参照），鈎虫卵の検出には**飽和食塩水浮遊法**が最も適している．その理由は，鈎虫卵は比重が比較的小さい（1.04〜1.15）ので飽和食塩水中で便を溶解すると虫卵が浮上するからである．

過剰の食塩を水に投入し加熱溶解後冷却し，比重が1.200以上あることを比重計で確かめる．容量約10mlの太めの試験管にまず半分くらい飽和食塩水を入れ，次いで約0.5gの便を入れ，割り箸でよく撹拌し，固形物を除去する．次いで台に立て，飽和食塩水をピペットで注加し表面が膨隆するくらいまで加える．そして約30分間静置する．この間振動を加えてはいけない．30分後，カバーグラスをこの液面に接触させ，そのままスライドグラス上に置いて鏡検する．高浸透圧のため虫卵が破壊するので1時間以内に検査を終わる必要がある．

虫卵の形態でズビニ鈎虫とアメリカ鈎虫とを区別することは難しい．鈎虫卵とよく似た虫卵は，東洋毛様線虫卵，蛋白膜のとれた回虫卵，裂頭条虫卵などである．

II．濾紙培養法（原田・森法）（図264）

短冊形に切った厚手の濾紙に便を塗り，適量の水の入った太めの試験管内に挿入し，**25〜28℃で5日間**放置する．鈎虫卵は濾紙上で孵化し，発育して水中に移動し感染幼虫となって管底にたまる．この際，便が水中に落ちないように注意する．すなわち，あまり厚く塗らぬこと，管壁に便が付着しないこと，便と水面とは1cm位あけること．また昆虫などの侵入と乾燥を防ぐため，管口を油紙で覆う．このようにして得た感染幼虫の形態からズビニ，アメリカ鈎虫はもとよりセイロン，ブラジル鈎虫の鑑別も可能である[註1]．

III．ズビニ鈎虫とアメリカ鈎虫の感染幼虫の鑑別法（図265）

1. **全形**　培養法で得た感染幼虫を一滴の水と共にスライドグラスにとり，下から火炎で熱殺する．この際，焼きすぎてはいけない．カバーグラスをかけて鏡検する．第一印象はズビニ鈎虫は細長く，アメリカ鈎虫は太短い．体長は前者762.90±23.45μm，後者630.50±19.10μm，体幅は前者26.36±0.8μm，後者26.46±1.01μmである（図265-A, D）．

2. **頭部**　ズビニ鈎虫は鞘および固有虫体とも頭端は裁断状であるがアメリカ鈎虫は円い．また**槍形構造**と称するキチン質の咽頭部が前者では不著明であるのに対し後者では非常にはっきりしている．これは弱拡大でも識別できる（図265-B, E）．

3. **尾部**　ズビニ鈎虫では肛門以下は徐々に細くなり鞘の中に深く入り先端はやや鈍である．アメリカ鈎虫では肛門以下急に細くなり先端は鋭い．肛門から固有尾端までの距離は，前者85.53±3.09μm，後者65.53±2.23μm，また固有尾端から鞘先端までは前者43.57±4.38μmに対し後者は57.03±8.67μmと値が大きく，かつ変異に富む（図265-C, F）．

4. **鞘の横紋理**　アメリカ鈎虫はズビニ鈎虫に比し顕著な横紋理を持ち，よい鑑別点となる（図265-C, F）．

5. **生殖器原基 genital primordium**　将来，生殖器になると思われる境界明瞭な楕円形の器官で，筆者の教室の岡林[註2]の観察によると約10個の細胞からなる．ズビニ鈎虫ではこれが腸管のまん中よりやや後方，アメリカ鈎虫ではやや前方にある．これは時に観察し難いこともあるが，腹側すなわち肛門の認められる側にあることを念頭におき，虫体を転がして探せばよい（図265-A, D）．

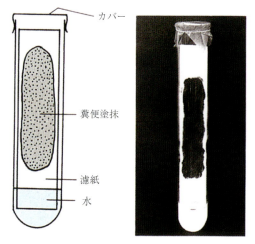

図264．鈎虫卵含有便の濾紙培養法

註1　Yoshida Y (1971)：J. Parasit. 57：990-992.
註2　岡林加枝（1988）：京府医大誌．97：259-274.

鉤 虫 117

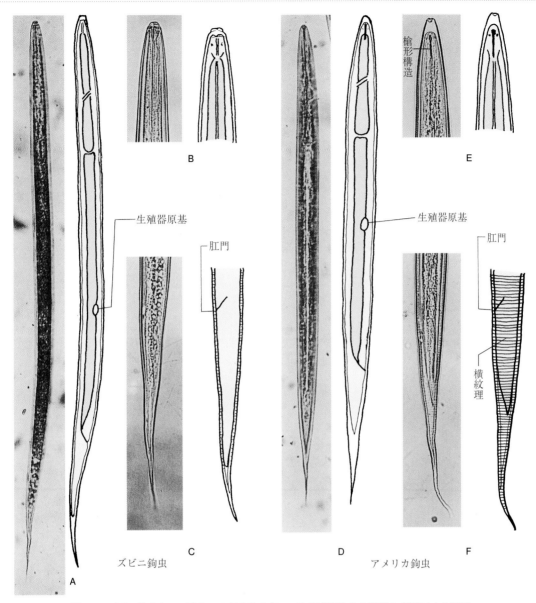

図265. ズビニ鉤虫（A～C）とアメリカ鉤虫（D～F）の感染幼虫の鑑別点（説明は本文参照）

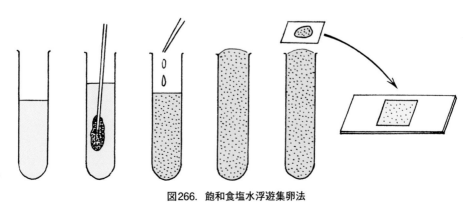

図266. 飽和食塩水浮遊集卵法
（手技説明は本文参照．飽和食塩水の比重は1.200以上）

第51項　鉤　虫　[F] その他の人体寄生鉤虫

ヒトに寄生することが知られている鉤虫はズビニ・アメリカ両種鉤虫の他に、ブラジル鉤虫、セイロン鉤虫、イヌ鉤虫、マレー鉤虫などがあるが、中でもセイロン鉤虫が最も重要である。

地球上で今までに記載された鉤虫はほぼ100種に上るが、そのうちかなりのものが整理統合されるものと思われる。その中で人体寄生種は8種報告されている。しかし種の同定上疑義のあるものを除くと6種となる。ズビニ・アメリカ両種についてはすでに詳しく述べたので、その他のものについて述べる（図267）。

Ⅰ. ブラジル鉤虫 Ancylostoma braziliense de Faria, 1910（図267-C）

イヌ、ネコなどを固有宿主とし、ヒトからも見出したという報告がかなりあるが、最近の研究[註1,2]により、成虫がヒトに寄生するのは本種ではなく、次に述べるセイロン鉤虫であると考えられるようになった。しかし本種はすでに述べたように幼虫がヒトに皮膚爬行症を起こすので重要である（第49項）。

成虫は小形で体長は平均、雌10.1mm、雄8.0mm、体幅は雌0.31mm、雄0.27mmと細いのが特徴である。口腔には微小な内腹歯と大きい外腹歯があり、交接嚢は縦に長く、3本の側肋は互いに離反し、外背肋は細長い。確実な分布地はマレーシア、シンガポール、スリランカ、ブラジル、キューバ、米国のフロリダ、南アフリカなどである。

Ⅱ. セイロン鉤虫 Ancylostoma ceylanicum (Looss, 1911)（図267-D）

長らくブラジル鉤虫と混同されシノニム（synonym 同物異名）として取り扱われてきたが最近の研究[註1,2]により独立種であることが確実となった。外形はやはり小形で細いが、ブラジル鉤虫よりはやや太い。すなわち体長の平均は雌で10.5mm、雄で8.1mm、体幅はそれぞれ0.44mm、0.36mmである。小さい内腹歯と大きい外腹歯を持つ。内腹歯はズビニ鉤虫よりは小さいが、ブラジル鉤虫よりは明らかに大きく外腹歯の辺縁から現れている。交接嚢は横に幅広く、中側肋は後側肋と相接し、外側肋とは大きく離反しているのが特徴である。成虫の体表には多数の横紋理があるが、その間隔はブラジル鉤虫のほぼ2倍ある。

イヌやネコを固有宿主としているが、ヒトへの自然感染も多く、東南アジアではアメリカ鉤虫に次いで蔓延している可能性がある[註3]。経皮感染もあるが、実験的に感染幼虫をヒトに飲ませるとよく感染し、激しい腹痛、下痢を来し、著明な好酸球増加を示す[註4]。分布地は、奄美・沖縄、台湾、東南アジア諸国、フィリピン、オーストラリア北部、パプアニューギニア、フィージー、ソロモン諸島、マダガスカル、南アフリカなどである。最近、4例の日本人旅行者の感染が報告された[註5]。

Ⅲ. イヌ鉤虫 Ancylostoma caninum (Ercolani, 1859)（図267-E）

イヌを固有宿主として世界中に広く分布している。好酸球性腸炎のヒトの腸から本種の未成熟成虫が単数見出された例が1997年までにオーストラリアのクイーンズランド州から15例、ラオス・インド・日本[註6]で1例ずつ報告がある。虫体は大形で体長の平均値は雌で17mm、雄で13mm、体幅はそれぞれ0.6mm、0.4mmである。口腔内に3対の歯牙を有するのが本種の特徴で、交接嚢はズビニ鉤虫のそれに似ている。また交接刺の短いのも特徴で体長のほぼ9％である。一方、ネコにはネコ鉤虫 Ancylostoma tubaeforme という種が寄生しており、形態はイヌ鉤虫によく似ている。違う点は交接刺が長く、体長の17％に達する。ヒトに寄生したという記録は見当たらない。

Ⅳ. マレー鉤虫 Ancylostoma malayanum (Alessandrini, 1905)（図267-F）

マレーおよびインドのクマから成虫が採取され、1例ではあるが人体寄生の記録がある。筆者の実験によると仔イヌにもよく感染する。本種は大形で体長は雌19mm、雄15mmに達し、体幅も雌0.7mm、雄0.5mmある。口腔には2対の強大な歯牙を有し、この点はズビニ鉤虫に似るが、交接嚢の中側肋は後側肋と密着し、外側肋と離反している点が異なる。また雌の尾端は特異で、肛門以下が極端に短く、かつ腹面に向かって彎曲している。虫卵は細長く長径約75μm、短径約35μmと大きい。

註1　Biocca E (1951)：J. Helminth. 25：1-10.
註2　Yoshida Y (1971)：J. Parasit. 57：983-989；990-992.
註3　Traub R (2013)：Int J Parasitol. 43：1009-1015.
註4　Yoshida Y et al. (1971)：Chin. J. Microbiol. 4：157-167.
註5　Yoshikawa M et al. (2018)：Trop Med Health. 46：6.
註6　赤松尚明ら (2018)：Clin. Parasitol. 29：75-79.

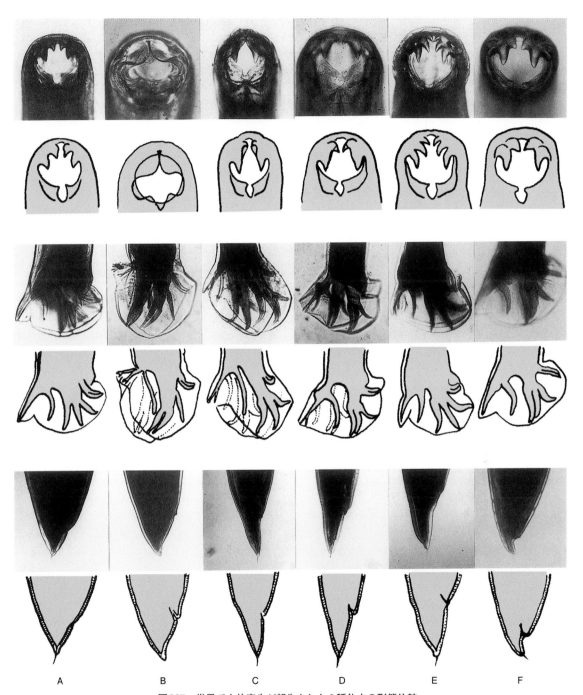

図267. 世界で人体寄生が報告された6種鉤虫の形態比較
A. ズビニ鉤虫, B. アメリカ鉤虫, C. ブラジル鉤虫, D. セイロン鉤虫, E. イヌ鉤虫, F. マレー鉤虫
上より口腔, 雄の交接嚢, 雌の尾端のそれぞれの写真と模式図

第52項　東洋毛様線虫

本虫は毛のように細く小さい線虫でヒトの小腸に寄生する．1960年代まではわが国に感染者がかなり多かったが最近著明に減少した．本虫に近縁の線虫が家畜に濃厚に感染している．

【種　名】　東洋毛様線虫 *Trichostrongylus orientalis* Jimbo, 1913

本種は1889年に緒方正規が日本で最初に発見したが，新種の記載は1913年に神保孝太郎によって行われた．

【疫　学】

本虫は日本のほか中国，韓国，台湾，イランなどに分布している．わが国では北陸や東北地方などむしろ寒い地域に多く，住民の半数以上が感染している地区も報告された．その理由は本虫の虫卵や感染幼虫が低温に強いことによる．山口（1988）によると以前，館岡，五所川原，弘前などでは66〜84％の寄生率を示し，岩木川流域では50％位と考えられた．

東洋毛様線虫の他に，世界で人体寄生の認められた毛様線虫は *T. colubriformis*（蛇状毛様線虫），*T. axei*（皺胃毛様線虫），*T. probolurus*, *T. skrjabini*, *T. vitrinus*, *T. capricola*, *T. brevis* などで，中近東，東南アジアなど牧畜の盛んな地方ではヒツジ，ラクダ，ウシなどから感染する機会が多い．

わが国でも大鶴（1964）は *T. axei*, *T. colubriformis*, *T. brevis* が低率ながらヒトに寄生していることを報告した．

毛様線虫上科（第37項参照）には，この Trichostrongylus 属以外に *Haemonchus contortus*（捻転胃虫）や *Ostertagia ostertagi* など，草食獣の寄生線虫でヒトに感染してくる種が外国では知られている．

【形　態】

1. 全形　成虫はその名の示すごとく毛のように細く小さく，体長は雌4.9〜6.7 mm，雄3.8〜4.8 mm，体幅はそれぞれ0.08 mm，0.075 mmと肉眼でやっと認められる程度である．頭端には3個の小さな口唇があり，口腔はない．食道は長さ約0.8 mmで，これに単管の腸管が続く．雄には交接嚢があり，特有の形態をした交接刺がある．雌では子宮に数個ないし十数個の虫卵が縦ないし斜めにならび，陰門は体の後方1/5の所で腹側に開いている（図268）．

2. 交接嚢ならびに交接刺　毛様線虫の分類は交接刺と交接嚢の形態に重点が置かれている．東洋毛様線虫の交接嚢およびこれを支える肋の走行は図270に示すごとくである．また交接刺は同図に示すごとく1対あって等長で，鉤虫とは全く異なり，ヘラ形で長さは119〜133 μmで太く短く，下部は急に細くなり先端は鉤状を呈する．副交接刺は長さ65〜84 μm，黄褐色で上端が尖り，ペン先様である．

一方，*T. colubriformis* の交接刺は左のほうが長く，かつ末端の鉤が大きく斧状を示す（図271）．また *T. axei* のそれはやはり左が長く，かつ後半に下方に向かう針状突起がある（図272）．

3. 虫卵　東洋毛様線虫の虫卵は無色で一見鉤虫卵に似るが次の点で異なる．まず大きさが大きい．すなわち長径75〜91 μm，短径39〜47 μmで，しばしば一方が尖り，他方が鈍円である．細胞は新鮮便中の虫卵でもすでに16〜32個位に分裂が進んでいる．この細胞群と尖った卵殻との間にしばしば間隙がみられる．また細胞の集まり方はブドウの房状である（図273）．

4. 感染幼虫　東洋毛様線虫の感染幼虫は平均体長781 μm，体幅21.5 μmでほぼ鉤虫のそれに似るが，次の点で異なる．すなわち腸管の細胞が明瞭で，各側8個の細胞が判然と数えられ，腸管腔も明瞭である．かつ，固有虫体の尾端は尖らず著しく丸い（図269）．

【生活史】

糞便と共に排出された虫卵は外界で孵化し，発育して鞘を被った感染幼虫となる．これがヒトに経口的に摂取されると，宿主体内移行は行わず，小腸内で発育し，16〜33日で成虫となる．しかし実験によれば経皮感染も可能であるという．

【症　状】

成虫は十二指腸および小腸上部の粘膜に頭部を穿入して寄生している．少数寄生の場合は無症状のことが多いが，多数寄生すると腹痛，慢性下痢，食欲不振，全身倦怠などの他，胆嚢症様症状や貧血を起こすこともある．

【診　断】

本虫は産卵数が雌成虫1隻1日当たり約100個と少ないため糞便検査で虫卵を検出しにくい．虫卵は鉤虫と同様，比重が小さいので集卵法は飽和食塩水浮遊法を用いるのがよい．また糞便培養法もよい（第49，50項参照）．

【治　療】

鉤虫と同様に行う．ピランテル パモエイトが有効である．

東洋毛様線虫 *121*

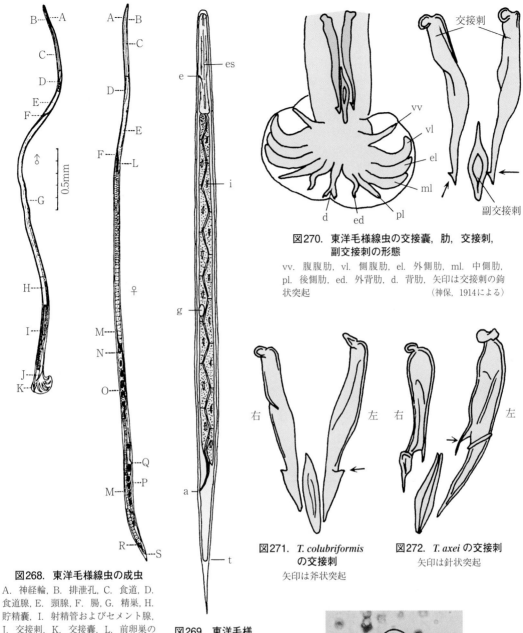

図268. 東洋毛様線虫の成虫
A. 神経輪, B. 排泄孔, C. 食道, D. 食道腺, E. 頸腺, F. 腸, G. 精巣, H. 貯精嚢, I. 射精管およびセメント腺, J. 交接刺, K. 交接嚢, L. 前卵巣の前端, M. 後卵巣および後卵巣の前端, N. 受精嚢, O. 前子宮, P. 後子宮, Q. 陰門, R. 終腸, S. 肛門
　　　　　　　　　（横川ら，1974による）

図269. 東洋毛様線虫の感染幼虫
es. 食道, e. 排泄孔, i. 腸管細胞（各側8個）, a. 肛門, t. 尾端（鈍円）, g. 生殖器原基

図270. 東洋毛様線虫の交接嚢，肋，交接刺，副交接刺の形態
vv. 腹腹肋, vl. 側腹肋, el. 外側肋, ml. 中側肋, pl. 後側肋, ed. 外背肋, d. 背肋, 矢印は交接刺の鉤状突起
　　　　　　　　　　　　　（神保, 1914による）

図271. *T. colubriformis* の交接刺
矢印は斧状突起

図272. *T. axei* の交接刺
矢印は針状突起

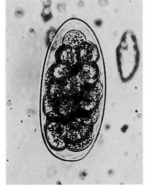

図273. 東洋毛様線虫の虫卵

第53項　広東住血線虫　[A] 形態と生活史

本虫の固有宿主はネズミで，成虫はその肺動脈の中に寄生している．中間宿主はアフリカマイマイやナメクジで，ヒトがこれら中間宿主を生食すると幼虫はヒトの中枢神経に移行し，好酸球性髄膜脳炎を起こす．本症は台湾，東南アジア，南太平洋諸島に分布し，わが国でも沖縄をはじめ59症例が報告されている．

【種　名】　広東住血線虫 *Angiostrongylus cantonensis* (Chen, 1935)

【歴　史】　本虫は1935年，陳心陶によって広東のネズミから発見され，その後，野村・林(1945)によって最初の人体寄生例が台湾で発見された[註1]．

【形　態】　雌成虫は体長25〜33mm，体幅0.36〜0.6mmで，肉眼的特徴は図274に示すように体に明瞭な螺旋模様が見えることである．これは，血液の充満した腸管を白色の子宮が取り囲んでいるためである．頭端は円形で口腔はなく(図275)，短い食道(約0.4mm)に続いて単管の腸が走り尾端から約0.06mmのところの肛門に開く(図276)．陰門は尾端から約0.2mmのところに開口する(図276)．子宮内には単細胞の虫卵(長径約70μm，短径30μm)がある．

雄成虫は体長20〜24mm，体幅0.3〜0.4mm(図274)，尾端に交接嚢を有する(図277)．肋の特徴を述べると，腹腹肋と側腹肋は相接するが後者が大きく，3本の側肋は1本の幹から出ており外側肋が最も太く短い．外背肋もまた太い．背肋は太くかつ非常に短く，先端は3個の疣状を呈する．交接刺は1対あり，長さは1〜1.2mmである．副交接刺は不著明である．

【生活史】　成虫は固有宿主であるネズミの肺動脈の中に寄生しているので **rat lungworm** といわれる．雌成虫が産卵すると虫卵は肺の毛細血管に塞栓し約6日で幼虫を形成し，これが孵化して肺胞内に脱出する．この第1期幼虫は気管を上昇し，食道，胃，腸を経て，ネズミの糞の中に現れる(図279)．これは体長0.25〜0.27mmで，外界でかなり抵抗力があり，適当な環境であると1〜2週間は感染力を有する．この第1期幼虫は中間宿主となる貝またはナメクジに経皮的または経口的に侵入し，体内を移行して最終的には筋肉に集まり，約2週間を要して感染幼虫(第3期幼虫)となる．すなわちこの間に2回脱皮する訳であるが，その脱皮鞘を脱ぎ捨てないので図281に示すように2重の鞘を被っている．このときの体長×体幅の平均値は0.45×0.025mmである．この状態の幼虫をヒトが食べると感染するのである．

この感染幼虫は，固有宿主であるネズミに摂取されると消化管壁に侵入し，門脈を経由して肝，さらに心，肺へと移行し，肺では毛細血管を通過して肺静脈に入り，心臓から大循環に入ると，幼虫は脳に集まってくる．そして2回脱皮して第5期幼若成虫になるとクモ膜下静脈叢に現れ(図278)，次いで脳の静脈に侵入し，心臓に帰り肺動脈を最終寄生場所とし，感染幼虫摂取後約6週間で成虫となる．ところが感染幼虫が非固有宿主であるヒトに摂取されるとクモ膜下に至るまでの発育で停止し，この幼若成虫は脳実質，クモ膜下腔，脊髄などに滞留し重篤な症状を起こす(図282)．しかしヒトの肺動脈から幼若な成虫が見つかったという例も台湾，ベトナム，タイなどで報告がある．**終宿主**となる動物はドブネズミ *Rattus norvegicus* およびクマネズミ *R. rattus* などRattus属のネズミが主である(第123項参照)．

中間宿主は陸産，淡水産の巻貝およびナメクジの類で，Alicata and Jindark(1970)によると56種の軟体動物があげられている．その中で最も重要なものは**アフリカマイマイ** *Achatina fulica* という大型の陸産貝である(図280，216頁参照)．この貝は食用に供され，1個の貝の中に9万隻の感染幼虫が寄生していたという報告もある．わが国では輸入禁止動物であるが，時に持ち込む人があり，沖縄，小笠原および奄美の島々にはこの貝がすでに棲息している．

その他，わが国に産する貝で本虫の中間宿主となっているものは，ウスカワマイマイ，パンダナマイマイ，エラブシュリマイマイ，オキナワウスカワマイマイ，チャコウラナメクジ，アシヒダナメクジ，ノハラナメクジ，コハクガイなどであり，実験的にはモノアラガイ，ヒメモノアラガイなど多くの貝に感受性がある．最近，スクミリンゴガイ(*Pomacea canaliculata*，別名ジャンボタニシ)が南米やアフリカから輸入され，養殖して食用に供されている．これは本虫に高い感受性を持つので今後注意を要する．最近この貝が九州，四国をはじめ各地で野生化し，農作物に害を与えている．またごく最近，沖縄でヒラコウラベッコウガイやニューギニアアリガタリクウズムシが高率に本虫に感染していることが報告された．

また中間宿主の他に，カエル(アジアヒキガエル，ウシガエルなど)，淡水産のテナガエビ，陸産のカニなどが**待機宿主 paratenic host** となる．すなわち貝の中の感染幼虫がこれらの動物に摂取されると，その状態のまま生存し，ネズミやヒトがこれを食べると感染する．

註1　野村精策，林　炳煥(1945)：台湾の医界，3：589-592．

広東住血線虫　*123*

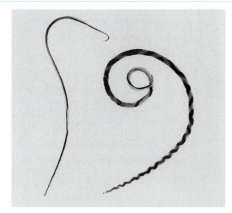

図274. 広東住血線虫の成虫
雄(左), 雌(右), 雌虫の螺旋模様が特徴

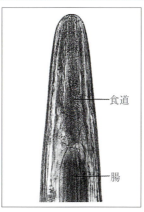

図275. 広東住血線虫成虫の頭部

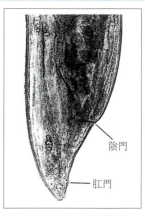

図276. 広東住血線虫雌成虫の尾部

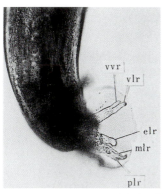

図277. 広東住血線虫雄成虫尾端の交接嚢
vvr. 腹腹肋, vlr. 側腹肋, elr. 外側肋, mlr. 中側肋, plr. 後側肋, edr. 外背肋, dr. 背肋

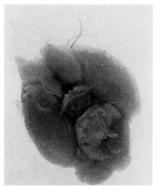

図278. ラットの脳に見出された広東住血線虫の幼若成虫

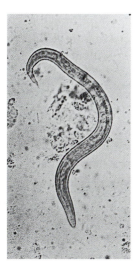

図279. ラットの糞便中に見出された広東住血線虫第1期幼虫

図280. 広東住血線虫の重要な中間宿主であるアフリカマイマイ
(殻高約7cm)

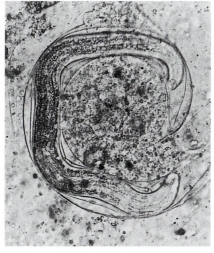

図281. 中間宿主の体内で発育した第3期幼虫(感染幼虫)
脱皮せず2重の鞘を被っている

第54項　広東住血線虫　［B］臨床と疫学　付．コスタリカ住血線虫

本虫はその幼若成虫がヒトのクモ膜下腔などに移行し寄生することにより，強い頭痛と好酸球増加を特徴とする種々の中枢神経症状を発する．本症はわが国ではとくに沖縄に多い．診断は居住地，旅行先，摂取食品などの問診と脳脊髄液からの虫体ならびに好酸球の検索，免疫診断などによる．

【疾病名】
好酸球性髄膜脳炎
eosinophilic meningoencephalitis

【症状】
本虫がヒトに感染すると幼若成虫はクモ膜下腔などに寄生し（図282），**好酸球性髄膜脳炎**を起こす．約2週間の潜伏期の後，急に発症し，頭蓋内圧上昇を伴う髄膜刺激症状と脳障害を示すのが特徴である．激しい**頭痛**をもって始まり，発熱（軽度～中等度），悪心，嘔吐，自覚的項部強直，知覚異常，四肢無力感，眼筋麻痺，斜視（図283），複視，種々の腱反射異常などを示す．

また本虫がヒトの肺動脈枝（図284），前眼房（図285），網膜などから検出された例も数例報告されている．本症の予後は一般に良好で死亡することはほとんどないが，時に知的障害，視神経萎縮，四肢不完全麻痺などの後遺症を残すことがある．

【診断】
まず本虫の流行地への旅行の有無，中間宿主や待機宿主となる食品の摂取などについて詳しく問診する．腰椎穿刺により採取した脳脊髄液を遠心沈殿し，沈渣中に虫体を証明すれば確信できるが，虫体の見出される確率は低い．しかし脳脊髄液中に好酸球が増加しておれば疑いが濃くなる．末梢血に白血球増加と好酸球増加を示す場合が多い．ELISA法，間接赤血球凝集反応，Ouchterlony法，免疫電気泳動法などの結果が診断の助けとなる．日本脳炎の流行地などではこれと鑑別を要する．

【治療】
未だ特効薬はなく，髄液を適宜ぬいて頭蓋内圧を下げ頭痛を軽減させ，副腎皮質ホルモンや抗生剤を与えて経過をみる．アルベンダゾールやメベンダゾールとステロイド剤との併用により症状が緩和されたとの報告もある．

【疫学】
本虫の分布域は主に南北回帰線の間で，西はマダガスカル，東はキューバである．そのうち，患者が発見されているのはタイ，ベトナム，台湾，日本，フィリピン，インドネシア，ハワイ，タヒチ，ニューカレドニア，キューバ，米国ニューオリンズなどで，主に南太平洋諸地域である．患者の総数は現在数千例に達し，台湾だけでも1,000例を超える．ヨーロッパからはこれまで報告はなかったが，フランスで国内感染例の報告があった[註1]．

日本では1964年に西村らが沖縄のネズミからはじめて本虫を発見して以来，**表18**に示す地域のネズミにも見出された．また最近，白石ら（2008）によると神戸のポートアイランドのネズミ31頭中23頭（74.2％）に成虫が検出された．ま

た感染幼虫については，沖縄諸島ではアフリカマイマイとアシヒダナメクジに，小笠原諸島ではアフリカマイマイに，東京港湾地区ではチャコウラナメクジとノハラナメクジに，奄美群島ではアフリカマイマイ，パンダナマイマイ，エラブシュリマイマイ，オキナワウスカワマイマイ，アシヒダナメクジなどに，高率に感染が認められている．

最初の人体寄生の報告は，野村・林（当時の台湾総督府台南医院）が1944（昭和19）年10月に経験した髄膜炎の15歳男子例（前項註1）であり，腰椎穿刺より得た髄液中に多数の小線虫を認め，横川定博士により同定された．この患者は約半月の経過で死亡した．その後の，わが国での人体寄生例は1970年Simpsonが3例を報告して以来2014年までに合計69例（うち沖縄51例）の患者が報告され，そのうちの2例は髄液から，2例は眼から虫体が見出された[註2,3,4]．他の例は症状と免疫学的診断によったものである．その後，東南アジア等の海外で感染したと考えられる2例の疑い例の報告がある．

感染の機会は中間宿主である貝やナメクジ，待機宿主であるエビやカエルなどの生食によることが主である．台湾ではアフリカマイマイが食用に供され，貝自体は十分加熱されるが，包丁やまな板や手が汚染したり，捨てられた貝に子供が触れたりして感染する．またタイでは*Pila ampullacea*という中間宿主の貝が食用に供されるが，加熱の不十分な場合が多い．さらに流行地においては，感染したナメクジがサラダなどに直接切り込まれる可能性もある．最近，沖縄や台湾ではアフリカマイマイによる感染は減少し，ナメクジが野菜に混じ，また遊出した感染幼虫が野菜に混じヒトの口に入る例が増えている[註3]．また，喘息の治療薬として生のナメクジを飲む習慣のある所もある．

コスタリカ住血線虫 *Angiostrongylus costaricensis* Morera and Céspedes, 1971

本虫はコスタリカのMoreraらによって発見された．主として中米に分布し，子供の腸間膜動脈内に成虫が寄生し，激しい腹痛，発熱を来し腸壁の肥厚や腫瘤を形成し著明な好酸球増加を認める．好発部位は回盲部である．終宿主はやはりネズミであるが人体内でも成虫にまで発育する．しかしネズミの糞便内には幼虫が現れるが，ヒトに感染した場合は現れない．中間宿主はナメクジの類で，これが口に入り感染する．

註1　Nguyen Y et al.（2017）：Emerg. Infect. Dis. 23：1045-1046.
註2　當眞　弘ら（2000）：Clin. Parasit. 11：40-43.
註3　IASR（2001），22：64-65.
　　　IASR（2004），25：120-121.
註4　當眞　弘（2014）：臨床と微生物，41：379-384.

広東住血線虫　125

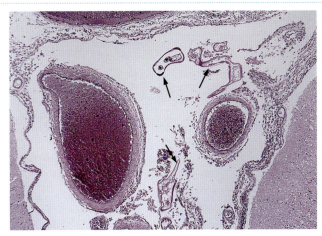
図282. 5歳女児の脳のクモ膜下腔に見出された広東住血線虫の幼若成虫の断面(矢印)

図283. 広東住血線虫患者にみられた斜視

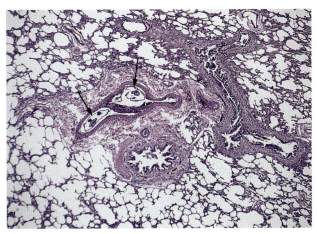
図284. 上記5歳女児患者の肺の小動脈内にも見出された広東住血線虫の幼若成虫の断面(矢印)

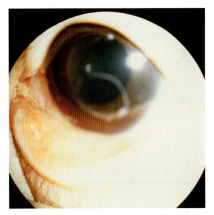
図285. 広東住血線虫の幼若成虫が前眼房に認められた症例

(図282〜285 台湾高雄医学院 陳 瑩霖 教授の厚意による)

表18. 日本における広東住血線虫検出状況

地　域	感染動物	報　告　者
沖縄諸島(西表島・石垣島・宮古島・本島)	ドブネズミ，クマネズミ	西村ら(1964, 1966)，国吉ら(1971)
小笠原　父島	クマネズミ	堀ら(1973)
静岡県　御殿場	ドブネズミ	Williamsら(1970)
横浜，川崎港湾地区	ドブネズミ	堀ら(1969)
東京港湾地区(品川・晴海・羽田)	ドブネズミ，クマネズミ	堀ら(1972, 1973)
北海道　札幌市	ドブネズミ	大林ら(1968)，折原(1972)
北海道　滝川市	ドブネズミ	多田(1975)
静岡県　清水港	ドブネズミ	佐野ら(1977)，鈴木ら(1984)
奄美諸島(与論島・沖永良部島)	ドブネズミ，クマネズミ	山下ら(1978)，佐藤ら(1980)，野田ら(1981)
北海道　奥尻島	ドブネズミ	服部ら(1981)
広島港湾地区	ドブネズミ	田中ら(1982)
名古屋市	ドブネズミ	真喜屋ら(1982)
沖縄県	ケナガネズミ	中谷裕美子ら(2013)
小笠原　母島，姉島，妹島，姪島，平島，向島	ドブネズミ	常盤ら(2014)
兵庫県　ポートアイランド	ドブネズミ	宇賀ら(2015)
博多港湾地域	ドブネズミ	米田豊(1989)

第55項　糞線虫

糞線虫は世界に広く分布するが，わが国では南九州，奄美，沖縄での感染が殆どで，とくに成人T細胞白血病(ATL)抗体陽性者に感染率が高い．本虫は特異な生活史を持ち自家感染がある．免疫不全者では虫体数が増加し過剰感染状態となり下痢や吸収不良をきたす．さらに，腸管内細菌とともに血行性に全身播種され，髄膜炎，肺炎，敗血症などを起こして死亡する例もある(**播種性糞線虫症**)．

【種　名】　糞線虫 *Strongyloides stercoralis*
　　　　　　(Bavay, 1876)
【疾病名】　糞線虫症 strongyloidiasis
【形態と生活史】　本虫の生活史は特異的で成虫に寄生世代と自由生活世代の2つのタイプがある．人体から見出される寄生世代の成虫は雌(図286)だけで，この雌はヒトの小腸の粘膜内に寄生し(図292)，**単為生殖** parthenogenesis によって産卵し，卵は粘膜内で孵化し，**ラブジチス型幼虫**(図290-R)となって腸管内に現れ，糞便と共に外界に出る．幼虫の体長は約380μm，体幅は約20μmで，食道はいわゆるラブジチス型を示す．この幼虫はその後，次のような2つの発育方向をとる．

1) **直接発育**

一部のラブジチス型幼虫は外界で2回脱皮して**フィラリア型幼虫(感染幼虫)**(図290-F)となり，これは宿主に**経皮的**に侵入し，寄生世代の雌成虫(図286)となる．

2) **間接発育**

上記以外のラブジチス型幼虫は外界で4回脱皮し，自由生活世代の雌・雄成虫(図287)となる．これらは交尾し雌は産卵する．この自由生活世代の雌成虫から産下された卵は孵化してすべてフィラリア型感染幼虫へと発育する．これを間接発育と称する．直接発育と間接発育の方向が決定される要因は，外界での幼虫発育時の栄養の多寡や温度等であるとされている[註1]．

寄生世代の雌成虫は体長2.2～2.5mm，体幅0.04～0.05mmで，図286に示すような構造を有し，食道はフィラリア型(円筒状で膨大部を持たない)である．虫卵の大きさは70×43μmである(図291)．

自由生活世代の雌・雄成虫はそれぞれ1mm, 0.7mmの体長を有し，図287に示すような形態で，食道は2カ所に膨大部を持つラブジチス型を示す．フィラリア型感染幼虫の形態は診断上重要で，体長約630μm，体幅約16μm，図290-Fに示すような長い食道を持ち，尾端が切れ込んでいるのが特徴である(図288, 289)．

【感　染】　外界に存在するフィラリア型感染幼虫がヒトの皮膚に侵入すると，血流により肺に移行して発育し，次いで気管，食道，胃を経て小腸に達し成熟する．またこの成虫から生じた幼虫が腸管内で感染幼虫にまで発育し腸壁に侵入したり，肛門付近の皮膚上で感染幼虫になり皮膚に侵入したりすることもある．これを**自家感染** autoinfection といい，とくに免疫不全患者に多くみられる．このような場合，寄生世代の成虫が増加し重症となる．また本虫感染者が死亡し，その腎臓を移植した2人に感染が生じたという報告もある．

【症　状】　虫体数が増加すると**下痢**，腹部膨満感，食欲不振，体重減少などの症状がみられる．また本虫が全身に播種することがあり，そのときは本虫が保有している大腸菌やクレブシエラが血中に散布され，髄膜炎，肺炎，敗血症などを起こす(**播種性糞線虫症**)．喜舎場ら[註2]によると沖縄で，無菌性髄膜炎119例中3例，化膿性髄膜炎41例中17例，グラム陰性桿菌髄膜炎16例中12例に糞線虫の感染を認めたという．さらに免疫抑制剤の投与，AIDSなど，免疫力が低下している患者では本虫の増殖が容易となるので注意を要する．本症の診断がつかず，ステロイド剤投与など誤った治療の結果死亡した例が少なからず報告されている[註3]．

【診断と検査法】　糞便中または十二指腸ゾンデ採取液中に幼虫を見出した場合はまず本虫を想起すべきである．しかし下痢が強い時は虫卵が出てくることもある(図291)．また夏季に糞便を放置しておくと，鉤虫卵でも孵化し，類似の幼虫を生ずるので注意を要する．

本症の検査法としては，①直接塗抹法，②濾紙培養法(第50項参照)，③最近開発された寒天平板培地法[註4](シャーレ内の寒天の中央に約2gの糞便をおき，28℃で2日間放置すると，幼虫の這った蛇行状の軌跡が見える)(図293)，④ELISAなど免疫学的診断法，などがあるが，幼虫検出には③の方法が格段に検出率が高い．琉球大第一内科入院患者5,209名(1991～2014年)の感染率は5.2％で，1960年以降出生者では陽性者は認めなかった[註5]．しかし，高齢者やATL抗体陽性者にはとくに留意が必要で，外国人移住者や海外渡航歴にも注意する．

【治　療】　イベルメクチン Ivermectin 200μg/kg を朝食1時間前に1回服用，2週間後に同量服用する．重症者には糞線虫が陰性化するまで1～2週間隔で投与する．播種性糞線虫症の場合は抗生剤を併用．副作用は軽微であるが妊婦と幼児には投与しない．

註1　Arizono N(1976)：Jpn. J. Parasit. 25：274-282, 328-335.
註2　喜舎場朝和ら(1988)：感染症誌，62：286-287.
註3　木村英作(2011)：Clin. Parasit. 22：18-22.
　　　吉川正英ら(2014)：Clin. Parasit. 25：20-26.
註4　Arakaki et al.(1988)：Jpn. J. Trop. Med. Hyg. 16：11-17.
註5　田中照久ら(2018)：Clin. Parasit. 29：12-14.

糞 線 虫 127

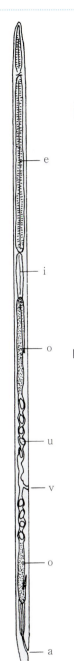

図287. 自由生活世代の雌雄成虫

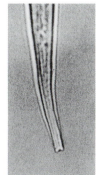

図288. フィラリア型幼虫の特徴的な尾端
（光顕像）

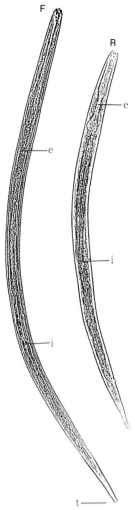

図290. ヒトの糞便内に見出されたラブジチス型幼虫（R）と，これを培養して得たフィラリア型幼虫（感染幼虫）（F）
e. 食道，フィラリア型幼虫は長い食道を持つ，i. 腸管，t. 特有な形の尾端

図286. 糞線虫の寄生世代雌成虫
a. 肛門，e. 食道，I. 腸管，o. 卵巣，u. 子宮と卵，v. 陰門

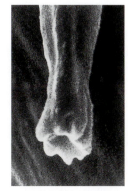

図289. フィラリア型幼虫の尾端
尾端を走査電子顕微鏡で観察すると数個の突起で構成されていることがわかる

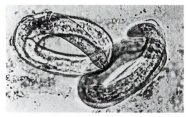

図291. 患者の下痢便中に現れた糞線虫の虫卵
（山田　稔博士 撮影）

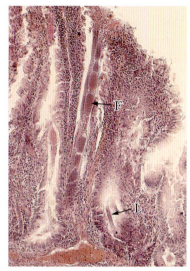

図292. 患者の腸管に寄生している糞線虫雌成虫（F. 中に虫卵あり）とその付近の幼虫（L）

図293. 寒天平板培地法により認められた糞線虫幼虫とその這痕
（新垣民樹博士・安里龍二博士の厚意による）

第56項　有棘顎口虫および剛棘顎口虫

顎口虫属の線虫は世界で約10種類とされ，わが国には有棘顎口虫，ドロレス顎口虫，日本顎口虫の3種が分布し，そのうちヒトに寄生するのは有棘顎口虫のみと考えられていた．ところが，韓国，中国，台湾などから輸入されたドジョウを生食し剛棘顎口虫に感染することが知られ，さらにドロレス顎口虫や日本顎口虫の人体寄生例も発見された．症状は有棘顎口虫は主に遊走性限局性皮膚腫脹，他の3種は線状の皮膚爬行症である．稀に眼や脳・脊髄に迷入することがある．

顎口虫の特徴　頭部に頭球が存在し（図294, 298, 303），その表面に小棘が並び，また体表にも小棘があり，これらの形態や生えかた，虫卵（図294），腸管上皮細胞の形態（図301）などが分類の基準となっている．

有棘顎口虫 Gnathostoma spinigerum Owen, 1836

【形態と生活史】　成虫の体長は，雌15～33mm，雄12～31mmでネコやイヌの胃壁に腫瘤を形成し，頭部を粘膜に穿入し寄生している（図295）．虫卵は長径平均69.3μm，短径38.5μmで，一端が隆起している（図294-A）．

受精卵は終宿主の糞便と共に外界に出ると発育し幼虫形成卵となり，次いで水中で脱皮・孵化した第2幼虫は**第1中間宿主**であるケンミジンコ（Mesocyclops leuckarti, Cyclops strenuus など）に摂取され，その体内で第3期前期幼虫となる（図308参照）．この時期においてすでに頭球が明らかで，棘は4列生えている．

第2中間宿主はドジョウやカエルなど多種類で，これが第1中間宿主を食べると幼虫は体内で第3期後期幼虫となり，筋肉内で被囊する．さらに雷魚や鳥類など肉食性の**待機宿主**がこれを食べると幼虫は移行し第3期後期幼虫のまま待機宿主の筋肉内で被囊する（図296）．

ヒトの感染源として最も重要なのは雷魚で，わが国には**カムルチー** Channa argus（図297）と**タイワンドジョウ** C. maculata の2種が分布し湖沼に棲息している．

【症　状】　ヒトが雷魚の刺身などと共に第3期後期幼虫を摂取すると，幼虫は消化管壁を貫いてまず肝臓に移行し，次いで皮膚や皮下に至りさらに移動する（**幼虫移行症**）．本種の場合，幼虫はたいてい深部におり，**遊走性限局性皮膚腫脹**を生ずる．すなわち突然，皮膚が腫脹し，発赤と痒感ないし疼痛を来す．しかし数日後には自然に消退し，再び別の場所に生ずる．好発部位は腹部であるが顔面にもよく現れ（図300），稀ではあるが眼や脳・脊髄に迷入することがあり危険である．

【診　断】　特有の遊走性限局性皮膚腫脹があり，末梢血に好酸球増加があるときは本症を疑う．腫脹部を切開して虫体を得れば診断は確定するが，虫体の見つかる率は少ない．ELISA法，Ouchterlony法などの免疫診断が有用で，かつては皮内反応（図299）も行われた．雷魚やドジョウの生食の有無の問診が大切である．

最近，上記4種顎口虫の第3期後期幼虫の腸管上皮細胞の形態や核数が異なることが判明し[註1,2]，病理組織切片上の虫体の断面で診断が可能となった（図301）．

【治　療】　摘出が最も確実な治療法であるが，摘出が困難なときはアルベンダゾール10～15mg/kg/日，分2，3～7日間投与する．またイベルメクチン200μg/kg，空腹時水で頓用が有効との報告もある．

【疫　学】　主にアジアに分布する．とくに中国の揚子江流域に患者が多く**長江浮腫**と呼ばれ，またタイ，ビルマ，マレーシア，インドなどにも多い．わが国でも雷魚生食により戦後多発し，関東以西の22府県から患者が報告されたが最近減少した．

剛棘顎口虫 Gnathostoma hispidum Fedtschenko, 1872

本種はヨーロッパおよびアジアに分布しているが日本には分布しないとされている．ところが1980年頃より韓国，中国，台湾から輸入された**ドジョウ**（Misgurnus anguillicaudatus）を生食し，**皮膚爬行症** creeping eruption を起こす顎口虫症が増加し始め，約5年間で90例に達した．まず西村ら（1981）はこれら輸入ドジョウから初めて顎口虫幼虫を見出し，赤羽ら（1982）は輸入ドジョウから得た第3期前期幼虫をラットに与え，1～2カ月後に第3期後期幼虫を得てこれをミニブタに与え，成虫を得て剛棘顎口虫であることを確認した．

本種の終宿主はブタで，虫卵（図294-B）は有棘顎口虫に類似している．第1中間宿主はケンミジンコ，第2中間宿主はドジョウなどで，この体内で第3期前期幼虫となり，これが待機宿主のうち，温血動物に入ると第3期後期幼虫となる．終宿主のブタ体内では，体長，雌約23mm，雄約17mmの成虫になる（図294-B）．

ヒトがドジョウを生食して感染すると浮腫性の腫脹ではなく線状，蛇行状の皮膚爬行疹を示すことが多い．好酸球の著増，IgE値の上昇がみられる．しかし症状は数カ月後には自然に消退する．診断は免疫診断の結果を参考にする．輸入ドジョウの検査によると5～10％に本種の幼虫の寄生がみられる．組織切片に幼虫の断面が得られれば腸管細胞の核数などで診断できる．

註1　Akahane H et al.(1986)：Jpn. J. Parasit. 35：465-467.
註2　Ando K et al.(1990)：Ibd. 39：482-487.

有棘顎口虫および剛棘顎口虫　129

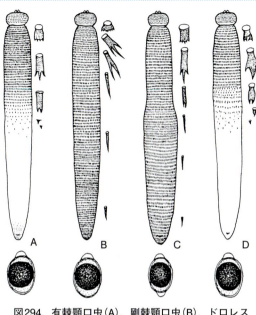

図294. 有棘顎口虫(A), 剛棘顎口虫(B), ドロレス顎口虫(C), 日本顎口虫(D)の成虫の体表の棘の生え方および虫卵の形態
（図294, 295, 298は故 宮崎一郎 博士の厚意による）

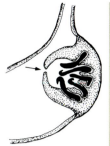

図295. 有棘顎口虫成虫のネコ胃壁における寄生状況　腫瘤を形成し, 虫卵は矢印の小穴から排出される

図296. 岐阜県産雷魚の筋肉内に見出された有棘顎口虫第3期後期幼虫

図297. 有棘顎口虫の待機宿主雷魚（体長40cm）

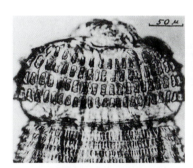

図298. 有棘顎口虫の第3期後期幼虫（待機宿主体内にみられる）の頭球の形態

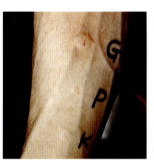

図299. ドロレス顎口虫抽出抗原(G)による顎口虫症患者の皮内反応
Pは肺吸虫抗原, Kは生食水

図300. 鮒刺身生食による顎口虫症（左頬部の腫脹）　熊本大学医学部寄生虫病学, 故 岡村一郎教授像（同教授の許可を得て掲載）

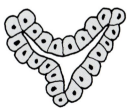

有棘顎口虫	剛棘顎口虫	ドロレス顎口虫	日本顎口虫
細胞　円柱状	球状	球状	円柱状
核数　3〜7個	1個	2個	0〜4個

図301. わが国でヒトから見出される4種顎口虫の幼虫の腸管上皮細胞の形態と核数の差異
病理組織切片標本での虫種の鑑別に有用(赤羽ら, 1986；安藤ら, 1990；名和ら, 1989などを参考)

第57項　ドロレス顎口虫および日本顎口虫

従来ドロレス顎口虫と日本顎口虫は動物のみに寄生すると考えられていたが，最近わが国で次々に人体寄生例が発見された．症状はいずれも皮膚爬行症が主で，感染源は前者はヘビや渓流魚，後者はドジョウと考えられる．また，国内には分布しないが中南米で感染した二核顎口虫症の報告もある．

ドロレス顎口虫 *Gnathostoma doloresi* Tubangui, 1925

【疫　学】　本種は東南アジア，インド，東アジアなどに広く分布し，主としてブタを終宿主としているが，わが国ではブタには少なく，イノシシに感染している．これまでの調査によると，北は岩手県から南は鹿児島県までのほとんどの府県のイノシシに見出されている．

本種は動物のみに寄生すると考えられていたが，名和ら[註1]が1985〜1989年の間に宮崎県で10例のドロレス顎口虫症患者を報告して以来，症例報告が相次ぎ，名和教授からの連絡によると各府県からの症例数は2003年の時点で宮崎44，高知9，熊本7，鹿児島・大分・愛知3，長崎・大阪・東京・北海道2，沖縄・福岡・徳島・広島・島根・三重・長野・埼玉・神奈川・栃木・青森1（合計88例）となっており，その後2018年までに13例の症例報告がみられる．

【形態と生活史】　成虫は終宿主の胃壁に頭を突っ込んで寄生しているが有棘顎口虫のように腫瘤は形成せず，肥厚程度である（図302）．成虫の形態は図294-Cに示すごとく，体表全体に棘が生えており，体長は雌が約3cm，雄が約2cmである．虫卵の大きさは平均長径58.7μm，短径33.3μmと日本産顎口虫の中では最も小さく，両端に隆起物がある（図294-C）．また第2中間宿主あるいは待機宿主体内に存在する第3期後期幼虫の特徴は，頭球棘列の第1列の棘が小さいことである（図303）．

第1中間宿主はケンミジンコである．第2中間宿主は従来サンショウウオとされてきたが，その後の調査により，マムシに高率に第3期後期幼虫の感染がみられ，またブルーギルからも同期幼虫が発見された[註2]．最近はアマゴ，イワナ，アユなど渓流魚生食後の発症が多い．

【症　状】　多くの症例を経験した緒方[註3]の報告によると，潜伏期は大体1〜3週間，主症状は線状の**皮膚爬行症 creeping eruption**（図305）で，腹部に初発することが多く，その後，胸部，腰背部などに出没する．この爬行疹は動きが速く，痒みや痛みを伴うことが多い．全身症状としては腹痛，嘔気，食欲不振など消化器症状，風邪のような症状を示す場合もある．末梢血好酸球，血清IgE値は多くの例で高値を示すが，虫体検出例でも上昇を示さなかった例もある．また本種の幼虫がヒトの眼に寄生し，ぶどう膜炎を起こした例も報告された（図306）[註4]．顎口虫幼虫の眼寄生の報告は過去に17例あるが，いずれも有棘顎口虫と考えられていた．腸壁内迷入によりイレウス症状を発症した手術例の報告がある．

【診　断】　その特異な症状に注意し，食歴などについて詳しく問診する．虫体摘出による診断が最も確実である．幼虫の頭部の形態，また切片標本にみられる腸管上皮細胞の形態と核数（図301，304）によって虫種の診断が可能である．虫体が得られない場合は，食歴，症状に加え，免疫反応（皮内反応，Ouchterlony法，ELISA法など）が参考となる．

【治　療】　虫体摘出が最も効果的であるが取り出せない場合もある．薬物療法としては有棘顎口虫の場合と同じ方法を試みる．

日本顎口虫 *Gnathostoma nipponicum* Yamaguti, 1941

【疫　学】　本種は日本のイタチから発見され，日本各地に広く分布しているが外国からは報告がない．本種も動物のみに寄生すると考えられていたが，1988年安藤ら[註5]は三重県で2例の人体感染例を見出し，その後，岡山県1例，青森県3例，秋田県4例，関東在住者1例が追加された．

【形態と生活史】　成虫はイタチの食道に腫瘤を形成して寄生している（図307）．成虫の体長は雌約3cm，雄約2cm，体表の棘は体前半にのみ存在し，虫卵の大きさは平均72.3μm×42.1μmである（図294-D）．

第1中間宿主はケンミジンコ（図308），第2中間宿主はドジョウ，ヤマカガシ，ナマズ，ヤマメ，ウグイなどが知られている．第2中間宿主または待機宿主の体内に存在する第3期後期幼虫の特徴は頭球の棘列が3列（他の3種はすべて4列）であることである．

【症状と診断】　主症状はやはり皮膚爬行症で，ドジョウなどを生食してから5〜10日後に，腹部などに好発し（図310），生検により虫体の断面をみると，図309に示すごとく腸管細胞は円柱状，核数は0〜3個で，前述（図301）の日本顎口虫に一致する．全身症状はあまり侵されないが白血球増加，好酸球増加などがみられる．

【治　療】　虫体摘出が最もよいが前項で述べた薬物療法も試みる．

二核顎口虫　*Gnathostoma binuleatum*

中南米に分布する．ペルーで生魚料理より感染した日本人女性の疑い例と，下肢線状爬行疹を認め生検にて虫体を検出し遺伝子解析された男性確診例[註6]の報告がある．

註1　名和行文ら（1989）：最新医学，44：807-814；Ogata, K.（1988）：Jpn. J. Parasit. 37：358-364.
註2　Nawa Y et al.（1993）：Jpn. J. Parasit. 42：40-43.
註3　緒方克己（1993）：寄生虫誌，42（2補）：174.
註4　笹野久美子ら（1994）：日眼会誌，98：1136-1140.
註5　Ando K et al.（1988）：J. Parasit. 74：623-627.
註6　山﨑　浩ら（2008）：Clin Parasit. 19：127-129.

ドロレス顎口虫および日本顎口虫　131

図302. 高知県産イノシシの胃壁に寄生しているドロレス顎口虫成虫

図303. ドロレス顎口虫第3期後期幼虫頭球棘の走査電顕像

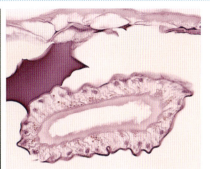

図304. 図305に示した患者に寄生していたドロレス顎口虫第3期後期幼虫の腸管断面
腸管細胞は球状，核数は1～2個（図301参照）

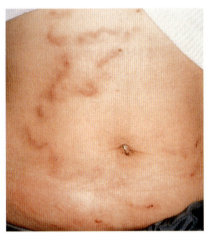

図305. ドロレス顎口虫感染による皮膚爬行症
（宮崎県，38歳，女性，ヤマメを生食）

図306. 26歳，男性の左眼前部硝子体内に現れたドロレス顎口虫幼虫

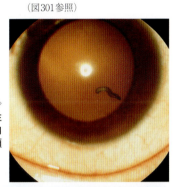

図307. 京都のイタチの食道壁に寄生している日本顎口虫成虫

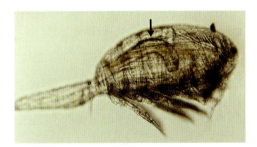

図308. ケンミジンコ（*Cyclops vicinus*）に寄生している日本顎口虫幼虫（矢印）

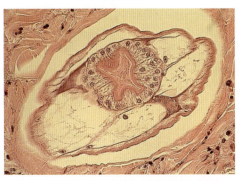

図309. 右の症例の虫体断面. 腸管細胞は円柱状，核数は0～4個（図301参照）

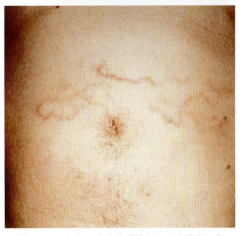

図310. 日本顎口虫幼虫感染による皮膚爬行症
（三重県，55歳，男性，ドジョウを生食）

（図303, 304, 305は名和行文 教授，図306は笹野久美子 医師，図308, 309, 310は安藤勝彦 博士の厚意による）

第58項 東洋眼虫および旋尾線虫

東洋眼虫は通常イヌやネコの眼に寄生しているが時々ヒトの眼にも寄生し医学上問題となる．メマトイという小さな双翅目の昆虫が媒介する．一方，旋尾線虫類の幼虫がヒトに寄生し，腸閉塞や皮膚爬行症あるいは眼寄生などを起こすことが最近知られ，次々に症例が報告されている．これの感染はホタルイカの生食による場合が多い．

東洋眼虫　*Thelazia callipaeda* Railliet et Henry, 1910

【形態と生活史】　成虫の体長は平均雌14.8mm，雄11.3mm，体幅はそれぞれ0.34mm，0.33mmの白色の線虫である（図313）[註1]．これら成虫は終宿主であるイヌやネコの眼，とくに結膜嚢内に寄生し（図311），涙の中に第1期幼虫を産出する．媒介者はメマトイと呼ばれる小さな昆虫で，わが国ではオオマダラメマトイ *Amiota magna*，マダラメマトイ，カッパメマトイなどが媒介する．これらの昆虫がイヌの眼に飛来し，涙や眼脂を舐めるとき第1期幼虫を摂取するとメマトイの体内で発育して感染幼虫となり，他の終宿主へ伝搬することになる．

【症状と治療】　本虫の眼寄生時（図312）[註2]の症状は異物感，結膜炎，眼瞼腫脹，眼脂などで，治療法は塩酸オキシブプロカイン点眼後，虫体を摘出する．

【疫　学】　本種は Oriental eyeworm といわれるようにインド，東南アジア，中国，ロシア，韓国，日本などに分布している．わが国での人体寄生例は影井（2007）[註3]の集計にその後2018年までの報告を加えると180例で，地域別にみると大分29，熊本26，香川15，山口13，広島12，宮崎10，岡山9，愛知8，福岡・徳島・埼玉6，島根・大阪5，鳥取・京都・愛媛・栃木・長崎2，鹿児島・奈良・三重・岐阜・新潟・静岡・神奈川各1例，感染地不明13例で，とくに西日本に多い．最近増加の傾向にあり小児と高齢者に多い．また筆者らが京都のイヌ110頭の眼を調べたところ11頭に本虫成虫の寄生を認めた．東京ではイヌの4％，ネコの1.3％に感染がみられた．一方，青木ら[註4]は大分県のメマトイの1.3～2.6％に本虫の幼虫寄生を認めた．

旋尾線虫幼虫　Spirurin nematode larva

【歴史と分類】　1974年，大鶴ら[註5]は秋田県で，腸閉塞の疑いで摘出された小腸の壁内にアニサキスの幼虫よりもはるかに小さい線虫の断端を見つけ，旋尾線虫の幼虫の寄生であろうと診断した．その後，長谷川[註6]は種々の動物に寄生している旋尾線虫の幼虫の分類を行い，Type I から Type XIII に分けてその形態を記載した．さらにその後の研究でこの中の Type X（テン）がヒトの小腸や眼（図317）に寄生したり，皮膚に寄生して**皮膚爬行症** creeping eruption（図318）を起こしたりすることが判明し，にわかに問題となってきた[註7,8]．しかしこの幼虫は旋尾線虫上科の幼虫であることは違いないが成虫が不明なため種が確定せず，旋尾線虫幼虫症 larval spuriniasis と呼ばれてきた．ところが最近，遺伝子解析の結果 Type X の成虫はツチクジラの腎臓に寄生する *Crassicauda giliakiana* であるという報告が出た[註9]．

【形態と生活史】　この Type X 幼虫の体長は5.43～9.80mm，体幅は0.074～0.110mmと細長く（図314），頭部には突出した口唇があり，尾端には2個の球状突起がある（図315）．この線虫の中間宿主は**ホタルイカ** *Watasenia scintillans*（図316）やタラ，ハタハタなどで，ヒトはこの中間宿主を生食して感染する．一方，終宿主は海棲哺乳類か鳥類と考えられている．

【症状】　本虫寄生による症状の約半数は腸閉塞型で重症例では激しい腹痛と嘔吐を訴え急性腹症として開腹手術を受ける場合がある．残りの半数は皮膚型で図318に示すような皮膚爬行症を生ずる．また眼に移行してくる例も報告されている（図317）．

【診断と治療】　診断は虫体あるいは組織中の虫体の断端をみて確定する．本虫の断端はアニサキスや顎口虫の幼虫に比して格段に小さい．最近は免疫学的診断も利用されている．治療法は現在のところ摘出以外によい方法がない．**感染予防法**としてはホタルイカを−30℃4日間冷凍する．また生食するときは内臓を除去すること．

【疫　学】　1988年頃から症例報告が増え，1994年までに51例報告され，更に2003年までに49例追加された．その内容は皮膚爬行症23例，腸閉塞24例，その他2例となっている．その後も2018年までに30症例の報告がみられる．ホタルイカ（漁期は3月～6月）を食べて感染した例が最も多い．安藤ら[註10]はホタルイカから初めて本幼虫を見出し，岡沢ら[註11]はホタルイカ1,109匹を検査したところ37匹（3.3％）に本幼虫を見出した．赤尾らも過去24年間に検査した57,351匹の平均寄生率は2.3％と報告した[註12]．

註1　有薗直樹ら（1976）：寄生虫誌，25：402-408．
註2　吉川正英ら（2000）：Clin. Parasit. 11：26-28．
註3　影井　昇ら（2007）：Clin. Parasit. 18：14-17．
註4　青木千春ら（2005）：衛生動物，56：178．
註5　大鶴正満ら（1974）：寄生虫誌，23：106-115．
註6　Hasegawa H（1978）：Acta Med. Biol. 26：79-116．
註7　Kagei N（1991）：Jpn. J. Parasit. 40：437-445．
註8　岡崎愛子ら（1992）：Clin. Parasit. 3：120-121．
註9　杉山　広ら（2007）：寄生虫分類形態談話会会報，25：4-7．
註10　Ando K et al.（1992）：Jpn. J. Parasit. 41：384-389．
註11　Okazawa T et al.（1993）：Jpn. J. Parasit. 42：356-360．
註12　赤尾信明ら（2016）：Clin. Parasit. 27：66-68．

東洋眼虫および旋尾線虫　133

図311. 京都のイヌの眼に寄生している東洋眼虫(矢印)

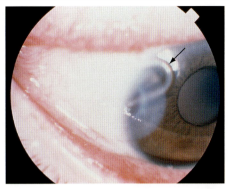

図312. 大阪の39歳男性の右眼に寄生した東洋眼虫(矢印)，合計5隻摘出
（吉川正英 博士・川崎健輔 博士の厚意による）

図313. 京都の一男性の眼から摘出した東洋眼虫の一雌虫（筆者経験例）

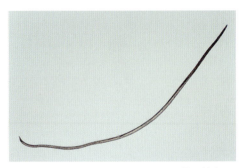

図314. ホタルイカから見出された旋尾線虫 Type X 幼虫の全形

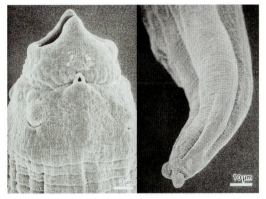

図315. 旋尾線虫 Type X 幼虫の頭部(左)と尾部(右)の走査電顕像

図316. 旋尾線虫幼虫感染の原因となるホタルイカ

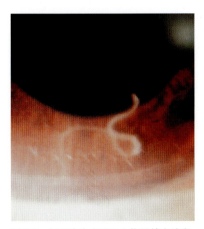

図317. 眼に寄生を認めた旋尾線虫幼虫
（東京慈恵会医科大学症例，大友弘士 教授の厚意による，2005）

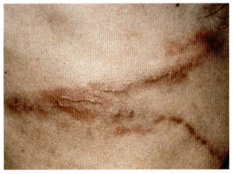

図318. 旋尾線虫幼虫による皮膚爬行症(48歳, 男性)
（図314, 315は金沢大学 故 近藤力王至 教授，図318は同教授ならびに 黒部市民病院 信崎幹夫 博士の厚意による）

第59項 バンクロフト糸状虫 [A] 形態と生活史

糸状虫はフィラリア filaria とも呼ばれ，成虫は脊椎動物のリンパ系，血管系，皮下，眼，体腔などに寄生し，ミクロフィラリアと称する幼虫を産下し，吸血昆虫によって媒介される．世界でヒトに寄生する主な糸状虫は，バンクロフト糸状虫，マレー糸状虫，常在糸状虫，Mansonella，回旋糸状虫，ロア糸状虫などである．わが国では古くからバンクロフト糸状虫が濃厚に分布していたが近年流行は終息した．

【種 名】　バンクロフト糸状虫 *Wuchereria bancrofti* (Cobbold, 1877)

【歴 史】　本虫による特異な症状（象皮病など）は紀元前から人の目に触れ，わが国でも平安時代の絵巻に記載がある（87頁の絵図参照）．科学的には1863年 Demarquay がパリで19歳のキューバ人の陰嚢水腫内にミクロフィラリアを見出したのが最初で，その後 Wucherer (1866) がブラジルで乳糜尿中に，Lewis (1872) がインドで末梢血中にミクロフィラリアを見出した．成虫については Bancroft (1876) がオーストラリアでヒトから雌虫を発見し，約10年遅れて Sibthorpe (1888) が雄虫を発見した．蚊が媒介することは1878年 Patrick Manson が初めて見出した．彼は翌年ミクロフィラリアの定期出現性をも見出している．

【成虫の形態】　バンクロフト糸状虫の成虫（図319）は細い糸状で，体長は雌約80mm，雄約40mm，体幅はそれぞれ0.25mm，0.1mmである．この成虫は通常，ヒトのリンパ節やリンパ管（図320）の中に寄生しているが異所寄生もあり，皮下，眼，肺血管内寄生の報告もある．また，1981年に中国で Chen らは婦人の乳房に寄生し，肉芽腫を形成した131例を報告した[註1]．

【ミクロフィラリアの形態】　雌虫の子宮内には幼虫が形成され産下される．この幼虫をミクロフィラリア microfilaria という．これは鞘 sheath を被っている．ミクロフィラリアは末梢血中に現れ診断上重要である．血液塗抹標本を作りギムザ染色を施して鏡検すると図321，323に示すような構造がみられる．ミクロフィラリアで虫種を鑑別する要点は，鞘の有無，大きさ，曲がり方，尾部および頭部の体細胞核の配列，および頭端から神経輪 nerve ring，排泄孔 excretory pore，排泄細胞 excretory cell，生殖細胞 genital cell，直腸細胞 rectal cell，肛門 anus などに至る距離関係などである．また inner body と称する構造も鑑別上問題にされている．バンクロフト糸状虫のミクロフィラリアの計測値や形態的特徴は第61項の表19，20に示してある．

【ミクロフィラリアの定期出現性】　ヒトの血流中に存在するミクロフィラリアは昼間は肺の毛細血管の中に潜んでおり，午後10時頃になると末梢血に現れはじめ，午前0時から4時の間が最も多く，夜明けと共に肺に帰るという現象を示す．これをミクロフィラリアの定期出現性 microfilarial periodicity（または日周性 turnus）という．また夜間に出現するので夜間定期出現性 nocturnal periodicity ともいう．

この現象の原因についてはミクロフィラリアがヒトの睡眠と覚醒のリズムを感知するとか，紫外線を感知するのではないかとか，諸説があるが未だ明快な説はなく今後の興味ある研究課題となっている．とにかく夜間吸血する蚊に末梢血中のミクロフィラリアが吸われて伝播し，種が保存されるのであるからこの現象は合目的的である．

一方，南太平洋諸島では昼間にも末梢血中にミクロフィラリアが出現するバンクロフト糸状虫が見出されている（diurnal periodicity），これは昼間とか朝夕にも吸血を行う蚊によって媒介されている．

【生活史】　世界では多数の蚊が媒介種として知られており，ネッタイイエカ *Culex quinquefastiatus* は有名であるが，わが国ではアカイエカ *Culex pipiens pallens*，コガタアカイエカ，シナハマダラカ，トウゴウヤブカなどが媒介蚊として知られていた（第113項参照）．

これらの蚊にミクロフィラリアが吸われると図324に示すように中腸の中で脱鞘して第1期幼虫が現れ，蚊の胸筋に移行して短く太い，いわゆるソーセージ型となる．次いで脱皮して第2期幼虫となり，さらに脱皮して第3期幼虫となる．これが感染幼虫で，胸筋から体腔に出て吻の根元に集まり，蚊がヒトを吸血したとき吻から現れ，蚊の刺し口から人体内に侵入する（図322）．

感染幼虫が人体に侵入してからリンパ系で成虫になるまでの行動は不明であるが，3カ月から1年で成虫に達し，ミクロフィラリアを産出するようになる．成虫の寿命は4～5年と考えられている．バンクロフト糸状虫はヒトのみに寄生する少宿主性（stenoxenous）の寄生虫である（8頁参照）．

【糸状虫に共生しているリケッチア】　最近，バンクロフト糸状虫や回旋糸状虫に Wolbachia というリケッチアが共生しており，これは糸状虫の親から子に引き継がれる．糸状虫症でみられる炎症反応は実はこの Wolbachia に対する反応ではないかという説が出ている．

註1　Chen Y and Xie Q (1981)：Amer. J. Trop. Med. Hyg. 30：1206-1210．

図319. バンクロフト糸状虫の雌成虫
（故 片峰大助 博士，寄贈標本）

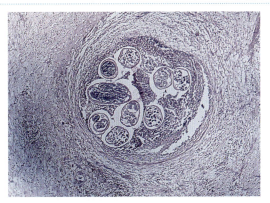

図320. リンパ管内に寄生するバンクロフト糸状虫の成虫の横切像
（Tulane 大学標本）

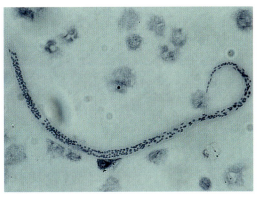

図321. 血液塗抹標本中にみられるバンクロフト糸状虫のミクロフィラリア（ギムザ染色）

図322. 蚊の吻から現れた糸状虫の感染幼虫
（Dr. Zaman の厚意による）

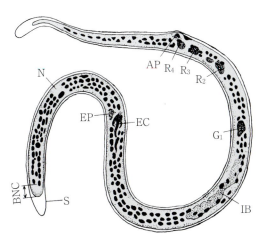

図323. バンクロフト糸状虫のミクロフィラリアの構造
S. 鞘，BNC. 頭域，N. 神経輪，EP. 排泄孔，EC. 排泄細胞，G_1. 生殖細胞，R_2-R_4. 直腸細胞，AP. 肛門，IB. inner body

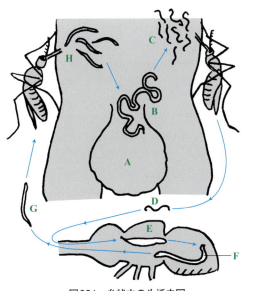

図324. 糸状虫の生活史図
A：陰嚢，B：成虫（リンパ管内），C・D：ミクロフィラリア（血中）→蚊吸血，E：ソーセージ型に発育，F：感染幼虫に発育，G・H：蚊の吸血時，宿主体内に侵入し成虫に発育．

第60項 バンクロフト糸状虫 [B] 臨床と疫学

本種による症状は慢性経過をとり，熱発作，乳糜尿，陰嚢水腫，象皮病などを示す．診断は夜間に採血し，ミクロフィラリアを検出する．本症は日本ではほぼ撲滅されたが世界的には依然，重要な寄生虫病である．

【疾病名】　バンクロフト糸状虫症
filariasis bancrofti

マレー糸状虫，チモール糸状虫と合わせ，リンパ系に寄生するので lymphatic filariasis と呼ばれる．

【病理と症状】

バンクロフト糸状虫症の病像は次のごとく2つに分けることができる．

1) 炎症性ないしアレルギー性の全身症状

蚊に刺されて本虫に感染すると比較的長期間無症状に経過し，平均9カ月位たつと全身症状が現れてくる．それは陰嚢，精索，睾丸，四肢などのリンパ節炎およびリンパ管炎で**熱発作**を伴う．九州地方ではこのような熱発作を「クサフルイ」と呼んでいる．このような発作が数週ないし数カ月毎に反復し，次第に慢性に移行する．このような全身症状の原因は成虫やミクロフィラリアの代謝産物，あるいはミクロフィラリアの死滅吸収によるアレルギー反応と考えられている．

2) リンパ管障害による症状

成虫はとくに鼠径部，腋窩部，精索などのリンパ管に好んで寄生し，管を閉塞したり，あるいは拡張によりリンパの灌流障害を起こし，次いでリンパ管瘤や乳糜管瘤を生じ，これが破れるとリンパあるいは乳糜が流れ出し，陰嚢にたまると**陰嚢水腫** hydrocele（図326）となり，膀胱に入ると**乳糜尿** chyluria を起こす．

またうっ滞したリンパは皮下組織に浸透し，その慢性刺激のため皮下組織の増殖を来し，また2次感染も加わって長年の間に皮膚が象の皮膚のように肥厚する．これを**象皮病** elephantiasis と称する．象皮病の好発部位は陰嚢・陰茎（図325，327，328），下肢（87頁の絵図），大陰唇，乳房，上肢などである．

【診　断】

患者の居住地ならびに上記の症状とくに乳糜尿，乳糜血尿，陰嚢水腫，象皮病，熱発作などに注意するのはもちろんであるが，ミクロフィラリアを検出すれば診断は確実となる．

ミクロフィラリアは末梢血から検出するのが最も普通であるが，乳糜尿，陰嚢水腫液などからも検出される．感染の成立後間もない時期にはミクロフィラリアの検出率は高いが，慢性になって象皮病を生ずるようになると検出率が低下してくる．

ミクロフィラリア検出法は第134項に示したマラリア検査法と同様，厚層および薄層塗抹法を用いるが，フィラリアの場合は**夜間に採血**することが大切である．またミクロフィラリアが少ない場合は肘静脈から1〜2mlの血液をとり，これに2％ホルマリン水10mlを加えて溶血固定し遠沈して沈渣を塗抹・染色して検査する（Knott法）．また**誘発法**として，ジエチルカルバマジン50〜100mgを服用させ30分後に採血検査する．昼間に検査せざるを得ない場合はこのような方法をとるとよい．

免疫学的診断法として抗体を検出する方法が種々行われているが，最近は特異的**循環抗原**を検出する簡易で迅速なキット（**ICT Filariasis test**）も用いられている．

【治　療】

ジエチルカルバマジン diethylcarbamazine（商品名**スパトニン**）が最もよく用いられている．本剤はミクロフィラリアに有効で，投薬により速やかに血中から消失する．成虫に対しても殺虫効果があるとされる．次項のマレー糸状虫に対しても同様である．

治療によって一挙にミクロフィラリアが死亡すると強いアレルギー反応が起こるので，初日2mg/kg1回，第2日2回，第3日3回と漸増し，以後1日3回食後に投与し，これを12日間続ける．

最近，回旋糸状虫（第63項）に有効な**イベルメクチン**（商品名**ストロメクトール**）が本症にも有効との報告が現れている．

象皮病など器質的変化を起こした場合は薬物治療はほとんど無効で，外科的治療に頼らざるを得ない．

【疫　学】

図329に示すようにバンクロフト糸状虫は世界の熱帯・亜熱帯・温帯に広く分布している．一方，マレー糸状虫はアジアのみに分布する．世界における両種の感染者は2000年の時点において約80カ国，1億2,000万人，有症者4,300万人と推定されている（WHO）．

日本では古くから本症が存在し（図325，87頁の絵図），青森県から沖縄県までほぼ全国にバンクロフト糸状虫が分布し，とくに九州・奄美などは世界的にも濃厚流行地とされていた．また東京都の八丈小島にはマレー糸状虫の分布が発見された（林，佐々，1950）．ところがその後の広範な調査によると，治療・予防・撲滅作業が奏効し，現在，バンクロフト糸状虫の新感染はなくなった．一方，マレー糸状虫の流行も1969年の八丈小島全島離村により消滅した．

図325. 葛飾北斎の画いた陰囊象皮病

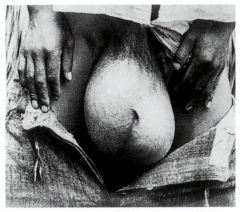

図326. 鹿児島県の40歳男性にみられた陰囊水腫
(故 長花 操博士の厚意による)

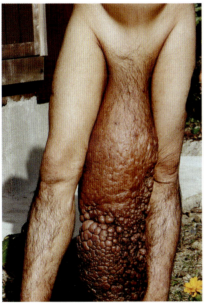

図327. 徳之島で見出された巨大陰茎陰囊象皮病 (重量18.5kg, 44歳, 男性)

図328. 左の症例の背面
(図327, 328いずれも尾辻義人博士の厚意による)

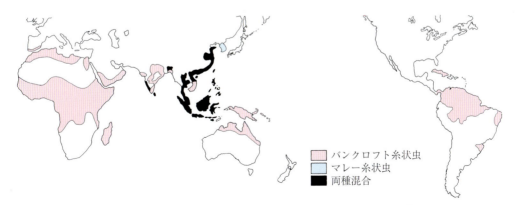

図329. 世界におけるバンクロフト糸状虫とマレー糸状虫の分布[註]
ミクロネシア, メラネシア, ポリネシア22カ国, 人口300万人の地域はバンクロフト糸状虫のみ分布
(Faust, 1964およびSasa, 1976を参考に作図)

註 WHOを中心とするGlobal Programme to Eliminate Lymphatic Filariasis (GPELF)が進行中で, 2000年以降2016年までに, 流行地住民の年1回集団治療が総計67億回投与を超えて実施され, タイ, ベトナム, エジプトなど14ヵ国で制圧が完了し, 伝播をかなり減少させつつある.

第61項 マレー糸状虫および常在糸状虫などMansonella属線虫

マレー糸状虫はその地理的分布，成虫および幼虫の形態，生活史，症状など種々の点でバンクロフト糸状虫と異なる．わが国における流行は消滅した．一方，常在糸状虫をはじめとするMansonella属の糸状虫はアフリカや中南米で流行している．わが国には分布しないが，時々輸入症例に遭遇する．

マレー糸状虫 Brugia malayi（Brug, 1927）

【疫 学】　本種の分布は西はインド西部から東はスラウェシ島までで，これは動物地理学でいう東洋区にほぼ一致している．わが国では八丈小島にマレー糸状虫が分布していた以外はすべてバンクロフト糸状虫であった．インド，東南アジア一帯にはなおこれら両種が混在分布している（図329）．

【形 態】　マレー糸状虫の成虫（図330）はバンクロフト糸状虫よりやや小さく雌の体長は50mm，雄は22mm前後で，体幅はそれぞれ160μm，90μm程度である．また雄の肛門周囲の乳頭の形態も異なる．ミクロフィラリアは鞘を有しその形態は図331および表19，20に示すごとく両種間で種々の差がある．

【生活史】　やはり蚊が中間宿主であるが，本種は主としてヌマカ属（Mansonia）によって媒介され，所によってハマダラカ属やヤブカ属の蚊も媒介する．八丈小島ではトウゴウヤブカが媒介蚊であった．

バンクロフト糸状虫はヒト以外の動物には感染しないが，マレー糸状虫はネコ，サルに感染し成虫にまで発育する．

マレー糸状虫のミクロフィラリアも夜間定期出現性を有するが，地域により亜周期性の系統もある．

【症 状】　症状も両種で異なる．すなわちマレー糸状虫の場合，象皮病は四肢とくに下肢に発現し（図332），陰嚢には生じない．また乳糜尿や陰嚢水腫など泌尿生殖系の病変は原則として起こらない．

またマレー糸状虫では炎症性の症状がバンクロフト糸状虫よりも激しく，八丈小島での観察によれば，まず四肢に貨幣大から手掌大の発赤を伴った浮腫を生じ（現地ではこれを「バク」と称した），このようなことを繰り返しているうちに四肢のリンパ管炎を生じ，丹毒様の皮膚変化を起こし，疼痛，発赤，腫脹と共に悪寒，戦慄を伴う高熱を発する（これを現地では「ミツレル」と呼んだ）．このような発作を繰り返すうちに象皮病を生ずる．

【治 療】　バンクロフト糸状虫の場合に準ずる．

チモール糸状虫 Brugia timori（Partono F, Dennis DT, Atmosocdjono S, Ocmijati S, Cross JH, 1977）

インドネシアのスンダ諸島，とくにスラウェシ島およびチモール島に限局してヒトに感染している．雌雄成虫は4〜10cmくらいで，バンクロフト糸状虫やマレー糸状虫と同様，ヒトのリンパ節に寄生する．症状は急性の発熱と慢性のリンパ腫である．ミクロフィラリアは末梢血中に現れ，有鞘で，ギムザ染色標本では平均体長310μmで2％ホルマリンで固定すると平均340μmである．マレー糸状虫のそれと比べ，頭域が長い．尾端に核がある．

常在糸状虫 Mansonella perstans（Manson, 1891）

本種の属名はDipetalonemaあるいはAcanthocheilonemaなどといわれたが最近はMansonellaが用いられる．アフリカおよび南アメリカでヒトに濃厚に感染している．成虫の体長は雌約8cm，雄約5cm，体幅は共に約60μmで，腸間膜基部など深部結合組織内に寄生している．ミクロフィラリア（図333）は末梢血中に現れ，体長152〜207μm，体幅4.5μmで無鞘，尾端は鈍円で，定期出現性を示さない，などの特徴がある．ヌカカ（糠蚊）Culicoides spp.によって媒介される．皮膚の一過性腫脹や関節痛をはじめ種々の症状を示し好酸球も増加する．わが国では全く報告がなかったが，筆者は1981年，アフリカで感染し帰国した1症例を経験した[註1]．その後，大友ら（1989），飯山ら（2000）が各1例を追加した．

Mansonella ozzardi（Manson, 1897）

中南米で多くのヒトに感染している．成虫は4〜8cmの糸状でヒトの体腔に寄生する．ミクロフィラリアは血中に現れ，無鞘で上記常在糸状虫とほぼ同じ大きさであるが尾部の形態が異なる．定期出現性はない．ヌカカによって媒介される．大した症状を示さない．

捻尾糸状虫 Mansonella streptocerca（Macfie et Corson, 1922）

本種は西アフリカのみに分布する．ヒトの皮下結合織中に成虫が寄生し，ミクロフィラリアは無鞘，皮膚に存在するのでこの一部を切り取り検査する（skin snip法，第63項参照）．やはりヌカカにより媒介される．症状は皮膚の痒みと脱色斑で，回旋糸状虫症に似る．治療はイベルメクチン（第63項参照）が有効とされる．

表19．バンクロフト糸状虫とマレー糸状虫のミクロフィラリアの定点計測値の比較
（全長に対する各定点の，頭端からの距離の百分率）

	BNC*	N	EP	EC*	G₁	R₂*	R₃*	R₄*	AP
バンクロフト糸状虫	1.6	18.8	29.0	30.8	70.1	79.5	80.7	82.0	82.5
マレー糸状虫	3.8	22.6	31.4	38.0	67.2	74.7	76.9	78.8	81.6

略語説明は図323参照．＊印は有意差のある計測値

（佐々，林，1953による）

註1　吉田幸雄ら（1982）：日本医事新報，3047：43-47.

マレー糸状虫および常在糸状虫など Mansonella 属線虫

図330. マレー糸状虫の成虫
雌（左），雄（右）（Dr. Ramachandran 寄贈標本）

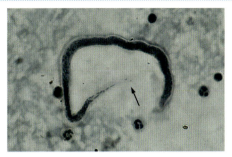

図331. マレー糸状虫のミクロフィラリア
尾端の核（矢印）に注意

図332. マレー糸状虫による
下肢象皮病
（Dr. Zaman の厚意による）

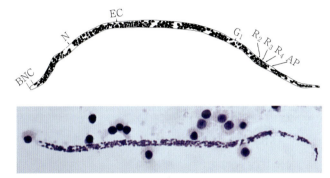

図333. 常在糸状虫のミクロフィラリア（無鞘）
34歳，男性，ザイールで感染，昭和56年筆者経験例
（略語は図323参照）

表20. バンクロフト糸状虫とマレー糸状虫のミクロフィラリアの鑑別点

	バンクロフト糸状虫	マレー糸状虫
体長（μm）	244〜296	177〜230
体幅（μm）	8〜10	7〜9
排泄細胞（EC）	小さく，排泄孔（EP）に近く位置し，原形質突起は後方に延びている	大きく，排泄孔（EP）よりはるか後方に位置する
生殖細胞（GC）および直腸細胞（RC）	GCおよびRCは同大，円形または方形で原形質に乏しくR_2〜R_4はG_1よりはるか後方に位置する．R_4は肛門（AP）に接し，時に肛門の後方に位置する	GCおよびRCはバ糸状虫より大，とくにG_1は大きく，バ糸状虫の約2倍，楕円形で原形質に富む．R_2はG_1に近く位置し，R_4は常に肛門の前方にある
肛　門（AP）	不著明，深さは体幅の1/2以内	著明，深さは体幅の1/2またはそれ以上
尾　部	徐々に細くなっており，尾端に核を有しない	尾端に核を有し，かつ尾端に近く膨大部あり，そこにも核がある
外　観	全体的に滑らかに彎曲している	細かいジグザグの彎曲を示す
症　状	陰嚢水腫および陰嚢や四肢の象皮病	主に下肢の象皮病
媒　介　蚊	イエカ属，ヤブカ属およびハマダラカ属	ヌマカ属およびヤブカ属

（横川ら，1974などより）

第62項　イヌ糸状虫

本種は日本をはじめ世界に広く分布しイヌに濃厚に感染して大きな病害を与えている．ところが最近この幼虫がヒトの肺や皮下に寄生し医学上問題となっている．本種は蚊によって媒介される．ヒトの肺に寄生した場合，X線写真で銭型陰影を呈し肺癌，肺結核を疑われて摘出される．わが国でも症例がかなり多いので注意を要する．

【種　名】　イヌ糸状虫 *Dirofilaria immitis*（Leidy, 1856）
【疾病名】　イヌ糸状虫症 dirofilariasis

【歴史と疫学】

成虫はイヌの心臓に寄生しており，わが国の成犬における寄生率は地域によっても異なるが大体30〜50％と高い．本種の人体寄生例は外国ではかなり古くから知られていたが，わが国では1964年に西村らが初めてヒトの皮下寄生の症例を報告し[註1]，肺寄生については吉村らが1969年に初めて報告した[註2]．

わが国の症例数は，影井[註3]の1995年までの集計にその後2014年までの例数を加えると肺寄生173例，肺外寄生24例，合計197例となる．肺外では皮下が最も多く13例，その他，腹腔，肝，眼など数例となっている．この他 MacLean (1979) は *Dirofilaria repens* を沖縄の1男子から見出し，また物部ら (2012)[註4] は関東の1婦人から第2例目を報告し，その後さらに2例の報告がある．

外国の状況をみると，2012年までに *D. immitis* のヒト寄生例は，米国120例，オーストラリア20例，南米50例で主に肺寄生である．一方，*D. repens* は世界各地から数百例のヒト皮下寄生の報告がある．その他，*D. tenuis* や *D. ursi* などのヒト皮下寄生も知られている．要するにこれらの糸状虫の固有宿主はイヌ，ネコ，アライグマ，クマなどの動物で，たまたまヒトが蚊に刺されて感染したものである．人体内では時に成虫にまで発育した例もあるが，多くの場合，幼虫ないし幼若成虫のまま皮下や肺に寄生し種々の症状を起こす．ヒトの血中にミクロフィラリアを見出した例はない．

【形態と生活史】

本虫の成虫はイヌをはじめ種々の動物の右心室および肺動脈に寄生しており（図334），雌虫の体長は25〜30cm，雄虫は12〜20cm，体幅はそれぞれ1.5mm，1mmと非常に細長い．雌の陰門は食道の後端部付近の腹側にあり，ここからミクロフィラリアが産出される．

ミクロフィラリア（図335）は無鞘で218〜329 μm の長さを有し，やはり夜間定期出現性を有するが，昼間にも若干現れ，あまり厳密ではない．ミクロフィラリアの寿命は1〜2年とされている．

媒介者は蚊で，流行地によりイエカ属（Culex），ヤブカ属（Aedes），ハマダラカ属（Anopheles）などの中のある種が主媒介種 main vector となっている．わが国ではアカイエカ，トウゴウヤブカ，シナハマダラカ，コガタアカイエカ，ヒトスジシマカなどが媒介する．蚊がイヌを吸血してミクロフィラリアを摂取すると，蚊の体内で2回脱皮して発育し，約2週間で体長約1mmの感染幼虫となる．そして蚊が次の吸血を行うとき吻から現れ，吸血時の傷口から侵入する．

【症状】

本虫の成虫がイヌの肺動脈に多数寄生すると，特有の咳，嗄声を発し，次第に呼吸困難，貧血，腹水を生じ衰弱して死亡する．ヒトに本虫の幼虫が寄生した場合，その寄生部位から次のように分けている．

1．肺イヌ糸状虫症 pulmonary dirofilariasis

幼虫ないし幼若成虫が末梢肺動脈に詰まり梗塞を起こすと咳，血痰，胸痛，発熱などの症状を伴うが，無症状の場合も多く，胸部X線検査やCT検査等にて**銭型陰影 coin lesion**（図336，339）が見出される．肺癌や肺結核との鑑別のため摘出手術が行われ，組織学的検索で虫体の断面が見つかって本症と診断される場合が多い（図337，338，340，341）．

2．肺外イヌ糸状虫症 extrapulmonary dirofilariasis

幼若虫が皮下あるいはその他の部位に移行し，皮膚爬行症 creeping eruption や腫瘤を形成し，外科的に摘出される場合がある．

【診断】

上記のような症状，とくに肺の銭型陰影を認めたときは本症を疑うことが大切である．統計によると本症の病巣は右肺下葉が最も多く，次いで右肺上葉，左肺上葉の順となっている．また感染者に性差はないが，患者は40歳以上の比較的高年齢層に多い．わが国の例では86％を占めている．

免疫学的診断についても皮内反応，Ouchterlony 法，免疫電気泳動法，ELISA 法などが利用されている．

【治療】

外科的に摘出する以外に方法はない．しかし肺寄生の場合，イヌ糸状虫症の確診がつけば，それ以上増悪することはないので摘出手術をする必要はない．

註1　Nishimura T et al. (1964)：Biken J. 7：1-8.
註2　吉村裕之ら (1969)：日医新報，2344：26-29.
註3　影井　昇 (1999)：日本における寄生虫学の研究，7：521-549.
註4　物部寛子ら (2012)：Clin. Parasit. 23：49-52.

イヌ糸状虫　141

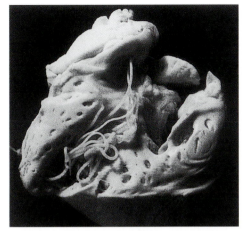

図334. イヌの右心室から肺動脈にかけて寄生しているイヌ糸状虫の成虫

図335. イヌ糸状虫のミクロフィラリア(無鞘)
（山田　稔 博士 撮影）

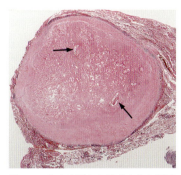

図337. 左の症例から摘出された腫瘤の断面，直径16mm，矢印は虫体の断面

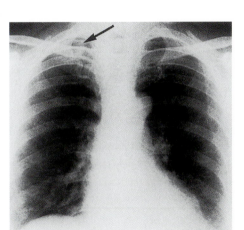

図336. 岡山県の68歳女性の右肺尖部に見出された銭型陰影(黒矢印)と断層写真(右，白矢印)（筆者経験例）
（註：現在ではCT検査の後，診断を兼ねて胸腔鏡下摘出されることが多い）

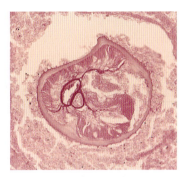

図338. 上の標本中，虫体断面拡大．雄幼若成虫尾端付近

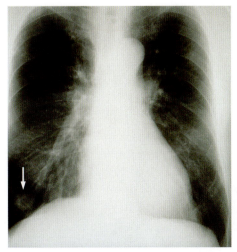

図339. 神戸市の59歳男性の右肺下葉の銭型陰影(矢印)

図340. 左の患者の摘出肺の虫体結節

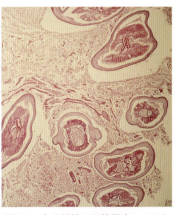

図341. 左の結節の切片標本にみられた多数の虫体断面
（図339，340，341は故 西村　猛 博士の厚意による）

第63項 回旋糸状虫，ロア糸状虫およびメジナ虫

これらの線虫はアフリカ，中南米，中近東などに分布し重要な寄生虫であるがわが国には分布しない．しかし現地で感染し帰国する日本人症例が時々見出される．イベルメクチンによる集団駆虫が奏効している．

回旋糸状虫 Onchocerca volvulus（Leuckart, 1893）

本虫はアフリカの中央部および中南米に広大な流行地があり，患者数は約1,770万人と推定されている．本症は川で発生する**ブユ** black fly によって媒介され，失明を起こすのでアフリカでは river blindness と呼ばれ，グアテマラでは発見者にちなんで **Robles病** と呼ばれている（87頁の写真参照）．わが国ではアフリカで感染し帰国した1日本人症例が報告された（吉村ら，1983）．

【形態と生活史】 本虫はヒトのみに寄生し，成虫は皮下腫瘤の中でコイル状に巻いて寄生している（図345）．成虫の体長は雌330～500mm，雄19～42mm，体幅は雌0.4mm，雄0.2mmと極めて細長い．雌虫から**ミクロフィラリア**が産出され，これは皮下組織内に存在し血中には現れない．体長は平均256μmで**無鞘**である（図344）．媒介者のブユが感染者を吸血してミクロフィラリアを摂取すると，ブユ体内で感染幼虫にまで発育して次の感染源となる．重要な媒介ブユの種はアフリカでは Simulium damnosum 群の数種，中南米では S. ochraceum（第114項，図639参照）や S. metallicum である．

【症　状】

1. **皮膚症状** 皮膚に移行したミクロフィラリアが死ぬと強い瘙痒感，浮腫や萎縮が起こり，脛骨前面の皮膚に脱色斑を生ずる（図348）．また鼠蹊部の皮膚が下垂し hanging groin という症状を呈する事もある．
2. **腫瘤形成** 成虫寄生部位の皮下に小指頭大ないし拇指頭大のコブを形成する．通常これは皮膚と骨が接近している部位に生じやすい（図342, 343）．
3. **眼症状** ミクロフィラリアが結膜から角膜，網膜，視神経へと侵入する．最初は結膜炎や角膜炎のため流涙，羞明を示すが，次第に網膜の炎症，変性，視神経の委縮を起こし失明に至る．コブの多いほど眼病変が強い．

【診　断】 皮膚切除（skin snip法，図346）によりミクロフィラリアを検出する．直径3～5mmの皮膚を切り取り，切った面を下にしてスライドグラス上の生理食塩水中に15～60分放置し遊出してきた幼虫を数える．

【治療と予防】 イベルメクチン ivermectin（商品名ストロメクトール，メクチザン），150μg/kg，空腹時に水で服用，必要に応じ3～6ヵ月毎に同量を投与する．また本症を予防するためWHOはメルク社から本剤の寄贈を受け，1987年以来本症の流行地に延べ数億人に対し本剤の無償投与を継続し撲滅に貢献している．

最近わが国で Onchocerca dewittei japonica（イノシシに寄生）の人体皮下寄生が大分，広島，島根，福岡，福島，滋賀で合計12例見出され，Simulium bidentatum が媒介ブユと報告された[註1]．

ロア糸状虫 Loa loa（Cobbold, 1864）〔African eyeworm〕

アフリカの中・西部に分布し，ヒトの眼からよく検出されるが皮下にも寄生する．わが国では1981年に谷が第1例を報告してから2018年までに輸入症例16例（日本人11例，外国人5例）の報告[註2]がある（図347）．

成虫の体長は雌20～70mm，雄20～30mmで，雄は尾端が巻いている．ミクロフィラリアは体長250～300μm，幅6～8μmで**有鞘**．主に昼間末梢血中に現れる．媒介者は**アブ** horse fly（第114項参照）である．

成虫は全身の皮下組織を移動し遊走性腫瘤を生ずる．幼虫は眼結膜に現れるが失明することはまずない．治療は外科的摘出かイベルメクチン（上記量）投与による．

メジナ虫 Dracunculus medinensis（Linnaeus, 1758）〔Guinea worm〕

インド，中近東，アフリカを中心に約350万人の感染者がいたが1991年以来のWHOの対策により2009年には約3,000人にまで患者が減少した．一方，小林ら（1986）および神谷ら（1992）は日本人症例各1例を報告した．

成虫はヒトの皮下に寄生し，雄は体長3～4cmと小さいが雌は70～120cmと細長い（図349）．受精した雌はヒトの足の末端など水に浸る可能性のある部位の皮下組織に移動してくる．すると皮膚が痒くなり潰瘍を生じ，水に浸すと雌虫の子宮が脱出して破れ，ラブジチス型幼虫が一斉に水中に放出される．この幼虫は中間宿主である**ケンミジンコ**に摂取され，発育して感染幼虫となる．ヒトはこのようなケンミジンコを含む水を飲んで感染する．砂漠地帯は水が不自由でオアシスの貯水場の水は飲料，水浴，洗濯などに共用されるため感染が起こる．症状は寄生部位の強い瘙痒感，皮膚の損傷（図350），筋炎，骨膜炎，蕁麻疹，めまいなどである．治療としては現れた虫を棒に巻きつけてゆっくり巻き取る方法が古くから用いられ，現在も行われている．この際，傷口にコーチゾン軟膏などを塗るとよいという．

註1 Fukuda M et al.（2015）：Parasit Int, 64：519–521.
Uni S et al.（2017）：Parasit Int, 66：593–595.
福田昌子ら（2018）：衛生動物，69 Suppl. 55.
註2 三島伸介ら（2018）：Clin. Parasit. 29：69–74.

回旋糸状虫，ロア糸状虫およびメジナ虫　143

図342. グァテマラの回旋糸状虫患者の腫瘤

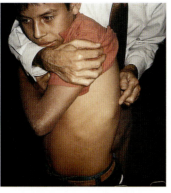

図343. グァテマラの同虫患者の腫瘤

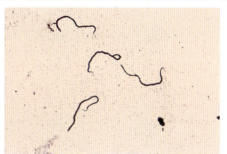

図344. skin snip 法で皮膚から採取した回旋糸状虫のミクロフィラリア

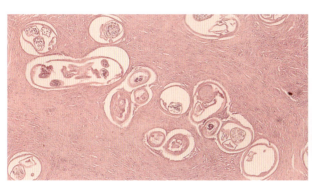

図345. 回旋糸状虫寄生皮膚腫瘤の横切像
コイル状に巻いて寄生している成虫の断面が多数認められる

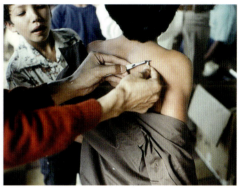

図346. グァテマラで回旋糸状虫患者に skin snip 法を施行しているところ

図347. ロア糸状虫
ザイールで感染した初の日本人症例，53歳，男性．右眼より虫体を摘出中（杉山ら，1988）

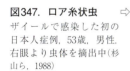
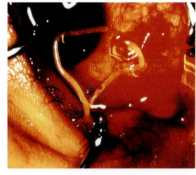

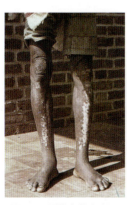

図348. 回旋糸状虫症の脱色素斑

図349. メジナ虫雌成虫
（テヘラン大学 Arfaa 教授寄贈標本）

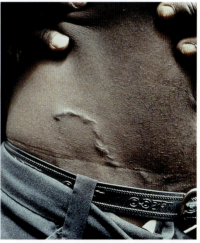

図350. メジナ虫による皮膚爬行症
（ナイジェリアの患者）

（図342, 348, 350は多田　功教授，図343, 346は松尾喜久男教授，図347は藤田紘一郎教授の厚意による）

第64項　鞭虫，肝毛細虫およびフィリピン毛細虫

鞭虫は世界に広く分布し，わが国でも古くから最も普通な腸管寄生虫の一つであったが，最近著しく減少した．しかし時々，特殊な集団生活環境下で濃厚感染例を見ることがある．フィリピン毛細虫は本来わが国には分布しないと考えられていた寄生虫であるが，最近，国内感染例が見出された．肝毛細虫も時々感染例を見る．

鞭虫 *Trichuris trichiura* (Linnaeus, 1771)
[Whipworm]

【疫学】　鞭虫はわが国において最近減少したが，ある特殊な閉鎖環境内で濃厚な感染のみられることがある．例えば筆者の教室で重症心身障害者収容2施設を調査したところ，各々66.7％，97.6％という高い鞭虫感染率を示し，施設内で流行が起こっていると考えられた．同様の感染が他の施設でも報告されている．

【形態と生活史】　成虫は図351，352に示すごとく鞭（むち）のような形をしているのでこの名がある．雌雄とも，体の前約3/5が非常に細くなっており，この部に特殊な構造を持った食道が存在する．体長は雌4～5cm，雄3～4cmで，雄は尾端が強く腹方に巻いている．

食道部は図354に示すようにスティコサイト stichocyte と称する球形の細胞が数珠状に縦に並んでスティコソーム stichosome を形成し，その中を浅く食道が走っている．この横断面（図356）をみると，大きい核を持ったスティコサイト，角皮下にある杵状帯 bacillary band，食道腔などが認められる．組織切片上にこれら特殊構造を見出せば鞭虫の診断が下せる．

成虫は主にヒトの盲腸（図355）に，時に虫垂や結腸に寄生する．その細い体前部を粘膜内に浅く埋没させ，先端の口の部分を粘膜上に現している．

新鮮な糞便中に見られる虫卵は単細胞卵で，長径40～50μm，短径22～23μm，図353に示すごとく厚い卵殻を有し，卵の前端と後端に半透明の栓があり，岐阜提燈様と形容される．色は黄褐色ないし赤褐色と濃い．時にヒトの糞便内に大形卵（70～83μm×26～36μm）が見出され，これをイヌ鞭虫の寄生と考えて報告した例もあるが，ヒトから得た多数の雌虫の子宮内卵を調べてみると，大小2種の虫卵の混在するものがよくあるので大形卵が見出されたからといって直ちにイヌ鞭虫の寄生と速断するわけにはいかない．

虫卵は外界において適温・適湿であれば発育して幼虫形成卵となり，これをヒトが経口摂取すると感染する．嚥下された虫卵は小腸内で孵化し第1期幼虫が現れる．これは直ちに小腸粘膜に侵入し，数日間滞在して一定の発育をとげた後，小腸腔内に現れ，腸管を下って盲腸に達し，ここで定着して成虫となる．

【病理と症状】　少数寄生の場合はほとんど無症状であるが，多数寄生すると異食症（第49項参照），腹痛，下痢，下血，貧血などを来す．図357はコスタリカの例で鞭虫寄生による死亡例である．

【診断】　鞭虫の産卵数は回虫などに比して少なく，1雌虫の1日の産卵数は900～3,000個である．したがって正確な診断を下すためには集卵法を用いるべきである．鞭虫卵の検出にはAMS Ⅲ法（第138項参照）などの遠沈集卵法を用いるのがよい．

【治療】
メベンダゾール mebendazole：3～4mg/kg/日を朝夕2回に分けて服用する方法と，7～8歳以上なら一律に1日200mg（2錠）与える方法とがある．いずれの場合も3日間，重症者には5日間連続投与する．副作用は少ないが催奇性があるため妊婦への投与は禁忌とされる．

肝毛細虫 *Calodium hepaticum*

従来，**肝毛頭虫** *Capillaria hepatica* と呼ばれてきたが最近上記のごとく改められた．本虫はネズミの肝臓に寄生しているが稀に人の肝臓にも寄生し病害を与える．2014年現在，世界で約70例，日本5例（沖縄2例，東京・新潟・兵庫各1例）の症例報告がある[註1]．

フィリピン毛細虫 *Paracapillaria philippinensis*

本虫は元来わが国には分布しないが最近ルソン島で爆発的に流行が起こり（1989年以降患者数1,300人以上，死亡率約10％），次いでタイ国（1973年以降約100名発症），エジプト（1990）等で流行が起こった．わが国では1972年以降，広島，香川，宮崎，三重県から各1例宛見出された[註2]．来日して1ヵ月後に低蛋白血症・浮腫で発見されたタイ人症例の報告もある[註3]．

成虫（図358，359）の体長は雌2.3～5.3mm，雄1.5～3.9mm，ヒトの小腸の粘膜内に寄生し，虫卵と幼虫とを産み出す．虫卵（図360）の大きさは36～45×18～22μmで，糞便中にも現れるが，腸管内で孵化し成虫に発育することもできる（**自家感染**）．したがって虫体が増加し症状が増悪する．

生活史の詳細は不明であるが，**淡水魚**が中間宿主であり，わが国へは渡り鳥による伝播が考えられる．

症状は腹痛，下痢，吸収不良で，放置すると死亡する場合もある．**治療**はメベンダゾール400mg/日，20日間投与がよいとされる．

註1　當眞　弘ら（2011）：Clin. Parasit. 22：59-62.
註2　名和行文ら（1989）：最新医学，44：827-832.
註3　坂部茂俊ら（2007）：日内会誌，96：2282-2283.

鞭虫，肝毛細虫およびフィリピン毛細虫　　145

図351．鞭虫の雌成虫
細い方が頭部

図352．鞭虫の雄成虫
尾端が強く巻いている

図353．鞭虫の虫卵
両端に栓あり，赤褐色

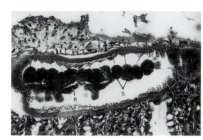

図354．鞭虫の食道の縦切像
　s．スティコサイト，
　e．食道腔

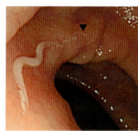

図355．鞭虫の内視鏡像
健診にて発見された鞭虫の単数寄生（回盲部，▼は頭部端の位置）．鉗子による摘出中の像（右）では，頭部は粘膜内に固着．
（中谷敏也 博士 提供）

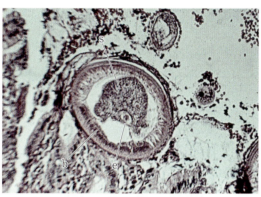

図356．鞭虫の食道部の横切像
　s．スティコサイト，e．食道，b．杆状帯

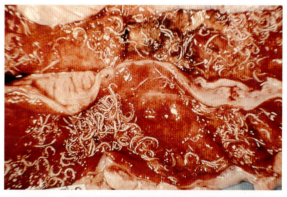

図357．極めて多数の鞭虫寄生を認めた患者の大腸
（図356，357 Dr. Morera の厚意による）

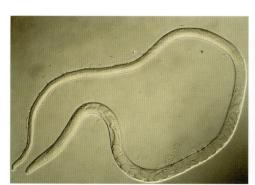

図358．フィリピン毛細虫の雌成虫
（図358〜360は宮崎県で見出された患者からの材料．宮崎大学 名和行文 教授・今井淳一 博士の厚意による）

図359．フィリピン毛細虫の雄成虫

図360．フィリピン毛細虫の虫卵
（微分干渉顕微鏡像）

第65項　旋　毛　虫

旋毛虫は世界に広く分布し，とくに肉食と関係があるため欧米に多く，かつ症状の激しいところから最も重要な人体寄生虫の一つとされてきた．わが国には元来分布しないとされていたが1974年以来，各地でクマの生肉を食べて集団感染が起こり，わが国でも看過できない寄生虫症となってきた．

【種　名】　旋毛虫 *Trichinella spiralis* (Owen, 1835)

【疾病名】　旋毛虫症 trichinosis, trichinellosis

【分　類】　従来，世界の旋毛虫は *T. spiralis* 1種とされていた．現在，Trichinella 属は遺伝子系統的に9種(*T. spiralis, T. britovi, T. nativa, T. nelsoni, T. murrelli, T. zimbabwensis, T. papuae, T. pseudospiralis, T. patagoniensis*)とさらに3種(T6, T8, T9)に分類される．日本ではT9と *T. nativa* の存在が報告されたが，*T. spiralis* は発見されていない．

【疫　学】　世界的に重要な寄生虫であるが日本での存在は近年まで知られていなかった．ところが1957年に大林らは札幌のイヌの筋肉から幼虫を初めて見出し，以後，輸入ミンク，ホッキョクグマ，エゾクロテン，ホンドタヌキ，トラ，クロヒョウ，輸入クマ肉などからも幼虫が見出された．一方，1974年に山口は，青森県岩崎村でニホンツキノワグマの肉を生で食べた20名のうち15名に旋毛虫症が発症したことを報告した．その後，1980年には札幌の郷土料理店でエゾヒグマの生肉を食べた94名のうち12名に本症が発症し，そのうち1名は筋肉生検で幼虫が確認された．そしてこのクマの肉を検査したところ1g中に146隻の幼虫が見出された（小沢ら，大林ら）．さらに1982年には三重県四日市の料理屋でツキノワグマの肉を生食した6名のうち4名が発症し，その後この店でクマ肉を生で食べた人々のうち437名の抗体検査を行ったところ60名が陽性を示した．さらにその後，石川県(1985年)，鳥取県(1986年)，山形県(1986年)から各1例宛，疑わしい患者が出ている．一方，タイ国でブタ肉，チベットでクマ肉を食べて発症した日本人症例もあり，2000年現在，患者は約90例に達しているので今後十分注意する必要がある[註1]．さらに最近，台湾でスッポンを生食して感染した邦人2症例が報告され[註2]，2016年には茨城県でクマ肉を喫食した31名中21名が好酸球増多や筋肉痛を発症する集団食中毒事例があった[註3]．

【形態と生活史】　旋毛虫は他の寄生虫とかなり異なった生活史を持つ．すなわち一般の寄生虫では成虫から産み出された虫卵や幼虫は一度宿主体外に出るが，旋毛虫では幼虫が同じ宿主の筋肉内に移行し，その筋肉を他の宿主が食べることにより感染が伝播する．

まず成虫はブタ，クマ，イヌ，ネコ，ネズミ，イノシシ，ヒトなど種々の動物の小腸粘膜の中に寄生する．雌は体長2～4mm，体幅60～70μm，雄はそれぞれ1.4～1.6mm，40～50μmと非常に小さい．虫体の構造は図361に示すごとくである．

雌虫は小腸粘膜内に，体長約100μmの幼虫を産む（卵胎生 ovoviviparous）．この幼虫は血流あるいはリンパ流によって運ばれ，宿主体内を移行し，最終的に横紋筋に到着したもののみが発育し，宿主側が形成した被囊の中に体を巻いて収まり，感染の機会を待つ（図362，363，364，365）．このような幼虫を他の宿主が食べると，小腸内で幼虫が脱囊し，直ちに小腸粘膜に侵入し，脱皮を行って3～5日で成虫となり交尾し，6日目頃から幼虫を産み始める．雌虫の寿命は約1カ月で，その間に500～1,000隻の幼虫を産下する．

自然界では動物が他の動物を捕食するか，動物同士の共食いなどにより感染が蔓延する．ブタが感染するのは飼料に感染肉やネズミの屍体が混じたりすることによる．ヒトが感染するのは肉の生食で，欧米では熱を十分加えない自家製のソーセージによることが多い．日本での集団感染はクマ肉の刺身であった．

【症　状】　症状は次のごとき経過をたどって進む．

1. 消化管侵襲期　ヒトが感染肉を食べると幼虫が脱囊し直ちに消化管粘膜に侵入し，成虫となり幼虫を産みはじめる．この時期の症状は消化器症状が主で，悪心，腹痛，下痢などを訴える．

2. 幼虫筋肉移行期　幼虫が体内を移行し筋肉へ運ばれる時期で，感染後2～6週間の間にみられ急性症状を呈する．すなわち眼窩周囲の浮腫，発熱，筋肉痛，皮疹，高度の好酸球増加(50～80％に達する)が現れる．筋肉痛はとくに咬筋，呼吸筋に強く，摂食や呼吸が妨げられる．また幼虫の通過により心筋炎を起こし，死の原因となることがあるが，幼虫は心筋では被囊しない．

3. 幼虫被囊期　幼虫が身体各所の横紋筋で被囊する時期で，感染後6週以後である．軽症の場合は徐々に回復するが，重症の場合は貧血，全身浮腫，心不全，肺炎などを併発し死亡することもある．

上記の諸症状は感染した幼虫数にほぼ比例し，ヒトの筋肉1g中の幼虫が1,000隻を超えると重症化するといわれる．わが国の症例はいずれも比較的軽症であった．

【診　断】　上記の諸症状に注意すると共に，摂取した食物について詳しく問診することが大切である．またできれば筋肉の生検を行い，これをガラス板にはさんで鏡検するか，人工消化して幼虫を検出する．免疫学的診断法としてOuchterlony法，ラテックス凝集反応，蛍光抗体法，ELISA法，免疫電気泳動法などが行われているので，このうちのいくつかを併用するのがよい．

【治　療】　重篤な症状を呈している急性期にはまずプレ

旋毛虫 147

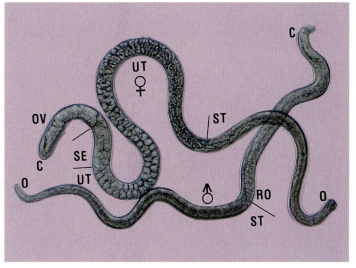

図361．旋毛虫の雌雄成虫
C．総排泄腔，O．口部，OV．卵巣，RO．生殖器，SE．受精囊，
ST．スティコソーム，UT．子宮

図362．旋毛虫の幼虫
（図361，362は高橋優三 教授の厚意による）

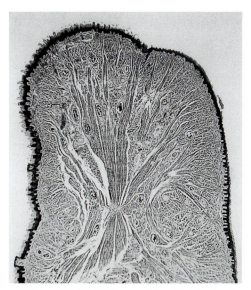

図363．舌筋中に被膜につつまれて散在している
多数の旋毛虫の幼虫（弱拡大）

図364．横紋筋の走行にほぼ
平行し，被膜につつ
まれて寄生している
旋毛虫の幼虫

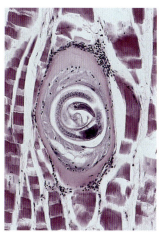

図365．筋肉中の旋毛虫の幼虫
（強拡大）

ドニンなど免疫抑制剤を投与して，人体側の過剰反応を抑え危機を脱し，次いで駆虫薬に切り替える．

駆虫薬としては，①**アルベンダゾール**：400mg/日，分2，5日間投与．肝機能障害，貧血，顆粒球減少，胃腸症状などがある．催奇性があるため妊婦には投与しない．②**メベンダゾール**：5mg/kg/日，分3，5〜7日間投与を行う．

【予　防】　獣肉を生で食べないことが第一である．本虫の被囊幼虫は低温に抵抗力があり，−30℃6ヵ月冷凍の肉によって感染した例もあるという．

註1　塩田恒三ら(1999)：感染症誌，73：76-81．
註2　前田卓哉ら(2009)：Clin. Parasit. 20：37-39．
註3　森嶋康之ら(2017)：Clin. Parasit. 28：45-47．
　　Tada K et al.(2018)：Emerg Infect Dis, 24：1532-1535．
[参考資料]　山口富雄(1989)：日本における旋毛虫および旋毛虫症．561頁，
　　　　　　南江堂，東京．

第2部 人体寄生蠕虫学

II. 扁形動物

A. 吸虫類

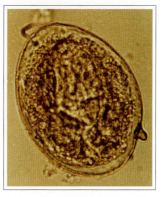

左上：1972年，中国湖南省長沙で発見された紀元前174〜145年頃のものとされる「馬王堆第一号墓」発掘現場の状況．右上：軟侯夫人の遺体が納められた「黒漆素棺」，この中にさらに「赤漆素棺」があった．
左下：軟侯夫人の遺体．右下：その遺体の肝臓から発見された日本住血吸虫の虫卵（第80項参照）

（故 戸谷徹造 博士ならびに故 松尾喜久男 博士の厚意による）

第66項 扁形動物および吸虫綱 総論

医学上重要な寄生虫を大まかに分類すると単細胞の原虫類と多細胞の蠕虫類とに分けられ，さらに蠕虫類は既述の線形動物とこれから述べる扁形動物とに分けられる．扁形動物の特徴は体が扁平なことであるが，中には円筒状のものや球状のものもある．また消化管は一般に退化して簡単になっており，肛門を持たず，中には消化管を欠くものもある．排泄系には焔細胞を有している．扁形動物はさらに吸虫綱と条虫綱に分けられる．

扁形動物の分類
1. 吸虫綱 Class Trematoda
2. 条虫綱 Class Cestoidea

　　（付　鉤頭虫門 Phylum Acanthocephala）

吸虫綱　総論

吸虫綱には単世亜綱と二世亜綱とがあるが，医学的に重要な種はすべて後者に含まれている．これを**二世吸虫 digenetic trematoda** と総称する．

【形　態】　二世吸虫の主な形態的特徴（図367）は，まず2個の吸盤を有し，1つは体前端にあって口を取り囲み，吸着して摂食を助けるので**口吸盤 oral sucker** という．他は体の腹面または後端にあって**腹吸盤 ventral sucker（acetabulum** ともいう）または後吸盤といい，主に体の固定に役立つ．以前2つの口を持つという意味でジストマ distoma といわれたが今は用いられない．

体表構造は図366に示すように外側から，**外被 integument**，**基底層 basal lamina**，**輪状・縦走筋層**（平滑筋），**柔組織 parenchyma** の順で，種によっては外被に棘を有する．また柔組織の所々に外被下細胞があり，これは外被と細胞質管で連絡している．

消化系は体前端の口に始まり，咽頭，食道を経て左右2本の腸管となる．腸管は通常単管で，盲管に終わり肛門はない（図367-A）．不必要な物質は口から吐き出すらしい．体表からも栄養を摂取している．

排泄系は柔組織にある**焔細胞 flame cell** に始まり，老廃物はここから**集合管 collecting tube** に集まり，次いで**排泄嚢 excretory bladder** に運ばれ，体後端の**排泄孔 excretory pore** から排出される（図367-A）．

神経系は原始的で体前端近くに神経節があり，ここから神経線維が各臓器に向かって出ている（図367-B）．

生殖系について，まず吸虫類は住血吸虫を除いて**雌雄同体**である．雄性生殖器は**精巣**に始まり**小輸精管 vas efferens**，**輸精管 vas deferens** を経て**貯精嚢 seminal vesicle** に連なり，その先は射精管，陰茎となる．射精管の周囲には前立腺がある．これらの臓器は陰茎嚢に収められている（図367-B, C）．

雌性生殖器は図367-D, E に示すごとく**卵巣**に始まり，卵細胞は**輸卵管**によって**卵形成腔 ootype** に運ばれる．輸卵管には**受精嚢 seminal receptacle**，**ラウレル管 Laurer's canal** および両側の**卵黄腺 vitelline gland** からきている**卵黄管 vitelline duct** などが開口している．卵形成腔の周囲には**メーリス腺 Mehlis' gland** がある．卵形成腔では受精および卵殻の形成が行われ，受精卵は次第に**子宮**内に移動し**生殖孔 genital pore** から産下される．

受精は2虫体が相接し，陰茎を生殖孔に入れ射精する．精子は子宮内を流れ，受精嚢に貯蔵され，逐一卵細胞との受精が行われる．同一個体内での受精も可能である．

【生活史】　二世吸虫の生活史は複雑で，中間宿主を必要とし，中間宿主の体内で幼虫が増殖する．まず成虫から産下された虫卵は中に**ミラシジウム miracidium** という繊毛を有する幼虫を生じ，これが第1中間宿主（主として淡水産巻貝）に入り，**スポロシスト sporocyst** となる．次いで，この中にいくつかの娘スポロシストを生ずる種と，**レジア redia** を生ずる種があり，レジアの場合はさらにその中にいくつかの娘レジアを生じ母レジアから脱出し発育する．最終的には娘スポロシストまたは娘レジアの中に多数の**セルカリア cercaria** を生ずる．住血吸虫ではセルカリアが直接終宿主に経皮侵入し成虫となるが，他の種ではこれがさらに第2中間宿主に侵入して**メタセルカリア metacercaria** となり，終宿主がこれを食べると感染し成虫となる（153頁図374参照）．

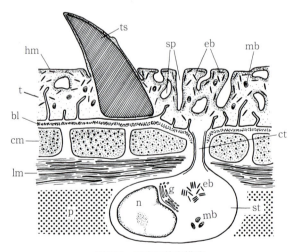

図366．吸虫の体表構造

t. 外被，bl. 基底層，cm. 輪状筋，lm. 縦走筋，hm. 7層外被，ts. 棘，sp. 穴，eb. 桿状体，mb. 膜状体，ct. 細胞質管，st. 外被下細胞（cyton），n. 核，g. ゴルジ装置，p. 柔組織

（材料：マンソン住血吸虫，電顕的観察による）

（松本芳嗣博士ら，1988による）

第67項 人体寄生吸虫の分類[註1]

Phylum Platyhelminthes　扁形動物門
Class Trematoda　吸虫綱
　Subclass Monogenea　単世亜綱
　Subclass Digenea　二世亜綱
　　Order Plagiorchiida　プラギオルキス目
　　　Superfamily Opisthorchioidea　後睾吸虫上科
　　　　Family Opisthorchiidae　後睾吸虫科
　　　　　○# *Clonorchis sinensis*　肝吸虫
　　　　　# *Opisthorchis viverrini*　タイ肝吸虫
　　　　Family　Heterophyidae　異形吸虫科
　　　　　○* *Metagonimus yokogawai*　横川吸虫
　　　　　* *Heterophyes heterophyes nocens*
　　　　　　　　　　　　　　　有害異形吸虫
　　　Superfamily Plagiorchioidea
　　　　　　　　　　　　　　プラギオルキス上科
　　　　Family Dicrocoeliidae　二腔吸虫科
　　　　　# *Dicrocoelium dendriticum*　槍形吸虫
　　　　　# *Eurytrema pancreaticum*　膵蛭
　　　Superfamily Troglotrematoidea　住胞吸虫上科
　　　　Family Troglotrematidae　住胞吸虫科
　　　　○## *Paragonimus westermani*
　　　　　　　　　　　　　ウェステルマン肺吸虫
　　　　　## *P. ohirai*　大平肺吸虫
　　　　　## *P. iloktsuenensis*　小形大平肺吸虫
　　　　○## *P. miyazakii*　宮崎肺吸虫
　　　　　## *P. sadoensis*　佐渡肺吸虫

　　Order Echinostomida　棘口吸虫目
　　　Superfamily Echinostomatoidea　棘口吸虫上科
　　　　Family Echinostomatidae　棘口吸虫科
　　　　　○* *Echinostoma hortense*　浅田棘口吸虫
　　　　　* *E. cinetorchis*　移睾棘口吸虫
　　　　　* *E. macrorchis*　巨睾棘口吸虫
　　　　　* *Echinochasmus perfoliatus*　葉状無背棘吸虫
　　　　　* *E. japonicus*　日本無背棘吸虫
　　　Superfamily Fascioloidea　蛭状吸虫上科
　　　　Family Fasciolidae　蛭状吸虫科
　　　　　# *Fasciola hepatica*　肝蛭
　　　　　○# *F. gigantica*　巨大肝蛭
　　　　　* *Fasciolopsis buski*　肥大吸虫
　　Order Strigeatoidea　有襞吸虫目
　　　Superfamily Schistosomatoidea　住血吸虫上科
　　　　Family Schistosomatidae　住血吸虫科
　　　　　○** *Schistosoma japonicum*　日本住血吸虫
　　　　　** *S. mansoni*　マンソン住血吸虫
　　　　　** *S. haematobium*　ビルハルツ住血吸虫
　　　　○*# *Gigantobilharzia sturniae*
　　　　　　　　　　　　　　　ムクドリ住血吸虫
　　　　　*# *Trichobilharzia physellae*
　　　　　*# *T. brevis*
　　　Superfamily Clinostomatoidea
　　　　Family Clinostomatidae
　　　　　§ *Clinostomum complanatum*　咽頭吸虫

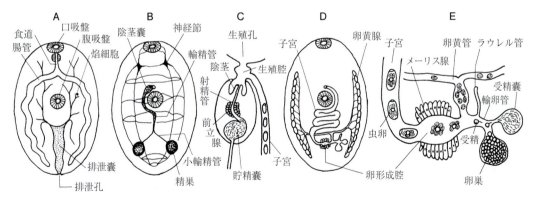

図367. 吸虫の一般構造
A．消化系と排泄系，B．神経系と雄性生殖系，C．陰茎嚢とその付近の拡大図，D．雌性生殖系，
E．卵形成腔付近の拡大図

註1　この分類は La Rue (1957)，横川 (1974) を参考とした．○印はわが国でとくに重要なもの．寄生部位：#胆管または膵管内，*腸管内，##肺内，**血管内，*#血管内および皮下組織内，§咽頭．

第68項 肝吸虫 [A] 形態と生活史

肝吸虫は極東に分布し，わが国にも昔から流行していたが最近，全国的に著明に減少した．成虫はヒトをはじめ種々の哺乳類の胆管の中に寄生している．第1中間宿主はマメタニシ，第2中間宿主は淡水魚で，ヒトは淡水魚を生食して感染する．

【種　名】　肝吸虫 Clonorchis sinensis（Cobbold, 1875）

【疾病名】　肝吸虫症 clonorchiasis

【歴　史】　本虫は1874年にMcConnellがカルカッタで一中国人の胆管から成虫を初めて見出した．わが国では1877年に石坂堅壯[註1]が岡山県で一農夫を解剖し成虫を発見し1878年に発表したが，肝吸虫とはせず「アンキロトマス-デュヲデヌーム」（現在のズビニ鉤虫に相当する）の類かと記述し，後に肝吸虫であったことが判明した（19頁参照）．本虫は永らく**肝臓ジストマ**と呼ばれてきた．英名では **Chinese liver fluke** という．

本虫の生活史ならびに感染経路は，その後久しく不明であったが，1910年小林晴治郎はモツゴなどの淡水魚が第2中間宿主であることを発見し，1918年には武藤昌知が第1中間宿主はマメタニシであることを発見した（総論20, 21頁参照）．

【形　態】　成虫は平たく柳葉状で，体長10～20mm，体幅3～5mmである．基本的構造は前項で述べた通りであるが陰茎囊構造を欠く．口吸盤は直径0.4～0.6mmで体前端腹面にあり，腹吸盤はこれとほぼ同大で，体の前1/4のところの腹面にある．精巣の形態に特徴があり，図368に示すごとく樹枝状で，後述する Opisthorchis 属が囊状を呈するのと異なる（図380参照）．

虫卵の大きさは長径27～32μm，短径15～17μmと蠕虫卵の中では最も小形のグループに属する．肝吸虫卵の特徴はこの大きさの他にもいくつかある（図371）．すなわち前端には陣笠様の**小蓋** operculum があり，その蓋の部分が卵殻より著明に横に張り出している．また色調が淡黄色で尾端に小突起があり，虫卵内にはミラシジウムができている．横川吸虫，異形吸虫などの虫卵と似ており鑑別を要する（156頁**表22**参照）．

【生活史】　成虫はヒト，イヌなど終宿主の肝内胆管内に寄生し（図369），産下された虫卵は胆汁と共に十二指腸に現れ，糞便と共に外界に出る．虫卵は外界では孵化せず，第1中間宿主である**マメタニシ** Parafossarulus manchouricus（図370）に摂取されるとその消化管内でミラシジウムが孵化し，図374に示すようにスポロシストとなり，その中にレジアを生じ，これがスポロシストを脱して発育し，中に多数のセルカリアを生ずる．レジアは同図に示すごとく口吸盤，咽頭，腸管などを持っているのでスポロシストと区別できる．

生産されたセルカリアは逐一レジアを脱し，マメタニシから水中に遊出する．セルカリアは同図に示すごとく頭部と1本の長い尾部とから成り，頭部には2個の眼点 eye spot がある．尾部には鰭状のものがついており，活発に泳いで第2中間宿主である**淡水魚**を求め，鱗の下に侵入し，主として筋肉内で**メタセルカリア** metacercaria（図373, 374-G）となる．メタセルカリアの特徴は，まず大きさが長径0.135～0.145mm，短径0.09～0.1mmで，中の幼虫は体を曲げており，時々回転運動をする．柔組織内には黄褐色の色素顆粒を有し，口吸盤と腹吸盤の大きさはほぼ同じ（それぞれ50μm，60μm）である．また排泄囊の中にはかなり大きな黒色の顆粒が充満している．メタセルカリアの形態は横川吸虫その他の吸虫のメタセルカリアとの鑑別上重要である．第2中間宿主となる淡水魚は**モツゴ**をはじめ約80種が知られている（**図372**, 155頁**表21**）．

このメタセルカリアが魚肉と共にヒトに生食されると小腸内で脱囊し，現れた幼虫は胆汁の流れを遡って総胆管に入り，さらに肝内胆管枝に達し発育する．肝蛭や肺吸虫のように腸管を貫いて腹腔に出ることはない．メタセルカリア摂取後23～26日で成虫に達し，糞便内に虫卵が出現する．本虫の寿命は極めて長く，20年以上に及ぶ記録がある．

【保虫宿主】　肝吸虫は**多宿主性**の寄生虫でヒトの他にイヌ，ネコ，ネズミ，ブタなど多数の保虫宿主が知られている．したがって本虫を撲滅するには，これら保虫宿主のことも念頭におかなければならない．実験的固有宿主としては家兎，ラット，マウス，モルモット，ハムスター，ヌートリアなどが知られている．

魚肉からメタセルカリアを検出する方法

1) **圧平法**　魚肉を2枚のガラス板で圧平し，実体顕微鏡下で探索する．

2) **人工消化法**　魚体を鋏で細切し，検体1gに対し5mlの人工胃液（蒸留水1l，塩酸7ml，ペプシン1gの混液）を加え，37℃で3時間消化し，その後，水で数回洗い沈渣を鏡検する．

註1　石坂堅壯（1878）：肝臓病解剖記事二病症略記，医学雑誌，40：20-26．

肝 吸 虫　153

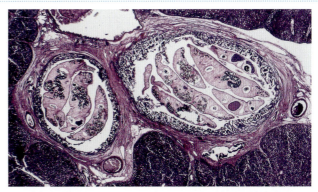

図369. 肝内胆管に充満して寄生している肝吸虫成虫の断面

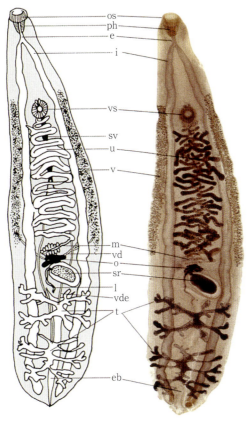

図368. 肝吸虫の成虫

os. 口吸盤, ph. 咽頭, e. 食道, I. 腸, vs. 腹吸盤, sv. 貯精嚢, u. 子宮, v. 卵黄腺, m. メーリス腺, vd. 卵黄管, o. 卵巣, sr. 受精嚢, l. ラウレル管, vde. 輸精管, t. 精巣, eb. 排泄嚢

図370. 第1中間宿主のマメタニシ

図371. 肝吸虫の虫卵

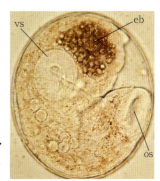

図373. 肝吸虫のメタセルカリア

os. 口吸盤, vs. 腹吸盤, eb. 排泄嚢

図372. 第2中間宿主のモツゴ

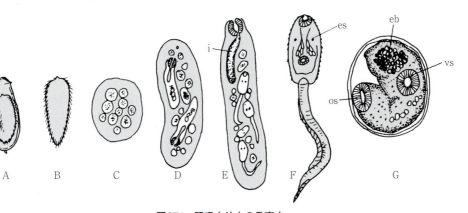

図374. 肝吸虫幼虫の発育史

A. 虫卵, B. ミラシジウム, C. 幼若スポロシスト, D. 発育スポロシスト(中にレジアを生ずる), E. レジア(中にセルカリアを生ずる), F. セルカリア, G. メタセルカリア, i. 腸, es. 眼点, os. 口吸盤, vs. 腹吸盤, eb. 排泄嚢

第69項　肝 吸 虫　[B] 臨床と疫学　付. タイ肝吸虫

肝吸虫はヒトの肝内胆管に寄生し，多数の虫体が長期間寄生すると肝線維症に移行する．わが国では新しい感染は減少したが，この虫の寿命の長いところから，感染者がまだ残存している．また海外で感染する例もある．

【病理および症状】　肝吸虫の感染による病理変化は虫体が胆管枝に詰まり閉塞するため（図369）胆汁のうっ滞が起こり，虫体の刺激と相まって胆管壁ならびにその周囲の慢性炎症を起こす．そのため胆管の拡張ならびに肥厚，肝の間質の増殖，肝細胞の変性・萎縮・壊死などが起こる．肝臓は次第に硬くなり，肝硬変の状態を示す．また多数の虫卵を巻き込んだ胆石を形成することもある（図379）．

以上のような病理的変化のため，患者は，はじめ食欲不振，全身倦怠，下痢，腹部膨満，肝腫大などを示すが，次第に進行すると腹水，浮腫，黄疸，貧血などを来す．このような重篤な症状は多数感染の症例にみられ，少数感染の場合はほとんど無症状に経過する．かつて桂田は一屍体より本虫を4,273隻見出したという．

【診　断】　糞便検査を行い，虫卵を確認して診断を下す．肝吸虫は1虫体当たり1日の産卵数が約7,000個と比較的少ないので少数寄生の場合は集卵法を行わないと見逃しやすい．肝吸虫卵は比重が比較的大きい（1.15～1.20）ので鉤虫卵などに用いる飽和食塩水浮遊法は不適当で，遠心沈殿法によらなければならない（第138項参照）．また肝吸虫卵は十二指腸ゾンデ採取液を遠心沈殿して得た沈渣中にもよく見出される．

肝吸虫症患者の逆行性膵胆管造影（図375），CT像（図376），エコー像（図377）をみると，いずれも肝内胆管の拡張像，異常像が認められ，診断の参考になるが，肝吸虫症の診断には虫卵の確認が必要となる．最近，免疫学的診断法もかなり参考にされている．

【治　療】　肝吸虫に対する有効で副作用の少ない駆虫薬は最近までなかった．塩酸エメチン，クロロキン，ジチアザニン，ヘキサクロロフェン，ヘトール，ビレボンなどが試みられたが，効果のあるものは副作用が強く姿を消した．現在は**プラジカンテル praziquantel**（商品名ビルトリシド Biltricide）という優れた広域駆虫薬（住血吸虫，肺吸虫，横川吸虫，有鉤嚢虫などにも有効）が用いられている．

筆者も現在までに本症患者25例に本剤75mg/kg/日，分3，1日投与を行ったところ22例が根治した．

【疫　学】　肝吸虫は極東に分布する．Hongら（2012）の報告によると中国，韓国，ロシア，ベトナムなどでは現在もなお1,500～2,000万人が感染しているという．わが国では古くから各地に流行地があり，中でも岡山県南部，琵琶湖沿岸，八郎潟，利根川流域，吉野川流域などは濃厚な流行地として知られていた．最近，患者数は減少したが，本虫は寿命が20年以上と長いところから感染者はまだ存在する．神奈川県予防医学協会が平成1～13年の間，人間ドック受診者112,311名の検便を行ったところ9名に本虫卵を検出した．図378はわが国における古くからの主な流行地を示したものである．また，肝吸虫感染は胆管癌発生の危険因子であり，1983～2013年に胆管癌を合併した肝吸虫症の国内報告は20例[註1]あり，その後も散見されている．

【予　防】　ヒトが本虫に感染するのはメタセルカリアを持った淡水魚を生食することによる．第2中間宿主となる淡水魚はわが国で約80種知られているが，フナとかコイのような大形の魚より，むしろモツゴをはじめ表21に示すような小形の雑魚において感染率が高い．しかし初鹿ら（1985）が岡山県南部で行った調査によると，魚の感染率は，フナ1.6～5.9％，コイ3.2～11.1％で，モツゴの25～67％には及ばないが，フナやコイは生食に供される機会が多いので注意を要する．

タイ肝吸虫 *Opisthorchis viverrini*（Poirier, 1886）

タイ国の東北部および北部地方においてヒトに濃厚に感染しており，タイ国における感染者総数は700万人と推定されている．またラオス，カンボジア，マレーシアにも流行している．

成虫は肝吸虫に似ているが，やや小形で，最も著しい相違点は精巣の形態であり，肝吸虫では樹枝状に分岐しているのに対し，タイ肝吸虫では図380に示すように，やや分葉した嚢状である．

第1中間宿主はマメタニシに似た巻貝で，*Bithynia funiculata* や *B. siamensis* など数種の淡水産巻貝が知られている．第2中間宿主はやはり淡水魚で，重要なのは *Cyclocheilichthys siaja, Hampala dispar, Puntius orphoides* などである．人々はこれらの魚を生で食べる習慣があり，とくに生魚を細かく切って塩，レモン汁，ニンニクなどを加え米飯にまぜて食べるKoi-plaという料理が常食となっている．

タイ肝吸虫は，肝吸虫と同様，ヒトの胆管内に寄生し，寿命が10年以上と長く，多数寄生すると肝腫大，黄疸，体重減少を来し死亡することもある．さらに，タイ肝吸虫の濃厚感染地では胆管癌の発生率が高いことが知られている．

またタイ肝吸虫によく似た**ネコ肝吸虫** *Opisthorchis felineus* という種がヨーロッパやシベリアなどに分布しており，ヒトにも感染する．

註1　松林　潤ら（2015）：日本消化器外科学会雑誌．48：328-336．

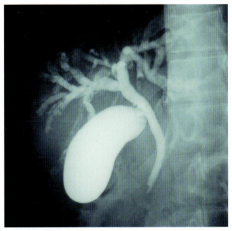

図375. 肝吸虫症患者(55歳, 男性, 京都)の逆行性膵胆管造影像　胆管の拡張を認める.

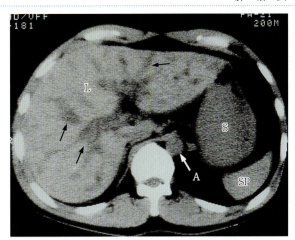

図376. 左と同じ患者のCT像(造影剤注入)
　　　肝内胆管の拡張(矢印)を認める.
　　　L. 肝, S. 胃, SP. 脾, A. 大動脈

図378. わが国における古くからの肝吸虫の主要な流行地(○印)

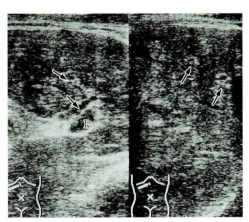

図377. 上と同じ患者の超音波肝エコー像
　　　矢印は拡張肝内胆管, Pは門脈を示す.

表21. わが国で肝吸虫の第2中間宿主となる主な淡水魚

コイ科	
* *Pseudorasbora parva*	モツゴ（イシモロコ）
* *Gnathopogon elongatus caerulescens*	モロコ（ホンモロコ）
* *Gnathopogon elongatus elongatus*	タモロコ
* *Biwia zezera*	ゼゼラ
* *Sarcocheilichthys variegatus*	ヒガイ
* *Acheilognathus lanceolata*	ヤリタナゴ
* *Rhodeus ocellatus smithii*	バラタナゴ
* *Acheilognathus rhombea*	カネヒラ
Tribolodon hakonensis	ウグイ
Carassius cuvieri	フナ
Cyprinus carpio	コイ
ワカサギ科	
Hypomesus olidus	ワカサギ

*筆者らの調査により琵琶湖で肝吸虫幼虫の感染を認めた魚

図379. 肝吸虫患者から摘出した胆石
この中から多数の虫卵を検出した.

図380. タイ肝吸虫
精巣(t)が肝吸虫と異なり分葉嚢状を呈す.

第70項　横川吸虫

本虫は極東に広く分布し，わが国では近年減少の傾向にあるが，未だかなりの感染者がみられる．本虫はヒトの小腸内に寄生する体長1mm程度の小さい吸虫で，少数寄生ではほとんど症状はない．第1中間宿主はカワニナ，第2中間宿主はアユなど淡水魚である．駆虫にはプラジカンテルを用いる．

【種　名】　横川吸虫 *Metagonimus yokogawai* (Katsurada, 1912)

【疾病名】　横川吸虫症 metagonimiasis

【歴　史】　本虫は1911年に横川定が台湾で発見し，1912年に桂田富士郎が新種の記載を行ったものである．第1中間宿主，第2中間宿主は武藤昌知によって発見されるなど，ほとんど日本人によって研究がなされた．

【形態および生活史】　本虫は小形で体長1～1.5mm，体幅0.5～0.8mm（図381）．ほぼ楕円形で図382に示すような構造を持っているが，腹吸盤は生殖盤と合して**生殖腹吸盤装置 acetabulo-genital apparatus** を形成している．図383は高橋成虫の模式図であるが，横川吸虫もこれに酷似する．

虫卵は長径28～32μm，短径15～18μmと小さく，肝吸虫卵に似ているが次の点で異なる．すなわち本虫卵は楕円形で，小蓋が肝吸虫卵のように陣笠状ではなく，卵殻からほとんど張り出していない．卵殻がやや厚く，色調もやや濃く黄褐色である（表22，図386）．

産下された虫卵は中にミラシジウムができており，肝吸虫と同様，外界では孵化せず，第1中間宿主である**カワニナ** *Semisulcospira libertina*（図384）に食べられるとその体内で孵化し，スポロシスト，レジアを経て多数のセルカリアを生ずる．セルカリアは肝吸虫のそれに似ており，頭部と長い尾部を持ち，貝から遊出して第2中間宿主の淡水魚の鱗片の下に侵入し，そこでメタセルカリアとなるが，一部は皮下組織や筋肉内にも侵入する．第2中間宿主は淡水魚で，最も重要なものは**アユ** *Plecoglossus altivelis*（図387）で，その他，**シラウオ**，フナ，ウグイ，コイ，オイカワ，タナゴなど多数の魚が第2中間宿主となっている．

メタセルカリア（図385）の形態は，その大きさ（直径0.14～0.16mm）は肝吸虫に似ているが次の点で異なる．すなわち横川吸虫では生殖腹吸盤装置（長径×短径がほぼ22×18μm）が口吸盤（45×25μm）よりかなり小さく，排泄嚢はY字形で内部の顆粒が肝吸虫のそれよりも小さい（第68項参照）．

メタセルカリアをヒトが摂取すると小腸内で約1週間で成虫となる．イヌやネコなど哺乳類のみならずトビなどの鳥類にも自然感染がみられる（保虫宿主）．

【症　状】　少数寄生の場合はほとんど症状を示さないが，多数寄生すると下痢，腹痛などを起こす．また時に小腸の絨毛内に侵入寄生し慢性炎症を起こす（図388）．最近，腸閉塞（金子ら2006[註1]，藤森ら2005，佐藤ら2004）や小腸穿孔（藪崎ら2010[註2]）を起こし手術の適応となった症例が報告された．

【治　療】　以前は**カマラ**が賞用されたが最近は**プラジカンテル praziquantel** が用いられる．本剤，体重1kg当たり50mgを早朝空腹時に頓用，約2時間後，塩類下剤を与える．また下剤を与えず分3にして1～2日間投与してもよい．

【疫　学】　影井・大島（1968）の調査によると，北海道から鹿児島までほとんどの地区のアユに横川吸虫のメタセルカリアを認めたが，近畿以西の感染率がとくに高かったという．アユ漁の盛んな島根県高津川流域では以前住民の71.8～73.9％が本虫に感染し，また茨城県霞ヶ浦付近の住民の感染率は41～88.2％を示した．また鈴木ら（2000）[註3]によると霞ヶ浦産シラウオの本虫メタセルカリア感染率は88％で，最近はシラウオからの感染が重視されている．

神奈川県予防医学協会が1989～2001年の間，人間ドック受診者112,311名の検便を行ったところ1,645名（1.46％）に本虫卵を検出した．本種は韓国，台湾，東南アジア，シベリアなどにも分布している．

高橋吸虫 *Metagonimus takahashii* Suzuki, 1930

横川吸虫に非常によく似ていて同種説もあった．斎藤（1972）は虫卵の大きさの違いの他に幼虫期の形態差，第2中間宿主選択性の差などから別種とし，現在では精巣や子宮の位置の違い[註4]，遺伝子情報の解析[註5]からも別種と考えられている．

表22．肝吸虫と横川吸虫の虫卵の鑑別点

	肝 吸 虫	横 川 吸 虫
全　形	とっくり型	楕円形
大きさ	27～32×15～17μm	28～32×15～18μm
小　蓋	陣笠状で卵殻から横に張り出している	不著明で卵殻から張り出していない
色　調	黄色	褐色

註1　金子健二郎ら（2006）：日臨外誌，67（増）：891．
註2　藪崎紀充ら（2010）：日臨外誌，71：2611-2614．
註3　鈴木　淳ら（2000）：日寄会東日本大会抄録，30．
註4　Saito S et al.（1997）：Korean J Parasitol. 35：223-232．
註5　Pornruseetairatn S et al.（2015）：Parasitol Res. 115：1123-1130．

横川吸虫　157

図381. 一患者からカマラで駆出した
　　　 横川吸虫の成虫
　　　 体長は約1mmと小さい．

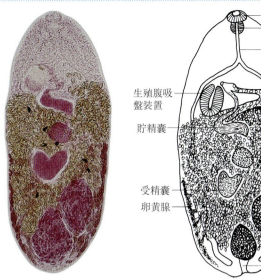

図382. 横川吸虫の成虫

図383. 横川吸虫と類似の高橋吸虫の模式図
　　　 横川吸虫では2つの精巣が列に近接している．

図384. 横川吸虫の第1中間宿主
　　　 カワニナ

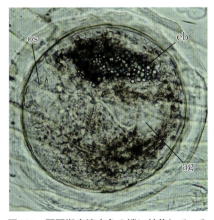

図385. 琵琶湖産淡水魚の鱗に付着している
　　　 横川吸虫と思われるメタセルカリア
　　　 ag. 生殖腹吸盤装置，eb. 排泄囊，os. 口吸盤

図386. 横川吸虫の虫卵
　　　 肝吸虫の虫卵との鑑別が重要．
　　　 （表22参照）

図387. 横川吸虫の重要な第2中間宿主のアユ

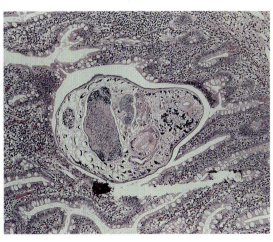

図388. 回腸下部に生じたポリープの粘膜絨毛内
　　　 深く寄生し，慢性炎症を示した症例
　　　 （猪狩弘之医師・粉川隆文医師の厚意による）

第71項　有害異形吸虫，槍形吸虫，肥大吸虫および膵蛭

このうち有害異形吸虫はわが国のある地方で比較的人体寄生が多いが，他の吸虫の人体寄生例は稀である．

有害異形吸虫 Heterophyes heterophyes nocens Onji et Nishio, 1915

エジプトには1853年 Karl T. E. von Siebold が発見した異形吸虫 Heterophyes heterophyes（図389）が分布しており，わが国でもこれによく似た吸虫が発見され，種の検討がなされた結果，生殖盤上の棘の数が異形吸虫では60～90本，わが国のものは52～63本であるところから上記のように亜種として扱われるようになった．

成虫は体長約1mm，体幅約0.5mmと小さく，腹吸盤に接して生殖吸盤 gonotyl という器官がある（図389）．成虫はヒトの小腸に寄生し，症状は横川吸虫に似る．瀬戸内海沿岸や有明海，千葉県から寄生の報告が比較的多い．虫卵は横川吸虫の虫卵に似るが，これよりやや小さく，長径23～27μm，短径14～16μmである（図390）．

第1中間宿主はヘナタリ Cerithidea cingulata（図391）という汽水産の貝で，第2中間宿主はボラ Mugil cephalus，メナダ Liza haematocheilus，ハゼの類など汽水産の魚類である．第1中間宿主は浅田順一，第2中間宿主は恩地興策，西尾恒敬らが発見した．最近，影井ら（1980）はエジプトで異形吸虫に感染した日本人4例を報告した．筆者ら（1984）もまたエジプトで異形吸虫に感染した日本人を駆虫し92隻の成虫を得た（図389，390）．

槍形吸虫 Dicrocoelium dendriticum（Rudolphi, 1818）

本虫はヒツジをはじめ多くの草食動物の胆管に寄生している．ヨーロッパ，北部アフリカ，北アジア，極東などに普通で，わが国にも存在する．この虫卵がヒトの糞便内に見出されたという報告はかなり多いが，そのほとんどはヒトがヒツジの肝臓を食べた後，その中の虫卵が一過性に糞便内に現れたものである．わが国では長野，愛知，岡山で，さらに最近は大阪（小嶺ら），島根（磯部ら）で合計11例，人体寄生例が見出された．

成虫は体長5～15mm，体幅1.5～2.5mm，図392に示すような構造を持っている．2個の精巣が卵巣の前に縦に並んでいるのが特徴である．虫卵（図393）は楕円形で褐色に着色し，卵殻が比較的厚く，明瞭な小蓋を有する．大きさは長径38～45μm，短径22～30μmで，産下されたとき，すでにミラシジウムを内蔵している．

第1中間宿主はカタツムリの類で，その体内でできたセルカリアは数百個集まって粘液で取りまかれ（これを粘球 slime ball という）カタツムリの体外に出る．そしてこれが第2中間宿主のアリに食べられるとその体内でメタルセルカリアとなり，最後に感染アリが偶然終宿主に食べられるとその胆管内で成虫となる．人体寄生の際の症状は肝蛭（第78，79項）寄生時の症状に似る．

肥大吸虫 Fasciolopsis buski（Lankester, 1857）

本虫は通常ブタの小腸内に寄生しているがヒトにもしばしば感染する．流行地は中国，台湾，ベトナム，タイ，マレーシア，インドなどで，わが国には分布しない．

成虫は楕円形で，体長20～75mm，体幅8～20mm，厚さ0.5～3mmと大きく部厚い．体内の構造は図394に示すごとくである．虫卵は大形で長径130～140μm，短径80～85μm，楕円形で卵殻は薄く，前端に小蓋を有し肝蛭の虫卵によく似ている（図395）．

虫卵は糞便と共に外界に出る．虫卵内で発育したミラシジウムは水中に遊出し，中間宿主となるヒラマキガイに侵入する．Segmentina, Hippeutis, Gyraulus などの属の種々の貝が中間宿主となる．貝の中で発育したセルカリアは水中に遊出し，水生植物などの表面に付着してメタセルカリアとなる．これを終宿主が食べると感染する．ヒトは菱の実などを食べて感染することが多い．

症状は腹痛，下痢，下血などである．これは大きな成虫が腸粘膜に吸着し，糜爛や潰瘍を形成するためである．診断は本虫特有の虫卵を検出して行う．駆虫剤はプラジカンテルが有効とされている．

膵蛭 Eurytrema pancreaticum（Janson, 1889）

本虫は東京の駒場農学校のドイツ人教師 Janson によって日本のヒツジから発見された．成虫はウシ，スイギュウ，ブタなどの膵管に寄生している．東アジア，東南アジア，インドなどにも分布する．人体寄生については中国と日本でヒトの糞便中に虫卵を検出したという報告があるが，虫卵は槍形吸虫の卵によく似ているので疑問が残る．ヒトの膵管から成虫を見出したという報告は中国で1例あったが，わが国で石井ら（1983）[註1]が福岡県の一女性の剖検で成虫15隻を，また高岡ら（1983）[註2]は大分県の一女性の手術により3隻の成虫を見出した．成虫は体長約10mm，体幅約5mmで図396のような構造を持つ．第1中間宿主はオナジマイマイなど陸産貝，第2中間宿主は直翅目のササキリ類である．

註1　Ishii et al.(1983)：Amer. J. Trop. Med. Hyg. 32：1019-1022.
註2　高岡宏行ら(1983)：寄生虫誌，32：501-508.

有害異形吸虫，槍形吸虫，肥大吸虫および膵蛭　**159**

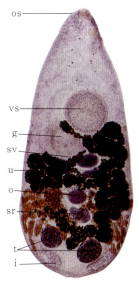

図389．異形吸虫の成虫
エジプトで感染し，帰国後筆者らが駆虫した患者(40歳，女性)から得た虫体
os. 口吸盤，vs. 腹吸盤，g. 生殖吸盤，sv. 貯精嚢，u. 子宮，o. 卵巣，sr. 受精嚢，t. 精巣，i. 腸管

図390．異形吸虫の虫卵
（図389の患者より排出）

図391．有害異形吸虫の第1中間宿主のヘナタリ

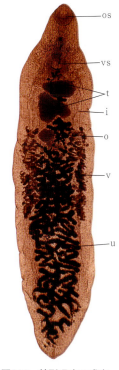

図392．槍形吸虫の成虫
v. 卵黄腺，他の略語は図389参照

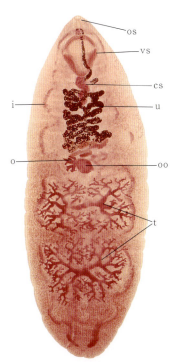

図394．肥大吸虫の成虫
oo. 卵形成腔，cs. 陰茎嚢，他の略語は図389参照

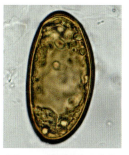

図393．槍形吸虫の虫卵
（故 高田季久 教授の厚意による）

図395．肥大吸虫の虫卵

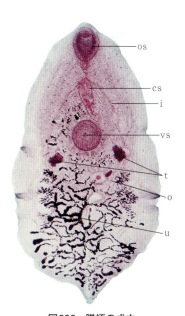

図396．膵蛭の成虫
cs. 陰茎嚢，他の略語は図389参照

第72項　ウェステルマン肺吸虫　[A] 分類と形態

肺吸虫はその名の示すごとく哺乳動物の肺に寄生する．近年，次々に新種の記載が行われ，現在，世界で50種以上が独立種として報告されている．わが国にはウェステルマン肺吸虫，宮崎肺吸虫，大平肺吸虫，小形大平肺吸虫，佐渡肺吸虫の5種が記載された．ところが最近，ウェステルマン肺吸虫には，3倍体と2倍体の2型があり，成虫の形態，生殖方法，中間宿主，分布などを異にするという意見が有力になってきた．本書はこれらの意見を紹介しながら，ヒトに寄生する3倍体のウェステルマン肺吸虫を中心に解説する．

【種　名】　ウェステルマン肺吸虫 *Paragonimus westermani*(Kerbert, 1878)
【疾病名】　肺吸虫症 paragonimiasis
【歴　史】　1877年 Kerbert はアムステルダムの動物園で死んだインド産のトラの肺に本虫を発見し1878年に *Distoma westermanii* と命名記載した．翌1879年 Ringer は台湾の淡水でヒト(ポルトガル人)から初めて成虫を発見した．わが国では Baelz が1878年に患者の喀痰中に本虫の虫卵を見出したが一種の原虫と考え *Gregarina pulmonalis* と命名し1880年に発表した．また清野勇らは1881年岡山で解剖により成虫を得，これは1883年，中浜東一郎によって肺ジストマ *Distoma pulmonis* と名付けられた．Bealz もその後原虫説を改め1883年 *D. pulmonale* と訂正した．属名は1899年に Braun が *Paragonimus* なる新属を設け，以後これが用いられている註1．

3倍体型と2倍体型について：世界に分布するウェステルマン肺吸虫は唯1種と考えられてきたが，染色体の研究に端を発し，宮崎(1977)は本虫をベルツ肺吸虫とウェステルマン肺吸虫の2種に分けることを提唱した(相違点は表24参照)．しかし現段階では一般にウェステルマン肺吸虫の3倍体型および2倍体型と呼称する方が多い．

【形　態】　成虫は体が部厚くラグビーボール様で，よく発育した成虫は体長12mm，体幅7mm，厚さ5mmに達する．生きた状態で観察すると(図397)，肉色，半透明の囊状で盛んに伸縮屈曲運動を行う．体表には図398に示すような皮棘が配列しているが，ウェステルマン肺吸虫の皮棘はほぼ単生であり，先端が2〜3棘以上には分かれないのが特徴である．

この部厚い虫体を注意深く圧平・固定し，デラフィールドのヘマトキシリンまたはカルミンで染色すると図398に示すような構造がわかる．その特徴を挙げると，口吸盤と腹吸盤とはほぼ同じ大きさで直径は0.8mm前後で，腹吸盤のすぐ下には生殖門が開いている．卵巣は体のほぼ中央でどちらかに偏して位置し，6本の棍棒状に分葉しているのが特徴で，他の肺吸虫との鑑別に役立つ．子宮は卵巣の反対側にあり，塊状で中に虫卵を満たしている．精巣は体の後方に一対あり，左右それぞれ6葉および5葉に分葉していることが多い．

虫卵(図399)は喀痰および糞便の中に現れる．色調は濃い褐色で前端に明瞭な小蓋を有する．大きさは長径80〜90μm，短径46〜52μmで人体寄生虫の虫卵の中では大形の部類に属する．虫卵の形態は虫種の鑑別に役立つ．本虫卵の特徴はその大きさの他に，全体として形が変異に富み，左右非相称で，小蓋のある側，すなわち前半に最大幅があり，後半はやや尖るものが多い．また小蓋のない端の卵殻は著明に肥厚している．産下されたときの虫卵には未だミラシジウムの形成はみられず，1個の卵細胞と数個の卵黄細胞が存在する．

表23．現在までに世界で人体寄生が認められた肺吸虫の種

種　名	分　布
1. *Paragonimus westermani* (Kerbert, 1878)	インド，スリランカ，マレーシア，インドネシア，フィリピン，タイ，中国，ロシア，台湾，韓国，日本
2. *P. skrjabini* Chen, 1959	中国
3. *P. miyazakii* Kamo et al., 1961	日本
4. *P. heterotremus* Chen et Hsia, 1964	中国，タイ，ラオス，インド
5. *P. africanus* Voelker et Vogel, 1965	カメルーン
6. *P. uterobilateralis* Voelker et Vogel, 1965	カメルーン，リベリア，ナイジェリア
7. *P. mexicanus* Miyazaki et Ishii, 1968	メキシコ，グァテマラ，コスタリカ，パナマ，ペルーなど
8. *P. kellicotti* Ward, 1908	北米

註1　本虫の学名について：最初の記載は *Distoma westermanii* となっているが，Kerbert は3年後の論文で *Distomum westermani* と語尾の *i* を1つにしている．その後属名が *Paragonimus* と変更されたが，種小名の語尾については原記載通り *i* を2つ付ける説と，文法通り1つにすべきとの両論がある．日本寄生虫学会用語委員会(1994)は前者を採用した．本誌も前者を採用してきたが，現在世界のほとんどの文献は後者を用いるようになったので本誌も第7版から後者を採用することとした．

ウェステルマン肺吸虫

図397. 生きた状態のウェステルマン肺吸虫の成虫

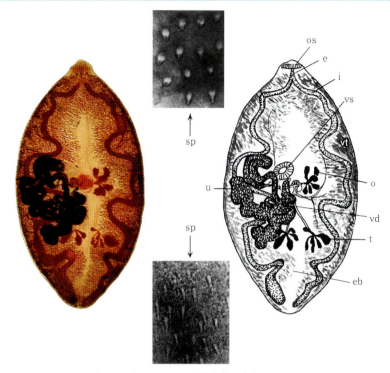

図399. ウェステルマン肺吸虫の虫卵
（矢印は小蓋）

図398. ウェステルマン肺吸虫の成虫（3倍体型）
e. 食道, eb. 排泄囊, i. 腸管, o. 卵巣, os. 口吸盤, sp. 皮棘, t. 精巣, u. 子宮, vd. 輸精管, vs. 腹吸盤, vt. 卵黄腺

（1906年，京都府立医科大学で島村，角田が16歳の少年の脳から摘出した標本である）

表24. ウェステルマン肺吸虫の3倍体型と2倍体型の相違点

	ウェステルマン肺吸虫（3倍体型）	ウェステルマン肺吸虫（2倍体型）
宮崎の提唱する種名と和名	*Paragonimus pulmonalis* ベルツ肺吸虫	*Paragonimus westermani* ウェステルマン肺吸虫（さらに4亜種に分ける）
成虫の形態	貯精囊，受精囊に精子がない	貯精囊，受精囊に精子が充満している
染色体数	3n = 33	2n = 22
生殖方法	単為生殖	両性生殖
第1中間宿主	カワニナ	カワニナ
第2中間宿主	モクズガニ（稀にサワガニ）	サワガニ（稀にモクズガニ）
終宿主	ヒトが主，その他イヌ・ネコなど	タヌキ，キツネ，イヌなど，ヒトは稀
虫卵の形態	大形（80〜90×46〜52μm），左右非対称，尾端肥厚厚，最大幅の位置虫卵の前半	中形（70〜77×40〜45μm），左右非対称，尾端肥厚軽度，最大幅の位置虫卵の中央
ヒトへの感染性	通常，肺実質内で成虫にまで発育し，虫囊を形成して，虫卵を排出する	未熟成虫の状態で胸腔に寄生，稀に胸水中に虫卵を認める
症状	血痰	胸水，気胸，高度の好酸球増加
分布	日本，韓国，中国，台湾のみ．日本では宮城，福島，新潟，静岡，岐阜，石川，福井，京都，兵庫，岡山，鳥取，島根，山口，徳島，愛媛，高知，福岡，大分，佐賀，熊本，長崎，宮崎，鹿児島	日本，韓国，中国，台湾，インド，スリランカ，タイ，フィリピン，ロシアなど．日本では秋田，千葉，静岡，愛知，岐阜，石川，福井，京都，滋賀，奈良，三重，兵庫，鳥取，大分，沖縄

（宮崎一郎，藤 幸治(1988)：図説人畜共通寄生虫症，九州大学出版会などによる）

第73項　ウェステルマン肺吸虫　[B] 生活史と感染

成虫はヒトをはじめ種々の動物の肺に寄生する．第1中間宿主はカワニナ，第2中間宿主はモクズガニ，サワガニなど淡水産カニで，感染はカニの生食による．またカニを食べて本虫の幼虫を筋肉内に保有するイノシシなど待機宿主の肉を生食しても感染する．最近これらのカニの料理が紹介され本虫感染者が再び出始めている．

【生活史】　成虫は終宿主の肺実質の中に虫嚢を形成し，たいていその中に2隻棲息している（次項図406，407）．産下された虫卵は喀痰と共に外界に出る．また喀痰を嚥下すると糞便の中に出る．この虫卵は水中に入り，温度が25〜30℃であると2〜3週間で中にミラシジウムを形成する．これは水中で孵化して活発に泳ぎ，第1中間宿主である**カワニナ** *Semisulcospira libertina*（図400）に侵入し，スポロシスト→レジア→娘レジアと発育し，最終的には多数のセルカリアを生ずる．第1中間宿主の発見は1915〜1922年の間に中川幸庵，宮入慶之助，小林晴治郎，その他の人々の研究によって決定された．

肺吸虫のセルカリアは図401に示すように尾が短いのが特徴で，このため活発に水中を泳ぐことはなく，水底を這うようにして運動する．これが第2中間宿主であるカニ類に侵入する方法について横川宗雄（1952）[註1]はカニがカワニナを食べるときにセルカリアを一緒に摂取するとしたが，筆者は大平肺吸虫を用いた実験で，セルカリアはカニの脚の関節部などから経皮的に侵入して感染するとした（吉田，1961）[註2]．その後，嶋津（1981）[註3]はウェステルマン肺吸虫3倍体を用いた実験でセルカリアをサワガニに接触させた場合はメタセルカリアを生じたが食べさせた場合は生じなかったと報告した．また浜島ら（1991）[註4]はやはり3倍体を用い，接触させた群にはメタセルカリアを生じたが，摂食，注射群には生じなかった．しかし柴原（1991）[註5]は，2倍体を用いた実験で経口・経皮両方法で感染が成立したと報告した．

本種の第2中間宿主については，中川幸庵（1915）が台湾新竹州でラスバンサワガニ，タイワンサワガニおよびモクズガニであることを発見した．現在までにわが国で知られた第2中間宿主は**モクズガニ** *Eriocheir japonica*（図403）（種小名の語尾変更については218頁参照），**サワガニ** *Geothelphusa dehaani*（図402）および**アメリカザリガニ** *Procambarus clarkii*（図405）であるが，ヒトの感染源として重要なものはモクズガニとサワガニである．

モクズガニは図403（第103項参照）に示すごとく鰲脚 cheliped に苔のような毛が密生し，大形になると背甲 carapace の長径が10cmに達する．セルカリアはモクズガニの体内に入ると主として体および脚の筋肉内，あるいは鰓の静脈内でメタセルカリアとなる．一方サワガニでは主に肝臓および筋肉内でメタセルカリアとなる．

メタセルカリアの形態は肺吸虫の種の鑑別上重要である．ウェステルマン肺吸虫のメタセルカリアはほぼ球形で直径が0.3〜0.4mmあり，モクズガニの鰓静脈内では白い点として肉眼で認められる．メタセルカリアは図404に示すごとく，その被膜は薄い外膜と強靭な内膜とからなり，内膜はさらに内外2層からなっている．その中に幼虫が体を縮めて存在し，中央に顆粒を満たした排泄嚢があり，それをとりまいて腸管が螺旋状に見える．

メタセルカリアが終宿主に経口的に摂取されると小腸内で脱嚢し，幼虫は腸管を貫いて腹腔に出る．次いで腹壁の筋肉内に侵入し，一定の発育をとげ，約1週間後，再び腹腔内に現れ，横隔膜を貫いて胸腔に入り，肺胸膜を貫いて肺に入り成熟する（横川，1962）．メタセルカリア摂取後，成熟・産卵までの期間は約2ヵ月である．時に幼虫が他の臓器や皮下に迷入したり，また成虫が脳などに迷入することがある．

【感染と疫学】　ヒトはカニ体内のメタセルカリアを経口摂取して感染する．最も重要な感染源はモクズガニで昔から食用に供されてきた．料理法は潰してカニ汁などにするが，その際，生の肉片が俎板や包丁に付着して二次的にヒトの口に入る場合が多い．1970年頃まではこのようにして感染した患者が日本の各地に多数存在したが，その後，啓蒙運動，食生活の改善，河川の汚染によるモクズガニの減少などで患者は減少していた．ところが近年，2つの流行形態で感染が再興している．1つは乗松ら（1975）が南九州で136名の本症患者を発見し，それらはイノシシの肉の生食が原因と考えられた．すなわち待機宿主のイノシシがカニを食べると肺吸虫の幼虫は筋肉内に移行し，それをヒトが食べて感染する．実際にイノシシの筋肉内から幼虫が検出されている．その後，患者は増加し241例に達した[註6]．いま1つの流行形態はアジア系在日外国人が母国産あるいは日本産の生蟹を用いた母国料理（中国の酔蟹，タイの somtampoo 料理など）で感染する例で，宮崎大学の長安ら（2013）[註7]は2001年から2012年の間に443例の肺吸虫症を診断し，その出身地は日本321例，中国50例，タイ34例，韓国26例，その他12例となっている．日本人感染者の約半数はイノシシの肉の生食によるとしている．一方，対馬，兵庫県円山川，佐賀県玉島川などでモクズガニからメタセルカリアが再び検出され始め，玉島川では20％という高い感染率を示し，カニ1匹当たりのメタセルカリア最多数は167個であった（平野ら，2004，2005）[註8]．

最近，草食獣であるシカにも肺吸虫の幼虫が検出され[註9]，不完全加熱のシカ肉摂取も感染の原因となることが明らかになった．

図400. ウェステルマン肺吸虫の
第1中間宿主のカワニナ

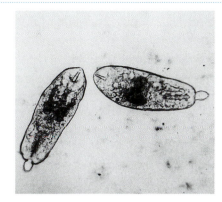

図401. 肺吸虫のセルカリア（尾が短いのが特徴）
e. 食道, eb. 排泄嚢, i. 腸管, pg. 穿刺腺(7対), os. 口吸盤,
st. 穿刺棘, vs. 腹吸盤, t. 尾

図402. 第2中間宿主のサワガニ

図403. 第2中間宿主のモクズガニ

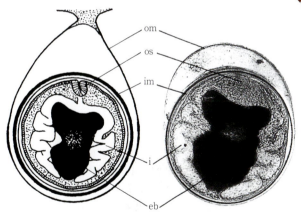

図404. ウェステルマン肺吸虫のメタセルカリア
om. 外膜, os. 口吸盤, im. 内膜, i. 腸管, eb. 排泄嚢

図405. 第2中間宿主のアメリカ
ザリガニ

註1 Yokogawa M (1952, 1953)：Jap. J. Med. Sci. & Biol. 5：221-237, 5：501-516, 6：107-118.
註2 吉田幸雄(1961)：医学と生物学, 61：1-4, 61：32-35, 61：65-68, 61：133-136, 61：148-152.
註3 Shimazu T (1981)：Jap. J. Parast. 30：173-177.
註4 浜島房則ら(1991)：寄生虫誌, 40(補)：126-127.
註5 Shibahara T (1991)：J. Helminth. 65：38-42.
註6 乗松克政(1986)：呼吸, 5：144-151.
註7 長安英治ら(2013)：Clin. Parasit. 24：100-102.
註8 平野敏之ら(2004, 5)：佐賀県衛生薬業センター所報, 29.
註9 Yoshida A et al.(2016)：Parasitol Int. 65：607-612.

第74項 ウェステルマン肺吸虫 [C] 臨床

本虫は主としてヒトの肺実質内に寄生するので患者は血痰を喀出し、また胸部X線所見上、種々の陰影を示し肺結核や肺癌と誤診されやすい。本虫はまた脳をはじめ人体各所に異所寄生する性質がある。診断は喀痰または糞便からの虫卵検索の他、種々の免疫学的診断法が有用である。治療はプラジカンテルが有効である。

【病理および症状】

成虫は肺実質内に寄生し、寄生期間が長いと虫体の周囲に結節状の虫嚢を形成する（図406, 407）。これはだいたい拇指頭大で、中には組織破壊物、血液、虫体の排泄物、虫卵、シャルコー・ライデン結晶などを含んだチョコレート色の汚い液が貯留している。

虫体周囲の好酸球性炎症が基本病態であり、最終寄生部位である肺寄生では、主症状は咳、**血痰、胸痛、胸水貯留**による呼吸困難などである。

本虫は、肺以外の人体各所への移行（迷入、異所寄生）も時に生じ、脳、皮下、腹腔内臓器、縦隔洞、眼窩、泌尿生殖系、咬筋などからも見出されている。脳への異所寄生では頭痛・嘔吐・癲癇様発作・視力障害・麻痺など脳腫瘍に似た症状を示し致命的なこともある（**脳肺吸虫症 cerebral paragonimiasis**）。最初の例は日本で発見された（大谷, 1887）。その後わが国で百数十例が知られている。図398の写真に示した成虫は1906年、島村・角田が16歳の少年の脳から採取し1907年に報告したものである[註1]。

【診 断】

胸部症状と好酸球増多、さらに胸部画像検査と血清抗体検査で診断に至ることが多いが、確定診断は虫卵または虫体の証明である。かつての国民病であった結核症との鑑別では、チョコレート色の汚い血痰を出し、一般状態が比較的良く、ツベルクリン反応陰性のときはまず本症を想起すべきであるとされた。

虫卵は喀痰や気管支洗浄液および糞便から見出される。喀痰を少量スライドグラス上にとり、直接カバーグラスをかけて鏡検すると、虫卵が多い場合は直ちに特有の虫卵を見出す。しかし虫卵が少ない場合は、試験管に喀痰をとり、約10倍量の2% NaOHを加え攪拌し、約10分後に遠心沈殿して沈渣を鏡検する。喀痰は無意識に嚥下されるので、糞便検査は必要である。AMS III法などの遠心沈殿集卵法（第138項参照）を用いるのがよい。

画像検査も極めて大切である。胸部X線像では浸潤影、結節影、輪状透亮影、胸水貯留、気胸など種々の陰影を示し一定しないが、断層撮影を行うと明瞭な像を把握できることが多い（図408, 409）。現在では、CT, MR等が活用され、肺のみならず脳など移行臓器の病変診断に非常に有用である[註2, 3]。胸部XPのみでは鑑別が困難で、肺結核として治療されていたという例が過去には多数ある。最近は肺癌との鑑別の方が重視される。

肺吸虫症の場合は免疫学的診断が多く利用されている。現在はELISAが主に行われる（図208参照）。その他にOuchterlony法、免疫電気泳動法も用いられ、血清学的に肺吸虫の種類を推定できる（図411）。かつては皮内反応 skin testが行われた（図410）。VBS抗原（veronal buffer saline antigen）などの診断用抗原をツベルクリン注射器で、膨隆の直径が3〜4mm（0.01〜0.02ml に相当）になるよう皮内に注入する。15分後に再び膨隆の径を計る。判定の具体例を示せば、

注射時の膨隆の縦横径 3×4mm（平均4mm）
15分後の膨隆の縦横径 8×10mm（平均9mm）
腫脹差　9mm − 4mm ＝ 5mm

判定基準は腫脹差が3mm以下陰性、4mm疑陽性、5mm以上陽性とされた。反応が強いときは偽足状に腫脹の拡大が観察された。皮内反応が陰性の場合は、ほぼ確実に肺吸虫を否定できた。陽性の場合は、虫卵検査や他の血清反応を行う必要があったが、結核や肺癌などとの鑑別上便利であり、かつ多数の住民に実施するスクリーニング法として、またその地方の浸淫度を推定する上で価値があった。

現在は、虫卵あるいは虫体が得られた場合は遺伝子解析により虫種の確定も行われている。虫卵あるいは虫体、およびそれらを含む可能性のある検体は、DNA破壊を防ぐようにエタノールで固定するとよい。

【治 療】

本症の治療には古くから塩酸エメチンとサルファ剤の併用法が用いられ、近年は横川らの研究により**ビチオノール bithionol**（商品名ビチン）が卓効を示すことがわかり広く用いられてきたが、すでに製造販売が中止された。

現在は**プラジカンテル praziquantel**（商品名ビルトリシド）75mg/kg/日、2〜3日間の連用が推奨されている。胸水貯留例では、十分排液した後に投与する。好酸球数や画像の改善、血清抗体価の低下などが効果判定に用いられる。

脳肺吸虫症の場合、過去において何例か開頭術によって虫体が摘出されたが、脳腫瘍ではなく肺吸虫の診断が下せればプラジカンテルによる強力な薬剤治療をまず試みるべきであろう。

註1　島村俊一ら（1907）：東京医会誌, 21：14-29.
註2　Nakamura-Uchiyama F et al.（2006）: Tropical Lung Disease 2nd Edition. pp. 295-326, Taylor and Francis, NY.
註3　Henry TS et al.（2012）: AJR Am J Roentgenol. 198：1076-1083.

図406. ウェステルマン肺吸虫のメタセルカリアを実験的にイヌに与え，生じた虫嚢(矢印)

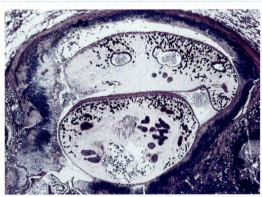

図407. 実験感染イヌの肺の組織切片像
虫嚢内に2隻の成虫がペアで寄生している

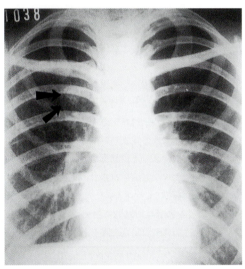

図408. 京都府竹野郡網野町で見出したウェステルマン肺吸虫症の一少女(16歳)の胸部X線像
右肺上葉に虫嚢結節が認められる(矢印). 喀痰と便の中に虫卵陽性, ビチオノール投与により根治した.

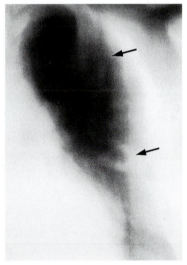

図409. 左と同じ地域の別の少女(7歳)の左肺の断層撮影
矢印の所に虫嚢の輪状透亮影が明瞭に認められる. 本例は肺葉切除術を行い, 病巣から成虫1隻を摘出した.

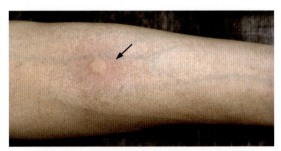

図410. 肺吸虫症患者の皮内反応(矢印は膨隆)

図411. 図410の患者の Ouchterlony 法
ウェステルマン肺吸虫抗原(Pw)との間に著明な沈降線を認める. Pm. 宮崎肺吸虫, Po. 大平肺吸虫, Fh. 肝蛭, As. 回虫, Dm(l). マンソン裂頭条虫幼虫の抗原

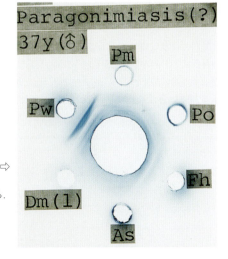

第75項　宮崎肺吸虫

本虫は日本に広く分布する．終宿主はイタチ，タヌキなど．第1中間宿主はホラアナミジンニナ，第2中間宿主はサワガニである．本虫は本来獣類の寄生虫であるが，ヒトがサワガニを生食しメタセルカリアを摂取すると若成虫にまで発育し，胸腔に寄生し，胸水，気胸などを起こす．しかし時に成虫にまで発育し肺実質内に寄生することもある．本虫は日本の各地に分布する．

【種　名】　宮崎肺吸虫 *Paragonimus miyazakii* Kamo et al., 1961
（最近 *Paragonimus skrjabini miyazakii* と亜種にする説が出ている）

【歴　史】　1955年に宮崎一郎は九州のイタチから一種の肺吸虫を得，成虫の形態は米国のケリコット肺吸虫に似るが別種かもしれないと述べた．1961年になって加茂らはサワガニから新しい形態のメタセルカリアを得て動物に感染させ成虫をみたところ宮崎の得た成虫に一致し，宮崎肺吸虫と名付けた[註1]．

【形態と生活史】　成虫は通常，イタチ，テン，イノシシ，イヌ，ネコ，タヌキなどの肺に寄生している．成虫の形態的特徴は，加茂らによると，①圧平標本における虫の全形は両端が細くのび紡錘形を示すこと，②皮棘は単生，③卵巣はかなり複雑に分枝（次項図425参照），④精巣もかなり長い分枝を出す，⑤口吸盤は腹吸盤よりやや小さい，などの点である（図412）．

虫卵は特異的で図413に示すごとく，まず大きさが長径 $73.87 \pm 3.76\,\mu m$，短径 $43.19 \pm 2.44\,\mu m$ と肺吸虫卵としては小さく，卵殻の厚さも $1.02\,\mu m$ と薄い．また無蓋端の卵殻は肥厚せず，小さな凹みを示すことが多い．

第1中間宿主はホラアナミジンニナ *Bythinella nipponica* という微小な淡水貝（図414）であることが初鹿ら（1966）によって明らかにされた．また東海地方の宮崎肺吸虫はカワネミジンツボ *Saganoa kawanensis* という微小な貝が中間宿主としての役割を果たしていることを佐野ら（1979）が明らかにした．

第2中間宿主はサワガニ *Geothelphusa dehaani*（図402）で主に心臓付近にメタセルカリアが寄生しており，その形態が他種と異なる．まず直径が $480\sim490\,\mu m$ と大きく，かつ内膜・外膜ともに厚く，それぞれ $16.8\,\mu m \cdot 10.3\,\mu m$ で，さらにその外側を厚い膜が被うことが多い（図415，426参照）．本種のメタセルカリアは肝臓にも寄生しているが，エラや筋肉内には極めて少ない．

第72項で述べたごとくわが国各地のサワガニにはウェステルマン肺吸虫（2倍体型）のメタセルカリアも寄生しており，これと宮崎肺吸虫のメタセルカリアとの鑑別が問題となる．種々の研究によると，典型的な場合は，寄生部位，大きさ，外膜の厚さなどで区別できるが，正確には実験動物に感染させ，成虫を観察する必要がある．

【症　状】　従来わが国でヒトに寄生する肺吸虫は，ウェステルマン肺吸虫だけと考えられていたが，1974年以降，横浜，東京，山梨，京都でサワガニ生食後に**気胸**や**胸水貯留**などを起こし，強い**好酸球増加**を示す患者が次々発見され，免疫学的検索で宮崎肺吸虫の抗原と最も強い反応を示すところから本虫の感染と考えられるようになった．その後，症例は各地から報告され2014年までに169例を数えるが特に東京都，神奈川県に多い．

宮崎肺吸虫症の症状の特徴は喀痰や血痰よりむしろ胸痛で，胸痛を主徴とする割合がほぼ半数を占めていた[註2]．虫体が肺の中に虫嚢を形成せず，したがって血痰などは出さずX線像でも虫嚢像はみられず，気胸や胸水貯留像がみられる．この理由は宮崎肺吸虫にとってヒトは好適な宿主ではないので成虫になり難く，胸膜を貫いて肺に入ったり出たりするため上記のような症状を示すと考えられている．しかし肺実質内に寄生したと思われる例もかなりあり，Yateraら（2015）[註3]はわが国のこのような症例46例をまとめ，その内11例はステロイド剤を使用していたと報告した．

図416は筆者の経験した患者で胸水貯留を認め，免疫電気泳動で宮崎肺吸虫の抗原と最も強い反応を示した症例である（図417）．

【診　断】　喀痰や糞便内に虫卵を認めない場合が多い．サワガニ生食の有無，気胸，胸水，好酸球増加など特有の症状から本症を疑い，各種免疫診断を利用して診断する．この際，血清よりも胸水の方が特異的である．

【治　療】　ウェステルマン肺吸虫に対すると同様プラジカンテル $75\,mg/kg/日$，分3，2～3日連用する．

【疫　学】　最近，料理屋などで生きたサワガニを提供することがよくあり，上述の症例もすべてサワガニを生食して発症している．現在までにサワガニから本種のメタセルカリアの検出された地域は，岩手，秋田，山形，福島，新潟，茨城，静岡，愛知，福井，滋賀，京都，兵庫，三重，奈良，和歌山，島根，広島，山口，香川，徳島，愛媛，高知，福岡，佐賀，大分，長崎，熊本，宮崎などの諸府県である．また塩飽ら（1985）が名古屋市内で販売されているサワガニ229匹を調べたところ，37.6％が感染していたという．

註1　Kamo et al.(1961)：Yonago Acta Med. 5：43-52.
註2　杉山　広ら(2015)：Clinical Parasitology. 26：65-67.
註3　Yatera K et al.(2015)：Parasitol. International. 64：274-280.

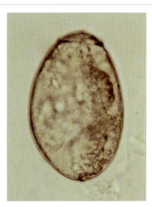

図412. 宮崎肺吸虫成虫の圧平標本
（デラフィールドのヘマトキシリン染色）

図413. 宮崎肺吸虫の虫卵
ウェステルマン肺吸虫の虫卵と形態が異なる（本文参照）

図414. 第1中間宿主のホラアナミジンニナ
殻高1〜1.5mmと小さい.

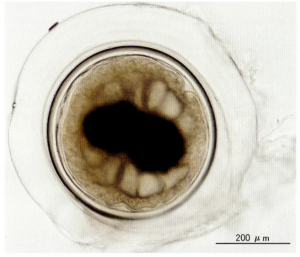

図415. 第2中間宿主のサワガニから検出した宮崎肺吸虫のメタセルカリア
外膜の外側にサワガニ由来の膜様物が付着してさらに厚く見えるのが特徴.　　（国立感染症研究所　杉山　広博士　提供）

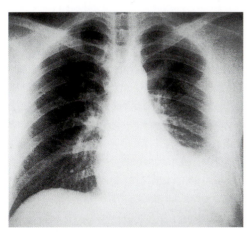

図416. 京都で見出された宮崎肺吸虫感染と思われる患者の胸部X線像（筆者経験例）
左胸腔に著明な胸水貯留を認める.

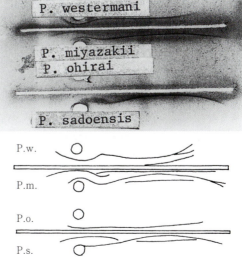

図417. 左の患者の血清の免疫電気泳動像
宮崎肺吸虫抗原との間に最も強い反応を認める.
　　　　　　　（杏林大学　故辻　守康教授　実施）

第76項 大平肺吸虫およびその他の肺吸虫

大平肺吸虫はわが国の十数府県の大きな河の河口付近に分布し，ネズミやイタチなど獣類を終宿主としている．ヒトへの感染はないものと思われていたが，最近疑わしい例が2例報告された．この他，小形大平肺吸虫，佐渡肺吸虫が独立種とされてきたが，最近，ともに大平肺吸虫のシノニムであるという意見が提議されている．一方，外国では第72項表23に示すように，ヒトに寄生する肺吸虫が次々に報告されている．

大平肺吸虫 Paragonimus ohirai Miyazaki, 1939

本種は1939年に宮崎一郎によって熊本県で発見された．ドブネズミ，ブタ，イヌ，イタチ，タヌキなどを固有宿主としており，確実な人体寄生は未だ知られていないが皮下寄生で疑わしい例，ならびにイノシシの生肉を食べた後，胸水と高度の好酸球増加を示し，血清学的に大平肺吸虫の感染が疑われた例が各1例宛報告された[註1]．また最近わが国のタイ料理店のsomtampoo料理にモクズガニ，サワガニの他にベンケイガニも使用されているというので本虫感染の恐れがある．

本種の分布地は熊本，鹿児島，宮崎，三重，兵庫，千葉，石川，愛知，静岡，京都，高知，茨城，東京，神奈川，中国の揚子江などである．

成虫（図418）の特徴は，皮棘（図425）が群生し，卵巣（図418，425）が複雑に分岐している点である．虫卵（図419）の特徴はウェステルマン肺吸虫より小形（長径×短径平均77×48μm）で，かつ左右相称で，最大幅が中央付近にあるものが多い，などの点である．

第1中間宿主は永らく不明であったが1957年，横川らはウスイロオカチグサであると発表した．しかし，これは後に黒田（1958）が新種の記載を行ったムシヤドリカワザンショウ Angustassiminea parasitologica（図420）と訂正された．またヨシダカワザンショウ A. yoshidayukioi（図421）およびサツマクリイロカワザンショウ A. satsubana（214頁脚注参照）も第1中間宿主として追加された．また実験的にはミヤイリガイなどにもよく感染する．（第102項参照）

第2中間宿主はクロベンケイガニ Chiromantes dehaani（図423），ベンケイガニ Sesarmops intermedium（図424），アシハラガニ，アカテガニ，ハマガニなどであるが，とくに前2者にメタセルカリアの寄生率が高い．

メタセルカリアは図422，426に示すごとくウェステルマン肺吸虫よりは小さく，外膜と内膜とを有し，柔組織内に著明な赤い顆粒を有している．主としてカニの肝臓内に寄生するが，筋肉やエラの中にも存在する．

大平肺吸虫および次の小形大平肺吸虫は大きな河の河口付近に分布している．それは第1中間宿主および第2中間宿主とも，このような汽水域（brackish water）に棲息しているからである．またムシヤドリカワザンショウやヨシダカワザンショウは水中には棲息せず泥の上に棲んでおり，降雨などによって貝の周囲に水が溜まると一斉にセルカリアが遊出し，次いでカニの体に吸着し，関節などの軟部から侵入するものと考えられる．

小形大平肺吸虫 Paragonimus iloktsuenensis Chen, 1940

本種は中国の陳心陶が1940年に広東付近の怡楽村（イロクチェン）で発見した．わが国では大阪府新淀川，兵庫県加古川，鹿児島県川内川および愛知県と三重県境の揖斐川，長良川，木曽川の河口に分布する[註2]．また奄美大島，韓国釜山，台湾などにも分布する．

成虫は大平肺吸虫に酷似し，ほとんど区別できない．終宿主も同じであるが人体寄生例は知られていない．ただ違う点はメタセルカリアの形態で，本種は内膜を欠如し，幼虫は薄い一層の外膜のみでつつまれている（図426）．本種の第1中間宿主はムシヤドリカワザンショウで，第2中間宿主はクロベンケイガニである．

ところが最近，波部ら（1985）[註3]の交配実験や吾妻ら（1986）[註4]のアイソザイムの研究により，本種は大平肺吸虫のシノニムであると証明された．

佐渡肺吸虫 Paragonimus sadoensis Miyazaki et al., 1968

佐渡島においてナタネミズツボ Oncomelania minima（以前 Tricula minima と呼ばれた）を第1中間宿主，サワガニを第2中間宿主とし，主としてイタチを終宿主としている肺吸虫を宮崎らは新種として記載した．成虫は大平肺吸虫によく似ているが，これよりずんぐりしていること，メタセルカリアが球形に近く，体肉内に赤色顆粒がなく，穿刺棘が長いこと，本種は汽水域でなく淡水域に分布すること，中間宿主に対する感受性が異なること，などが別種の根拠となっている．ところが小形大平肺吸虫と同様，最近，大平肺吸虫のシノニムであると証明された．

註1 山口富雄ら（1974）：寄生虫誌，23(増)：64.
　　山口富雄ら（1988）：寄生虫雑，37(補)：82.
註2 Matsuo K et al.(1995)：Jpn. J. Parasit. 44：447-452.
註3 Habe S et al.(1985)：J. Parasit. 71：820-827.
註4 Agatsuma T et al.(1986)：J. Parasit. 72：417-433.

大平肺吸虫およびその他の肺吸虫　169

図418. 大平肺吸虫の成虫

図419. 大平肺吸虫の
虫卵

図420. 大平および小形
大平肺吸虫の第1中間
宿主ムシヤドリカワザ
ンショウ

図421. 大平肺吸虫の
第1中間宿主ヨシダ
カワザンショウ

図423. 第2中間宿主のクロベンケイガニ

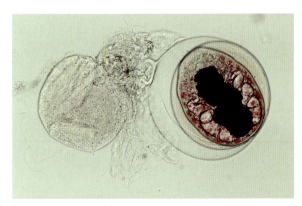

図422. 大平肺吸虫のメタセルカリア (塩田恒三 博士 撮影)

図424. 第2中間宿主のベンケイガニ

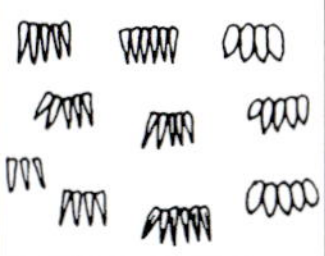

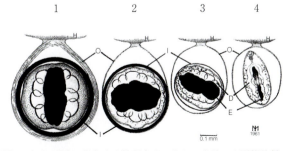

図425. ウェステルマン肺吸虫，宮崎肺吸虫，大平肺吸虫
および小形大平肺吸虫の成虫の皮棘と卵巣の形態
比較
(宮崎, 1974による)

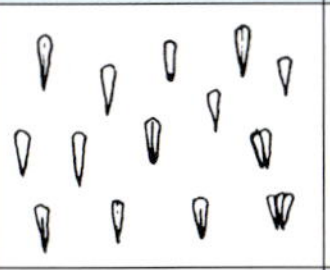

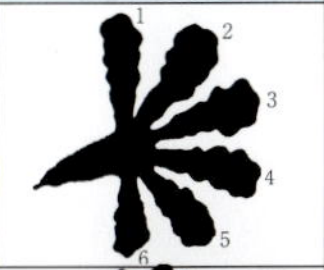

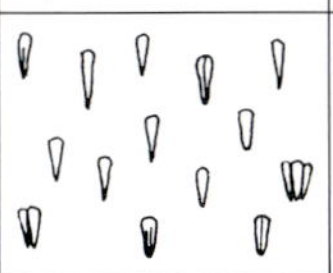

図426. わが国に分布する肺吸虫のメタセルカリアの形態比較
1. 宮崎肺吸虫, 2. ウェステルマン肺吸虫, 3. 大平肺吸虫,
4. 小形大平肺吸虫, H. 宿主, O. 外膜, I. 内膜, D. 腸管,
E. 排泄嚢. 佐渡肺吸虫は3に似る. (宮崎, 1974による)

第77項　棘口吸虫

棘口吸虫と呼ばれる吸虫は口の周りに多数の棘を持っており，世界に広く分布し，鳥類から350種，哺乳類から66種，爬虫類から16種，魚類から2種が記載されている膨大な寄生虫群である．わが国にも14属62種3亜種が知られ，そのうち人体寄生の証明されたものは下記の5種で，近年報告された症例は合計74例を数える．最近ドジョウなどの生食により感染例が増えている．寄生部位は腸管で，強い上腹部痛，下痢，好酸球増加などを示す．

浅田棘口吸虫 Echinostoma hortense Asada, 1926

本種は最近，ドジョウの生食によって症例が増加し，秋田，大阪，兵庫，京都，滋賀，東京，山梨，愛媛，福岡などで合計40例余の報告があり，最も頻度が高いので本種を中心に解説する．

【形態および生活史】　成虫は通常，ネズミ，イヌ，イタチなどの小腸腔内に寄生しているがヒトの小腸にも寄生しうる．成虫（図427，428）はヘラ形で体長は6.2～9.8（平均8.4）mm，体幅は1.1～1.5（平均1.3）mmである．小さい口吸盤（直径約200μm）と大きい腹吸盤（直径500～600μm）を持ち，腹吸盤は体の前方約1/6の所に位置している．精巣は楕円形で体のほぼ中央に縦に並ぶ．卵黄腺はよく発達し体の後半を満たしているが卵巣より前方には出ない．

頭端は少しふくらんで頭冠を形成し，**頭冠棘** collar spine が配列する．Echinochasmus 属では棘列が背方の中央で途切れているが Echinostoma 属では図429に示すように連続しており，本種では合計27～28本の棘がある．そのうち左右4本ずつは左右の隅葉に存在する．図430は体前部を走査電顕で観察したものである．

第1中間宿主は**モノアラガイ** Radix auricularia japonica（図431）および**ヒメモノアラガイ** Austropeplea ollula（第78項図441）である．第2中間宿主は**ドジョウ，カエル**，イモリ，サンショウウオなどである．メタセルカリアは図433に示すごとくほぼ球形で長径160～168μm，短径148～160μmである．中に幼虫が存在し，その口吸盤は長径51～60μm，短径36～50μm，腹吸盤はそれぞれ53～60μm，44～54μmである．排泄嚢は管状で中に屈光性の顆粒を満たす．

【症　状】　筆者ら[註1,2,5]は最近，本虫の自然感染8例（うち1例は日本無背棘吸虫，他の1例は移睾棘口吸虫感染を合併）と人体実験感染2例を経験し，種々検討を行った．その症状は症例により軽重の差はあるが，**心窩部疝痛発作**および圧痛，下痢，悪心，嘔吐，発熱，白血球増加，最高88％に達する**好酸球増加**，赤沈値上昇，CRP上昇などであった．

【感　染】　上記自然感染8例のうち1例はアマガエルを，7例はドジョウを生食して感染していた．最近ある種の料理屋ではドジョウを生で飲ませる．上記中の2例が感染した料理屋のドジョウを調べたところ，ほぼ50％に本吸虫のメタセルカリアを見出した．秋田県でも本虫症と思われる症例が17例見出され，感染源としてドジョウが最も疑われている（谷ら，1974，1976）[註3,4]．

【診　断】　糞便中の虫卵を見出して診断する．本種の虫卵（図432）の特徴は，まず大きさが長径120～140μm，短径70～90μmで，寄生虫卵としては大形であるが次項で述べる巨大肝蛭卵よりは小さい．淡黄色を呈し楕円形で卵殻は薄く，前端には不著明な小蓋を有し，後端はやや肥厚し，時に結節状を呈する．

【治　療】　筆者ら[註5]は**プラジカンテル**50～75mg/kg，1～2日投与で好結果を得た（図428）．

移睾棘口吸虫 Echinostoma cinetorchis Ando et Ozaki, 1923

愛知，岡山，福岡，熊本，大阪，滋賀，島根で人体寄生例，合計12例が報告されている（図435）．

巨睾棘口吸虫 Echinostoma macrorchis Ando et Ozaki, 1923

福岡で1学童に寄生を認めた．山梨県で本種と報告された2例（大田，1960）は浅田棘口吸虫とされる．

葉状無背棘吸虫 Echinochasmus perfoliatus (Ratz, 1908)

福岡，大阪，京都などで人体寄生が見出された．

日本無背棘吸虫 Echinochasmus japonicus Tanabe, 1926

従来，実験的に人体に寄生せしめ得ることが知られていたが，筆者ら[註2]は京都で自然感染例を1例認めた（図434）．

この他わが国で種が不明の棘口吸虫人体感染例が岡山，佐賀，秋田で合計15例報告されている．また Echinostoma revolutum, E. ilocanum, E. malayanum, E. lindoense などが東南アジア一帯でヒトに感染している．

註1　有薗直樹ら（1976）：寄生虫誌，25：36-45.
註2　吉田幸雄ら（1981）：寄生虫誌，30（増）：93.
註3　谷　重和ら（1974）：寄生虫誌，23：404-408.
註4　谷　重和ら（1976）：寄生虫誌，25：262-273.
註5　吉田幸雄ら（1986）：寄生虫誌，35（補）：62.

棘口吸虫　171

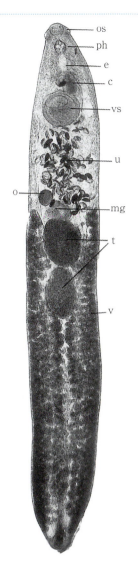

図427. 浅田棘口吸虫の成虫
ドジョウに寄生しているメタセルカリアをイヌに感染させて得た成虫.
c. 陰茎嚢, e. 食道, mg. メーリス腺, o. 卵巣, os. 口吸盤, ph. 咽頭, t. 精巣, u. 子宮と卵, v. 卵黄腺, vs. 腹吸盤

図428. 患者からプラジカンテルにより駆出した浅田棘口吸虫の成虫

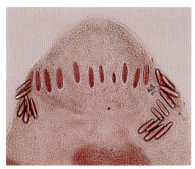

図429. 浅田棘口吸虫の頭冠棘
（大阪市立大学 故 高田季久 名誉教授の厚意による）

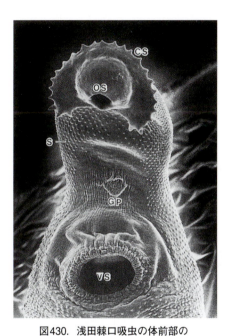

図430. 浅田棘口吸虫の体前部の走査電子顕微鏡像
cs. 頭冠棘列, gp. 生殖孔, os. 口吸盤, s. 皮棘, vs. 腹吸盤
（愛媛大学 鳥居本美 教授の厚意による）

図431. 第1中間宿主のモノアラガイ

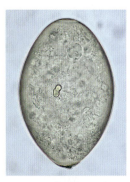

図432. 浅田棘口吸虫の虫卵

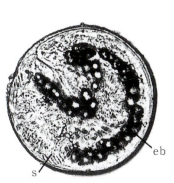

図433. ドジョウから採取した浅田棘口吸虫のメタセルカリア
eb. 排泄嚢, s. 頭冠棘

図434. 日本無背棘吸虫
（患者の駆虫による）

図435. 移睾棘口吸虫
（患者の駆虫による）

第78項 肝蛭 [A] 形態と生活史

肝蛭はウシやヒツジなど草食獣の胆管に寄生している大形の吸虫である．世界に広く分布し，家畜に大きな病害を与え，畜産上重要な寄生虫の一つとなっている．ところが本虫がヒトにも感染し，激しい症状を起こすことがあるので医学上も重要である（人獣共通感染症）．第1中間宿主はヒメモノアラガイ，第2中間宿主はなく，ヒトが感染するのはメタセルカリアの付着した植物や幼虫の存在するウシの内臓などを生食することによる．

【種　名】
　肝蛭 *Fasciola hepatica* Linnaeus, 1758
　巨大肝蛭 *Fasciola gigantica* Cobbold, 1856
【疾病名】　肝蛭症 fascioliasis
【分類と疫学】
　肝蛭属の吸虫は世界で9種知られているが，重要な種は**肝蛭**と**巨大肝蛭**の2種で，前者は主にヨーロッパ，オーストラリア，米国本土などに分布し，後者は主にアジア，アフリカ，ハワイなどに分布している．わが国に分布するのは主に巨大肝蛭のほうなので以下，本種について解説する．しかし肝蛭も存在し，かつオーストラリアからの輸入肥育牛にも肝蛭の感染がみられる．

　肝蛭の人体寄生例は世界で1,300例以上報告されている．わが国のウシは，なおかなり肝蛭に感染しているので感染源は豊富である．1990年頃までの人体感染報告例は，兵庫13例，長野9例，京都・大阪・長崎・岡山各5例，鹿児島4例，福岡・奈良各3例，山梨・秋田・山形・群馬・岐阜・熊本各2例，その他，東京・千葉・神奈川・静岡・愛知・三重・新潟・岩手・広島・山口・大分・宮崎の各都県から1例ずつの合計76例であるが，その後2014年までに71例が追加報告され，現在でも毎年数例程度の報告がある．海外での感染例や流行地から来日した外国人の感染者も報告され，輸入感染症としても認識する必要がある．

【成虫の形態】　肝蛭と巨大肝蛭の違いは，成虫も虫卵も後者の方が大きいことである．すなわち肝蛭の成虫の体長×体幅は20〜30×10〜13mmで全体として楕円形に近いが（図439），巨大肝蛭の方は，体幅はほぼ肝蛭と同程度であるが体長が長く50〜60mmに達し，したがって楕円形でなくヘラ形で，体長は体幅の3倍以上ある（図438）．しかし日本産の肝蛭を多数調べてみると，両者の中間に位置する移行型があり，どこで一線を画するかが難しい．図437はわが国で人体から摘出された虫体であるが，どちらかといえば肝蛭に似ている．

　肝蛭の内部構造は原則的に一般の二世吸虫（Digenea）のそれに一致するが，本種は消化管および精巣が非常に複雑に分岐しているのが特徴である．

【虫　卵】　肝蛭類の虫卵は寄生虫の虫卵の中で最も大きい．肝蛭卵は長径が125〜150μm，短径が65〜90μmであるが，巨大肝蛭卵は，長径が150〜190μm，短径が75〜95μmあり，大体，長径150μmをもって両種の境界としている．しかし，わが国で人体から見出された14例の肝蛭卵の計測値（図436）をみると5例が肝蛭，7例が巨大肝蛭の範囲に入り，2例は中間値である．また虫卵は大形であったのに摘出虫体は肝蛭型であったという報告もある（金田，1974）．このようなことからも，わが国に分布する肝蛭の種を断定するのは難しい．両種肝蛭卵は楕円形で黄褐色に色づき，小蓋を有し，卵殻は薄いが無蓋端がやや肥厚している（図442，443）．

【生活史】　成虫は胆管内に寄生し（図440），虫卵は胆汁と共に消化管に現れ，糞便に混じて外界に出る．このときの虫卵は未発育で1個の卵細胞と数個の卵黄細胞を有し，適温であれば水中で発育し，ミラシジウムを生ずる．これは孵化し（図444），水中を泳ぎ中間宿主の貝に侵入する．わが国での中間宿主は**ヒメモノアラガイ** *Austropeplea ollula*（図441）であるが，世界ではモノアラガイ科の数種の貝が中間宿主となっている．

　肝蛭類は第2中間宿主を欠く．すなわち貝の中で生じたセルカリアは水中に遊出し，水草，稲の茎，木片などの表面に付着してメタセルカリアとなる．メタセルカリアは直径220〜250μmの球状である（図445）．

　このような水草や牧草の表面で被嚢したメタセルカリアをウシやヒツジが経口摂取すると，小腸で幼虫が脱嚢し，小腸壁に侵入し，これを貫いて腹腔に現れ，次いで肝臓の表面から肝実質内に侵入して最終的に胆管に達し成虫にまで発育する．ヒトの場合も同様であるが，腹腔内で嚢腫を形成する場合もある．

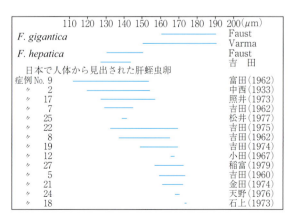

図436．巨大肝蛭と肝蛭の虫卵の長径の差異，ならびにわが国でヒトから見出された肝蛭虫卵の長径の変異

肝蛭 173

図437. ヒトの腹腔内腫瘍から摘出された肝蛭
（佐藤重房 名誉教授の厚意による）

図438. 巨大肝蛭および肝蛭の成虫
日本産およびテキサス産は巨大肝蛭，オーストラリア産およびフランス産は肝蛭と思われる．

図439. 典型的な肝蛭の成虫

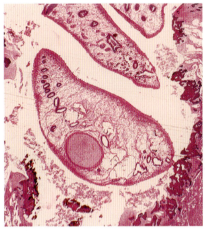

図440. ウシの胆管内に寄生している肝蛭の切片標本
胆管上皮の破壊がみられる．

図441. 日本産肝蛭の中間宿主のヒメモノアラガイ

図442. 巨大肝蛭の虫卵（日本産）

図443. 肝蛭の虫卵（オーストラリア産）

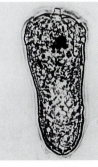

図444. 日本産肝蛭のミラシジウム

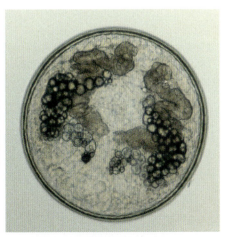

図445. 日本産肝蛭のメタセルカリア

第79項　肝 蛭 [B] 臨 床

肝蛭がヒトに感染した場合，胆管に寄生することが最も多い．肝実質内移行期の主症状は激しい上腹部痛と発熱である．著明な好酸球増加を伴うことが多い．診断は糞便内から特有の虫卵を検出するか，種々の免疫学的診断法を応用する．治療法はトリクラベンダゾールが有効である．

【症　状】

本来の宿主であるウシやヒツジに多数の虫体が寄生すると肝臓が障害を受け，痩せ衰え，肉，皮，羊毛など経済的な損失が大きい．ヒトに感染した場合も，主に肝胆道系に移行する．小腸で脱嚢した幼虫は小腸壁を貫いて腹腔に出て肝表面から肝実質内に侵入し肝実質を移行する時期には発熱，上腹部痛，右季肋部痛がみられ，胆石症時の疝痛に類似することが多い．時に無症状のこともある．胆管に移行した慢性期には虫体は成虫にまで発育し，閉塞に基づく病態も加味される．少ないが皮膚，肺，心臓，嚢，筋肉尿路系組織など肝胆道系外への移行の報告もある．わが国での42例の統計では，29例が胆管および胆嚢内，3例が腹腔内，1例が肺寄生で，他の9例は免疫学的に診断されたもので寄生部位が確定していない．わが国では死亡例はまだ知られていないが，筆者の8例の肝蛭症の経験では極めて重症の例が2例あった．

【診　断】

1) 血液像の特徴は白血球増加，とくに著明な**好酸球増加**を認める．図447に示すように，調査した27例中21例に10%以上の好酸球増加がみられた．上腹部疝痛発作の患者で，好酸球増加を伴う場合は本症を疑い摂取した食品について詳しく問診する必要がある．強い炎症所見や肝機能異常を認めることが多い．

2) 胆道に成虫が寄生している場合は糞便中，あるいは十二指腸ゾンデ採取液中に特有の虫卵を検出する．糞便検査はAMS Ⅲ法などの遠心沈殿集卵法（第138項参照）を用いるのがよい．虫卵が毎日持続的に排出していることを確認すべきである．また虫卵は前述の棘口吸虫や肥大吸虫の虫卵に似ているので鑑別を要する．

3) 現在は，画像検査法が飛躍的に進歩し，超音波エコー，CT，MRなどの画像診断が診断に非常に有用で，肝臓内の充実性占拠性病変として捉えられ，時に嚢胞性変化を伴う．組織学的には好酸球性肉芽腫あるいは膿瘍である．比較的短期間に画像が変化したり，移動が観察されることもある．逆行性膵胆肝造影で肝内に造影剤の異常プーリング像を認めることもある（図446）．また，総胆管内から内視鏡的に摘出された報告もある．腹腔鏡検査における肝表面の白色ないし黄色の斑点や隆起も参考となる（図448）．

4) 免疫学的診断法も非常に役立つ．とくに異所寄生の場合は虫卵が検出されないので本法に頼る他はない．現在はELISA法が用いられているが，かつては**皮内反応**が用いられ（図449）（第74項参照），13例の肝蛭症例に実施したところ，全例が陽性を示した．免疫電気泳動法やOuchterlony法も価値があり，筆者は4例に実施し，いずれも特異的沈降線を認めた（図450，図451）．

図452は肝右葉に多房性腫瘤として認めた肝蛭症例である．

【ヒトへの感染経路】

まず水生植物の表面で被嚢したメタセルカリアを摂取して感染する．外国ではミズタガラシwatercress，わが国ではセリ，ミョウガなどが危険視される．大島らは，わが国では稲刈りなどのとき，稲の根元で被嚢しているメタセルカリアが手や農具を介してヒトの口に入るのではないかとした．

筆者は肝蛭症が都市にもかなり多く，ウシの肝臓や消化管を生食した後に発症する例があることから，ウシの消化管や肝臓に脱嚢後間もない幼虫が存在し，ヒトがこれを生食したとき，その幼虫が再びヒトに感染するのではないかという説を出した[註1]．冨村らはその後，実験的にメタセルカリアを家兎に与え，その肝臓から幼虫を取り出し，8頭のサルに与えたところ，5頭に感染が成立し筆者の説を裏付けた[註2]．

【治　療】

1962年に筆者ら[註1]は**ビチオノール** bithionolが本症に極めて有効であることをはじめて報告した．その方法は肺吸虫の治療法とほぼ同様で，本剤30〜50mg/kgを1日おきに10〜15回投与する．しかし，その後ビチオノールは製造中止となった．また，吸虫症や条虫症に賞用されているプラジカンテルは肝蛭症にはあまり有効ではなく（Knobloch et al., 1985；Farid et al., 1989[註3]，児玉1997[註4]），現在は**トリクラベンダゾール** triclabendazole（商品名**エガテン** Egaten），10mg/kgを食直後に頓用，重症例では20mg/kg，分2，食直後頓用が推奨されている．妊婦，乳児には投薬しない．

註1　吉田幸雄ら（1962）：寄生虫誌，11：441-420.
註2　冨村　保ら（1975）：寄生虫誌，24(2・補)：40.
註3　Farid et al.(1989)：Royal Soc. Trop. Med. Hyg. 83：813.
註4　児玉和也(1997)：感染症誌，71：1162-1167.

肝蛭 175

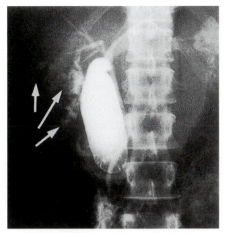

図446. 肝蛭症患者の逆行性膵胆管造影像
右葉肝内胆管に造影剤の異常プーリングあり(矢印)
(筆者経験の京都在住，32歳，女性症例)

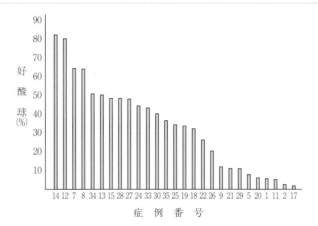

図447. わが国で報告された肝蛭症例の好酸球百分率

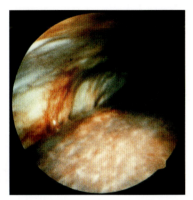

図448. 図443の症例の腹腔鏡所見
肝表面に白黄色蠟様の斑点ないし隆起を認める．

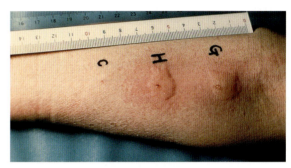

図449. 皮内反応
筆者経験の京都在住，58歳，女性，症例
G．当教室作製日本産肝蛭抗原，H．北里研究所製肝蛭抗原，C．生理食塩水(対照)

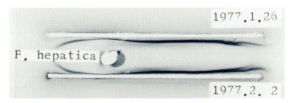

図450. 図443の症例の免疫電気泳動像
(杏林大学 故 辻 守康教授による)

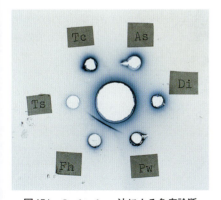

図451. Ouchterlony 法による免疫診断
Fh：肝蛭，As：ブタ回虫，Di：イヌ糸状虫，
Pw：ウェステルマン肺吸虫，Tc：イヌ回虫，
Ts：無鉤条虫，の各抗原．中央に患者血清(図446の症例)

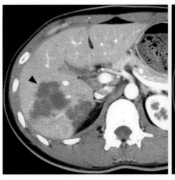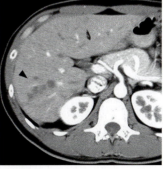

図452. 肝蛭症例(都立駒込病院症例，ベトナム人)
左はトリクラベンダゾール治療前，右は半年後のCT像．病変領域(▼部)は著明に縮小し，ELISA法にて抗体価の低下(宮崎大学 丸山治彦教授による)も観察された．
(柳澤如樹 先生 提供)

第80項　日本住血吸虫　[A] 歴史，形態および生活史

住血吸虫というのは読んで字のごとく血液中に寄生する吸虫である．この中でヒトに寄生する主な種は日本住血吸虫，マンソン住血吸虫，ビルハルツ住血吸虫およびメコン住血吸虫の4種で，ヒトに甚大な被害を与え，マラリア，フィラリアと共に世界の三大寄生虫病の一つとされている．日本住血吸虫は日本人によって発見され，東および東南アジアに分布し，わが国にも限られた地域に深刻な流行があったが撲滅され，1978年以来新しい感染は発生していない．しかし以前，国内で感染した古い患者や外国で感染した例が時々見出される．

【種　名】　日本住血吸虫 Schistosoma japonicum
　　　　　　（Katsurada, 1904）
【疾病名】　日本住血吸虫症 schistosomiasis
【歴　史】　広島県神辺町片山付近には昔から片山病と呼ばれる奇病があり，藤井好直は弘化4年(1847)片山記を著し，その症状を細かく記載した（総論の図10参照）．その後，この疾病の原因追求に多くの学者が競ったが，1904年，桂田富士郎（図16）は山梨県の本病流行地のネコから1隻の雄虫を発見し上記のごとく命名記載した．同じ年，しばらく遅れて藤浪鑑（図17）は広島県片山の一農夫の屍体から1雌虫を見出した（総論20頁参照）．

本虫の最も古い記録は1972年，中国湖南省長沙でほぼ完全な状態で発掘された，174～145B.C.頃のものとされる「馬王堆第一号墓，軟侯夫人」の体内に本虫の虫卵が確認された（149頁の扉の写真参照）．

その後，宮入慶之助，鈴木　稔(1913)（図20）による中間宿主ミヤイリガイの発見など，本虫ならびに本症の先駆的研究はほとんど日本人の手によって成された．

【形　態】　雌雄異体で，虫体は一見，線虫のような外観を呈している．雄成虫（図453）は体長12～20mm，体幅0.5mmで，体前部は円筒状であるが体後部は平たく鞘状となり，雌虫を抱くようになっている．これを抱雌管 canalis gynaecophorus と称する．腹吸盤は口吸盤よりやや大きく，突出している．外皮はおおむね平滑であるが抱雌管および吸盤の部分には小さい棘が生えている．消化管は食道に続いて腸管が二分して後走し，再び合して1本の盲管に終わる．精巣は腹吸盤の後方にあり，7個の濾胞が縦に並んでいる．精巣の前に貯精嚢があり，そこから輸精管が上行し，抱雌管の前方で開孔している．陰茎や陰茎嚢はない．

雌成虫（図453）は円筒状で細長く，体長平均25mm，最大幅約0.3mmで，楕円形の卵巣が体の中央よりやや後方に1つある．その後方に卵黄腺が充満している．卵巣の前方には卵形成腔がメーリス腺に取り囲まれて存在し，さらに上方の子宮に連なる．子宮内には50～100個の虫卵が存在し，腹吸盤の直下にある子宮孔から産下される．

虫卵（図455）は楕円形で，長径70～100μm，短径50～70μmで淡黄色を示し，他の吸虫卵と異なって小蓋がなく，卵殻の側面に小突起がある．細血管内に産下された虫卵は周囲の組織から栄養を得て，7～10日でミラシジウムを形成し（図456），このような虫卵が糞便中に排出される．

【生活史】　成虫は終宿主の門脈系の種々の静脈内に寄生しており（図454），雌雄抱合したまま血管を遡行して細血管に至り産卵する．産卵された虫卵は血管を塞栓し，周囲の組織は壊死に陥り，虫卵は腸管腔内に脱落する（図459）．したがって虫卵は糞便と共に外界に出る．しかし一部の虫卵は門脈の血流に乗って肝に運ばれ，さらに脳にも運ばれて塞栓し大きな障害をもたらす．

外界に出た虫卵は水中で孵化し，出てきたミラシジウムは中間宿主が存在すると，これに経皮的に侵入する．中間宿主となる貝はミヤイリガイ（カタヤマガイともいわれる）であるが，次のごとく地域によって種が異なる．

1. *Oncomelania hupensis nosophora*　日本，中国（図457）（第102項参照）
2. *O. h. formosana*　台湾
3. *O. h. hupensis*　中国
4. *O. h. quadrasi*　フィリピン
5. *O. lindoense*　スラウェシ島

中間宿主体内での発育はレジアの時期がなく，スポロシスト，娘スポロシスト，セルカリアと発育する．セルカリア cercaria（図458）は岐尾セルカリアと呼ばれ，尾が二分しているのが特徴である．セルカリアは貝から水中に遊出しヒトなど終宿主の皮膚を貫いて侵入する（経皮感染）．このとき尾は捨てられ体部は温血動物に適応するよう変化する．第2中間宿主は存在しない．このようにして終宿主に侵入した幼虫をschistosomulum（複数はschistosomula）という．これは血流に入り心臓から肺循環を経て大循環に乗り腸間膜動脈末端に達し，門脈枝に移行し，やがて成虫にまで発育する．セルカリアがヒトに侵入してから成虫になるまでの期間は40日前後で，寿命は3～6年とされるがさらに長い例もある．

【保虫宿主】　日本住血吸虫はヒトの他，ネコ，イヌ，ウシ，ウマ，ネズミ，ブタをはじめ十数種の哺乳動物に自然感染がみられる．実験的には家兎，マウス，ハムスターなどにもよく感染する．

日本住血吸虫 177

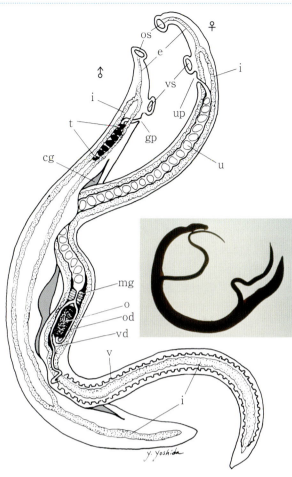

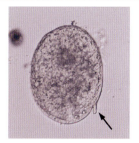

図455. 日本住血吸虫卵
小蓋なく，側面に突起あり（矢印）

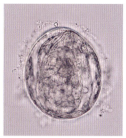

図456. 日本住血吸虫卵
中にトックリ形のミラシジウムが明瞭に見える．

図457. 日本住血吸虫の中間宿主のミヤイリガイ（片山産）

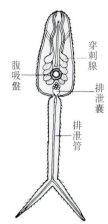

図458. 日本住血吸虫のセルカリア
尾の先が二分している．

図453. 日本住血吸虫の成虫，雌雄抱合の図
os. 口吸盤, e. 食道, vs. 腹吸盤, i. 腸管, t. 精巣, gp. 生殖孔, up. 子宮孔, u. 子宮と虫卵, cg. 抱雌管, mg. メーリス腺, o. 卵巣, od. 輸卵管, vd. 卵黄管, v. 卵黄腺

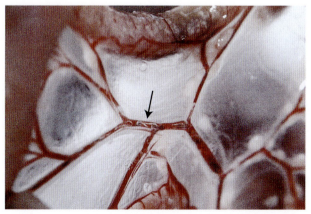

図454. 腸間膜静脈血管内に寄生している日本住血吸虫(矢印)
ウサギに実験的に感染させたもの
（久留米大学医学部 塘 普 教授の厚意による）

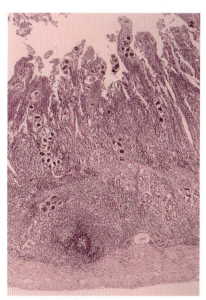

図459. 腸管壁内に産下された虫卵
組織は壊死に陥り，虫卵は腸管腔内に脱落し，糞便とともに排出される．

第81項 日本住血吸虫 [B] 臨床と疫学

本症の典型的な症状は，発熱，下痢，粘血便，肝脾腫大，肝硬変，腹水および虫卵塞栓による脳障害などであるが，現在わが国でみられる症例の多くは高年齢層で，消化器系疾患の手術や生検の材料中に，たまたま本虫卵が検出されるというものである．診断は糞便からの虫卵の検出のほか，種々の免疫学的診断が利用される．治療は最近プラジカンテルという極めて有効な薬が開発され，世界における住血吸虫症の撲滅対策の中心が殺貝から治療に変更される情勢にある．日本住血吸虫症はアジアでなお数百万人の患者がおり重要な疾患の一つである．

【症　状】

1) **感染初期**　セルカリアがヒトの皮膚を貫いて侵入したとき，その部に痒い**皮膚炎**(カブレ)を生ずる．

2) **急性期**　虫体が門脈系血管内で成虫に達し，腸管壁に産卵をはじめると，**発熱**，腹痛，肝腫大，水様便あるいは粘血便を出す．腸壁には潰瘍やポリープを生ずる．白血球増加とくに好酸球増加がみられる．このような急性症状は次第におさまり慢性期に入る．

3) **慢性期**　慢性期の症状は主として虫卵が重要諸臓器の細動脈に塞栓することによって起こる．最も顕著なのは肝臓で，塞栓した虫卵の周囲に炎症が起こり，肉芽腫を形成し肝臓はまず腫大する．次いで次第に間質の増生，実質の萎縮を来し**肝硬変**に移行する．すると門脈血はうっ滞し，腹水を生じ腹部は著しく膨満する(図460，462)．この他，貧血，脾腫，消化器障害などを併発し，放置すると衰弱し死亡する．

虫卵が脳血管に塞栓すると癲癇様発作，頭痛，運動麻痺，視力障害など，種々の神経症状を起こす．

4) **癌との関係**　次項のビルハルツ住血吸虫は膀胱癌の原因になることがよく知られている．日本でも山梨県や久留米地方は大腸癌の発生率が全国平均より高い．また山梨県で消化管の癌から日本住血吸虫卵の見つかる率は良性腫瘍から見つかる率よりずっと高いという．また本虫を感染させたddyマウスの78.7％に肝細胞癌の発生をみたという実験もある(天野ら，1988)．

【診　断】

1) **虫卵の検出**　糞便検査はAMS Ⅲ法などの遠心沈殿集卵法(第138項参照)を用いる．また糞便を水に溶解し三角コルベンに入れ，周囲を黒い紙でとりまき，管口に電燈を照射しておくと，孵化したミラシジウムが水面に集まり，これを検出して診断することもできる．また慢性期患者では糞便中に虫卵がなかなか認められないので，肝生検，直腸生検などを行って組織中の虫卵を見出して診断する(図463)．

2) **免疫学的診断法**

a) **卵周囲沈降テスト** circumoval precipitin test (COP)
患者血清中に生きた本虫卵を入れ，37℃で24時間反応させると虫卵の周囲に空胞状の沈降物(抗原抗体反応物)を生ずる．最近，凍結乾燥虫卵やホルマリン固定虫卵も使用可能と報告されている．また，虫卵の代わりにミラシジウムを用い，その運動停止状態をみる **miracidial immobilization test** やセルカリアを用いる **Cercarien-Hüllen Reaktion** などもある．

b) **補体結合反応，免疫電気泳動法，ELISA法，蛍光抗体法**なども用いられる．

【治　療】

従来，本症の治療には，**酒石酸アンチモン**(商品名**スチブナール**)や**ニリダゾール**(商品名**アンビルハール**)など副作用の強い薬剤を長期間投与するのが常であった．現在は**プラジカンテル** praziquantel 40mg/kg/日，分2，2日の投与で有効なことが明らかとなっている．妊婦への投与は避ける．

【疫　学】

わが国における本症の流行地は，広島県片山地方(図461)，筑後川下流地域，山梨県甲府盆地，静岡県沼津地区，利根川流域(千葉，茨城，埼玉の3県にまたがる)，そして千葉県小櫃川の流域に限られている．その理由はミヤイリガイが上記地区のみに分布するからである．

外国の流行地は図464に示す通りであるが，とくに中国とフィリピンの流行が著しい．またラオスとカンボジア国境のメコン流域には形態的にも臨床的にも日本住血吸虫に類似した**メコン住血吸虫** *S.mekongi* Voge et al.,1978が濃厚に流行している．

【予防・撲滅】

従来，本症を撲滅するにはミヤイリガイの撲滅が第一とされ，わが国でも戦後国家的事業として撲滅運動が行われ，殺貝剤(石灰窒素，PCPナトリウムなど)の撒布，灌漑用水路のコンクリート化などを行い，全流行地で貝は消滅した．ただ甲府盆地と小櫃川流域に少し棲息しているが本虫には感染していない．また国内で感染した可能性のある者は1977年以来見出されておらず，わが国土着の日本住血吸虫は撲滅された．

わが国の流行地は上記のごとく比較的限られた地域であり，かつ経済的に対策が可能であったが，外国の広大な農耕地やジャングルでの撲滅作業は容易ではない．しかし最近プラジカンテルという著効薬の出現により本症撲滅戦略の重点は殺貝から治療に移りつつある．

なお個人的予防として，流行地で水に入るときはゴム長靴，ゴム手袋などを着用してセルカリアの侵入を防ぐ．

図460. 中国の日本住血吸虫症患者の腹水とヘルニア
（重慶医科大学 劉 約翰 教授の厚意による）

図461. 広島県神辺町の日本住血吸虫流行地のほぼ中心に存在する標高71mの片山
この名にちなんで片山病といわれた．
（岡部浩洋，日本における寄生虫学の研究1．p.55，1961）

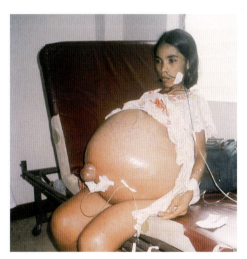

図462. フィリピンの日本住血吸虫症患者(27歳)の巨大腹水とヘルニア
（林　正高ら：Clin. Parasit. 10：34-36, 1999. 狩野繁之博士の厚意による）

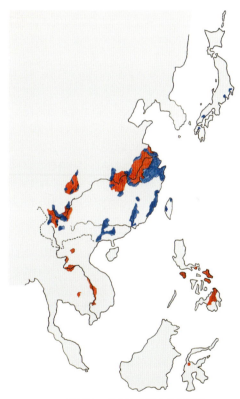

図464. 日本住血吸虫の分布地
（青色部分は現在流行が終息した地域，赤色はなお流行が続いている地域）
日本：詳細は本文参照
中国：2000年発行のデータによる
台湾：台湾の日本住血吸虫はヒトに感染を認めなかった
フィリピン：レイテ，ミンドロ，サマル，ミンダナオ，ルソン
インドネシア：スラウェシ島 Lindu 湖付近
メコン流域：この地域の虫種は**メコン住血吸虫** *S. mekongi* で，若年者を中心に多くの住民が感染している．中間宿主は *Neotricula aperta* という貝である

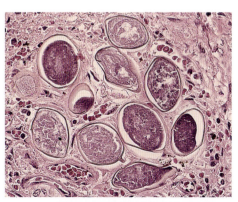

図463. 肝硬変から肝細胞癌に移行した患者の肝組織中に見出された**日本住血吸虫卵**
（群馬大学 鈴木　守 教授 提供）

第82項 マンソン住血吸虫およびビルハルツ住血吸虫

マンソン住血吸虫およびビルハルツ住血吸虫は世界的に重要な寄生虫であるが,わが国には分布していない.しかし最近,国際交流の進展に伴い,流行地で感染した日本人の帰国,あるいは感染した外国人の入国など症例が増加する傾向にあるので,これらに関する知識が必要である.

マンソン住血吸虫 Schistosoma mansoni Sambon, 1907

【疫 学】 本種は図465に示すようにアフリカ,南米およびカリブ海諸島に広く分布する.わが国には分布しないが1994年頃までに,ケニア,エジプト,ザンビアなどで河やダム湖に入って感染した邦人13症例が報告された[註1,2,3].その後2013年までに13例輸入症例が追加報告され,2015年にはビルハルツ住血吸虫との合併感染例が報告された[註4].

【形態および生活史】 成虫(図466)の形態的特徴は,①日本住血吸虫やビルハルツ住血吸虫より小形で体長は雌7~16mm,雄6~10mm,②体表一面に疣状の突起が生え,③二分した腸管は体の中央より前方で合して1本となる,④卵巣は体中央より前方にあり短い子宮を有する,⑤精巣濾胞の数は6~9個,などである.

虫卵の形態は日本住血吸虫の虫卵とは大いに異なり,図467,468に示すごとく一側に大きな棘を有し,長径は114~175μm,短径は45~68μmと大形で黄褐色を呈し,中にミラシジウムを内蔵している.

生活史は日本住血吸虫のそれに類似している.すなわち成虫はヒトの門脈枝内に寄生し,雌雄抱合して産卵を行う.細血管内に産下された虫卵は血管を塞栓し,周囲の組織は壊死に陥り,虫卵は腸管腔内に脱落して糞便内に現れる.水中に入った虫卵からミラシジウムが孵化し中間宿主に侵入する.中間宿主となる貝は *Biomphalaria glabrata*(図470)などの淡水貝で,流行地によって貝の種類も異なる.これらの貝の中で発育して生じたセルカリアはやはり岐尾セルカリア(図471)で,貝を辞し水中を泳いで終宿主を捜し,その皮膚から侵入する.

【臨 床】 本虫による病理変化および症状は日本住血吸虫の場合に類似しているが,一般的に軽症である.初期症状は発熱を示すことが多いので流行地での不明熱の場合本症を考慮する必要がある.

診断は糞便検査,直腸粘膜生検(とくに腹側)などを行い特有の虫卵を検出する.また種々の免疫学的診断法も広く利用されている.

治療は日本住血吸虫症の場合と同様に行う.林ら[註2]の経験によるとプラジカンテル50mg/kg,分3,1日の投与で治癒したという.

予防法は流行地でむやみに湖沼や河に素手,素足で入らないことである.

ビルハルツ住血吸虫 Schistosoma haematobium (Bilharz, 1852)

【疫 学】 図465に示すごとく本種はアフリカのほぼ全域,中近東,インドの西部などに分布する.とくにナイル河流域は濃厚で,砂漠に農地を作るため灌漑水路を広げると本症の流行が拡大するのは皮肉なことである.2015年現在,日本人感染例約30例の報告がある.

【形態および生活史】 成虫の雌の体長は16~20mm,雄は10~15mm,形態的特徴は,二分した腸管は体中央よりやや後方で合し,精巣濾胞の数は4個,時に5個,卵巣は体中央より後方に位置する,などの点である.

虫卵は日本住血吸虫やマンソン住血吸虫の虫卵と異なり,図469に示すように後方に向かう大きな棘を有する.大きさは長径112~170μm,短径40~73μmである.

本虫の生活史の特徴は,成虫がヒトの膀胱および肛門の静脈叢の血管内に寄生し,主として膀胱壁の細静脈内に産卵する(図474).したがって虫卵は膀胱内に脱落し尿の中に現れる.しかし一部直腸壁内に産卵し糞便内に現れることもある.成虫の寿命は10~15年と長い.

中間宿主は *Bulinus truncatus*(図472)など Bulinus 属の貝で,生じた岐尾セルカリアは水中に出て,やはりヒトの皮膚を貫いて侵入し約3カ月で成虫となる.

【臨 床】 セルカリア侵入後皮膚炎を生ずるが数日で消退する.本虫が成虫に達する頃,頭痛,全身倦怠,腰痛,肝脾腫大,好酸球増加などを示すことがある.成虫は主として膀胱壁細静脈内に産卵し,虫卵は血液や組織と共に膀胱内に脱落するので主症状は血尿(図473)と排尿痛である.膀胱壁は次第に過形成と線維化が進む.エジプトなど本虫の流行地では膀胱癌の発生率が高く,本虫感染との関係が深いと考えられている.

診断は,流行地に関係のある血尿患者を診たときはまず本症を疑う.確診は尿中に特有の本虫の虫卵を検出することである.時に糞便内にも現れる.膀胱鏡検査,免疫学的検査も用いられる.

治療は日本住血吸虫およびマンソン住血吸虫と同様に行う.1日水浴しただけで42%の感染率を示したという報告もあり,旅行者は注意を要する.

註1 難波 修ら(1979):日内会誌,68:196-201.
註2 林 正高(1980):日医事新報,2945:26-30.
註3 小原 博ら(1994):寄生虫誌,43(増):106.
註4 水野泰孝ら(2015):26回日臨寄生虫会抄録:34.

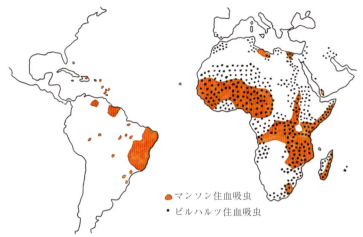

図465. マンソン住血吸虫とビルハルツ住血吸虫の分布域
（故 Dr. Beaver の厚意による）

● マンソン住血吸虫
・ ビルハルツ住血吸虫

図466. マンソン住血吸虫の成虫
細長い雌は彎曲し，雄に抱かれている．

図467. マンソン住血吸虫の虫卵
棘が側方に出ている．

図468. ミラシジウム孵化直前のマンソン住血吸虫の虫卵

図469. ビルハルツ住血吸虫の虫卵
棘が後方に出ている

図470. マンソン住血吸虫の中間宿主の *Biomphalaria glabrata*

図471. マンソン住血吸虫のセルカリア ⇨

図472. ビルハルツ住血吸虫の中間宿主の *Bulinus truncatus*

図473. ビルハルツ住血吸虫症患者の血尿

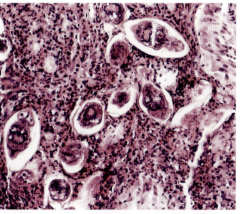

図474. ビルハルツ住血吸虫症患者の膀胱壁中の虫卵
（図468，473，474は Dr. Seitz の厚意による）

第83項　鳥類住血吸虫のセルカリアによる皮膚炎

わが国の水田や湖沼で作業をしたとき，瘙痒感の強い皮膚炎を生ずる疾患があり，水田皮膚炎とか湖岸病と呼ばれているが，これは鳥類に寄生する住血吸虫のセルカリアがヒトの皮膚に侵入して起こることが明らかになってきた．この皮膚炎は全国的にみられ，農民を悩ませている．

【疫　学】　鳥類には種々の住血吸虫の成虫が寄生しており，水田や湖沼に存在するそのセルカリアがヒトの皮膚に侵入すると，ヒトは固有宿主ではないため成虫に発育することはないが侵入局所に皮膚炎を生ずる．このような疾患は世界に広く存在し，**住血吸虫セルカリア皮膚炎**（schistosome cercarial dermatitis または swimmer's itch）と呼ばれている．このような事実を最初に見出したのは Cort（1928）で，米国ミシガン州ダグラス湖において発生している swimmer's itch の原因は Lymnaea stagnalis var. appressa という貝を中間宿主とし，カモ類を終宿主としている Trichobilharzia ocellata のセルカリアの侵入によることを明らかにした．わが国でも次のような種が各地に分布し，主として5～10月の暖季に患者が多発している．

I．ムクドリ住血吸虫 Gigantobilharzia sturniae (Tanabe, 1948)

【歴　史】　島根県宍道湖には古くから**湖岸病**と呼ばれる皮膚炎が知られていたが，1948年，田部はこの原因はムクドリなどに寄生している本種のセルカリアの皮膚侵入によって起こることを明らかにした．その後1951年に田部は成虫の記録を行った．大島ら（1991）[註1]は，わが国の水田皮膚炎は本種によるものが多いとしている．

【形態と生活史】　本種は主としてムクドリを終宿主としているが，マガモ，セキレイ，スズメ，カラスなどにも寄生する．**成虫**（図475）は雌約26mm，雄約10mmの体長を有し，鳥類の腸管に分布する血管内に寄生し（図476），虫卵が糞便の中に現れる（図477）．虫卵内のミラシジウムは水中で孵化し（図478），中間宿主である**ヒラマキガイモドキ** Polypylis hemisphaerula（以前 Segmentina nitidella といわれた）（図481）に侵入し，第1代および第2代スポロシストを経て多数のセルカリアを生ずる．このセルカリアは固有宿主である鳥類に侵入すると成虫にまで発育するが，ヒトなど非固有宿主に侵入すると成虫にまで発育することはないが，この際ヒトに皮膚炎などを起こす．セルカリアは明暗に反応し暗い状態から明るい状態になったとき一斉に貝から遊出し，その後約3時間で感染力を失うので，水田などでの感染の機会は朝が多いと推定される（大島ら，1992）[註1]．

セルカリアの形態は図479，480に示すごとく，他の住血吸虫のそれと同じく岐尾セルカリアで，全長は約500μm，水中を活発に泳ぎ，ヒトなどの皮膚に侵入する．

中間宿主のヒラマキガイモドキは図481に示すごとく直径6～7mmの扁平な貝で水田，湖沼，水路などに棲息するが，これによく似たヒラマキミズマイマイ Gyraulus chinensis spirillus と鑑別を要する（第102項参照）．

終宿主のムクドリは，大島ら[註1]によると，毎年4～5月の頃水田に飛来し昆虫や貝を漁り，虫卵を排出し，その後は果樹園などに移動するという．横浜周辺のムクドリの本虫寄生率は平均53.3％を示した．

【症　状】　セルカリアがヒトの皮膚に侵入したとき，チクリと痛みがあり，その後1～数時間すると，粟粒大・散在性の発赤，続いて丘疹・水疱・膿疱などを生じ，強い瘙痒感を伴う．また掻爬によって細菌の2次感染を起こすこともある．これらの症状は反復感染で増強し，アレルギー性炎症と考えられる．発疹の好発部位は水に浸かった部分，それも水面に接した部分が多い（図482）．

【治　療】　もっぱら痒みを止める対症療法を行う．温湿布で痒みを和らげ掻きむしらないようにし，ステロイド軟膏や抗ヒスタミン軟膏を塗布する．

【予　防】　個人的には，水田などに入るとき，長靴，ゴム手袋，脚絆などを使用するか，忌避剤を塗布する．

II．Trichobilharzia brevis

本種はアヒルを終宿主，ヒメモノアラガイ Austropeplea ollula（第102項参照）を中間宿主とする鳥類住血吸虫で，全国に広く分布し，鈴木ら（1979）[註2]によるとわが国の水田皮膚炎の大半は本種のセルカリアによるとしている．症状その他はムクドリ住血吸虫とほぼ同じである．

III．Trichobilharzia physellae

小田（1958）によると島根県隠岐島に存在する水田皮膚炎は，カモなどを終宿主として，モノアラガイ（第102項参照）を中間宿主とする本種のセルカリアに起因するという．宮里ら（1978）[註3]も山口県において本種によると推定される水田皮膚炎を報告した．

図475. ムクドリ住血吸虫の成虫
ムクドリの血管内からの採取.

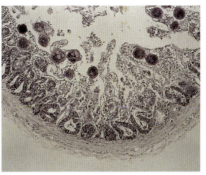
図476. ムクドリの腸管粘膜内に存在する
ムクドリ住血吸虫の虫卵

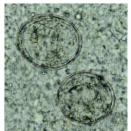
図477. ムクドリの糞便中のムクドリ住血吸虫の虫卵

⇦ 図478. ムクドリ住血吸虫のミラシジウム

図481. ムクドリ住血吸虫の中間宿主ヒラマキガイモドキ ⇨

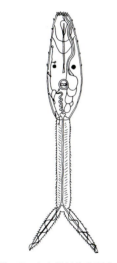
図479. ムクドリ住血吸虫のセルカリア
（野村[註5]による）

図480. ムクドリ住血吸虫のセルカリア

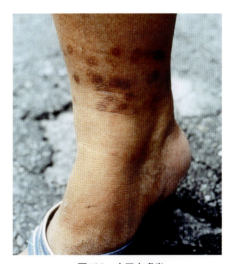
図482. 水田皮膚炎
水に浸った水面に一致して皮膚炎発生, 色素沈着を示す.

（図475, 476, 477, 478, 480, 482は神戸大学 松村武男 教授の厚意による[註4]）

註1 大島智夫ら(1991, 1992)：寄生虫誌, 40：451-458；41：10-15；41：97-104；41：185-193；41：194-201.
註2 鈴木了司ら(1979)：日医事新報, 2890：43-46.
註3 宮里 昂ら(1978)：近大医誌, 3：159-174, 199-210, 339-352, 353-372.
註4 Matsumura T et al.(1983)：Kobe J. Med. Sci. 29：161-169.
註5 野村一高(1961)：寄生虫誌, 10：87-105.

第84項　咽頭吸虫

この吸虫は，元来水鳥の寄生虫であるが，最近わが国で続いて人体寄生例が報告されるようになった．本虫はヒトの喉頭や咽頭に吸着し，異物感と炎症を来しhalzounといわれる症状を起こす．

【種　名】　咽頭吸虫 *Clinostomum complanatum*（Rudolphi, 1814）

Clinostomum属に属する吸虫は鳥類から43種，哺乳類から4種記載されている．ヒトに偶然寄生するのは数種あるかもしれないが，現在の段階では *C. complanatum* と同定した報告が最も多い．

【形態と生活史】　成虫は図483に示すごとくずんぐりした蛭状で，体長は4〜8mm，体幅は1.6〜2.4mmで，内部の構造は図484に示す通りである．虫卵の大きさは長径100〜125μm，短径54〜80μmとかなり大きく，前端に小蓋を有する．固有宿主はアオサギ，シラサギなど水鳥がほとんどで，それらの口腔，咽頭，食道などに吸着して寄生している．水中に入った虫卵の中で発育したミラシジウムは第1中間宿主となるモノアラガイなどの淡水貝に入り，生じたセルカリアは次いで第2中間宿主の淡水魚に侵入してメタセルカリアとなる．これを鳥やヒトが摂取して感染するのである．

【臨　床】　本虫がヒトに寄生すると虫体は咽頭部や喉頭部の粘膜に吸着寄生するので，その部位の異物感，疼痛，咳嗽，嗄声などを生ずる．しかし時に血痰，発熱などを来すこともある．このような咽頭吸着寄生による症状は，肝蛭，ヒルなどによってもよく起こり，**halzoun** という疾病名で世界に広く知られている．

診断と治療は，肉眼で，または内視鏡で虫体を見出し，摘出する．

【疫　学】　世界ではイスラエルと韓国から各1例報告がある．わが国では山下（1938）[註1]が最初の人体寄生例を報告し，その後報告が増加し，2018年現在，合計26例（佐賀5例，島根4例，愛知・熊本・山口・岐阜各2例，秋田・石川・富山・滋賀・大阪・福岡・群馬・長崎・広島各1例）を数え，その年齢は15歳から70歳，男性7例に対し，女性19例となっている[註2, 3, 4, 5, 6, 7, 8, 9]．また感染源はコイ，フナの生食によるものが最も多い．

図483．68歳男性の咽頭より摘出された *Clinostomum* sp. の全形標本
（島根医科大学　山根洋右　教授の厚意による[註2]）

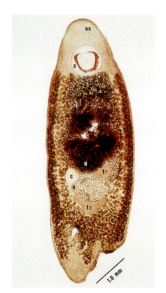

図484．70歳女性の咽頭より摘出された咽頭吸虫成虫の内部構造

os. 口吸盤，a. 腹吸盤，u. 子宮，c. 陰茎嚢，O. 卵巣，t1, t2. 前・後精巣

（秋田大学　吉村堅太郎　教授の厚意による[註3]）

註1　Yamashita J (1938)：Annot. Zool. Jap. 17：563-566.
註2　Isobe A et al. (1994)：Jpn. J. Parasit. 43：193-198.
註3　Yoshimura K et al. (1991)：Jpn. J. Parasit. 40：99-101.
註4　前嶋條士ら (1996)：寄生虫誌，45：333-337.
註5　白井　亮ら (1998)：感染症誌，72：1242-1245.
註6　山田　稔ら (2005)：Clin. Parasit. 16：79-82.
註7　及川陽三郎ら (2013)：Clin. Parasit. 24：109-111.
註8　Hara H et al. (2014)：Nagoya J. Med. sci. 76：181-185.
註9　長岡史晃ら (2018)：Clin. Parasit. 29：49-51.

第2部　人体寄生蠕虫学

II．扁形動物

B．条虫類
（付．鉤頭虫類および鉄線虫類）

マスを生食し八，九尺の条虫が二，三匹も出たとのこと．箸に巻き取る方法が昔から用いられた（「新撰病草紙」より．「新撰病草紙」は平安・鎌倉時代に描かれた「疾の草紙」にならって江戸時代に作られた病草紙．嘉永三年（1850），江戸の大膳亮好庵（道敦）が折ふしに書きとどめてきた奇病・異常のうち十六種を撰び一巻としたもの．詞書は稲垣正信が書き，画は福崎一宝の作である）．
（東北大学附属図書館医学分館所蔵．同館の許可を得て掲載）

患者から駆出したばかりの日本海裂頭条虫と思われる虫体を持つ筆者
（第87項，88項および第97項参照）

第85項　条　虫　綱　総　論

条虫は一般にサナダ虫といわれるように長い真田紐のような外観を呈する．英語では tapeworm，ドイツ語では Bandwurm という．条虫類はすべて寄生生活を営み，自由生活をするものはない．ヒトを固有宿主とする条虫はヒトの腸管内に寄生しているが，有鉤条虫や，または他の動物を固有宿主としているマンソン裂頭条虫や多包条虫などは，幼虫期のものがヒトの皮下，肝臓，脳などに寄生し，この場合の方が病害が大きい．

条虫の一般形態

条虫は図485に示すごとく，**頭節 scolex**，**頸部 neck**，**未熟体節 immature proglottid**，**成熟体節 mature proglottid**，および**受胎体節 gravid proglottid** から成っている．この体節の数は条虫の種類によって少ないものは3個（単包条虫，第93項参照），多いものは数千個（広節裂頭条虫，第87項参照）もある．この体節の連なりを**ストロビラ strobila** と称する．各々の体節内に，雌雄の生殖器があり，要するに雌雄同体の個体が多数連結していると考えてよい．しかし，ばらばらに離れては寄生を続けることができない．また頸部で次々に体節が生産されるので，終宿主体内で成虫が増殖すると解釈してよい．そのかわり，このような種は幼虫の時期に増員することはない．一方，単包条虫や多包条虫では，成虫での増員が顕著でないかわりに幼虫時代に増員が行われる．このように寄生虫はある時期に無性的に大いに増員するか，または多数の虫卵を産出して種を保存しようとしている．

頭節には，虫体を宿主の腸粘膜に固着させるための器官がある．それは**吸溝 bothrium**，**吸盤 sucker**，**額嘴 rostellum**，**小鉤 hooklet** などで，条虫の種類によってそれぞれ特徴を持っている．

頸部は頭節に続く細い部分で，ここで新しい体節が作られる．したがって駆虫薬などの作用で長いストロビラが切れて体外に排出されても頭節と頸部が残存しておれば早晩もと通りに成長する．

未熟体節は，体節の分節 segmentation はみられるが，生殖器の発育が未熟な部分であり，**成熟体節**は生殖器の成熟した部分で，最も大きな部分を占める．**受胎体節**というのはストロビラの末端の方で，各器官は次第に老熟・退化し，無鉤条虫などでは虫卵が充満している．一方，広節裂頭条虫などでは虫卵は充満せず，末端部は老熟・萎縮しているので老化体節ともいう．このような末端部分は自然に切れて肛門から排出されるが，その出方が条虫の種類によって異なることが多い．すなわち，広節裂頭条虫やクジラ複殖門条虫では長いストロビラが連なって出てくるが，無鉤条虫では体節が1つひとつばらばらに切れて出てくることが多い．

条虫は種類によって子宮孔（産卵門）を有するものと有しないものとがあり，前者では虫卵が逐一産下され，糞便と共に外界に出る（広節裂頭条虫など）．ところが後者では虫卵が体節内に蓄積し，受胎体節自身が自然排出することによって虫卵が外界に出る（無鉤条虫など）．

条虫は消化管を持たないのが大きな特徴で，栄養は体壁を通して吸収される．そのため体壁の構造は特異な分化を示している．すなわち条虫の**外被 integument** には**微小毛 microtrix** と称する，ちょうど腸絨毛のような多数の突起が出ている（図486，495）．すなわち体壁の構造は細胞性であり，線虫のように分泌によって形成された非細胞性の構造とは異なり，その微細構造はむしろ脊椎動物の腸管内壁に似ている（図486）．以前，条虫の体表にある多数の小穴を栄養の通路と考え栄養孔と称したが，現在この考えは支持されない．外被はまた，自分の体を宿主の消化液から守るために体外酵素を出している．

外被の内側には**柔組織 parenchyma** と称する網目状の組織があり，この中に**石灰小体 calcareous corpuscle** と呼ばれる同心円状の光をよく屈折する小体がある．これは条虫に特有で，石灰小体形成細胞で作られ，成虫と幼虫とを問わず存在する．したがって病理組織標本などでこの小体を見出せば条虫の診断が下せる（図487）．その機能は内部骨格としての役割や浸透圧の調節などが考えられるがまだ十分よくわかっていない．

排泄系は吸虫と同様，焔細胞にはじまり，各体節の両側の集合管に集まり，全体節を貫いて後端で開口する．

神経系は頭節に中枢があり，そこから後方に向かって神経幹が走り，末端各所に分布する．

生殖器は**雌雄同体**で，構造は複雑，かつ虫種によって異なるので各項目のところで精述する．

条虫の生活史

条虫はその生活史を全うするためには**中間宿主**を1つ（無鉤条虫）ないし2つ（広節裂頭条虫）必要とする．例外的に終宿主の腸粘膜に侵入することによって中間宿主の代わりをするものもある（小形条虫）．生活史は条虫の種類によって非常に異なるので，各項で精述する．

第86項　人体寄生条虫の分類

ヒトに寄生する条虫の分類を示す．これらの条虫は擬葉目と円葉目に大別されるが，その相違点などを示す．

Phylum Platyhelminthes　扁形動物門
　Class Cestoidea　条虫綱
　　Order Pseudophyllidea　擬葉目
　　　Family Diphyllobothriidae　裂頭条虫科
　　　　○* *Diphyllobothriun latum*　広節裂頭条虫
　　　　○* *D. nihonkaiense*　日本海裂頭条虫
　　　　○* *Diplogonoporus balaenopterae*
　　　　　　　　　　　　　クジラ複殖門条虫
　　　　○*# *Spirometra erinaceieuropaei*
　　　　　　　　　　　　　マンソン裂頭条虫
　　　　# *Sparganum proliferum*　芽殖孤虫
　　Order Cyclophyllidea　円葉目
　　　Family Taeniidae　テニア科
　　　　○* *Taenia saginata*　無鉤条虫
　　　　○*# *T. solium*　有鉤条虫
　　　　* *T. asiatica*　アジア条虫
　　　　# *T. multiceps*　多頭条虫
　　　　# *Echinococcus granulosus*　単包条虫
　　　　○# *E. multilocularis*　多包条虫
　　　Family Hymenolepididae　膜様条虫科
　　　　* *Rodentolepis nana*　小形条虫
　　　　* *Rodentolepis diminuta*　縮小条虫
　　　Family Dilepididae　ジレピス科
　　　　* *Dipylidium caninum*　瓜実条虫
　　　Family Mesocestoididae　メゾセストイデス科
　　　　* *Mesocestoides lineatus*　有線条虫
　　　Family Anoplocephalidae
　　　　* *Bertiella studeri*　サル条虫
　　Order Tetrarhynchoidea　四吻目
　　　　** *Nybelinia surmenicola*　ニベリン条虫

○印：わが国で医学上とくに重要なもの
*腸管内，#人体組織内，**咽頭

表25．擬葉目と円葉目との主な相違点

	擬　葉　目	円　葉　目
頭　節	吸溝を有し，吸盤や小鉤はない	吸盤を有し，小鉤を有する種もある
子宮と産卵	子宮孔を有し，虫卵は逐一産下される	子宮は盲管に終り，虫卵は産下されず子宮内に蓄積される
糞便内虫卵の形態	小蓋を有し，虫卵内は未発育	小蓋を有せず，虫卵内に六鉤幼虫を有する
中間宿主	2つ必要とする	1つでよい
終宿主へ感染してくる時期の幼虫の名称	プレロセルコイド　plerocercoid	Taenia 属：囊尾虫 cysticercus 　　　　　　共尾虫 coenurus Echinococcus 属：包虫 hydatid cyst Rodentolepis 属：擬囊尾虫 cysticercoid

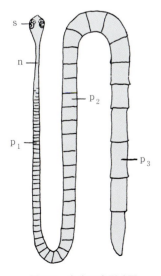

図485．条虫の全形略図
s．頭節，n．頸部，p₁．未熟体節，
p₂．成熟体節，p₃．受胎体節

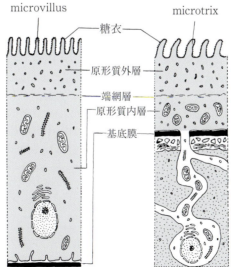

図486．条虫の外被の細胞（右）と脊椎動物の小腸の上皮細胞（左）との構造上の類似性（電子顕微鏡像の模式図）

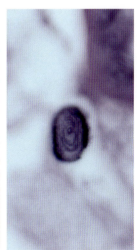

図487．条虫の柔組織内に存在する石灰小体
同心円状，直径約20μm

第87項　広節裂頭条虫および日本海裂頭条虫
[A] 歴史，分類および形態

この両種は形態的には区別困難であるが，その分布や中間宿主，遺伝子の相違から別種として取り扱われるようになった．成虫はヒトの小腸内に寄生し最大体長10mにも達する．マス，サケなどの魚を食べて感染するので fish tapeworm といわれる．最近，冷蔵技術の進歩により新鮮な魚が国の内外から食膳に運ばれるため感染者が後を絶たず，現在わが国における最も重要な寄生虫症の一つとなっている．

【種　名】
1. 広節裂頭条虫 Diphyllobothrium latum (Linnaeus, 1758) Luhe, 1910
2. 日本海裂頭条虫 Diphyllobothrium nihonkaiense Yamane et al., 1986

【疾病名】　裂頭条虫症 diphyllobothriasis
種名が確定すれば広節裂頭条虫症または日本海裂頭条虫症と称してもよい．

【歴史と分類】　長大な寄生虫であるこの条虫は紀元前から知られていたが，16世紀末頃から欧州で形態研究が進み1758年に Taenia lata と命名され，1910年に Diphyllobothrium latum となった．わが国においても古文学や古文書に登場し「寸白」などと呼ばれた（185頁の絵図参照）．そしてこの D. latum は日本を含む世界中に広く分布するとされてきた．

第2中間宿主は1882年に Braun がカワカマスから得た幼虫を3人の学生に飲ませ成虫を得決定し，わが国では1886年，飯島が利根川産マス由来の幼虫2匹を自ら飲み成虫を確認した．その後，江口（1922～1929）はわが国における第1中間宿主を決定すると共に，神通川，白川，九頭竜川，阿賀野川，北海道などのマス・サケに高率に幼虫の感染を認めた．

従来，わが国にもこの D. latum（広節裂頭条虫）が分布すると考えられてきたのであるが，1986年，山根らは日本海を回遊するサクラマスから感染するのは D. nihonkaiense（日本海裂頭条虫）なる新種であると報告した[註1]．しかし実際上，患者から得た成虫をその形態で区別することは困難なため長年混乱が続いたが，遺伝子解析によって鑑別が可能となり，現在，わが国で感染する種は D. nihonkaiense と考えられるようになった．しかし最近，ロシアで感染したと思われる日本人女性症例の条虫が遺伝子解析の結果 D. latum と診断されており[註2]，食品の流通や旅行による感染は国際的になっているので，わが国においても D. latum の感染者の存在を全く否定するわけにはいかない．

【形　態】　両種成虫の形態については，D. nihonkaiense の新種の記載において，体節の矢状断面における貯精嚢と陰茎嚢との角度の違いをはじめいくつかの差異が記載されたが，その後の研究によるといずれも体節の部位や固定法によって変異し，形態的に両種を鑑別することは困難ということになった．

まず成熟虫体の体長は5～10m，頭部の方は細く，下へ行くほど幅広くなり，最大幅は10～15mm，体節数は3,000～4,000に達する（図488）．頭節（図489）は棍棒状で縦約2mm，横約1mm，縦に一対の吸溝があり，宿主の腸粘膜に吸着して体を固定する．虫体の表面には微小毛 microtrix が密生している（図495）．

生殖器の構造は図492，493に示すごとく，特徴は体節の腹面の正中線上に生殖孔 genital pore および子宮孔 uterine pore が開いており，生殖孔付近には図494に示すような多数の感覚乳頭がある．

精巣 testis は図493に示すごとく内側の髄質の両側に濾胞状を呈して並ぶ．精子は小輸精管 vas efferens，輸精管 vas deferens，貯精嚢 seminal vesicle を経て陰茎嚢 cirrus sac の中の陰茎から腟 vagina の中に注入され受精嚢 seminal receptacle に運ばれる．陰茎と腟は1つの囊状の生殖腔 genital atrium に開いている．

卵巣 ovary は図492に示すごとく2葉あり，ここで作られた卵細胞は輸卵管 oviduct を通って卵形成腔 ootype に運ばれここで受精する．卵黄腺 vitelline grand は濾胞状で皮質部に分布し（図493），ここで作られた卵黄細胞 vitelline cell は卵黄管 vitelline duct を通って卵形成腔に運ばれる．卵形成腔の周囲にはメーリス腺 Mehlis' gland がある．卵黄細胞は虫卵の卵黄 yolk を形成し，メーリス腺は卵膜や卵殻の形成にあずかる．受精した虫卵は子宮に送られ，子宮内に蓄積されることなく順次，子宮孔から産下され糞便と共に外界に出る（図492）．

虫卵の形態も両種差無く，大きさは長径60～70μm，短径40～50μmで淡褐色を示す．吸虫卵に似て前端に小蓋があり，尾端に小突起がある．虫卵内は未発育で1個の卵細胞と多数の卵黄細胞とがある（図490）．

註1　Yamane Y et al.(1986)：Shimane J. Med. Sci. 10：29-48.
註2　山田　稔ら(2011)：Clin. Parasit. 22：79-81.
[参考資料] 加茂　甫(1999)：裂頭条虫同定のためのハンドブック，pp.146，鳥取大学医学部医動物学教室.

広節裂頭条虫および日本海裂頭条虫　189

図488. ガストログラフィンにより駆出された
日本海裂頭条虫と思われる虫体
（矢印は頭節，わが国でサケ・マスを頻回生食した
64歳の男性患者より採取）

図489. 棍棒状の頭節
（米国の標本）

図490. 虫卵
（矢印は小蓋）

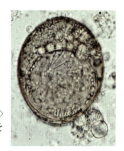

図491. 中にコラシジウムを
生じた虫卵

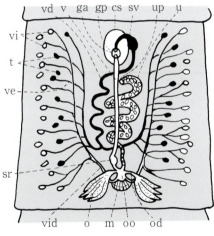

図492. 成熟体節の構造

cs. 陰茎嚢, ga. 生殖腔, gp. 生殖孔, m. メーリス腺, o. 卵巣, od. 輸卵管, oo. 卵形成腔, sr. 受精嚢, sv. 貯精嚢, t. 精巣の濾胞, u. 子宮, up. 子宮孔, v. 膣, vd. 輸精管, ve. 小輪精管, vi. 卵黄腺, vid. 卵黄管　（Brown および Faust の *D. latum* の図を参考に作図）

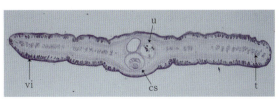

図493. 成熟体節の横断像
（略語は上の図492を参照）

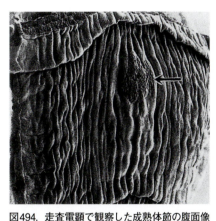

図494. 走査電顕で観察した成熟体節の腹面像
（矢印は生殖孔，その周囲に多数の感覚乳頭あり）

図495. 走査電顕で観察した成熟体節の
体表を被う微小毛

第88項 広節裂頭条虫 および 日本海裂頭条虫
[B] 生活史および臨床

広節裂頭条虫の終宿主はヒトをはじめイヌ，クマなどの哺乳類，第1中間宿主はケンミジンコ，第2中間宿主はカワカマスなどの淡水魚とされている．一方，日本海裂頭条虫の生活史については，終宿主はヒト，ヒグマ，第2中間宿主はサケ，マス類である．主症状は両種ともに下痢，腹痛であるが無症状の場合もあり，突然長い体節が肛門から垂れ下がり気付くことが多い．診断は排出した体節の検査と糞便中の虫卵の検査によるが，両種の形態的差異を認めるのは困難なので鑑別するには遺伝子解析に頼る他はない．

【生活史】　広節裂頭条虫の生活史については欧州で早くから研究が行われ，終宿主はヒトをはじめイヌ，クマなど多くの哺乳類が記載され，また第2中間宿主は**カワカマス**や，パーチなどのスズキ目の淡水魚が主役とされ，第1中間宿主は Janicki ら(1917)の実験により Cyclops 属や Diaptomus 属の**ケンミジンコ**であることが明らかになっている．すなわち終宿主の糞便と共に外界に出た虫卵は**コラシジウム cora-cidium**(図491)に発育し，孵化して水中を泳ぎ，第1中間宿主のケンミジンコ(図496)に摂取され**プロセルコイド(前擬充尾虫)procercoid** にまで発育する．これが第2中間宿主の魚に食われると筋肉内に移行し**プレロセルコイド(擬充尾虫)plerocercoid**(図498〜501)にまで発育する．ヒトはこれを魚肉と共に食べて感染する．

一方，**日本海裂頭条虫の生活史**については，まず第2中間宿主は北西太平洋を回遊し，河川に回帰するタイヘイヨウサケ属の魚類であり，わが国での重要な感染源は**サクラマス** *Oncorhynchus masou*，**カラフトマス** *O. gorbuscha*，**サケ** *O. keta*(サケはシロザケ，トキシラズ，アキアジなどとも称される)で，最近の調査[註1]によるとプレロセルコイド感染率はそれぞれ12.2%, 18.5%, 51.1%で，以前の調査成績(**表26**)と同様の高い感染率，とくにサケに高い感染を示している．

次に日本海裂頭条虫の第1中間宿主について江口(1924〜1927)は岐阜県において種々のケンミジンコに感染実験を行い *Cyclops strenuus* と *Diaptomus gracilis* に感染を認めた(当時，条虫種は広節裂頭条虫という認識であった)．しかしこれら淡水産のケンミジンコが現在の日本の自然界で本種の第1中間宿主になっているとは考えにくい．というのは第2中間宿主のサクラマスは川の淡水域で過ごしたのち海に降り，さらに1年後，産卵のため母川に回帰するのであるが，1980年代の研究によると淡水域生活期の魚はもちろん，海に降りてからもしばらくは感染が認められず，翌年の1月頃から感染がみられ，これは魚が日本海を南下する時期に一致するという．とするとサクラマスは海で本条虫の幼虫に感染するものと考えられ，第1中間宿主がケンミジンコとすれば海棲の種とも想定される．次に海で獲れるサクラマスの感染率が依然高いことから考えると，大量の虫卵が海に存在し第1中間宿主を汚染しているということになる．このためには相当大量の終宿主の存在が必要であり，その探索が望まれる．

しかし一方，極東ロシアのヒグマやヒトにも日本海裂頭条虫が寄生していることが明らかにされた[註2]．極東ロシアの河川由来のサケに高率にプレロセルコイドが寄生しており，このサケが日本の沿岸を回遊している途中で捕獲され，日本の市場で販売されているものが，現在，日本人にみられる日本海裂頭条虫の主たる感染源になっているという推測もある．

【感染と症状】　ヒトがプレロセルコイドを魚肉と共に摂取すると2〜4週間で成虫になり産卵を開始する．自覚症状としては下痢，腹痛が最も多く，次いで腹部膨満感，悪心，全身倦怠，体重減少，めまいなどである．体節が自然排出する際に強い下痢の起こることが多い．また排便時，虫体が肛門から垂れ下がり引っ張るとどんどん出てくるので患者は腸と間違い不安に陥ることが多い．しかし虫体の自然排出以外になんら自覚症状のない例も15〜30%存在する．また欧州で以前，**裂頭条虫性貧血**と称する悪性の貧血が報告され，虫がビタミンB_{12}をヒトから奪うためなどの説があったが，最近外国でもわが国でもこのような貧血を示す症例はみられない．一人あたりの寄生虫体数は筆者の経験では4条寄生1例，3条2例，2条5例，1条113例であったが，数十条寄生していたという報告もある[註3]．

【診断】　多くの場合，肛門から虫体が排出したという患者の訴えによる．この際，長い虫体が連なって出てくるのが本種の特徴で，無鉤条虫(第91項)では体節が切れ切れになって出てくるのが普通である．この体節および虫卵を検査して診断する．成熟体節が存在すれば極めて多数の虫卵が排出されるが，体節の自然排出後は虫卵の出ない時期があるので注意を要する．また摂取した食品を詳しく問診することが大切である．両種の虫種は遺伝子診断によって確定される．

【治療】　第97項で一括して述べる．

広節裂頭条虫および日本海裂頭条虫

図496. 広節裂頭条虫の第1中間宿主となるケンミジンコ
〔*Diaptomus gracilis*, ♂〕

図497. 日本海裂頭条虫の第2中間宿主サクラマス
北陸能登半島沖で獲れたもの．

図498. 上記サクラマスの筋肉内に見出されたプレロセルコイド（矢印）

図499. 上記サクラマスの筋肉内のプレロセルコイド
このように被嚢している場合が多い．直径4〜6mm

図500. サクラマスより採取したプレロセルコイド
生理食塩水中で活発に運動する．

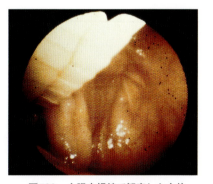

図502. 小腸内視鏡で観察した虫体
（筆者経験例，多田正大博士 撮影）

図501. 圧平・固定・染色したプレロセルコイド
頭部には著明な凹みがある．

表26. 日本産マスのプレロセルコイド寄生調査

調査値	年次	調査数	陽性数	寄生率	調査者
神通川	1975	40	7	17.1	吉村ら
阿賀野川	1976	8	4	50.0	堀田ら
魚野川	1976	6	2	33.3	堀田ら
目名川	1977	43	12	27.9	大林ら
横浜魚市場	1977〜1983	723	218	30.2	大島ら
京都魚市場	1978	15	2	13.3	吉田ら
紋別*	1977	7	1	14.3	大林ら
新潟*	1977	9	5	55.6	堀田ら

*はカラフトマス，他はすべてサクラマス

註1 鈴木　淳ら（2006）：Clin. Parasit. 17：22-24.
註2 Arizono N et al.（2009）：Emerg. Infec. Dis. 15：866-870.
註3 矢崎康幸ら（1986）：消化器科，5：551-556.

第89項　クジラ複殖門条虫およびマンソン裂頭条虫

クジラ複殖門条虫は最近まで大複殖門条虫といわれてきた条虫である．この条虫の特徴は長大で，体節の幅が広く，各体節に2組の生殖器を有する点で，本来クジラやトドなど海棲哺乳類に寄生しているがヒトにも寄生する．ヒトはイワシを食べて感染したという例が多い．マンソン裂頭条虫はわが国のイヌやネコに普通に寄生しており，稀に成虫の人体寄生がみられる．医学的に重要なのはこの条虫の幼虫がヒトに感染し孤虫症（次項）を起こすことである．

クジラ複殖門条虫
Diplogonoporus balaenopterae Lönnberg, 1892

【歴史と分類】　1892年，中村は長崎で患者から本条虫の体節を得，飯島・栗本(1894)は *Bothriocephalus* sp. として報告したが，同年 Blanchard がアザラシから得た *Krabbea grandis* に先取権が与えられ，その後，属名が Diplogonoporus に変わり，*D. grandis*（Blanchard, 1894）（和名：**大複殖門条虫**）と呼ばれてきた．ところがこの条虫は1892年に記載された *D. balaenopterae* と形態的に差がないという意見が以前からあった(岩田，1965)[註1]が，最近，分子遺伝学的にも同種であることが承認され，*D. balaenopterae* が先取権を得，*D. grandis* はシノニム(synonym 同物異名)となった．

【分　布】　本種の人体寄生例は日本の他，韓国，チリ，スペインからも報告がある．わが国での症例報告をみると，1960年頃までの65年間には25例であったものがその後1996年までの36年間には223例となり，著明な増加がみられる．この時点までの府県別分布をみると，静岡100，高知40，鳥取22，長崎16，島根8，福岡6，神奈川・千葉・大阪各5，愛媛・熊本・鹿児島各4，茨城・広島各3，青森・宮崎・東京・埼玉・山梨・大分・和歌山・三重・岡山各2，兵庫・京都・愛知・佐賀・富山各1，合計248例となっており，その後も毎年数例ずつ報告がある．疫学的特徴は関東以西の，海岸付近の住民の，20歳以上の男性に感染者が多い点である．

【形態と生活史】　成虫は最大10mに達し，体節の幅が大きく45mmに達するものがある(図503)．頭節はホウズキ状を呈する(図504)．体節には2組，時にそれ以上の雌雄生殖器がある．体節は頸部で新生される他に，成熟体節においても分節が起こる(図505，506)．

虫卵は黄褐色短楕円形，大きさは長径63〜74μm，短径41〜58μmで，前端に小蓋があり広節裂頭条虫や日本海裂頭条虫の虫卵と区別が困難である(図507)．

発育史はほとんどわかっていないが，第1中間宿主は海産橈脚類と考えられ，加茂ら(1973)は *Oithona nana* にコラシジウムを感染させたところプロセルコイドの形成をみた．

感染源となる第2中間宿主もまだよくわかっていないが，本症患者の調査でイワシ，あるいはイワシの稚魚のシラスを生で食べて感染したと思われる例が多い．

【症　状】　広節裂頭条虫や日本海裂頭条虫の場合とほぼ同様で，虫体が大きいわりに重篤な症状はない．

【診　断】　自然排出した体節の検査，あるいは糞便内の虫卵によって診断する．頭節を有する虫体が自然排出することが時々ある．

【治　療】　第97項で精述する．

マンソン裂頭条虫
Spirometra erinaceieuropaei（Rudolphi, 1819）

本種は永らく *Diphyllobothrium mansoni* と呼ばれ，和名もマンソン裂頭条虫と命名されたが，その後 *Spirometra erinacei* が正しいとされ，さらに最近，上記のような種名が正しいということになった．

マンソン裂頭条虫の成虫はわが国のネコ，イヌなどに普通に寄生している．一方，成虫の人体寄生もわが国で1997年までに14例認められたが，その後2015年現在まで報告は見当たらない．しかし医学的に重要なのは本虫の幼虫(プレロセルコイド)が人体の組織内に寄生し，移動性の腫瘤を生ずることである．これを**孤虫症 sparganosis** というが，これについては次項で精述する．

マンソン裂頭条虫の成虫は広節裂頭条虫に似ているが体長は60〜100cmと短く(図510)，また雄性および雌性の生殖器の構造も異なる(図508)．虫卵も異なり，図509に示すように左右非相称で両端が尖っている．大きさは長径52〜76μm，短径26〜43μmである．

生活史は，第1中間宿主が *Cyclops leuckarti* など数種のケンミジンコであり，第2中間宿主は非常に広く，両棲類，爬虫類，鳥類，哺乳類の多くのものがなる．ヒトも第2中間宿主ないし待機宿主となる．

実験的に本種のプレロセルコイドの頭節をマウスなどの皮下に接種すると，虫体は発育し，成長促進因子を産出してマウスの体重は増加し，骨端軟骨，肝臓，骨格筋の細胞増加がみられる[註2]．これらは寄生虫の害だけではない別の面白い作用の1例である．

註1　岩田正俊(1965)：寄生虫誌，14：365-366．
註2　平井和光ら(1985)：愛媛医学，4：1-6．
【参考資料】岩田正俊(1979)：目黒寄生虫館ニュース138号

クジラ複殖門条虫およびマンソン裂頭条虫　193

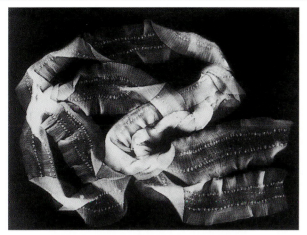

図503. 人体から採取したクジラ複殖門条虫
体節は幅広く，生殖器が2組並んでいる．

図504. 人体から得たクジラ複殖門
条虫の頭節（ホウズキ状）

図505. 人体から得た別の虫体
体節の分節（矢印）がみられる．

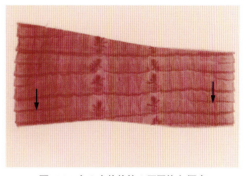

図506. 左の虫体体節の圧平染色標本
体節の分節（矢印）に注意（図504，505，506，507は
筆者が駆虫により人体から得た虫体と虫卵）

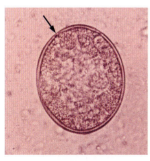

⇐ 図507. クジラ複殖門条虫
の虫卵
小蓋（矢印）あり

図508. マンソン裂頭条虫の
体節の圧平標本 ⇒

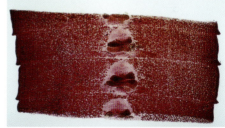

図509. マンソン裂頭
条虫の虫卵
前後尖り，左右非相称，
中にコラシジウムを有す
（塩田恒三 博士 撮影）

図510. マンソン裂頭条虫の全体標本（イヌ寄生虫体）

第90項 孤虫症（幼裂頭条虫症）

孤虫症 sparganosis というのは裂頭条虫の幼虫（プレロセルコイド）が人体の組織内に見出され，その成虫が不明の場合，孤児という意味から孤虫症と呼ばれた．このなかでヒトから見出される頻度の最も高いのはマンソン孤虫で，現在わが国でも患者が多数発生している．これははじめ成虫がわからなかったため孤虫と呼ばれたが，その後マンソン裂頭条虫のプレロセルコイドであることが判明し，もはや孤虫ではなくなった．しかし長年呼び親しまれてきたので現在もこの名が用いられている．一方，芽殖孤虫は今もって成虫が不明で真の孤虫である．

マンソン孤虫 *Sparganum mansoni*（Cobbold, 1883）

【歴史】 1882年に Manson が中国の廈門で一中国人を剖検し12隻の幼虫を得，それを Cobbold が1883年に *Ligula mansoni* と命名記載した．一方，京都療病院（京都府立医科大学の前身）の外人教師 Scheube は1881年に同病院で28歳の一男子囚人の尿道から排出した幼虫を得，3年後の1884年に Leuckart がこれを *Bothriocephalus liguloides* と命名記載したが，記載の早い前者に先取権がある．後年，属名は Sparganum に変更された．その後1916年，山田はヒトから得た虫体をイヌに与え成虫をみてマンソン裂頭条虫の幼虫であったことを確認したので，もはや孤虫ではなくなり**マンソン裂頭条虫幼虫（症）**となる．しかし人口に膾炙しているので**マンソン孤虫（症）**という呼称が現在も使われている[註1]．

【分布】 本症は世界に広く分布しているが特にアジアに多い．わが国では Scheube の初例発見以来2009年までに623例を数え[註2]，その後2014年末までに約40例の報告がある．

【形態】 図513に示すように多数の横皺を有する白色紐状で，前方（図の上）はやや太く，前端に凹みを有し後端は鈍円である．人体から見出される虫体は普通10〜20cmであるが，60〜70cmに達するものもある．

【感染経路】 マンソン裂頭条虫の第1中間宿主はケンミジンコであり，プロセルコイドを有するケンミジンコを，ヒトが水と共に摂取すると感染する．また第2中間宿主は両棲・爬虫・鳥・哺乳類の種々の動物がなっている．これらの体内に存在するプレロセルコイドをヒトが食べると，ヒトの体内では成虫にならず，依然プレロセルコイドのまま体内を移行する．すなわち**待機宿主 paratenic host** である．実際上ヒトの感染源として重要なものは，ヘビ，トリ，カエルなどの肉の刺身で，早いと摂取後10日目頃から症状が現れる．

【症状】 感染後不規則な発熱を示す．幼虫の寄生部位は皮下組織が最も多いが，眼瞼，頭蓋内，脊髄，心囊などに寄生し重大な症状を発した例もある．脳内寄生例が世界で28例，わが国で10例知られている．

皮下寄生の場合は，腹壁，胸壁，鼠径部，頸部などが多く，その部に腫瘤を生ずるが，これは比較的急に現れ，また急に消退し，再び別の部位に現れたりする．ちょうど顎口虫症（第56項参照）の場合の遊走性限局性皮膚腫脹に似ている．腫瘤は大体，拇指頭大ないし鶏卵大で，時に発赤，痛痒を感ずることもあるが無症状のことが多い．腫瘤部を切開すると幼虫を採取することができる（図511，512）．取り出した幼虫を微温生理食塩水中に入れると緩慢に運動する．

【診断】 **遊走性限局性皮膚腫脹**ないし**腫瘤**の場合は本症ならびに顎口虫症を想起することが大切である．好酸球増加，IgE の上昇，Ouchterlony 法，免疫電気泳動法などの結果が参考になる．

【治療】 外科的に摘出するのが最もよい．

芽殖孤虫 *Sparganum proliferum*（Ijima, 1905）

最初の症例は1904年に東京で発生，33歳の女性で，東京帝国大学皮膚科の山村正雄が虫体を見出し，1905年に飯島魁が記載，*Plerocercoides prolifer* と命名した．1907年に米国の Stiles が同様の症例に遭遇して *Sparganum proliferum* と再命名し現在に至る．独立種であることは確かだが真の孤虫で，成虫は現在も明らかでなく感染経路も不明である．

本虫は図517，518に示すように数mmないし1cm位のちょうどワサビかショウガの根のような形をした虫体で次々に芽を出し，大きくなると分離する．このようにして人体内で次第に虫体の量が増加してゆき，ついには人体のあらゆる軟部組織を埋めてしまう奇怪な虫で致死率は100％とされる．

典型的な症状は，まず皮膚に痤瘡様小結節を生じ（図514，515），瘙痒感と疼痛があり，細菌の2次感染も加わって皮膚の損傷が著しい（図516）．同時に内臓への侵襲も進み，組織の破壊，出血などを起こす．治療法は外科的に摘出する以外に方法はないが完全に取りつくすことは難しい．

本症は山村の発見以来，2020年現在で疑い例を含めてわが国で6例（東京3例，京都2例，熊本1例），タイ3例，台湾2例，韓国・中国・米国・パラグアイ・ベネズエラ・仏領レユニオン島・不明（南米）各1例報告されている．また本虫と思われるものが，イヌ・ネコなどの動物からも見出されている．ただし，形態学だけでは同定に限界があり，円葉類の増殖性幼条虫感染症との鑑別には遺伝子検査が必須である[註3]．

[註1] 日本を含めたアジア地域では，孤虫症の原因種はマンソン裂頭条虫一種と考えられていたが，最近の DNA 解析によって，マンソン裂頭条虫以外に *Spirometra decipiens* も関与することが判明し，日本にもこの2種が分布すると考えられる．（山﨑 浩ら（2017）：IASR, 38：74-76）
[註2] 吉川正英ら（2010）：Clin. Parasit. 21：33-36.
[註3] Kikuchi et al.（2020）：Parasitol Int（https://doi.org/10.1016/j.parint.2019.102036）.

孤虫症（幼裂頭条虫症） 195

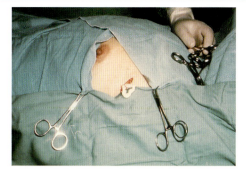

図511. 一女性の乳房に生じた腫瘤の切開創から現れたマンソン孤虫

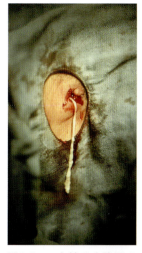

図512. 一女性の大陰唇の外側に生じた腫瘤の切開創から現れたマンソン孤虫
（京都府立医科大学皮膚科摘出症例）

図513. ヒトの皮下腫瘤から摘出したマンソン孤虫

白色で前端（上方）に凹みがある

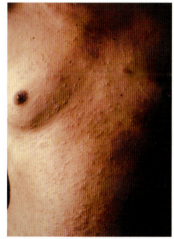

⇦ 図514. ベネズエラで見出された芽殖孤虫症患者の皮膚の無数の丘疹

図515. 左の患者の丘疹から現れている虫体 ⇨

（図514, 515はDr. Noyaの厚意による）

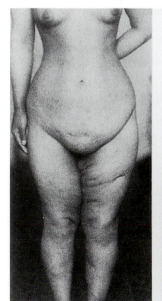

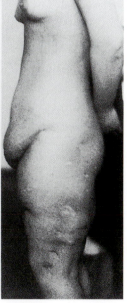

図516. 芽殖孤虫寄生患者

田代（1921）が報告した熊本県天草の24歳の女性. 下腹部と左側大腿部の皮膚がとくに厚くなっている.
（臨牀と研究, 38：459, 1961. 故 宮崎一郎 教授の厚意による）

図517. 左の患者の摘出皮膚の裏面

多数の孤虫が寄生している.
（田代, 1921）

図518. 左の患者から採取した芽殖孤虫

ワサビ根のような形をしている
（田代, 1921）

第91項 無鉤条虫 付．アジア条虫

無鉤条虫は世界に広く分布する．終宿主はヒトのみで中間宿主はウシである．ヒトは牛肉を食べて感染するので beef tapeworm といわれる．わが国にも古くから土着していたが近年減少した．症状は軽度の下痢，腹痛で次項の有鉤条虫のような囊虫症は起こさない．診断は排出した体節，肛囲検査で得た虫卵などを診て行う．

【種　名】　無鉤条虫 Taenia saginata（Goeze, 1782）

【疾病名】　無鉤条虫症 taeniasis saginata

【歴史と分類】　1782年 Goeze は上記のごとく命名したが，その後，頭節に鉤を持たない種を Taeniarhynchus 属に配したため本書も Taeniarhynchus saginatus という種名を採用してきた．ところが近年また Taenia saginata とするのが世界の大勢になってきたのでこの種名に回帰することとした．

【形　態】　虫体は3～6mのものが多く，体節数は1,000個に達する（図519）．頭節は直径が1～1.5mmのやや角ばった形を呈し，4個の吸盤を有するが，次項で述べる有鉤条虫のような小鉤はなく，額嘴は痕跡的である（図522）．

成熟体節の構造は図520に示すごとく種々の特徴がある．まず生殖孔が側面辺縁部に開き，これは大体各体節で左右交互に開いている．次に子宮は盲管で子宮孔はない．子宮内に虫卵が充満してくると子宮は容積を増すため図524に示すように樹枝状となる．無鉤条虫では各側20本以上の分枝を示すのが特徴である．卵黄腺は葉状で体節の基底部に横たわる．精巣は濾胞状である．図523は成熟体節のほぼ中央部，陰茎囊のレベルでの横切像で，これをみると虫体は内部の筋肉層によって内外2層の柔組織に分かれ，各種器官は内層に含まれる．

虫卵は図525に示すごとく広節裂頭条虫卵などとは大いに異なり小蓋がなく，卵殻に相当する被膜とその内部のゼリー状物質はとれやすく，子宮内卵を観察するとこれを認めることができるが糞便中のものは消失している．内部に一見，卵殻のようにみえる円形の厚い，放射状線条を有する殻があり，これを**幼虫被殻** embryophore と称し，大きさは30～40×20～30μm で，この中には6個の鉤を有する**六鉤幼虫** oncosphere が存在する．

【生活史】　成虫はヒト以外の動物には寄生しない．本虫の寿命については，エチオピアで感染し，27年8カ月にわたり体節排出が続いたという日本人症例の記録がある．本虫は子宮が盲管に終わり産卵門を持たないので糞便内に虫卵は現れない．しかし受胎体節が切れて毎日のように肛門から排出し，虫卵が外界に散布される．それをウシが摂取すると六鉤幼虫が現れ腸壁に侵入し，血流またはリンパ流によって筋肉に移行し，10～15週後には**無鉤囊虫** Cysticercus bovis（無鉤囊尾虫ともいう，bovis はウシという意味）が完成する．これは長径約8mm，短径約5mmの長球状で白く牛肉内にあっても肉眼ですぐわかる（図526）．中間宿主はウシの他にジラフ，ラバ，カモシカ，ヒツジなどもなりうるという．

【症　状】　虫体が大きいわりに症状は少ない．時に腹部不快感，腹痛，下痢，食欲減退または異常亢進，全身倦怠などを訴える．また個々の受胎体節が自力で肛門から這い出し，いつも下着に付着して不快この上ない（図521）．しかし次項の有鉤条虫のように人体組織内に囊虫を生ずることはない．

【診　断】　患者が体節の自然排出に気付き，その体節を持って受診する場合が多い．本虫の場合は，広節裂頭条虫の場合のように体節が長く連なって肛門に懸垂することは少なく，体節は1個1個分離し糞塊の上で動いている．したがって患者の訴えを聞いただけでどちらの種であるかを推定することができる．体節は肉厚で，縦15～20mm，横3～5mmで伸縮する（図521）．また持参した体節の子宮内にツベルクリン注射器で墨汁を注入すると子宮の分枝がよくわかる（図524）．本虫の場合，各側20本以上の分枝を認めるのが特徴である（有鉤条虫では各側約10本，次項参照）．

本虫は虫卵を産下しないので糞便検査で虫卵を見出すことは少ない．ただ体節が肛門を通るとき虫卵が圧出されて肛門に付着するので，蟯虫診断に用いるセロファンテープによる**肛囲検査**（第45項参照）が利用される．

【治　療】　第97項で詳述する．

【予　防】　牛肉の生食を避ける．60℃以上の加熱か，−10℃で10日以上冷凍すると一応安全とされている．

【種　名】　アジア条虫 Taenia asiatica

本虫は形態的には無鉤条虫に酷似するが中間宿主がブタであり，その肝臓に囊虫を生ずる．ヒトはこれを生食（レバ刺し）して感染し2～3ヵ月で成虫となる．中国，韓国，台湾を始め東南アジアに分布し，わが国には分布しないとされてきたが，2010年以降2014年までに関東を中心に合計22例報告された[註1,2]．感染は国内産のブタによると推定されている．症状は無鉤条虫に類似し，ヒト体内に囊虫を生ずることはない．遺伝子診断で他の種と鑑別する．ただし近年，無鉤条虫との交雑子孫がアジア諸国に広く分布していることが明らかになっている[註3]．交雑子孫かどうかを明らかにするには，ミトコンドリア DNA と核 DNA の両方を解析する必要がある．

註1　山崎　浩ら（2011）：Clin. Parasit. 22：75-78.
註2　三木田　馨ら（2012）：Clin. Parasit. 23：99-101.
註3　Yamane et al.（2013）：Parasitology, 140：1595-1601.

無鉤条虫　197

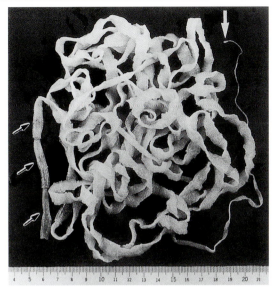

図519. 人体から駆虫により採取した無鉤条虫
（白い矢印は頭節，黒い矢印は受胎体節を示す）

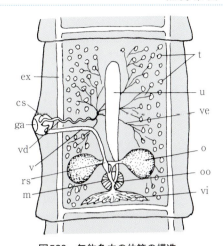

図520. 無鉤条虫の体節の構造
cs. 陰茎嚢，ex. 排泄管，ga. 生殖腔，m. メーリス腺，o. 卵巣，oo. 卵形成腔，rs. 受精嚢，t. 精巣濾胞，u. 子宮，v. 膣，vd. 輸精管，ve. 小輸精管，vi. 卵黄腺

図521. 無鉤条虫の受胎体節
毎日のように患者の肛門から出てくる．
肉厚で活発に運動する．

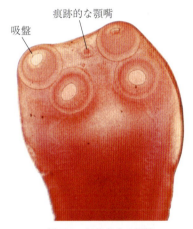

図522. 無鉤条虫の頭節

図523. 無鉤条虫の体節のほぼ中央での横切像
略語は図520参照　　　　　（Tulane 大学標本）

図524. 無鉤条虫受胎体節の子宮の複雑な走行
（墨汁注入）

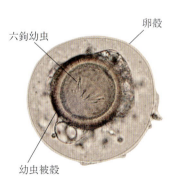

図525. 無鉤条虫の子宮内卵

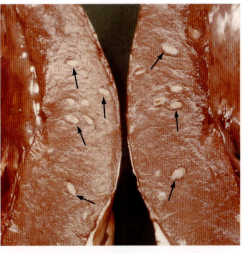

図526. ウシの心筋内に寄生している無鉤嚢虫（矢印）

第92項　有鉤条虫

本種は前項の無鉤条虫と次の点で異なる．形態的には頭節に吸盤の他に小鉤があり，受胎体節の子宮の分枝が少ない．中間宿主はブタでヒトは豚肉を食べて感染するのでpork tapewormといわれる．ヒトは終宿主であると同時に中間宿主にもなり，虫卵を摂取したり，腸管内に成虫が存在すると皮下，筋，脳，眼などに嚢虫を形成し病害が大きい．

【種　名】　有鉤条虫 *Taenia solium* Linnaeus, 1758

【疾病名】　有鉤条虫症　taeniasis solium
有鉤嚢虫症（または人体有鉤嚢虫症）cysticercosis cellulosae hominis

【疫　学】　有鉤条虫は中国，韓国，モンゴル，東欧諸国，インド，タイ，南アフリカ，中南米など広く世界に分布するが，わが国には元来，沖縄を除いて分布していない．しかし，その幼虫の感染による有鉤嚢虫症は1908年の初発例いらい350例以上知られている[註1]．そしてそれらのほとんどは中国および沖縄での感染例で，第二次大戦後次第に減少していた．ところが最近，増加の傾向にあり，毎年5例前後の報告がみられる[註2]．筆者も4例を経験した．その理由は外国での感染，感染した外国人との接触などが考えられ今後注意を要する．

【形　態】　成虫は無鉤条虫より小さく体長は2〜3m，体節数は800〜900を数える（図527）．頭節には4個の吸盤と小鉤の配列した額嘴がある（図528）．小鉤は合計22〜32本で互い違いに2列に並んでいる．頭節に近い体節は小さく，縦よりも横幅が大きいが次第に縦経を増して正方形となる．このような部分が成熟体節で，その構造は基本的に無鉤条虫と変わりはないが卵巣が小さな第3葉を持つ点が異なる．ストロビラの末端に近い受胎体節は横が5〜6mm，縦が10〜12mmと縦長くなる．この受胎体節は無鉤条虫のそれに比べ，筋肉の発育が弱く菲薄・半透明で運動も弱い．さらに子宮の分枝が少なく各側ほぼ10本程度である（図529）．

虫卵は無鉤条虫の虫卵に類似し区別し難い（図532）．

【生活史】　本種はヒトのみを固有宿主とし他の動物の体内では成虫になれない．ヒトの小腸内で受胎体節が切れ体外に排出されると体節は壊れ虫卵が遊離する．この虫卵がブタに食われると中の六鉤幼虫が孵化し，小腸壁に侵入し血流あるいはリンパ流によって全身の筋肉に達し嚢虫となる．これを**有鉤嚢虫** *Cysticercus cellulosae*（または有鉤嚢尾虫）という（図530）．これは長径8mm，短径4mm前後の長球嚢状である．ブタ肉内のこの有鉤嚢虫をヒトが生食すると約3カ月で成虫となる．

一方，ヒトが有鉤条虫の虫卵を摂取した場合，小腸内で六鉤幼虫が孵化し，ブタにおけると同様，ヒトの小腸壁に侵入し身体各所に嚢虫を作る．これを**人体有鉤嚢虫** *Cysticercus cellulosae hominis*（図531）と称する．

さらにやっかいなことは，ヒトの小腸内に成虫が寄生している場合，虫卵は通常腸管内では産下されず，体節に含まれたまま体外に排出されるのであるが，本種の場合，逆蠕動などで受胎体節が胃や小腸上部に移動し，消化されて虫卵が遊離・孵化し，六鉤幼虫が腸壁に侵入し，上記のごとく人体各所に移行することがある．したがって成虫が寄生していると嚢虫の数が次第に増加し，病害が著しい．この場合，幼虫は増加するが成虫にはならないので真の自家感染とはいい難い．

【症　状】　成虫の寄生による症状（**有鉤条虫症**）はむしろ軽微で，重要なのは幼虫寄生による**有鉤嚢虫症**である．嚢虫が皮下や筋肉内に寄生した場合は（図535）小指頭大の腫瘤形成にとどまるが，脳，眼，脊髄などに寄生すると重症となる．とくに脳の場合は，ジャクソン癲癇様発作，痙攣，意識障害，麻痺，精神障害，その他，寄生部位によって種々の神経症状を呈する．

【診　断】　成虫寄生の場合は排出した頭節や体節の特徴を念頭に置いて診断する（図528，529）．糞便中に虫卵の排出をみることは少ないが，セロファンテープによる肛囲検査で虫卵の検出に努める．

嚢虫が脳に生じた場合は脳腫瘍と鑑別が困難であるが，皮下にも嚢虫が認められれば本症が強く疑われる．摘出した嚢虫（図531）は切片標本を作り検査する．有鉤嚢虫の場合は図534に示すように小鉤がみられる．

またX線写真で石灰化した有鉤嚢虫があちこちの筋肉内に点々と認められることがある（図533）．またMRIでヒトの脳に嚢虫を検出した報告もある．各種の免疫反応も利用されている．

【予　防】　成虫感染の予防には，無鉤条虫は牛肉，有鉤条虫は豚肉，アジア条虫はブタの肝臓の生食を避ける．前述した無鉤条虫とアジア条虫の交雑子孫については，ウシとブタのいずれが感染源になるか明らかになっていない．中間宿主のウシやブタが感染するのはヒトの糞便で汚染された飼料を与えるからで，人糞をブタに与えたり，ウシの牧草の肥料に人糞を撒布したりしないようにすることが大切である．

とくに重要なのは有鉤嚢虫症で，これは有鉤条虫に感染しているヒトの糞便内の虫卵が口に入ることによるので，性行為，流行地の便所や汚染された飲料水，食品などには注意を要する．

註1　増田弘毅ら（1980）：昭医誌，40：669-688.
註2　山崎 浩ら（2010）：Clin. Parasit. 21：29-32.

有鉤条虫 199

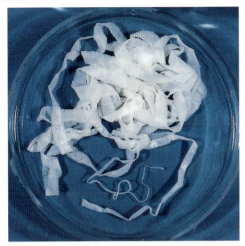

図527. 中国人から駆出された有鉤条虫成虫
(南京医学院 陳 錫慰 医師の厚意による)

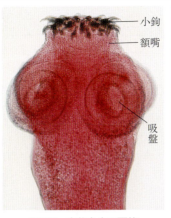

図528. 有鉤条虫の頭節
4個の吸盤の他に小鉤列のあるのが特徴.

図529. 有鉤条虫の受胎体節
子宮の分枝が少ないのが特徴.

図530. ブタ肉から取り出した有鉤囊虫

図532. 有鉤条虫の虫卵
中に六鉤幼虫を有する. 無鉤条虫の虫卵と区別し難い.

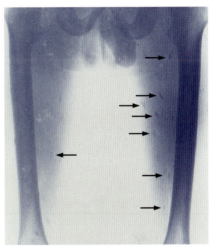

図533. 人体有鉤囊虫の石灰化巣のX線像
(左右大腿部の多数の桿状物)
(神戸大学 松村武男 教授の厚意による)

図531. 人体から摘出した人体有鉤囊虫
真珠様の外観を示す.

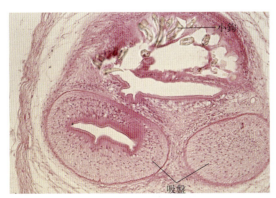

図534. 京都府の一婦人の上腕皮下から摘出した人体有鉤囊虫の切片標本 小鉤の存在が特徴.

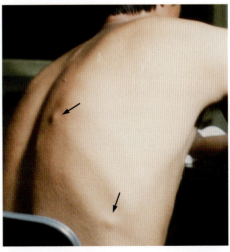

図535. 一韓国人青年の皮下にみられた人体有鉤囊虫(矢印)

第93項　単包条虫および多包条虫　[A] 形態と生活史

> 単包条虫および多包条虫は一般にエキノコックスといわれる条虫で，成虫はイヌやキツネなどの小腸に寄生しているが，その虫卵がヒトなどの中間宿主に摂取されると，肝臓や脳に幼虫形の包虫が嚢胞を形成し，非常に病害が大きい．これを包虫症という．わが国にはこの両種が分布するが，とくに多包条虫による多包虫症が北海道を中心に流行が拡大し重要問題となりつつある．

【分　類】　エキノコックス属条虫による包虫症は古くHippocratesの時代から知られ，世界に広く分布し，種類も十数種記載されたが，医学上最も重要なのは次の2種で，とくに多包条虫はわが国で重要である．

1. 単包条虫 *Echinococcus granulosus* (Batsch, 1786)
2. 多包条虫 *E. multilocularis* Leuckart, 1863

【形　態】

1. 単包条虫

成虫の体長は2～7mmと極めて小さい条虫で，頭節に続く体節は，未熟体節，成熟体節，受胎体節の3節である（図536）．頭節には4個の吸盤と32～40個の大小の鉤を持った額嘴がある．成熟体節は基本的には無鉤条虫と同じ構造を有する．受胎体節は各器官が退化し，500～800個の虫卵が充満している．虫卵は大きさ，形とも無鉤条虫卵や有鉤条虫卵によく似て区別しにくい（図538）．

2. 多包条虫

成虫の体長は1.7～4.5mmと単包条虫よりさらに小さく，体節の数は2～5個と変異がある（図537）．その他，表27に示すような差異がある．

【生活史】

1. 単包条虫

成虫はイヌ，キツネなどの小腸に寄生している．糞便と共に体外に出た虫卵はヒツジ，ウシ，ブタ，ウマ，ウサギ，ヒト，ラクダなど中間宿主に経口摂取されると小腸上部で孵化し，六鉤幼虫が現れ，これは腸壁に侵入し，血流あるいはリンパ流によって身体各所に運ばれ包虫となる．単包条虫の幼虫形を**単包虫** unilocular hydyatid という．包虫の好発部位は**肝臓**（次項図544）であるが，肺，脳（次項図545），腎，脾，筋，骨などに形成されることもある．

包虫の発育は極めて緩慢で，はじめは直径1mm位であるが次第に大きくなって**母胞嚢** mother cyst となる．中には淡黄色の**包虫液** hydatid fluid を満たしている．母胞嚢の構造（図541，543）は，最内層に**胚層** germinal layer があり，ここから**繁殖胞** brood capsule ができ，中に**原頭節** protoscolex を生ずる．繁殖胞の外側に被膜を生じ**娘胞嚢** daughter cyst となる．繁殖胞が壊れて中の原頭節が包虫液中に浮遊しているのを**包虫砂** hydatid sand（図539，540）という．胚層の外側は虫体由来の非細胞性の**層状被膜** laminated layer があり，さらにその外側は宿主由来の線維性被膜が取り囲んでいる．

この包虫は5年，10年，15年と長年月をかけて徐々に大きくなり，直径5～6cm，時に20cmにも達する．その外観は嚢状で割面は単房性である（次項図544，545）．この包虫が終宿主に食べられると約7週間で成虫となる．

2. 多包条虫

生活史は単包条虫とよく似ている．終宿主はイヌ，キツネなどであるが，中間宿主は野ネズミを中心とする齧歯類である．ヒトもまた中間宿主になる．

本虫の幼虫形を**多包虫** multilocular hydatid（または alveolar hydatid）と称する．多包虫の組織構成は単包虫の場合に準ずるが，単包虫の層状皮膜が厚く胚層がうすいのに対して，多包虫では層状皮膜はうすく胚層が厚い．繁殖胞は胚層に埋まった状態で形成され，胞内液は極めて少ない．胚層の胚細胞が増殖して，うすい層状皮膜を突き破って外方にヘルニア状に突出（外生出芽）し，さらにそれら突出部からも突出を生じ，あたかもサボテンのように次々と出芽によって無性的に増殖し，母胞の周囲に多数の小包群を形成する（多房性包虫）．全体が腫瘍のようにみえ，割面はスポンジ状で，中に粘稠な液を含み，全体として単包虫より硬い（図542，次項図551）．

ヒトが虫卵を摂取すると六鉤幼虫が腸壁に侵入し，門脈系により肝に定着して増殖する．また出芽時に胚細胞が血流によって他臓器に運ばれ増殖することもある．

【分　布】　単包虫はアフリカ，地中海沿岸，中近東，中国，豪州，南米など世界的に広く分布し，多包虫は北半球の北緯38度以北のドイツ，フランス，スイス，ロシア，中国，アラスカ，北海道などに分布する．

表27．単包条虫と多包条虫の主な相違点

	単包条虫	多包条虫
成虫の体長	大きい（2～7mm）	小さい（1.7～4.5mm）
体節の数	3個，時に4個	2～5個，時に6個
受胎体節の長さ	全体長の1/2以上	全体長の1/2以下
精巣の数	45～65個	16～26個
生殖孔の位置	中央より後方	中央より前方
終宿主	イヌ，オオカミなど	キツネ，イヌなど
中間宿主	ヒツジ，ウシなど偶蹄類が主，時に霊長類	野鼠など齧歯類が主，時に霊長類
包虫寄生部位	肝が主，時に脳，肺	左に同じ
包虫の形状	嚢状で単包性	小包虫の集合体で割面スポンジ状
包虫内容物	液状	粘稠液
分布域	世界各地	北半球

単包条虫および多包条虫 201

図536. 単包条虫の成虫(圧扁染色標本)

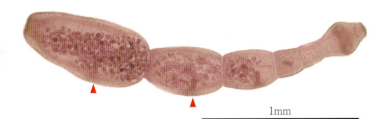

図537. 多包条虫の成虫(圧扁染色標本)
▲は生殖孔の位置を示す.
(図536, 537 北海道立衛生研究所 八木欣平 先生 提供)

図538. 多包条虫の虫卵

単包条虫, 多包条虫, 無鉤条虫, 有鉤条虫は虫卵の形態が類似していて区別し難い.

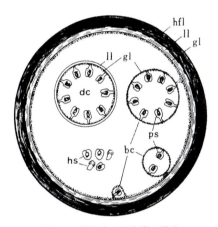

図541. 単包虫の母胞嚢の構造
hfl. 宿主由来の線維性被膜, ll. 虫体由来の非細胞性の層状被膜, gl. 胚層, bc. 繁殖胞, dc. 娘胞嚢, ps. 原頭節, hs. 包虫砂

図539. 頭節の飛び出した原頭節(単包虫)
包虫液中に包虫砂として浮遊.

図540. 多包虫の原頭節
(Dr. Seitz の厚意による)

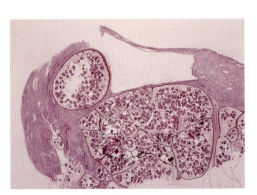

図542. マウスの肝臓に生じた多包虫の横切像
(Dr. Seitz の厚意による)

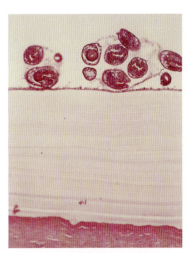

図543. 単包虫症患者から採取した包虫の壁の構造
(Dr. Seitz の厚意による)

第94項 単包条虫および多包条虫 ［B］臨床と疫学

単包条虫および多包条虫の幼虫がヒトの肝臓，脳，肺などに寄生すると，やがて大きな囊腫を形成し放置すると死に至る．診断はまず免疫反応，超音波，CTの順に行う．治療は外科的摘出以外に確実な方法はない．多包虫症は今や北海道全域に拡大し，南下の兆しをみせ，今後注目すべき疾患である．感染症新法では4類に指定されている．

【症状】
わが国では多包条虫による多包虫症が重要なので以下，本症を中心に述べる．

第1期（潜伏期）：成人で約10年，小児で約5年．
第2期（進行期）：上腹部の膨満感・不快感・肝腫大・肝機能不全が次第に進行し発熱，黄疸なども出現する．
第3期（末期）：全身状態が強く侵され，腹水，門脈圧亢進を示し肝不全，消化管出血などで死亡する．

原頭節が血流によって肺に転移すると（図549）咳，痰などを発し，時に包虫を喀出する．脳に転移すると（図550）痙攣，癲癇様発作などの神経症状を示す．

【診断】
1. 流行地に居住または旅行の有無を問診する．
2. 免疫診断：まずELISA法，次いでWestern blot法を行って確認する．わが国では多包虫が流行しているが，患者は多包虫に感染しているとは限らない．画像診断などで包虫症が強く疑われる場合は，単包虫症も視野に入れた免疫診断に留意する．
3. 免疫反応陽性者には腹部X線，超音波，CT（図546）などの検査を行い，石灰化像を始め病巣の状況を把握する．腹腔鏡検査に際し病変部の生検は原頭節の撒布や転移などの危険があり注意を要する．

【治療】
単包虫症と多包虫症では治療方針が異なるので，免疫診断によって寄生虫種を同定する必要がある．単包虫症では病巣の状態に合わせてPAIR[註1]，囊胞摘出術，アルベンダゾール投与（10mg/kg/日，分3，4週間投与/2週間休薬の反復）などで対応する．多包虫症では肝切除が根本的療法となる．肝切除線は病巣から20mm以上離して，浸潤部位は可能な限り合併切除する．切除できない場合は対症療法となる．薬物療法は遺残病巣や肺転移病巣に補助的に行う．

【予防】
ヒトへの感染は終宿主の糞便中の虫卵が口に入ることによる．感染したイヌやキツネの体毛には沢山の虫卵が付着しているので接触は避け，また川や井戸の水，山菜などはこれら終宿主の糞便で汚染されている可能性があるので生食は避ける．北海道での観光やキャンプで感染し数年後に発病する例が予測される．

日本における包虫症の疫学

1. 単包虫症 unilocular hydatid disease
浜田（1881）が熊本でわが国最初の症例を報告して以来2014年までに88例が主に関東以西の各地から報告され，その後も毎年1～3例程度散発的に報告されている．外国での感染例[註2,3]や外国人症例が多いが北海道のヒツジ，ブタ，ウシから国内感染と思われる単包虫も見つかり，また輸入肉も多いので今後監視が必要である．

2. 多包虫症 alveolar hydatid disease
1926年，桂島が宮城県でわが国最初の2症例を報告した．その後1936年10月，礼文島出身の28歳の女性に本症が見出され，以後2016年9月現在までの総症例数は746例，内訳は北海道645例（礼文島131，その他514），青森22，東京21，宮城9，新潟・大阪各5，富山・神奈川各4，秋田・愛知・沖縄各3，岩手・長野・三重・山形・千葉・福井各2，福島・埼玉・石川・京都・兵庫・山口・大分各1例となっている[註4]．

わが国における本症流行の経過をみると，まず礼文島では大正末期，野鼠の駆除と毛皮の収益を考えて千島の新知島から本虫に感染していたベニギツネを輸入し，放飼したことに始まる．その後キツネを放逐するためにイヌを導入し，これが終宿主となった．そこでまた野犬を駆逐し，同島における流行は1989年を以て終息した．

ところが一方，道東地方に流行が発生した．それは1966年2月，根室の7歳の少女に発見されたのに始まる．この流行は，流氷に乗ってやってきたキツネを起源とし，**キタキツネ *Vulpes vulpes schrencki***（図548）を終宿主，**エゾヤチネズミ**（第123項参照）を中間宿主として流行している．現在，北海道全域に流行が拡大しており，キツネの感染率は最近40～60％と急上昇し，イヌは1～3％，中間宿主の野鼠は30％，また全道各地のブタ，さらに飼イヌや飼ネコからも感染が見出されている．そしてこれらペットの移動による感染の本州への拡大が懸念されている．現在本州ではブタ3頭（青森），イヌ2頭，飼育キツネ1頭から感染が見つかっている．

一方，手術を受けて本症と診断された患者は1998年までに373名を数え，その後，毎年5～20名が新たに患者と認定されている．さらに抗体が陽性で観察を要するものは400～500名に達しているという．

今後の対策としては上述の個人的予防の他に，プラジカンテルを含んだ餌の大量散布による野生キツネの駆虫，イヌ・ネコなどの検査と駆虫（プラジカンテル5mg/kg，1回投与）ならびにこれら終宿主動物の他地区への移動のチェック，などが考えられる．

註1 Puncture of cysts percutaneously, Aspiration of fluid, Introduction of protoscolicidal agent, and Reaspiration
註2 田中照久ら（2014）：Clin. Parasit. 25：95-98.
註3 森嶋康之ら（2014）：Clin. Parasit. 25：99-101.
註4 感染症発生動向調査週報，2005-2016.

［参考資料］神谷正男（2003）：感染症，33：135-146.

単包条虫および多包条虫　203

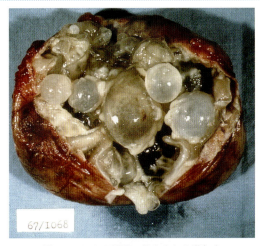

図544. ヒトの肝臓に見出された単包虫

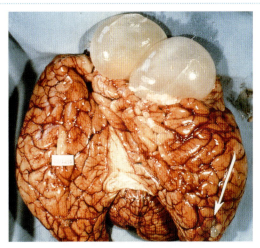

図545. ヒトの脳に見出された単包虫

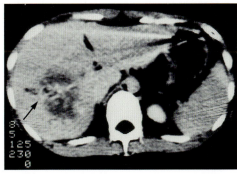

図546. 肝多包虫症患者(22歳，女性)のCT像
（矢印病巣）

(図546, 547, 550, 551は北海道大学 内野純一 教授の
厚意による)

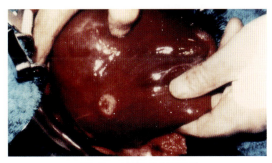

図547. 左図患者の肝表面

図548. 多包条虫の終宿主キタキツネ
（北海道立衛生研究所 高橋健一 氏の厚意による）

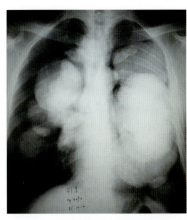

図549. 中国重慶の肺多包虫症患者
のX線像

（重慶医科大学 劉 約翰 教授の厚意による）

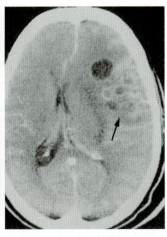

図550. 多包虫脳転移像（矢印）

図551. 図546の患者の摘出肝の
多包虫の割面

（充実性で黄色を呈する部分）

第95項　小形条虫，縮小条虫および多頭条虫

小形条虫と縮小条虫は元来ネズミの寄生虫であるが，時々ヒト，とくに子供に感染がみられる．糞便中の特有の虫卵を検出して診断する．多頭条虫はイヌを終宿主とし，偶蹄類やヒトなど中間宿主の中枢神経の中で共尾虫と称する幼虫を生ずるが，わが国では極めて稀である．

小形条虫 Rodentolepis nana (von Siebold, 1852)

本虫は以前 Hymenolepis nana あるいは Vampirolepis nana と称された小形の条虫で体長は10〜30mm，体幅は1mm以内である（図552）（nana は小形の意），英語では dwarf tapeworm という．本虫は世界に分布し，元来，ネズミの寄生虫であるがヒト，とくに不潔な環境の子供に感染率が高い．わが国では最近減少した．

【形態】　頭節は図553に示すごとく4個の吸盤と20〜30本の小鉤を有する額嘴を持っている．成熟体節は横に平たく，中に2個の卵巣，3個の精巣，1個の子宮などが認められる（図555）．受胎体節内には虫卵が充満しており，これが離断・崩壊して虫卵が腸管内に現れる．したがって本虫では子宮孔を有しないが，虫卵が糞便内に見出される．

虫卵の特徴（図556）は，まず色は淡黄色で，大きさは長径45〜55μm，短径40〜45μm で楕円形をしており，その内部にレモン型の幼虫被殻 embryophore がある．幼虫被殻の大きさは長径20〜25μm で両端に突起があり，そこから数本のフィラメントがその外側のゼリー状物質の中に出ている．虫卵内には六鉤幼虫が存在する．

【生活史】　本虫は中間宿主を必要としない唯一の人体寄生条虫である．すなわち，ネズミまたはヒトの糞便内に排出された虫卵を直接経口摂取して感染する．虫卵は小腸上部で孵化し，現れた六鉤幼虫は小腸の絨毛に侵入して擬囊尾虫 cysticercoid となり，これが再び腸管腔内に現れ，小腸中部ないし下部で成虫となる．虫卵摂取後，約2週間で成虫となる．

また腸管内に成虫が寄生していると，受胎体節から遊離した虫卵が，そこで間もなく孵化して六鉤幼虫が現れ，これが上記と同様，絨毛に侵入して発育し成虫となることがある．これを**自家感染 autoinfection**といい，この場合は成虫の数が次第に増加する[註1]．

以上の他に，虫卵がノミなどの昆虫に食べられ，その体内で擬囊尾虫となり，これがヒトの口に入って感染することも可能である．

【症状】　少数寄生の場合，大した症状はないが，自家感染により虫体数が増加すると症状が現れる．わが国では本虫の感染はほとんど子供のみにみられ，虫体が腸絨毛内に侵入するので（図554），悪心，腹痛，下痢，潰瘍，出血，栄養障害などがみられる．一般に本虫が多数寄生している子供は血色が悪く，発育不良で神経質である．通常，軽度の好酸球増加がみられる．

【診断】　糞便中に特有の虫卵を検出する．遠心沈殿法あるいは浮遊法によって集卵する．

【治療】　第97項参照．

縮小条虫 Rodentolepis diminuta (Rudolphi, 1819)

本虫もネズミの寄生虫で rat tapeworm といわれる．世界に分布し，子供に感染がみられるが小形条虫よりは稀である．最近まで Hymenolepis diminuta といわれた．

成虫（図558）は長さ50〜80cm に達する．頭節（図559）には4個の吸盤と痕跡的な額嘴があるが小鉤はない．成熟体節（図560）は中央に卵巣があり，通常その一側に2個，他側に1個の精巣がある．

虫卵の形態は小形条虫と鑑別を要する．まず本虫卵は球形で大きく（直径60〜80μm），卵殻が強固で，黄褐色で色が濃い．幼虫被殻はレモン形でなく，球形でフィラメントはない（図557）．

発育史は小形条虫と異なり，ノミや甲虫など種々の昆虫の成虫および幼虫が中間宿主として必要である．

ヒトは擬囊尾虫を持ったコクヌストモドキなど穀類につく昆虫を経口摂取して感染する．自家感染はないので虫体数は増えない．したがって大した症状は示さない．診断は糞便内の虫卵を検出して行う．

多頭条虫 Taenia multiceps (Leske, 1780)

本虫の属名は最近まで Multiceps が用いられていた．成虫はイヌの腸管内に寄生し，体長約50cm，幼虫はヒツジ，ウシ，ラクダ，その他の動物の脳または脊髄の中に寄生し，**共尾虫 coenurus** と呼ばれる．これは胞囊の内面に点々と多数の頭節が付着している．

欧米，南米，アフリカなどで25例の人体寄生例の報告があり，そのうち20例は脳内寄生，5例は眼寄生であった．わが国では未だ人体寄生は知られていないが，最近，筆者らは脊髄に寄生し，著明な運動障害を起こした例を経験し，手術によって摘出した検体を検討し，Multiceps の類ではないかと考えている．なお1966年，森下および沢田は2例の人体から成虫を見出し，新種として Multiceps longihamatus と命名した．

T. serialis による人体脳共尾虫症が最近報告された[註2]．

[註1] 最近，本虫由来の細胞がリンパ節，肺で増殖していた HIV 感染免疫不全者症例が報告された．
Muehlenbachs et al. (2015)：NEJM. 373：1845-1852.

[註2] Yamazawa et al.：Int J Infect Dis. 2020, 92：171-174.

小形条虫，縮小条虫および多頭条虫　205

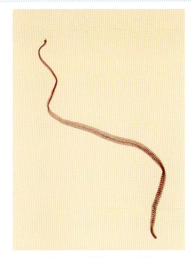

図552．小形条虫の全形
体長1〜3cmと小さい．

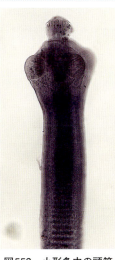

図553．小形条虫の頭節

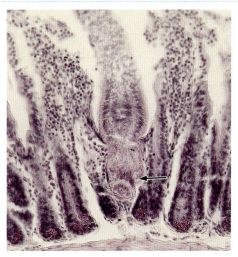

図554．小形条虫寄生ネズミの小腸の切片標本
成虫の頭節（矢印）は絨毛間に深く入っている．

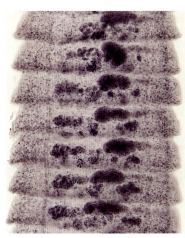

図555．小形条虫の成熟体節

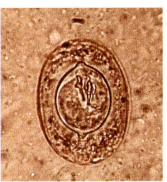

図556．小形条虫の虫卵

図557．縮小条虫の虫卵

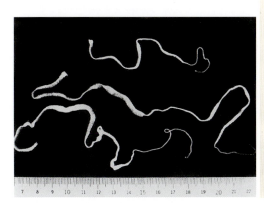

図558．縮小条虫の成虫
4歳の少女から駆虫によって採取した虫体．（筆者経験例）

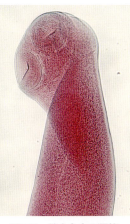

図559．縮小条虫の頭節

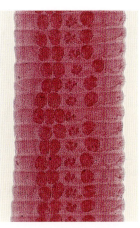

図560．縮小条虫の成熟体節

第96項 瓜実条虫，有線条虫，サル条虫およびニベリン条虫

通常，ヒト以外の動物を固有宿主として寄生しているこれらの条虫が時々ヒトに感染・寄生する．

瓜実条虫（イヌ条虫）*Dipylidium caninum*

わが国のイヌ，ネコに普通に寄生している．人体寄生例は世界で約200例，日本では12例報告がある．主として小児に寄生し，筆者も1例経験した．成虫の体長は60〜70cm，頭節（図561）には4個の吸盤と数十本の小鉤が3〜4列に並ぶ額嘴がある．成熟体節は瓜実状で，生殖器が各体節に2組ずつあり，生殖門が体節の両側に開口しているのが特徴である（図562）．子宮内の虫卵は8〜15個ずつ**卵囊 egg sac** に収納されている．虫卵は球状で卵殻は薄く，直径は40〜50μmで中に幼虫被殻があり，六鉤幼虫を内蔵している．

中間宿主はイヌノミ，ネコノミ，イヌハジラミなどで，虫卵を摂取するとその体内で**擬囊尾虫**となり，それを終宿主が食べると小腸内で成虫となる．ヒトとくに幼児が食べると成虫にまで発育することがある．症状は主に下痢，腹痛．瓜実状の体節がほぼ毎日，肛門から排出する．

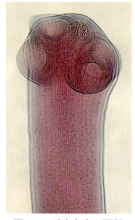
図561. 瓜実条虫の頭部

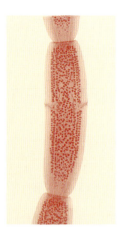
図562. 瓜実条虫の受胎体節

有線条虫　*Mesocestoides lineatus*

世界に広く分布し，成虫はイヌやネコの腸に寄生している．体長は30〜250cm，第1中間宿主はササラダニの類，第2中間宿主は種々の脊椎動物とされ，わが国の症例のほとんどはマムシやシマヘビの内臓を食べて感染している．

症状は上腹部の疼痛や下痢などで，米粒大の体節（図563）の自然排出をみる．人体寄生例は外国で8例，わが国で14例報告され，とくに東海地方に多い（愛知5例，東京4例，岐阜2例，静岡・神奈川・埼玉各1例）．

図563. 有線条虫の老熟分離体節（人体寄生例）
長さ1.4mm，カルミン染色，副子宮の直径0.45mm
（名古屋大学　熊田信夫 名誉教授の厚意による）[註2]

サル条虫　*Bertiella studeri*

本種は広く東南アジアの各種のサルに感染しており，わが国のサルにもみられる．成虫の体長は約30cm，中間宿主はササラダニ類とされ，これを偶然摂取することによって感染する．大した症状は示さないが体節の自然排出がある．世界で少なくとも29例，わが国で3例の報告があったが最近滋賀県で2例（80歳と1歳）の感染者が報告された（山田，2009）[註1]．

ニベリン条虫　*Nybelinia surmenicola*

本虫は四吻目に属する条虫で，成虫はサメなどの腸に寄生し，幼虫はニシン，タラ，イカなどの体内に寄生している．幼虫は**四吻幼虫**と呼ばれ，図564に示すごとく頭部に4本の吻を有し，ヒトがこれを摂取すると口腔や咽頭の粘膜に穿入し，激しい異物感や疼痛を発する．治療は摘出による．本症はわが国でかなり多い．

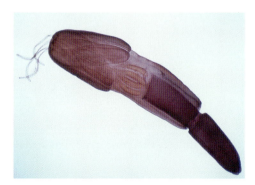
図564. タラの卵巣から検出されたニベリン条虫の幼虫（体長約1cm）

註1　山田　稔ら（2009）：Clin. Parasit. 20：34-36.
註2　熊田信夫（1889）：最新医学，44：895-898.

第97項　条虫症の治療法

条虫症の治療は，成虫の駆虫と，幼虫症の治療とに分けられる．前者は主に駆虫薬で成虫を体外に排除し，後者は主に外科的に切除・摘出し，駆虫薬を補助的に用いる．

成虫の駆虫

わが国でヒトの腸管内に成虫が寄生する条虫の主なものは**日本海裂頭条虫**，**クジラ複殖門条虫**，**無鉤条虫**などであるが，この他に例数は少ないが，**広節裂頭条虫**，**小形条虫**，**縮小条虫**，**瓜実条虫**，**有線条虫**，**有鉤条虫**，**サル条虫**，**マンソン裂頭条虫**などがある．

一般に条虫駆虫薬は，虫種によって薬剤を変えねばならぬということはなく，有効な薬は上記11種の条虫のどれにも有効であるので，ここで一括して述べるわけである．しかし有鉤条虫と小形条虫はその生活史上，駆虫法がやや異なるので，その注意点を別に述べる．

条虫駆虫薬としては古くから綿馬根やザクロ根皮のエキス，カマラ，アテブリン，ビチオノール，メベンダゾール，パロモマイシン，ニクロスアミドなどが用いられたが，現在は下記の3方法が主に用いられている．

1. プラジカンテル praziquantel
　　（商品名ビルトリシド Biltricide）

肝吸虫や肺吸虫に有効な薬剤であるが，条虫にも有効である．条虫に対する投与方法は，朝食を絶食し，本剤10mg/kgを頓用し，約2時間後に塩類下剤(硫酸マグネシウムなら20～30gを多量の水に溶いて，マグコロールなら250ml)を与える．下痢を催してきてもすぐに排便させず我慢させ，虫体が大腸まで下るのを待って(約2時間)，一気に，勢いよく排便させるのが骨である．そうすると虫体が塊状になって一度に排出し，頭節も共に駆出される例が多い．また副作用も下痢以外ほとんどない．

2. Damaso de Rivas 法（木原変法）

これは駆虫薬を用いない方法で，空腹時に十二指腸ゾンデを通じ，順次，30%硫苦40ml，グリセリン40ml，50%硫苦50mlとグリセリン25mlの混液，を注入し，次いで43～44℃の生理食塩水500mlを注入する．しばらくすると強い下痢と共に排虫する．人体組織を痛めない程度の高温で虫体を小腸壁から離脱せしめ，下剤で流し出す方法である．本法は十二指腸ゾンデを挿入する苦痛はあるが，駆虫薬を用いないので虫体を生きたまま採取できる．

3. ガストログラフィン Gastrografin

ガストログラフィンは駆虫薬ではなく，注腸造影剤であるが，これを用いて条虫を駆虫する方法で，1984年，中林らによって開発された．

駆虫法は，朝食を絶食し，十二指腸ゾンデを挿入し，先端が十二指腸に達したことを確認した後，ガストログラフィン100mlを素早く注入する．X線透視で虫体が活発に動き，腸を下降し始めるのがわかる．約10分後，100ml，さらに10分後100mlを追加する．それは虫の下降状況によって加減する．虫が完全に大腸まで下降すれば排便させる．本法の利点は上述のDamaso de Rivas法と同様駆虫薬を用いないのでヒトおよび虫体に障害がない．頭節を有する無傷の生きた虫体が得られる．X線映像で駆虫の状態・虫の行動が手に取るように観察できる，などの点である．一方，不利な点としては，十二指腸ゾンデの入りにくいヒトがあることと，X線透視による被曝と費用がかさむ点である．

4. 有鉤条虫駆虫の際の注意点

有鉤条虫は駆虫の際に体節が破損すると虫卵が遊離し，孵化した六鉤幼虫が腸管に侵入して，人体有鉤嚢虫症を生ずる危険(第92項参照)があるので，駆虫には虫体破損の少ないDamaso de Rivas法またはガストログラフィン法を用いるのがよい．プラジカンテルは虫体破損が比較的少ないとされるが，パロモマイシンやニクロスアミドは虫体を破損または溶解する作用があるので有鉤条虫の場合は禁忌である．

5. 小形条虫駆虫の際の注意点

本虫は自家感染があり(第95項参照)，腸粘膜内にも幼虫が存在している可能性がある．プラジカンテルは組織内にも吸収され，この幼虫にも作用を及ぼすことができるので，用量を25mg/kgに増量して1回投与する．

幼条虫症の治療

条虫の病害は成虫よりもむしろ幼虫寄生による方がはるかに大きい．**有鉤嚢虫**，**マンソン孤虫**，**包虫**，**芽殖孤虫**，**共尾虫**などがその対象となるが，外科的に摘出するのが最も確実である．しかし最近，薬物治療も試みられている．すなわち**人体有鉤嚢虫症**に対し，プラジカンテル75mg/kg/日，3～4日の投与で著効があったという報告があるが50mg/kg/日，分3，30日の投与が必要との意見もある．また**包虫症**に対しては，外科的摘出以外にアルベンダゾール10mg/kg/日，分3，4週間投与，2週間休薬の反復，の方法が用いられている．

第98項 鉤頭虫類および鉄線虫類

蠕虫類の中で既述の線虫・吸虫・条虫綱以外に，ヒトに寄生するものとして，この鉤頭虫や鉄線虫などがある．

鉤頭虫門 Phylum Acanthocephala

このグループは以前は線虫類に入れられていたが，最近，むしろ条虫類に近いものとされ，独立の門に配された．本グループの特徴は頭端に吻 proboscis があり，多数の鉤を有すること（図567）のほか，体構造が他の蠕虫と著しく異なる．すべて寄生性で，栄養は体表より吸収し，雌雄異体である．500種以上の種が，多くの脊椎動物から記載されている．この中で以下のような種がわが国でヒトに寄生することが知られている．

Moniliformis dubius Meyer, 1932

1983年，井関らは大阪で1歳2カ月の男児からわが国最初の本虫を見出し報告した（図565）[註1]．一般に本虫の成虫はネズミの腸管内に寄生し，やや扁平で多数の節からなり，一見条虫に似ている．大きさは雌20cm，雄8cm前後である．その虫卵（図566）がゴキブリなど中間宿主に食べられると，体内で cystacanth（図568）と称する幼虫となり，それを終宿主であるネズミが食べるとその腸内で成虫となる．ヒトが感染するのはこの cystacanth を誤って摂取することによる．井関らによると大阪のゴキブリやネズミには本種の幼虫や成虫が高率に感染しているという．

本種の近縁種に *Moniliformis moniliformis* という種があり，世界各地に分布し人体感染例も報告されている．上記の *M. dubius* をこれのシノニムとする説もある．

Bolbosoma sp.

Bolbosoma 属の鉤頭虫は一般にクジラ類を終宿主，甲殻類と魚類を中間宿主としているが，1983年に鹿児島県の51歳と16歳の男性から本虫の寄生が報告された[註2,3]．共に激しい腹痛を訴え，手術により前者は腹腔内から，後者は回腸の腫瘤から虫体が見出された．有薗および塚原によると，その後7例追加され[註4,5]，さらに最近，27歳女性・腸閉塞例の手術により切除された組織中に *Bolbosoma* sp. が発見された報告が加わった[註6]．

Macracanthorhynchus hirudinaceus

甲虫を中間宿主，ブタを終宿主とする鉤頭虫で世界に広く分布する．とくに最近，中国で子供が甲虫を食べて数百例の重症患者が出たと報告された．

鉄線虫類 Gordiacea

鉄線虫類は線形動物門の類線形動物綱 Nematomorpha に属し（第35項参照），この中の Gordius 属のものが時々ヒト，とくに子供に感染する．成虫は体長10～50cm，鉄錆色の細長い虫で，カマキリに寄生するハリガネムシはこの類である．世界で人体寄生例が約35例，わが国では2013年までに7例報告がある．

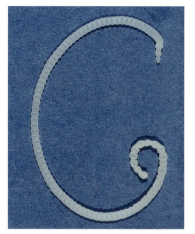

図565． *Moniliformis dubius* の成虫
1983年に井関らが大阪で1歳2カ月の男児から見出し，1985年に報告した虫体．

図566． *M. dubius* の虫卵
（外殻の大きさ平均 115×61μm）

図567． *M. dubius* 未熟成虫の吻の鉤の配列

図568．ゴキブリの体腔内に見出された *M. dubius* の cystacanth

（図565～568は金沢大学 井関基弘教授の厚意による）

註1 井関基弘ら（1985）：寄生虫誌．34：219-228；337-387．
註2 Tada I et al.（1983）：J. Parasit. 69：205-208．
註3 Beaver PC et al.（1983）：Am. J. Trop. Med. Hyg. 32：1016-1018．
註4 Arizono N et al.（2012）：Parasit. Int. 61：715-718．
註5 塚原高広ら（2013）：Clin. Parasit. 24：56-58．
註6 Kaito et al.（2019）：Parasitol International. 68：14-16．

第3部　衛生動物学

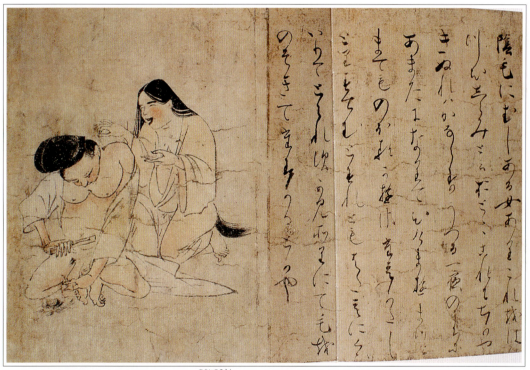

12世紀半ば過ぎに制作されたとされる病草紙絵巻の中の陰虱(ケジラミ)(第119項参照)をうつされた男の話である．絵は春日光長の作と伝えられる．「陰毛にむしある女あり　これおは　ついしらみ(つい＝つび，女性の性器のこと)と云　おとこ　これにちかすきぬれは　かならすうつる　一夜のうちにあまたになりて　ひけ　まゆ　まつけ　まてものほる　かゆさ　たえかたし　とりてすてんとすれと　はたえにくひいりて　とられす　かみそりにて　毛をのそきてたすかるとかや」と読める．12世紀も今も大して違いのないのが面白い．川柳に「毛虫で尼と僧正二人出来」というのがある．

(関戸家本，日本絵巻大成 7, 中央公論社．精華大学情報館の厚意による)

第99項　衛生動物学　総論

衛生動物学 Sanitary Zoology とは
「衛生動物」とは人や動物に害を与える動物の総称であり，その中の節足動物を「衛生害虫」と呼ぶ．人の心身の健康に直接間接に関わる動物を扱い，それによって起こる疾患の発症機構・予防・治療等を科学する学問が衛生動物学である．

そして，**寄生虫学や衛生動物学をすべて含めて医動物学**という．

衛生動物学の研究領域
1. 医軟体動物学 Medical malacology
2. 医節足動物学 Medical arthropodology
   a. 医学上重要な甲殻類 Medically important crustaceans
   b. 医ダニ学 Medical acarology
   c. 医昆虫学 Medical entomology
3. 医魚学 Medical ichthyology
4. 医学上重要な蛇類 Medically important snakes
5. 医哺乳動物学 Medical mammalogy
6. その他（鳥類・両生類など）

衛生動物の病害
Ⅰ．寄生または刺咬による直接の病害
1. 機械的傷害
2. 毒物の注入による傷害
3. アレルギー症状の発現
4. 2次感染

マダニ，ヒゼンダニ，シラミ，ケジラミなどはヒトの皮膚に咬着寄生し吸血している．また多くの場合，上記のいくつかが組み合わさって発症する．例えばハチ，サソリ，セアカゴケグモ，蚊，アブ，ブユ，ヒアリなどに刺された場合，機械的傷害は小さいが，毒物の注入によって痒みや痛みが起こり，しばしばアレルギー症状を発し，ハチなどではショックを起こして死亡する場合もある．また刺し傷などから化膿菌の2次感染を受け損傷の大きくなることもある．

毒蛇咬症は機械的傷害と毒物注入による被害の典型的な例であり，また家屋塵埃 house dust 中のチリダニが喘息やアトピーの原因となる，などはアレルギーとの関連を示す一例である．

Ⅱ．有害食品としての衛生動物
これも直接の害という点ではⅠと同じであるが，ある種の貝類，フグなどによる中毒がこの部類に入る．

Ⅲ．疾病の伝播者としての間接の害
その動物自身は人間にとってそれほど有害ではないが，その動物がある感染症の媒介者 vector，伝播者 transmitter あるいは中間宿主 intermediate host としての役割を果たしている場合，その動物は間接的に人間に害を及ぼしている．衛生動物学の中で最も重要な部門を占めるのはこの領域である．疾病の伝播方式を分類すると次のごとくである．

1. 機械的伝播 mechanical transmission
例えばハエやゴキブリがその体や脚に種々の細菌，ウイルス，原虫の囊子，寄生虫卵などを付着させ，場合によっては一時的に体内に取り込み，それをヒトの食品の上に運んでくる．このような機械的な伝播方法をいい，その病原体はこの伝播者の体内で一定の発育や増殖をとげる必要のない場合をいう．

2. 生物学的伝播 biological transmission
病原体がある動物の体内で一定の発育，時には増殖を行うことが，その病原体の生活史上不可欠の場合を生物学的伝播という．蚊によるデング熱や日本脳炎，ウエストナイル熱，黄熱，マラリアなどの伝播，また，ダニによる重症熱性血小板減少症候群（SFTS）の伝播，ネズミによるラッサ熱，ペストなどの伝播がこれにあたる．

衛生動物学の重要性
衛生動物によって媒介され，流行する伝染病あるいは寄生虫病は，もちろんその患者を診断し，治療することは大切であるが，究極的にはそのような疾病を撲滅してしまうことが重要である．そのためにはその病原体の生活史をどこかで遮断すればよい．それは中間宿主あるいは媒介者である衛生動物を撲滅ないし実害のないレベルまで減少させることである．このような作業を効果的に行うためにはこれら衛生動物の形態ならびに生態を十分研究し，その弱点を突く必要がある．

現在までに，マラリアに対しては，主要媒介蚊への対策を強化し，また日本住血吸虫に関してはミヤイリガイの駆除に努めた結果，一国あるいは一地方からこれらの疾病を撲滅ないし激減させた例がある．

第100項　医学上重要な貝類　[A] 貝の分類

貝類が医学上問題になるのは食中毒などの他に，多くの淡水産・汽水産・陸産の巻貝が寄生虫の中間宿主になっていることである．本項ではわが国で医学上重要な貝類の分類を示した．

医学上重要な軟体動物

軟体動物のなかでヒトの疾病に関与するものは**頭足類**と**腹足類**と少数の**斧足類**とである．まず頭足類ではスルメイカに寄生しているアニサキス幼虫によるアニサキス症（第42～44項）やホタルイカ生食による旋尾線虫幼虫症（第58項）などがあげられる．腹足類すなわち巻貝の類は，ほとんどあらゆる吸虫類の第1中間宿主，および一部の線虫類の中間宿主となっており，その形態や生態を知ることは寄生虫撲滅上重要である．したがって本項では主として腹足類に関して説明する．

貝の分類

貝の分類は主として**殻** shell の形態によって行われているが，最近は軟体部の形態，染色体，DNA の塩基配列，体構成成分などの差も利用されている．以下に医学上重要な貝について分類上の要点を述べてみよう．

Phylum Mollusca 軟体動物門
  Class Gastropoda 腹足綱
　　一般にタニシのように左右非相称で，螺旋状に巻いた殻を持った貝である．しかし中には螺旋状でなく，低い円盤状の殻を持ったものやナメクジのように殻を持たないものも含まれる．
  Class Bivalvia 二枚貝綱
　　ハマグリのように2枚の殻を持ち，外観上左右相称の貝で，通常，触角や眼を持っていない．
  Class Cephalopoda 頭足綱

Class Gastropoda 腹足綱
　　　　日本産医学上重要種
  Family Potamididae　キバウミニナ科
　　Pirenella nipponiea　ヘナタリ
  Family Pleuroceridae　カワニナ科
　　Semisulcospira libertina　カワニナ
  Family Assimineidae　カワザンショウガイ科
　　Assiminea japonica　カワザンショウガイ
　　Angustassiminea parasitologica
　　　　　　　　ムシヤドリカワザンショウ
　　A. yoshidayukioi　ヨシダカワザンショウ
  Family Bithyniidae　エゾマメタニシ科
　　Parafossarulus manchouricus japonicus　マメタニシ
  Family Pomatiopsidae　イツマデガイ科
　　Oncomelania hupensis nosophora　ミヤイリガイ
　　O. minima　ナタネミズツボ
  Family Hydrobiidae　ミズツボ科
　　Bythinella nipponica　ホラアナミジンニナ
　　Saganoa kawanensis　カワネミジンツボ

Order Pulmonata 有肺目
特徴は，主として淡水産および陸産の貝で，ごく少数のものが海産および汽水産である．鰓はなく外套腔が肺の役目をする．雌雄同体で主として卵生であるが卵胎生のものもある．通常厴を持たないが若干の例外もある．

Suborder Basommatophora 基眼亜目
特徴は，主として淡水産の貝であるが少数のものは陸産または海産である．一対の触角を持ち，その根元に眼がある．雌雄の生殖孔は互いに接近しているが，別々に開口している．
　　　　日本産医学上重要種
  Family Lymnaeidae　モノアラガイ科
　　Austropeplea ollula　ヒメモノアラガイ
　　Radix auricularia japonica　モノアラガイ
  Family Planorbidae　ヒラマキガイ科
　　Polypylis hemisphaerula　ヒラマキガイモドキ
  Family Physidae　サカマキガイ科
　　Physa acuta　サカマキガイ

Suborder Stylommatophora 柄眼亜目
特徴は，陸産の貝およびナメクジの類である．二対の触角を持ち，後背方の触角の先に眼がある．雌雄の生殖孔は一緒になって同じ所に開口している．
　　　　日本産医学上重要種
  Family Bradybaenidae　オナジマイマイ科
　　Bradybaena similaris　オナジマイマイ
  Family Achatinidae　アフリカマイマイ科
　　Achatina fulica　アフリカマイマイ
  Family Limacidae　コウラナメクジ科
　　Lehmannia valentiana　チャコウラナメクジ
　　Deroceras laeve　ノハラナメクジ

第101項　医学上重要な貝類　[B] 貝の形態

貝は主としてその外部形態，すなわち殻と靨（へた）の形態によって分類される．ここではまず巻貝の基本的形態について観察法を述べ，次いで内部構造について概要を述べる．

Ⅰ．外部形態

カワニナ Semisulcospira libertina を例にとって殻の形態および各部の名称を説明しよう．まず巻貝を観察するときは，図569に示すごとく**殻頂 apex** を上に，**殻口 aperture** を下にし，殻口が最も大きく見える位置で観察し，かつ図を描くのが基本である．もちろん，上下前後左右について詳しく観察することは当然である．

図569に示すごとく殻の縦の長さを**殻長 length** あるいは**殻高 height** といい，横の長さを**殻幅 width** または**直径 diameter** という．

殻頂から殻口の上端までを**螺塔 spire** という．このような巻貝は建物に例えれば何階建かであるが，各階を**螺層 whorl** という．一番下の大きい階を body whorl といい，頂上の階を nuclear whorl という．

各階の境界を**縫合 suture** といい，殻口の外縁を**外唇 outer lip**，内縁の肉厚になった部分を**殻軸 columella** という．この殻軸にはほぼ直線的な straight columella と種々の隆起を生じた truncate columella とがある．

殻の表面には種々の彫刻がみられるが横に巻いて走っている彫刻を**螺肋 spiral sculpture** といい，縦に走っているのを**縦肋 axial sculpture** という．縦肋は殻の生長によって刻まれるので**生長線 growth line** ともいう．

臍孔 umbilicus はカワニナやムシヤドリカワザンショウにはないが，ヘソカドガイやヨシダカワザンショウには存在する．これは殻軸の基部にある小さい穴で，殻の中軸に向かって通じている．この臍孔の有無は分類上役に立つことがある．

殻頂は浸蝕されて欠けている場合がある．とくにカワニナのように流水中に棲息する場合著しい．しかしカワニナでも水のほとんど静止した湖水などに産するもの，あるいは幼貝などは完全に殻頂を持っているものが多い．

貝を上述のように殻頂を上にして観察すると，殻口が向かって右に開くもの（dextra）と，左に開くもの（sinistra）とがある（図570）．また貝の種類によって殻口に靨を有するもの（operculate）と，有しないもの（nonoperculate）とがある．さらに殻長がぐっと縮まって円盤状（discoidal）をなす貝のグループもある．

靨の性状も種によって異なり，螺旋状紋理の少ないもの（paucispiral），多いもの（multispiral），あるいは同心円状のもの（concentric）などがあり，成分も石灰質のものと角質のものとがある（図571）．

Ⅱ．内部構造

殻から軟体部を取り出すには，生きた貝を熱湯に入れて殺した後，頭部をピンセットでつまみ引っぱり出す．また生きたまま取り出したいときは，丈夫な針で殻に穴をあけ，その後ピンセットなどで穴を連続させ，殻を除外してゆく．

巻貝の軟体部は，大まかにいって殻口（図572の上方）から頭足部 head-foot region，外套部 palliar region，消化器部 visceral region，消化腺部 digestive region と続き，最も殻頂に近い部分に生殖器部 ovotestis region が存在する．図572は板垣(1960)[註1]がカワニナを解剖して記載した図で，細部は原著を参照されたい．また Malek[註2]の著書にも詳しい記載がある．

註1　板垣　博(1960)：カワニナの解剖．ヴヰナス，21：41-50．
註2　Malek and Cheng(1974)：Medical and Economic Malacology. Academic Press, New York.
参考図書　黒田徳米(1963)：日本非海産貝類目録．1〜71．日本貝類学会，東京．

医学上重要な貝類 213

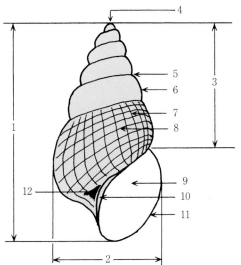

図569. 貝殻各部の名称
（例　カワニナ．カワニナには臍孔はないが，説明の都合上記入した）
1. 殻長(殻高), 2. 殻幅(直径), 3. 螺塔, 4. 殻頂, 5. 縫合, 6. 螺層, 7. 縦肋(生長線), 8. 螺肋, 9. 殻口, 10. 殻軸, 11. 外唇, 12. 臍孔

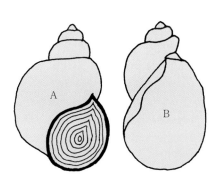

図570. 巻貝の諸型
A. 厴あり, 右巻き(マメタニシ), B. 厴なし, 右巻き(モノアラガイ), C. 厴なし, 左巻き(サカマキガイ), D. 厴なし, 平巻き(ヒラマキガイモドキ)

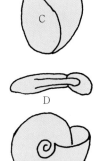

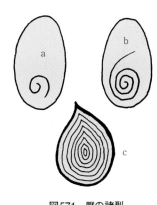

図571. 厴の諸型
a. 螺旋状紋少し, b. 螺旋状紋多し, c. 螺旋状紋同心円状

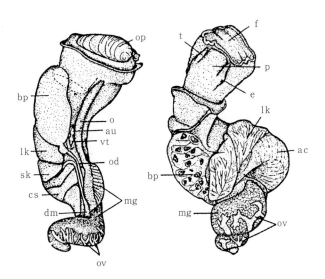

図572. カワニナの軟体部解剖図
ac. 副腺, au. 心房, bp. 育児囊, cs. 晶体囊, dm. 中腸腺管, e. 眼, f. 足, lk. 腎の大小葉, mg. 中腸腺, o. 食道, od. 輸卵管, op. 厴, ov. 卵巣, p. 吻, sk. 腎小葉, t. 触角, vt. 心室

（板垣, 1960による）

第102項　医学上重要な貝類　[C] 各　論

ここでは主として寄生虫の中間宿主として医学上あるいは医学研究上重要な貝類について解説する．ある寄生虫はその中間宿主である特定の貝が分布していないと流行しない．したがってその寄生虫症を撲滅するためには中間宿主である貝の形態や性質をよく研究し，対策を講じなければならない．

1. ヘナタリ Cerithidea cingulata（図574-A）
【種　名】　Tympanotomus microptera ともいわれた．
【分　布】　本州中部以南の河口付近の汽水域．
【医学的意義】　有害異形吸虫の第1中間宿主．

2. カワニナ Semisulcospira libertina（図574-B）
【種　名】　Semisulcospira bensoni ともいわれる．わが国のカワニナは地方によりいろいろ変異があり，カワニナ，ヤマトカワニナ，イボカワニナ，ナカセコカワニナ，チリメンカワニナ，ミスジカワニナ，クロダカワニナ，タケノコカワニナなどと分ける人もある（多種説）が，カワニナ1種説をとる人もある．
【分　布】　全国の河川，湖沼の比較的水のきれいな所に普通にみられる．
【飼　育】　従来実験室内での飼育は困難であるといわれたが，地下水などを用い，水温を20℃前後に保ち，飼育個体数を少なくし（水10lに対し貝5個程度），藻などを入れれば溜水でも長期間飼育できる（筆者の経験）．
【医学的意義】　ウェステルマン肺吸虫（2倍体および3倍体），および横川吸虫の第1中間宿主．

3. マメタニシ Parafossarulus manchouricus（図574-C）
【種　名】　わが国のマメタニシの種名については従来 Bithynia striatula japonicus あるいは Bulimus striatulus japonicus などと称されてきたが，Abbott（1951）および杉原（1954）らの意見により，現在は Parafossarulus manchouricus が用いられている．
【分　布】　本州・四国・九州にわたって分布しているが，カワニナのようにどこにでも分布しているという貝ではない．湖沼，クリーク，灌漑用水路などの比較的水がきれいで，藻や菱の生えた所が好適地である．
【形　態】　地方により殻の表面が滑らかなもの，彫刻のみられるもの，などがあるが一般に変異は少ない．厴は石灰質で同心円状の紋理を有する．
【医学的意義】　肝吸虫の第1中間宿主である．Echinochasmus perfoliatus の第1中間宿主にもなる．

4. ムシヤドリカワザンショウ Angustassiminea parasitologica（図574-D）
【種　名】　カワザンショウガイ科の貝の和名は，Assiminea japonica のみカワザンショウガイと称し，他の種はムシヤドリカワザンショウのように最後にガイを付けない．
【分　布】　汽水産の貝で，河口付近の泥土上に棲息し，水中には普通棲まない．本州中部以南および韓国に分布する．
【形　態】　殻高3mm，殻幅2mm前後の小さい褐色の貝で，縫合の下に黄白帯のあるのが特徴である．臍孔は閉じている．
【飼　育】　容易である．
【医学的意義】　大平肺吸虫および小形大平肺吸虫の第1中間宿主．これら肺吸虫の確実な人体寄生は未だ知られていないが，医学研究上重要種である．

5. ヨシダカワザンショウ Angustassiminea yoshidayukioi（図574-E）
【分　布】　ムシヤドリカワザンショウと同じ環境に棲む．近畿以南の十数河川および韓国で見出されている．
【形　態】　ムシヤドリカワザンショウによく似て一見区別しにくいが，それよりさらに小さく殻高2〜2.5mm，殻幅1.5〜2mmとやや高さにくらべ幅が広く，表面に光沢があり，かつ臍孔が開いている．
【医学的意義】　大平肺吸虫の第1中間宿主．実験的には小形大平肺吸虫の第1中間宿主にもなる．

この他，サツマクリイロカワザンショウ Angustassiminea satsubana[註1] も大平肺吸虫の第1中間宿主となり，実験的にはカワザンショウガイ Assiminea japonica，ヘソカドガイ Paludinella japonica，ミヤイリガイ Oncomelania hupensis nosophora なども第1中間宿主になりうる．

6. ホラアナミジンニナ Bythinella nipponica（図574-F）
【種　名】　はじめ黒田および波部によって Bythinella (Moria) akiyoshiensis として新種の記載がなされた．その後，貝類学者の意見により種名が変化したが，現在は上記のように呼ぶ人が多い．
【分　布】　高知県竜河洞，山口県秋芳洞，徳島，愛媛，大分，福岡，長崎，和歌山の各県で発見されている．山間の渓流の，水面または水中の枯葉や水中の石，苔などに付着している．
【形　態】　微小な貝で初鹿ら（1966）の計測によると殻

[註1]　本種の種小名は satsumana の誤記とも考えられるが原記載を尊重して satsubana を用いた．

長1.35～1.55mm，殻幅0.75～0.88mmで自然界ではよほど注意しないと目にとまらない．

【医学的意義】 宮崎肺吸虫の第1中間宿主．最近，宮崎肺吸虫の第1中間宿主として**カワネミジンツボ** *Saganoa kawanensis* が追加された．

7. ナタネミズツボ *Oncomelania minima*

【種　名】 *Tricula minima* という種名を用いる人もいる．

【分　布】 能登および佐渡島などに分布する．この貝は海岸沿いの山の谷川に棲息している．筆者は礼文島でも採集した．

【医学的意義】 佐渡肺吸虫の第1中間宿主．しかし最近，佐渡肺吸虫は大平肺吸虫のシノニムという意見が強くなってきた．そうするとこの貝は大平肺吸虫の第1中間宿主ということになる．

8. ミヤイリガイ *Oncomelania hupensis nosophora*
（図574-G）

【種　名】 カタヤマガイともいう．1913年，宮入および鈴木は佐賀県においてはじめてこの貝を採集し，かつ日本住血吸虫の中間宿主であることを決定した．当時 Robson はこの貝を *Katayama nosophora* と命名したが，現在では東洋のものすべて Oncomelania 属に編入されている．

中国には *O. hupensis nosophora* と *O. hupensis hupensis* の2種が分布し，フィリピンには，*O. hupensis quadrasi*，台湾には *O. hupensis formosana* が分布し，日本住血吸虫の中間宿主となっている．ところが不思議なことに台湾の日本住血吸虫だけは人間に感染しない．中間宿主が異なるからという説もある．

【分　布】 わが国でのミヤイリガイの分布は昔から次の地域に限られている．すなわち九州筑後川流域，広島県片山地方，山梨県甲府盆地，静岡県沼津地方，利根川流域およびその付近の河川および千葉県小櫃川の流域である．日本住血吸虫病撲滅のため国家的事業としてミヤイリガイの撲滅が長年行われ，現在非常に少なくなったが，放置すると再び繁殖する可能性がある．なぜミヤイリガイがこれら限られた地域以外に棲息しないのか不明である．

ミヤイリガイは水陸両棲 amphibious で，ある時は水中に，またある時は陸上に棲み，冬は土中にもぐる．

【形　態】 わが国産のミヤイリガイは川本(1954)の計測によると殻長6.08～7.48mm，殻幅2.45～2.83mmと細長く，平均螺層数は5.9～6.8で，濃い褐色を呈し，表面は滑らかである．ミヤイリガイによく似た陸棲貝にオカチョウジガイ *Allopeas kyotoensis* というのがあるので注意を要する．

【医学的意義】 日本住血吸虫の中間宿主として国際的にも非常に重要．

9. ヒメモノアラガイ *Austropeplea ollula*
（図574-H）

【種　名】 以前 *Lymnaea pervia*, *Lymnaea ollula*, *Fossaria ollula* とも呼ばれた．

【分　布】 全国に分布する．湖沼，河川，下水の入る溝などに棲む．やや汚れた水に好んで棲息する．

【形　態】 殻高約10mm，殻幅約6mm，螺層は4.5階で，1階の高さが2階以上より大きい．したがって殻口も大きい．殻は黄褐色，半透明で薄く壊れやすい．

【医学的意義】 肝蛭，浅田棘口吸虫などの第1中間宿主．広東住血線虫の実験的中間宿主となる．

10. サカマキガイ *Physa acuta* （図574-I）

【分　布】 この貝は熱帯魚と共に輸入されたのが逃げて繁殖したもので，都市周辺の河川や溝に普通にみられる．

【形　態】 ヒメモノアラガイに似ているが，その名の示すごとく，貝の巻き方が反対で，殻頂を上にしてみると殻口は向って左に開いている．殻高約10mm，殻幅約6mmである．

【医学的意義】 東(1955)によると実験的に肝蛭の第1中間宿主になる．また塩田ら(1980)によると広東住血線虫の実験的中間宿主となる．

11. モノアラガイ *Radix auricularia japonica*
（図574-J）

【分　布】 以前 *Lymnaea japonica* と呼ばれた．全国の湖沼，水田，河川などで水草などに付着し水面近くに棲息する．

【形　態】 全体としてヒメモノアラガイに似ているがさらに大きく，殻長約25mm，殻幅約19mm，螺層は4階で1階は大きく，2階以上は著しく小さい．殻口は大きく，外唇は反転し，殻軸も膜様にねじれている．淡黄褐色で殻は薄く，壊れやすい．

【医学的意義】 *Trichobilharzia physellae*（水田皮膚炎の病原虫）の中間宿主，および浅田棘口吸虫などの第1中間宿主．広東住血線虫の実験的中間宿主となる．

12. ヒラマキガイモドキ
Polypylis hemisphaerula （図574-K）

【種　名】 *Segmentina nitidella* という種名を用いる人もある．**ヒラマキモドキ**ともいう．

【分　布】 本州，四国，九州の水田，水路などに棲息する．

【形　態】 螺層は平面的に巻いており円盤状である．殻長は1～2mm，殻幅6～7mm，灰黄色で光沢がある．殻口は三日月形，すなわち螺層が殻口の中にせり出している（前項図570-D）．また貝の底面をみると3本の白帯が放射状に存在する．本貝に似た貝にヒラマキミズマイマイ *Gyraulus chinensis spirillus* があるが，これの殻口は卵型で，螺層の外縁はやや角張っており，かつ放射状の白帯がないので区別される．

【医学的意義】　ムクドリ住血吸虫の中間宿主，および2，3の棘口吸虫の第1中間宿主となる．

13. アフリカマイマイ *Achatina fulica* （図574-L）
【分　布】　わが国では沖縄，奄美大島および小笠原島に分布する．マダガスカル以東，インド，スリランカ，東南アジア，中国，台湾，太平洋諸島一帯に分布する．最近キューバにも見出された．わが国では輸入禁止動物である．
【形　態】　極めて大形の陸産貝で，殻長10cmに達する．
【医学的意義】　食用に供され，広東住血線虫の最も重要な中間宿主である．

14. オナジマイマイ *Bradybaena similaris*
【分　布】　日本全土．
【医学的意義】　広東住血線虫および膵蛭の中間宿主．ウスカワマイマイ，パンダナマイマイ，エラブシュリマイマイ，オキナワウスカワマイマイなどが，わが国南西諸島で広東住血線虫の中間宿主になっている．

15. ナメクジ Slug
ナメクジは巻貝の殻が退化したものである．キイロナメクジ *Limax flavus* を例にとって説明する．
【形　態】　体の前方背面に長楕円形の外套が存在し，その内部に退化した貝殻を収め，ちょうど，甲羅を有するように見える．
【分　布】　原産地はヨーロッパであるが，輸入され今や日本中至る所に分布している．人家付近とくに台所，下水溝，土管内，湿った材木の間などに棲息する．
【医学的意義】　広東住血線虫の中間宿主．沖縄や小笠原ではアフリカマイマイが最も重要な中間宿主となっているが，アフリカマイマイは日本本土にはまだ侵入しておらずチャコウラナメクジ *Lehmannia valentiana* やノハラナメクジ *Deroceras laeve*，アシヒダナメクジなどが重要な中間宿主とみられている．堀ら(1973)が東京の品川，晴海など港湾地区で行った調査によると，チャコウラナメクジの30.5％，ノハラナメクジの37％に広東住血線虫の幼虫の感染がみられた．

16. 海産有害貝
時々，貝の食中毒例がみられる．普通無毒で食用に供されている**アサリ** *Ruditapes philippiarum* や**マガキ** *Crassostrea gigas* が何らかの原因で有毒成分を持つようになることがある．1942年3月，浜名湖でアサリ中毒が発生し，334名の患者中114名が死亡した．またムラサキガイによる食中毒が昭和51年から57年の間に891例発生したことが記録されている．

その他，イガイ，エゾボラ，バイなどの貝に神経毒があり中毒を起こす例が知られている．

またイモガイの類には毒腺があり，貝を摑んだときに刺され，ひどいときは死亡する．奄美，沖縄など暖かい地方に多く分布している．とくにアンボイナガイ *Conus geographus*（図573）による被害が大きい．この貝は強い神経毒を有し，刺されてもすぐ強い痛みや腫脹はないが15〜30分後に体の自由が失われ事態の深刻さに気付く．美しい貝なので知らずに触れて刺される．沖縄で1993年までに20例の被害があり，うち4例は死亡している．

図573．神経毒を有するアンボイナガイ
（沖縄県公害衛生研究所　新城安哲　氏の厚意による）

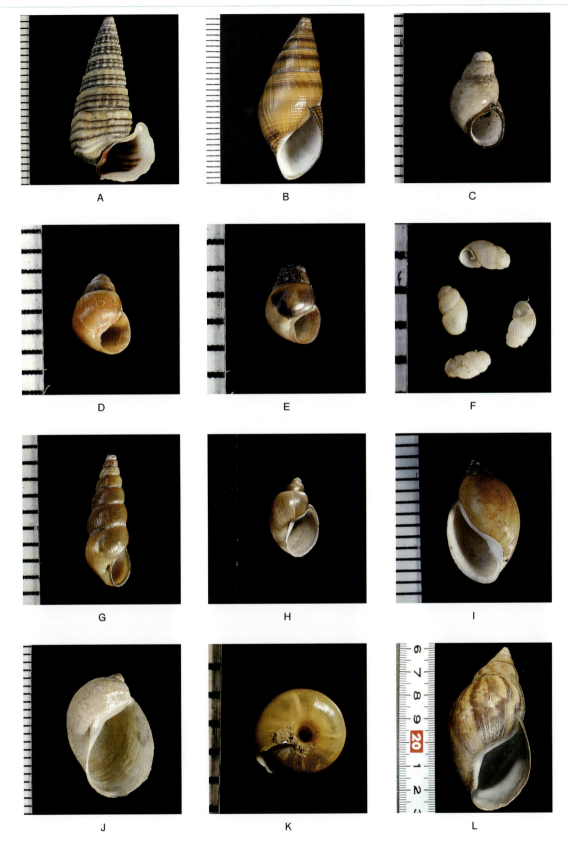

図574. 中間宿主として医学上重要な日本産の淡水，汽水および陸産貝
A. ヘナタリ，B. カワニナ，C. マメタニシ，D. ムシヤドリカワザンショウ，E. ヨシダカワザンショウ，F. ホラアナミジンニナ，
G. ミヤイリガイ，H. ヒメモノアラガイ，I. サカマキガイ，J. モノアラガイ，K. ヒラマキガイモドキ，L. アフリカマイマイ

第103項　節足動物　総論 および 甲殻類

節足動物は地球上の全動物種の3/4を占める膨大な動物群である．ヒトの疾病に関係を持っているものは表28に示すように，カニ，ダニ，蚊，ノミ，シラミ，ブユなど甲殻類，蛛形類，昆虫類をはじめ非常に多い．節足動物の媒介によって感染する疾患を arthropod-born disease という．

節足動物の特徴と医学的重要種の範囲

節足動物の特徴は，体が体節に分かれ，キチン質の硬い**外骨路 exoskeleton** で被われ，左右相称で，付属器官は関節を有し対をなしている．雌雄異体で，原則として有性生殖を行い脱皮によって成長する．体の内部は**体腔 haemocoele** を形成し，**体腔液 haemolymph** を満たす．呼吸は水棲のものは鰓で行い（有鰓群 branchiata），空気を呼吸するものは気管または書肺で行う（気管群 tracheata）．

医学上問題となる節足動物は次の6綱に含まれる．

1. Class Crustacea 甲殻綱（カニ，ケンミジンコなど）
2. Class Arachnida 蛛形綱（ダニ，クモなど）
3. Class Insecta 昆虫綱（蚊，ハエ，ノミ，ハチなど）
4. Class Chilopoda 唇脚綱（ムカデなど）
5. Class Diplopoda 倍脚綱（ヤスデなど）
6. Class Pentastomida 舌虫綱（イヌ舌虫など）

医学上重要な甲殻類

カニ，エビ，ケンミジンコなどがこれに属し，寄生虫の中間宿主となるものがある．

1. 橈脚目 Order Copepoda

小形で背甲 carapace を欠き，4～5対の遊泳肢を持つ．湖沼，水田などあらゆる水域に棲息し，プランクトンの主要素をなす．

a) ロイカルトケンミジンコ *Mesocyclops leuckarti*

属名 *Cyclops* を用いる場合もある．有棘顎口虫，ドロレス顎口虫，日本顎口虫，マンソン裂頭条虫，メジナ虫などの中間宿主．

b) *Cyclops strenuus*　上記3種顎口虫，広節裂頭条虫などの中間宿主．

c) *Diaptomus gracilis*　広節裂頭条虫の中間宿主（第88項の図496参照）．

d) *Cyclops vicinus*　上記3種顎口虫（第57項の図308参照）およびマンソン裂頭条虫の中間宿主．

2. 十脚目 Order Decapoda

カニ，エビ，ザリガニの類で，通常胸部は背甲で被われ，第1脚は大きく，鋏を持つ．図575はカニを例にとって各部の名称を述べてある．なおカニの雌雄は，雄は腹部が図のように幅が細いが，雌は抱卵のため，胸部腹甲全面を被うように幅広いのですぐ区別ができる．

a) モクズガニ *Eriocheir japonica* [註1]

（図575および第73項の図403参照）

ウェステルマン肺吸虫（3倍体）の第2中間宿主である．大形で背甲の横径が10cmに達する．螯脚の外側に苔のような長毛が密生しているのが特徴である．

全国の河川に棲み，秋に雌が抱卵すると河を下って海に入り産卵する．孵化した幼生は変態後，翌春大挙して河を遡り，淡水域で生活する．

b) サワガニ *Geothelphusa dehaani*

（第73項の図402参照）

宮崎肺吸虫，ウェステルマン肺吸虫（2倍体）などの第2中間宿主である．わが国で唯一の純淡水産のカニで北海道を除く各地の山間渓流に棲む．背甲は丸みを帯び幅は大体3cmどまりで黄褐色ないし赤褐色を呈する．

c) クロベンケイガニ *Chiromantes dehaani*

（第76項の図423参照）

大平肺吸虫および小形大平肺吸虫の第2中間宿主である．ベンケイガニ *Sesarmops intermedium*（第76項の図424参照）．アカテガニ *Chiromantes haematocheir*，ハマガニ *Chasmagnathus convexus*，アシハラガニ *Helice tridens* も大平肺吸虫の中間宿主となる．これらは河口の汽水域に棲息する．

d) アメリカザリガニ *Procambarus clarkii*

（第73項の図405参照）

ウェステルマン肺吸虫の第2中間宿主になることが証明されているが実際上の価値は少ない．このアメリカザリガニは元来日本に分布しなかったが，昭和5年食用蛙の餌として北米ニューオーリンズから移入したのが現在全国に広がった．

わが国にはザリガニ *Cambaroides japonicus* という原産種があり，岩手，秋田両県以北に分布するが疾病との関係は知られていない．

e) エビ類

太平洋諸島では *Macrobrachium lar* などの淡水産エビが広東住血線虫の待機宿主になることが知られている．

註1　本種の種小名は従来 *japonicus* が用いられてきたが，最近，国際的にも *japonica*（女性形）が正しいということになった．

表28. 節足動物が媒介する主なヒトの疾患

	病原体名	主要媒介節足動物名		病原体名	主要媒介節足動物名
ウイルス性疾患	日本脳炎ウイルス デングウイルス ジカウイルス 重症熱性血小板減少症候群(SFTS)ウイルス	コガタアカイエカ ネッタイシマカ, ヒトスジシマカ ネッタイシマカ, ヒトスジシマカ マダニ	線虫性疾患	アニサキス 顎口虫 広東住血線虫 バンクロフト糸状虫 イヌ糸状虫 回旋糸状虫 メジナ虫 東洋眼虫	オキアミ ケンミジンコ 貝(待機宿主) アカイエカ トウゴウヤブカ ブユ ケンミジンコ メマトイ
リケッチア性疾患	ツツガムシ病リケッチア 日本紅斑熱リケッチア 発疹チフスリケッチア	フトゲツツガムシ チマダニ属 コロモジラミ	吸虫性疾患	肺吸虫 槍形吸虫 膵蛭	カニ アリ ササキリ
細菌性疾患	ペスト菌 野兎病菌 ライム病ボレリア	ノミ マダニ シュルツェマダニ	条虫性疾患	広節裂頭条虫 小形条虫 縮小条虫 瓜実条虫	ケンミジンコ ノミ ノミ, 甲虫 ノミ, ハジラミ
原虫性疾患	マラリア原虫 ガンビアトリパノソーマ クルーズトリパノソーマ リーシュマニア バベシア	ハマダラカ ツェツェバエ サシガメ サシチョウバエ マダニ			

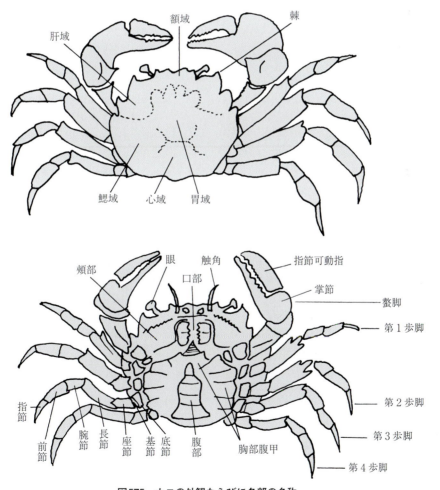

図575. カニの外観ならびに各部の名称
背面(上)と腹面(下)（例：モクズガニ）

第104項　蛛形綱およびダニ　総論と分類

蛛形綱の中で医学上重要な種は，クモ目，サソリ目，ダニ目に含まれる．最も重要なのはダニ目でわが国で約1,000種知られ，その中のある種は獣類やヒトを吸血し，ウイルス，リケッチア，細菌，原虫などを媒介し重要である．

I　クモ目　世界には**クロゴケグモ**(black widow spider)のような猛毒のクモがいるが，わが国には有毒クモは分布していなかった．ところがオーストラリアなどに分布している**セアカゴケグモ** *Latrodectus hasseltii* が1995年に大阪で発見され，その後，2018年12月現在，全国44都道府県（未発見地域は長野・秋田・青森の3県）で記録されている[註1]．雌の体長は約1cm，黒く，背腹に赤い菱形の斑紋がある（図576）．側溝の中などに棲み，咬まれると疼痛，腫脹，所属リンパ節腫脹などを生ずる．重症化することは少ないが時に乳幼児や高齢者で悪心，嘔吐，めまい，胸部痛，呼吸困難などを起こす例がある．抗毒素血清が有効である．

II　サソリ目　わが国ではほとんど無毒のヤエヤマサソリ *Liocheles australasiae*（宮古，八重山）とマダラサソリ *Isometrus maculatus*（八重山，小笠原）が分布するが世界には猛毒のサソリがおり，時々外来貨物に付着して発見され大騒ぎとなる．

III　ダニ目
一般にダニ類には体長が0.1mm前後の小さいものから1cm以上の大きいものまである．ツツガムシ，コナダニのような微小なダニを一括してmiteと呼び，マダニのように大きいものをtickと呼んでいる．tickの中でもヒメダニ科のものは体が囊状で柔らかいのでsoft tickと呼び，マダニ科のものは硬いのでhard tickと呼んでいる．ダニの体はニキビダニでは頭胸部と腹部に分かれるが，他のダニは頭，胸，腹部が融合し袋状の胴部を形成している．また多くの種には**背甲板 scutum**があり，この形態や体表の**剛毛 seta**の形態が分類に役立つ．

口器は体前端にあり一見頭部のように見える．この部分をmiteでは**gnathosome（顎体部）**，tickでは**capitulum（顎体部または擬頭部）**という．外形を図577に示す．口部には図579に示すごとく**触肢 pedipalp**と**鋏角 chelicera**と**口下片 hypostoma**とがあり，口器を形成している．触肢は感覚を司るらしい．

昆虫は原則として3対の脚と2対の翅を有するがダニの成虫は4対の脚を有し翅はない．しかしダニの幼虫の脚は3対で，若虫 nymph になると4対になる．ダニの脚は胴部の前1/2ないし2/3の所から出る．各脚は6節から成り，その名称は図577に示す通りである．附節の先に爪や吸盤や長毛を有するものもある．またマダニ類では第1脚の附節に**ハラー氏器官 Haller's organ**という感覚器を持っている．生殖孔および肛門は腹面に開く．**気門 stigma**を有する場合は側面に開いている．

ダニの内部形態は図578に示すごとくであるが，排泄系は種によって数対の腺状器官を持つものもあれば，長い**マルピギー管 Malpighian tubule**を持つものもある．これらは共に直腸に開いている．ある種のダニではこの排泄系によって病原体の運搬，移動が行われる．

医学上重要なダニの分類

Order　Acarina　ダニ目
　Suborder Mesostigmata　中気門亜目（トゲダニ亜目）
　　Family Laelaptidae　トゲダニ科
　　　ネズミトゲダニ，ヒメトゲダニ，イエダニなど．
　　Family Dermanyssidae　サシダニ科（ワクモ科）
　　　イエダニ，ワクモなど．
　Suborder Ixodides　マダニ亜目
　　Family Argasidae　ヒメダニ科
　　　Ornithodoros moubata など．
　　Family Ixodidae　マダニ科
　　　マダニ属：ヤマトマダニ，シュルツェマダニ，カモシカマダニなど．
　　　キララマダニ属：タカサゴキララマダニなど．
　　　チマダニ属：フタトゲチマダニなど．
　　　カクマダニ属：タイワンカクマダニなど．
　　　コイタマダニ属：オウシマダニなど．
　Suborder Prostigmata　前気門亜目
　　Family Trombiculidae　ツツガムシ科
　　　アカツツガムシ，タテツツガムシ，フトゲツツガムシなど．
　　Family Tarsonemidae　ホコリダニ科
　　Family Cheyletidae　ツメダニ科
　　Family Demodicidae　ニキビダニ科
　　　ニキビダニなど．
　Suborder Astigmata　無気門亜目
　　Family Sarcoptidae　ヒゼンダニ科
　　　ヒゼンダニなど．
　　Family Acaridae　コナダニ科
　　　ケナガコナダニ，アシブトコナダニなど．
　　Family Pyroglyphidae　チリダニ科
　　　コナヒョウヒダニ，ヤケヒョウヒダニなど．
　　Family Glycyphagidae　ニクダニ科
　　　サヤアシニクダニなど．
　　Family Carpoglyphidae　サトウダニ科
　　　サトウダニなど．

註1　国立環境研究所：侵入生物データベース．

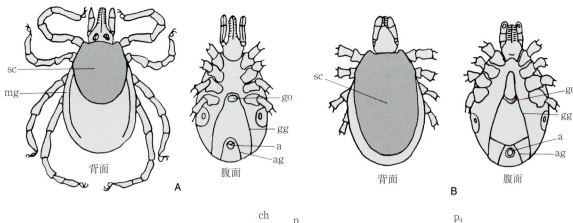

図576. セアカゴケグモ
雌成虫の模式図. 体長約1cm, 全体に黒褐色で背腹に赤色の斑紋のあるのが特徴.

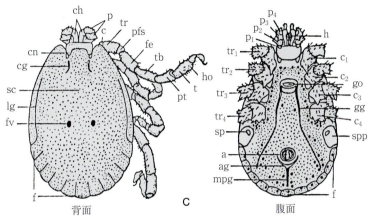

図577. マダニの一般形態
A. ヤマトマダニ雌成虫, B. ヤマトマダニ雄成虫, C. フタトゲチマダニ雄成虫

a. 肛門, ag. 肛門溝, c. 基節, cg. 項溝, ch. 鋏角, cn. 角状体, f. 花彩, fe. 腿節, fv. 刻孔, gg. 生殖溝, go. 生殖孔, h. 口下片, ho. ハラー器官, lg. 側溝, mg. 中溝, mpg. 中肛門溝, p. 触肢, pfs. 前腿節, pt. 前跗節, sc. 背甲板, sp. 気門, spp. 気門板, t. 跗節, tb. 脛節, tr. 転節

（森下哲夫・加納六郎「新寄生虫病学」, 中村, 矢島, その他による）

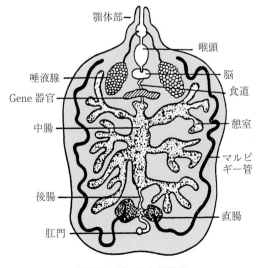

図578. ダニの内部構造

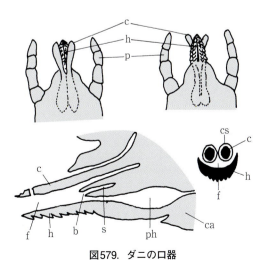

図579. ダニの口器

b. 口腔, c. 鋏角, ca. 顎体部, cs. 鋏角の鞘, f. 食物通路, h. 口下片, p. 触肢, ph. 喉頭, s. 唾液管

（図578, 図579はGordonら, 1962による）

第105項　マダニ　総論

マダニ亜目には多数の種があり，主として野生動物に寄生している．そしてある種が偶発的にヒトに咬着し吸血する．わが国においても多くの種のマダニ寄生例が報告されている(表29)．また紅斑熱，ライム病，重症熱性血小板減少症候群(SFTS)，バベシア症などマダニの媒介による新しい疾患がわが国で報告されはじめた．

【分類】

マダニ亜目はマダニ科，ヒメダニ科，ヌッタリー科(日本には生息しない)とに大別されるが，その主な区別点は，マダニでは図580，582，583に示すごとく顎体部が体前端から突出し，あたかも頭部のように見え，かつ雌雄とも背甲板を有する．背甲板は雄では大きく，雌や若虫や幼虫では小さい．一方，ヒメダニでは図581，583に示すごとく顎体部は腹面にあり，背面から見えず，かつ雌雄とも背甲板を欠く．ヒトに寄生する主なマダニについて属の検索表を図583に示す．

【生活史】

雌成虫は十分吸血すると宿主を離れ地上に落ち，土の中や落葉の下に潜み，その後1カ月以内に300〜1,000個の卵を産み死亡する．卵から孵化した幼虫は6脚で，宿主を求め咬着し吸血した後，地上に落ち脱皮して8脚の若虫となる．若虫もまた宿主を求め吸血した後地上に落ち成虫となる．成虫はさらに別の宿主に寄生吸着し吸血した後落下する．交尾は雌が宿主に取り付く前，または吸血中に行われる．要するに1匹のダニがその生涯において3度異なった宿主を吸血する．このような習性が疾病媒介上重要な意義を持つ．しかしダニの中には一生涯一つの宿主の上で過ごすものもある(例 *Rhipicephalus micropus* など)．

マダニ類は一般に雌雄成虫，幼虫，若虫いずれも吸血する．吸血行動は特異的で顎体部の鋏角と口下片を宿主の皮膚内に挿入し，しっかり固定し，幼虫では3〜4日，若虫では4〜5日，成虫では7〜9日を要してゆっくりと満腹するまで吸血する．これを飽血 engorge という．飽血するとダニは見違えるように大きくなり，体重は100倍にも増加する．ヒトに咬着してもほとんど無症状なので飽血してダニが大きくなってはじめて気付く場合が多い．

【疫学】

わが国では現在も毎年，多数のダニ刺咬例が発生しているが，そのダニの種類と頻度について山口(1989)[註1]と沖野ら(2011)[註2]の報告がある．前者は1927年〜1989年の間の507例，後者は1941年〜2005年の間の1,223例の集計である(表29)．これらの結果を見ると，ヤマトマダニとシュルツェマダニが最も多く，タネガタマダニ，タカサゴキララマダニ，フトゲチマダニなどがこれに続いている．また1971年以降症例報告が増加し，特に9歳以下の小児に多いという．

このような最近のマダニ刺咬例の増加の原因は何であろうか．マダニは野生動物から離れ地上に落下したものが地表または植生に存在し，再び動物に取り付くのである．したがって従来は山林業者などに寄生がよくみられたが，最近はキャンプ，森林浴，山菜取りなど，山野を歩く機会が増え，このため症例が増加しているものと考えられる．

ヒトに寄生する主なマダニ(種名は表29参照)

1. ヤマトマダニ(次項図586，第107項の図593)

東洋に広く分布し，日本でも全土に分布する．成虫は野兎，幼・若虫は小齧歯類に寄生する．ヒトの顔面，とくに眼瞼咬着例が多い．野兎病の他，バベシア症の媒介者として疑われている．

2. シュルツェマダニ(図582，第107項の図592)

ロシア，北欧，韓国，日本に分布．わが国では北海道から西日本の高地に分布し，ウシ，ウマ，シカ，野兎など多くの動物に寄生している．外国では極東ロシア脳炎，わが国では野兎病およびライム病を媒介する．

3. フタトゲチマダニ

オーストラリア，南太平洋，極東に分布．日本全土に分布する．ウシ，ウマ，ヒツジなどの他，鳥にも寄生する．Q熱，極東ロシア脳炎などを媒介する．最近わが国で日本紅斑熱および重症熱性血小板減少症候群(SFTS)の病原体が検出された．

4. キチマダニ

韓国と日本にのみ分布．野生動物・家畜に広く寄生．わが国で野兎病の最も重要な媒介者とされている．日本紅斑熱媒介の事実も判明した．

5. タカサゴキララマダニ

インド，東南アジア，極東に分布．多くの野生動物や家畜に寄生する．ごく最近わが国で重症熱性血小板減少症候群(SFTS)の病原体媒介の可能性が示唆された．

6. *Dermacentor andersoni*(図580)

ロッキー山紅斑熱の媒介者として有名．わが国には本種は分布していないが，本属の他の種 *D. taiwanensis* が分布する．

7. *Argas persicus*(図581)

ヒメダニ科に属し，主に鳥の回帰熱を媒介．本属の他の種がわが国に分布し，時にヒトを刺咬する．

註1　山口　昇(1989)：最新医学，44：903-908.
註2　沖野哲也ら(2011)：衛生動物，62：153.

図580. *Dermacentor andersoni*
マダニ科のダニは背甲板を有し，顎体部は前方に突出している．

図581. *Argas persicus*
ヒメダニ科のダニは背甲板を欠き，顎体部は腹面に隠れている．

表29. わが国におけるヒト刺咬マダニの種類と刺咬例数

		刺咬例数	
		山口[注1]	沖野[注2]
Ixodidae	マダニ科		
Ixodes	マダニ属		
I. ovatus	ヤマトマダニ	111	256
I. persulcatus	シュルツェマダニ	90	248
I. nipponensis	タネガタマダニ	59	88
I. acutitarsus	カモシカマダニ	46	12
I. monospinosus	ヒトツトゲマダニ	16	32
I. asanumai	アサヌママダニ	1	
種不明		12	
Haemaphysalis	チマダニ属		
H. longicornis	フタトゲチマダニ	30	101
H. flava	キチマダニ	18	57
H. campanulata	ツリガネチマダニ	2	
H. japonica	ヤマトチマダニ	1	
H. hystricis	ヤマアラシチマダニ	1	
種不明		6	
Amblyomma	キララマダニ属		
A. testudinarium	タカサゴキララマダニ	46	108
Rhipicephalus	コイタマダニ属		
R. sanguineus	クリイロコイタマダニ	1	
Argasidae	ヒメダニ科		
Argas	ヒメダニ属		
A. vespertilionis	コウモリマルヒメダニ	5	
A. japonicus	ツバメヒメダニ	1	
属種不明		54	290
疑わしい種			23
Ixodes ricinus	イヌダニ，ウシマダニ	5	
I. s. simplex	コウモリマダニ	1	
I. turdus	アカコッコマダニ	1	8

図582. シュルツェマダニの体前方部と顎体部
(故 近藤力王至 教授の厚意による)

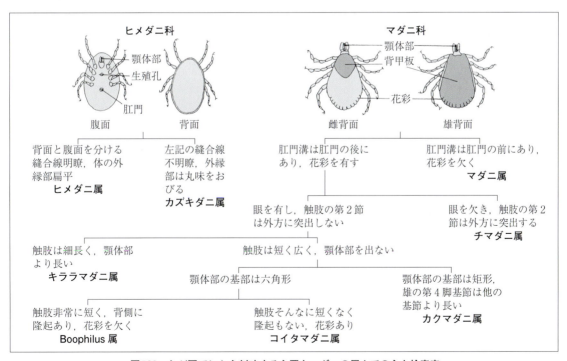

図583. わが国でヒトを刺咬する主要なマダニの属までの主な検索表

第106項 マダニが媒介する疾患 [A] 日本紅斑熱および野兎病

日本紅斑熱は1984年にわが国で発見された新興感染症の一つで，その後，年々症例報告が増加している．本症はマダニが媒介するリケッチア性疾患で高熱，皮膚の紅斑，ダニの刺し口などを主徴候としている．一方，野兎病はわが国では1924年から知られ，ダニが媒介する場合がある．両疾患とも感染症新法では4類に指定されている．

日本紅斑熱 Japanese spotted fever

【歴史と疫学】　紅斑熱群リケッチア症はロッキー山紅斑熱（米大陸），ボタン熱（地中海沿岸）をはじめ世界各地に存在するがわが国では知られていなかった．ところが1984年，馬原[註1]は初めて徳島県で本症患者を発見し，1987年に**日本紅斑熱**と命名した．一方，内田ら[註2]は1986年に患者から病原体を分離し，1987年に*Rickettsia japonica*（図589）と命名した．*R. japonica*を保有するマダニの幼虫に刺咬されて感染する本症は増加傾向にあり，2017年337例，2018年303例，2019年318例と，最近は年間300例を超える報告がある．マダニの活動時期である4～11月に発生が多く，発生地域では主に関東以西の太平洋沿岸に多いが，近年北上傾向がある．*R. heilongjiangensis*，*R. helvetica*等の新種による感染症の存在も判明した．2016年年末までに報告された2,230例中21例が死亡し，死亡例は高齢者で発病後5日以降の受診者に多かった[註3]．

【症　状】　ヒトが藪や畑に入りダニに刺されてから2～8日の潜伏期の後，高熱をもって発症する．次いで皮膚に特徴的な紅斑が現れ，よく観察するとダニの刺し口がある．この**発熱・紅斑・刺し口**を本症の三大徴候とする．さらに症状の特徴を述べると次のごとくである．

1. 発熱：2～3日不明熱が続いた後，悪寒戦慄，頭痛，筋肉痛などを伴って高熱を発する．重症例では40℃以上の高熱が数日間も持続することがある．
2. 皮膚の紅斑 erythema：高熱と共に紅斑が現れる．これは米粒大～小豆大で，境界不鮮明で痛みや痒みはなく全身に現れるが，とくに四肢，なかでも手掌に顕著に現れるのが特徴である（図584, 585）．この紅斑はその後一部出血性となるが2週間くらいで消退する．
3. ダニの刺し口 eschar：患者の四肢や首などに1～2週間にわたって認められるが，やや小さく，数日間で消失することもあり見逃されやすい（図587）．
4. 臨床検査所見：血液検査所見ではCRPは強陽性，血小板減少などがみられる．白血球数には著変はないが好中球の増加と核の左方移動がみられる．また尿蛋白陽性，肝機能障害を示すこともある．重症になると意識障害，播種性血管内凝固（DIC）などを起こす例もある．
5. 患者の年齢・性別：患者は両性の全年齢層にわたっているが，50歳以上の中高年層の女性に多い．これは仕事上，感染の機会が多いことによると思われる．

【診　断】　発病前の行動（山野への立ち入りなど）を注意深く問診する．上記の症状や検査所見に注意すると共に免疫血清診断を行う．間接蛍光抗体法（図589）や免疫ペルオキシダーゼ反応が行われている．しかし本症は急激に発症し免疫反応が陽性に出る以前に増悪する場合があるので，症状から本症が疑われれば直ちに治療を開始することが肝要である．

ツツガムシ病との鑑別診断　本症は種々の点でツツガムシ病と類似している．主な鑑別点は，①本症は主として関東以西の諸地域で4～10月の候に継続して発症するが，ツツガムシ病は東北・北陸では5月，関東以西では11月が発生のピークである．②本症では紅斑が四肢とくに手掌部に現れるがツツガムシ病では体幹が主で四肢には少なく手掌には見られない．③ダニの刺し口はツツガムシ病では顕著であるが本症では軽微である．④ツツガムシ病では所属ならびに全身のリンパ節腫脹や肝・脾腫が見られるが本症では稀である．最近，「リケッチア症診療の手引き～つつが虫病と日本紅斑熱～」が公開された[註4]．

【感染経路】　本症がマダニによって媒介されることは推定されていたが，1999年，馬原ら[註5]は重症例の血液から*R. japonica*を分離し，同時に本患者が感染したと思われる場所で採集された**キチマダニ** *Haemaphysalis flava*（図588）から病原体を分離した．この他フタトゲチマダニ，ヤマトマダニ（図586），ヤマアラシチマダニ，タイワンカクマダニからも検出された．

【治　療】　テトラサイクリン系の抗生剤（**ドキシサイクリンやミノサイクリン**200～300mg/日）が著効を示す．ペニシリン系，βラクタム系，アミノ配糖体系などは無効．またツツガムシ病には無効のニューキノロン系薬剤が本症に有効であることがわかり上記薬剤との併用が推奨されている．

野兎病 Tularemia

本症は*Francisella tularensis*という細菌の感染によって起こる急性熱性疾患で世界に広く分布する．わが国では1924年に大原八郎が福島県で初めて発見し，以後，現在までに千数百例報告されたが最近は減少した．

感染経路はマダニの刺咬，野兎の屍体の処理，剥皮，調理，食用などの際の経皮感染による．

症状は頭痛・高熱・リンパ節腫脹で，これらの症状ならびに免疫反応により診断する．ストレプトマイシンやテトラサイクリンが有効である．

註1　馬原文彦（1984）：阿南医報，68：4-7.
註2　Uchida T et al. (1986)：Microbiol. Imm. 30：1323-1326.
註3　安藤秀二ら（2017）：IASR. 38：124-126.
註4　リケッチア症診療の手引き
　　（https://www.hosp.u-fukui.ac.jp/department/infection/）
註5　馬原文彦（2003）：日本臨牀，61（増3）：823-828.

マダニが媒介する疾患 225

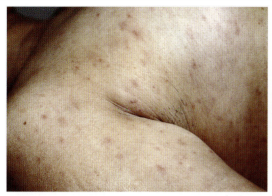

図584. 紅斑熱患者(43歳，女性，徳島県)の第3病日における紅斑
(図584，585，586，587(右)は馬原文彦 博士の厚意による)

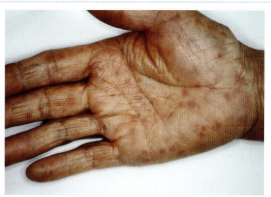

図585. 紅斑熱患者(70歳，女性，徳島県)の手掌部の紅斑
初期の重要な所見

図586. 紅斑熱患者に咬着していたヤマトマダニ

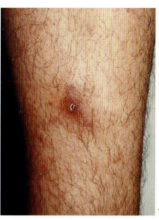
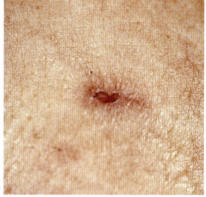

図587. 紅斑熱患者におけるダニの刺し口，2症例

図588. 紅斑熱媒介が証明されたキチマダニの雄成虫
(京都府保健環境研究所 中嶋智子氏 撮影提供)

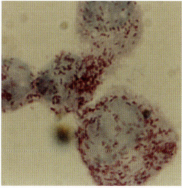
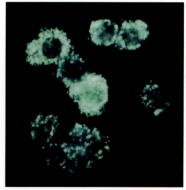

図589. 患者から分離し Vero 細胞で増殖した紅斑熱リケッチア
(左　ヒメネス染色，右　蛍光抗体法)
(図587(左)，589は徳島大学 内田孝宏 教授の厚意による)

第107項 マダニが媒介する疾患 ［B］ライム病および重症熱性血小板減少症候群

ライム病はわが国では1986年に最初の患者が発見された新興感染症の一つで，毎年数例～十数例の報告がある．病原体はBorrelia属のスピロヘータで主にシュルツェマダニによって媒介される．症状は特異な遊走性紅斑で，患者は本州中部以北，とくに北海道に多い．一方，重症熱性血小板減少症候群は2013年に突如現れたダニ媒介性ウイルス疾患で，目下，西日本で約400例確認され高い死亡率を示す．共に4類感染症に指定されている．

ライム病 Lyme disease, Lyme borreliosis

【歴史と疫学】

ライム病は1976年，北米コネチカット州ライム地方で発見された感染症で，病原体は1982年に発見され Borrelia burgdorferi（スピロヘータの1種）と命名された．わが国では1986年の長野県の患者が最初の例として川端，馬場らにより報告された[註1, 2]．

本症は世界に広く分布しているが，症状は地域により異なる．最近の分子遺伝学的研究によると上記の Borrelia burgdorferi は北米型ライム病の原因菌で，ヨーロッパや日本での原因菌は B. garinii と B. afzelii であると報告された．日本ではこの両種が**シュルツェマダニ** Ixodes persulcatus（図592）によって媒介されているという．一方，**ヤマトマダニ** I. ovatus（図586，593）から分離されるのは B. japonica という種で，ヒトに対する病原性はないという．図594はキチマダニから分離された Borrelia sp. で，長さ20～30μm，螺旋状をしている．

わが国では，主に本州中部以北，特に北海道で患者が報告され，1999年から2018年までの20年間で231例である．北海道以外の地域での届出例の多くは，北海道や海外（主にアメリカ，欧州諸国）での感染例である[註3]．わが国での患者報告数は少ないが，野鼠やマダニの病原体保有率は欧米並みであり，一般住民の抗体陽性率も56～80％を示すことから，潜在的にライム病が蔓延している可能性が高いと推測される．

【症　状】

第1期：マダニに刺されてから7～10日後，刺咬部を中心に紅斑を生じ，遠心性に拡大する．周辺部は鮮紅色・浮腫状で中心部は退色傾向を示す．これを**遊走性紅斑**（erythema migrans：EM）という（図590，591）．同時に頭痛や発熱などインフルエンザ様症状を示す．

第2期：感染が全身に及び，各種神経炎，脳炎，髄膜炎，心臓障害，関節痛，筋肉痛など多彩な症状を示し，皮膚に二次性紅斑（図591）を生ずることがある．

第3期：数カ月～数年後，慢性関節炎などを生ずる．

わが国の症例は欧米と異なり比較的軽症で，第1期のみに止まる場合が多い．これはわが国の Borrelia 株の病原性が低いためと考えられている．

【診　断】

①本症の地理的分布，好発時期（5～7月），発症前の行動（山野跋渉など），ダニ刺咬の有無，などを参考にする．②遊走性紅斑などの臨床症状（紅斑が現れない場合もあるので注意）．③紅斑付近の皮膚を切除し Borrelia の分離培養（BSH-H培地）．④蛍光抗体法，酵素抗体法，Western blot 法などによる抗体検査．⑤PCR 法による抗原DNAの検出，などにより総合的に診断する．

【感染経路】

本症の病原体はおそらく多くの野生動物が保菌しており，マダニを媒介者としてヒトに感染するものと思われる．わが国では目下シュルツェマダニのみが媒介者とされる．このダニは北海道では平地にも分布するが本州では海抜800m以上の高地に棲息する．北海道ではこのダニの16.9％から病原体が分離されたという．

【治療・予防】

本症はペニシリン系，テトラサイクリン系，マクロライド系抗生剤が有効である．マダニ棲息地帯に入るときはダニ付着防止用の長袖，長ズボンを着用する．ダニ用忌避剤も有効である．

重症熱性血小板減少症候群[註4] Severe fever with thrombocytopenia syndrome（SFTS）

2011年に中国で初めて報告された新規のSFTSウイルス（フェニュイウイルス科フレボウイルス属）による新興感染症である．東アジアに分布するマダニ媒介性ウイルス性出血熱の一つで，致死率が高く，重症例では出血症状を認め，患者の血液・体液に接触した者も感染する．わが国では，2012年に山口県で死亡した症例が2013年1月に初めて本症と診断された[註4]．2020年1月現在498名が感染，70名が死亡した．地域では石川県から和歌山県以西に多く，時期ではダニの活動する春から秋に多い．患者は60歳代以上が多い．高熱，激しい消化器症状，白血球・血小板の減少，リンパ節腫脹，血尿，血便，神経症状などを示す．診断は間接蛍光抗体法や遺伝子診断による[註5]．2020年1月現在，承認された抗ウイルス薬はないが，抗インフルエンザ薬のファビピラビルに期待が寄せられている．

患者に咬着していたフタトゲチマダニ，タカサゴキララマダニ，キチマダニなどからウイルスが分離されている．ヒトへは，ダニから感染する以外に，報告例はないがペットを含むウイルス保有動物の血液・体液に接触する事で感染する可能性もあり，注意が呼びかけられている[註6]．

マダニが媒介する疾患　227

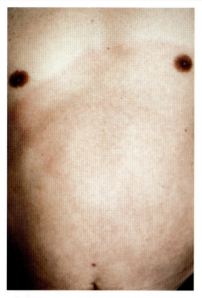

図590. ライム病患者（64歳，男性）のダニ咬着6週後の巨大な遊走性紅斑

（図590，592は馬場俊一博士の厚意による）

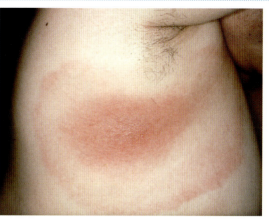

図591. ライム病患者（49歳，女性）の遊走性紅斑
外側が一次性紅斑で，その内側に二次性紅斑が生じている．
（橋本喜夫博士の厚意による）

図592. 図590の患者に咬着していたシュルツェマダニ

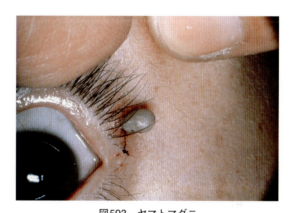

図593. ヤマトマダニ
福井県の14歳の女性の左眼瞼寄生例
（金沢大学医学部眼科症例，故 近藤力王至 教授の厚意による）

表30. 世界における主なマダニ媒介ヒト感染症

病原体	感染症
リケッチア	**日本紅斑熱**，エーリキア症，Q熱，ロッキー山紅斑熱
ボレリア	**ライム病**，回帰熱
細菌	**野兎病**
原虫	バベシア症
ウイルス	**重症熱性血小板減少症候群**，ダニ脳炎，コロラドダニ熱，クリミヤ・コンゴ出血熱

（太字はわが国でとくに重要なもの）

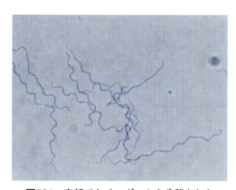

図594. 京都でキチマダニから分離された *Borrelia* sp.
（中嶋智子 氏の厚意による）

註1　Kawabata H et al.(1987)：J. Inf. Dis. 156：854.
註2　馬場俊一ら(1987)：日皮会誌, 97：1133-1135.
註3　川端寛樹(2019)：国立感染症研究所：感染症情報.
註4　西條政幸ら(2013)：IASR 34：40-41.
　　西條政幸(2013)：感染症, 43：213-216.
註5　最近，重症熱性血小板減少症候群(SFTS)診療の手引き（改訂新版2019）が公開された（https://www.dcc-ncgm.info/topic/topic-sfts/）
註6　厚生労働省：重症熱性血小板減少症候群(SFTS)に関するQ＆A（https://www.mhlw.go.jp/bunya/kenkou/kekkaku-kansenshou19/sfts_qa.html）

第108項　ツツガムシ　[A] 歴史，形態および生活史

ツツガムシ(恙虫)はダニ目に属する小さなダニで trombiculid mite または chigger と呼ばれる．世界で約1,200種，わが国で116種記載されている．幼虫は野鼠，ヒトなどに吸着寄生し，ある種はリケッチア症であるツツガムシ病を媒介する．

【歴史】 ツツガムシ病はパキスタン，インドネシア，カムチャツカ半島を結ぶ広大な三角形の地域に存在する疾患で，わが国にも古くから各地に存在していたと思われる．とくに秋田県雄物川，山形県最上川，新潟県信濃川および阿賀野川流域で，**アカツガムシ**の媒介によって起こるツツガムシ病は有名で，毎夏，多くのヒトが本症で死亡していた．住民は小さなダニ(新潟では恙虫，赤虫，山形では毛蟲，沙蟲などと呼んでいた)に刺されて発病することに気付いており，針でダニを掘り起こしたり，毛蟲神社や恙虫明神などを建て，神頼みにより厄病を逃れようとしていた．Baelz と川上は明治初年に流行地を訪れ，本症を日本洪水熱と称して世界に紹介した．

本格的な研究が開始されたのは19世紀の終わり頃で，田中敬介，北里柴三郎，緒方正規，宮島幹之助，川村麟也，林直助，緒方規雄，長与又郎，宮川米次，三田村篤四郎ら多数の学者が競って研究し，ついに1927年，緒方規雄により病原体は *Orientia tsutsugamushi*[註1](**ツツガムシ病リケッチア**)と決定された．しかしこの華々しい研究の過程で病原体の室内感染によって10名に及ぶ犠牲者が出た．

第二次世界大戦後になって，上記のようなツツガムシ病は東北3県に限られた疾患ではなく，全国各地に存在し，七島熱とか丹後熱とか，その地方の名を冠して呼ばれていたことが佐々らの研究で明らかになってきた．そしてそれらはアカツツガムシ以外のダニ，すなわち**タテツツガムシ**あるいは**フトゲツツガムシ**によって媒介されていることも明らかになってきた．便宜上，東北3県のアカツツガムシによるものを**古典型ツツガムシ病**，その他のものを**新型ツツガムシ病**と呼んでいるが病原体も症状も同じである．最近，ツツガムシ病に対する関心が高まり，毎年多数の患者が報告されている(次項**図608**参照)．

【幼虫の形態】 ツツガムシは主としてネズミの耳介などに寄生している幼虫を採取し，その形態によって分類される．幼虫は一般に体長0.2～0.4mmと小さく，**図595**に示すように3対，6本の脚を持ち，体表には多数の剛毛が生えている．背面の前方には**背甲板 scutum** があり，その形態や，そこに生えている剛毛の数，配列などが分類に役立つ．アカツツガムシの背甲板を**図596**に示す．

【生活史とリケッチア媒介のメカニズム】 ツツガムシは**図597**に示すごとく幼虫だけが動物に吸着して組織液を吸い，若虫や成虫は外界で昆虫の卵などを食べて生活している．このように一生涯に一度だけしか吸着しないツツガムシが病原体を媒介するメカニズムについて，従来の考え方は，野鼠がリケッチアを保有しており，ツツガムシ幼虫は野鼠に吸着することによって感染し，このリケッチアは若虫，成虫，さらに経卵感染をして次の世代の幼虫に引き継がれ，この有毒幼虫がヒトを刺したときに感染するというものであった．ところが最近の説は，ツツガムシ病リケッチアはネズミからツツガムシに移行するのではなく，ある地域のツツガムシ集団はその体内に共生細菌としてリケッチアを保有し(保有率は0.1～3％といわれる)，成虫→卵→幼虫→若虫→成虫と，ネズミとは無関係に代々受け継がれ，幼虫がネズミやヒトに吸着したときにリケッチアを与えるというものである．このことはリケッチアを保有していないツツガムシ幼虫を有毒ネズミに吸着させても，病毒はツツガムシに感染しなかったという実験によって確かめられた．

わが国でツツガムシ病を媒介するツツガムシ

1. アカツツガムシ *Leptotrombidium akamushi*

(**図595，596，598**)

体は赤色，体長約0.2mm，満腹時には約0.45mmとなる．新潟，秋田，山形，福島の4県の大河の中・下流域に分布するが，沖縄，台湾，東南アジアに類似種がみられる．本種はいわゆる古典型ツツガムシ病の媒介種として有名である．野鼠に寄生し，夏を中心に幼虫が多発し，ヒトも刺され，したがって患者は夏に多発した．しかし最近，本種によるツツガムシ病は激減した(次項**図608**参照)．

2. タテツツガムシ *Leptotrombidium scutellare*

(**図599，600**)

東北中部，北陸，東海，南西日本などに多いがその他の地方にも分布する．本種はいわゆる新型ツツガムシ病の媒介者で，主として秋から冬にかけて幼虫が発生し，患者もその頃発生する．

3. フトゲツツガムシ *Leptotrombidium pallidum*

(**図601**)

北海道から九州まで広く分布し，新型ツツガムシ病を媒介している．東北地方では春と秋に多発し，関東以南では秋から冬にかけて多く発生する．

註1　本病原体の属名は従来 *Rickettsia* であったがやや性質が異なるところから最近 *Orientia* に変更された．

参考資料
1　佐々　学(1956)：恙虫および恙虫病，医学書院，東京．
2　緒方規雄(1958)：日本恙虫病，医歯薬出版，東京．

ツツガムシ 229

図595. アカツツガムシの幼虫
（佐々 学博士による）

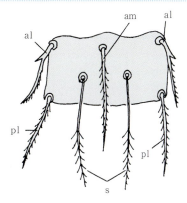

図596. アカツツガムシ幼虫の背甲板
al. 前側毛, am. 前中毛, pl. 後側毛,
s. 感覚毛　　　（佐々 学博士による）

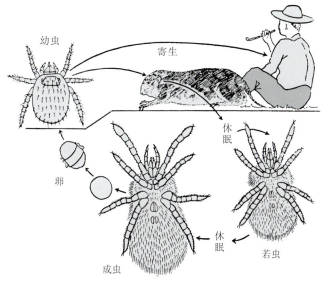

図597. ツツガムシの生活史
若虫，成虫は土中で生活し，幼虫だけが動物に吸着する．
ツツガムシ病リケッチアの伝播ルートについては本文参照．
（佐々 学博士による）

図598. アカツツガムシの幼虫（微分干渉
装置顕微鏡像）
（図598, 599, 601は福井医科大学 高田伸弘博士
の厚意による）

図599. タテツツガムシの幼虫

図600. タテツツガムシの幼虫
（通常顕微鏡による所見）

図601. フトゲツツガムシの幼虫

第109項　ツツガムシ　[B] 臨床と疫学

ツツガムシ病の症状は，特有の刺し口，高熱，所属リンパ節腫脹，発疹などで，このような患者を診たときはツツガムシ病を疑い，直ちにテトラサイクリンなど有効な抗生剤を用い治療する．血中抗体はダニ刺咬後10～14日頃から上昇し始めるので免疫診断の結果を待たずに早期治療に踏み切ることが必要である．最近のツツガムシ病はフトゲツツガムシやタテツツガムシによって媒介されるいわゆる新型ツツガムシ病がほとんどで4類感染症に指定されている．

【疾病名】　ツツガムシ病 tsutsugamushi disease, scrub typhus

【病原体】　ツツガムシ病リケッチア *Orientia tsutsugamushi* Ogata, 1927

【症　状】　古くから東北3県で知られていた，いわゆる古典型ツツガムシ病は高い死亡率を示したのに対し，戦後発見されたいわゆる新型ツツガムシ病は一般に軽症といわれた．しかし病原体も同じで原則的に両者の間に差はなく新型でも診断を誤ると重症化し死亡することがある．

典型的な症状は以下のごとくである（図602）．

1. ツツガムシ幼虫の刺し口（図603，605）　刺し口は陰部，乳房，腋窩，臍周囲などに多い．ダニに刺された部位は2～3日すると紅色丘疹を生じ，次いで水疱から膿疱となり，周囲に紅暈を生ずる．次にその表面は黒褐色の痂皮で覆われ，さらに痂皮がはがれて潰瘍となる．

2. 発熱（図602）　ダニに刺されて7～12日後から発熱が生ずる．初めはインフルエンザ様で全身倦怠，頭痛，関節痛などを示す．熱型は図602に示すごとくで，39～40℃に達する．本症は後述のような抗生剤を投与すれば熱は直ちに下がるが，治療を誤れば高熱が続き死亡する場合もある．

3. 発疹（図604）　第3病日頃より帽針頭大の淡赤色の丘疹が現れ全身に広がる．発疹は独立し，ほとんど融合せず，痛みも痒みもなく出血性でもない．

4. リンパ節腫脹　ダニ刺咬部の所属リンパ節が腫脹し圧痛がある．重症例では全身に及ぶ．

5. その他，肝脾腫大，肺炎，脳炎症状を起こす．

6. 臨床検査所見　症状の程度にもよるが，よくみられる検査所見は次のごとくである．①CRP強陽性，②血液所見：白血球数の減少，好酸球の消失，異型リンパ球の出現，好中球の核の左方移動，③肝機能異常：GOT，GPT，LDHなどの上昇，④尿異常所見：蛋白，ウロビリノーゲン，赤血球，円柱の出現などである．

【診　断】　上記のような症状を呈する患者を診たときはまず本症を疑い，野外行動など感染の機会について問診する．確定診断は次のごとく行う．

1. リケッチア分離　患者の血液，リンパ節などの材料をヌードマウスなどに接種し，リケッチアを検出する（図606）．診断に10日以上の期間を要する．

2. 間接蛍光抗体法　3時間以内に結果が出るが，蛍光顕微鏡を必要とし，また蛍光減衰などにより永久標本の保存ができない（図607）．

3. 間接免疫ペルオキシダーゼ法　3時間以内に結果が出る．IgG，IgMの分別計測が可能，普通顕微鏡でよい，退色しない永久標本の作成が可能，保存・輸送が容易，などの点で最も優れている[註1]．わが国の病原リケッチアはKarp，Gilliam，Kato，Kawasaki，Kuroki，Shimokoshiの6型の血清型に大別されている[註2]．

【治　療】　βラクタム系薬やアミノ配糖体，ニューキノロン系薬は無効である．標準治療は，**テトラサイクリン系抗菌薬**で，ミノサイクリン1回100mg，1日2回，経口または点滴静注7～10日間．または，ドキシサイクリン1回100mg，1日2回，経口7～10日間．代替治療としては，アジスロマイシン1回500mg，1日1回，経口3日間，クロラムフェニコール1回500mg，1日3回，経口7～10日間．

【疫　学】　わが国のツツガムシ病は以前は東北3県のアカツツガムシによる古典型ツツガムシ病を指していたが，これは図608に示すように次第に減少し，今やタテツツガムシやフトゲツツガムシの媒介による新型ツツガムシ病がほとんどである．とくに毎年患者の多発する県は，鹿児島，宮崎，千葉，秋田，新潟，群馬などであり，北海道では発生していない（2008年の北海道の症例は東京都内での感染が疑われている）．大体において東北，北陸など寒冷地では4～6月と11～12月に，主にフトゲツツガムシの媒介により発生し，関東以西，九州など温暖地では10～12月に，主にタテツツガムシにより多発する．ところが秋田県で15年ぶりにアカツツガムシによる古典型ツツガムシ病が報告された[註3]．

ツツガムシ病発生の年次推移をみると図608に示すごとく1965～1975年に著明な低下を示している．この理由はこの頃，本症に有効なテトラサイクリン系やクロラムフェニコール系抗生剤が全盛期で，ツツガムシ病と診断されなくても発熱患者には本剤が投与されたためと思われる．ところがこれらは副作用のため規制され，それ以降は本症に無効なβラクタム系抗生剤の全盛期となった．そのため症例が増加してきたと思われる．医薬品の世代交代が疾病の流行を左右した興味ある事例といえよう．

註1　須藤恒久（1986）：ウイルス，36：55-70．
註2　佐藤寛子ら（2014）：衛生動物，65：183-188．
註3　佐藤寛子ら（2010）：感染症誌，84：454-456．

ツツガムシ 231

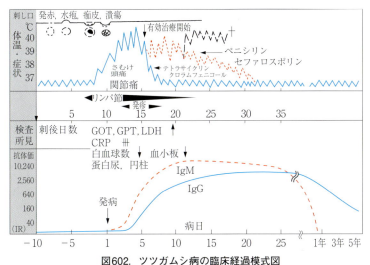

図602. ツツガムシ病の臨床経過模式図
これは臨床経過と抗体価の推移を示したものであるが、とくに早期治療の重要性とその効果に注目されたい（須藤, 1986による[註1]）

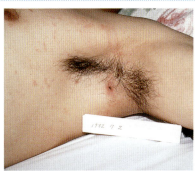

図603. ツツガムシ幼虫の刺し口
（岩手県, 41歳, 男性）
（宮古病院 橋本信夫 院長の厚意による）

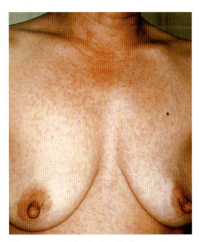

図604. ツツガムシ病の発疹
（福井県, 46歳, 女性）
（福井医科大学 高田伸弘 博士の厚意による）

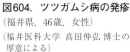

図605. ツツガムシの刺し口拡大図
（宮古病院 橋本信夫 院長の厚意による）

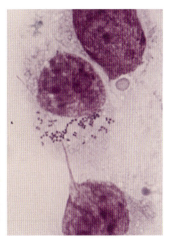

図606. ツツガムシ病リケッチア
ギムザ染色
（高田伸弘 博士の厚意による）

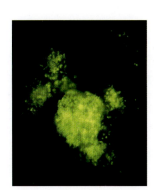

図607. ツツガムシ病リケッチア
間接蛍光抗体法によるリケッチアの蛍光像
（高田伸弘 博士の厚意による）

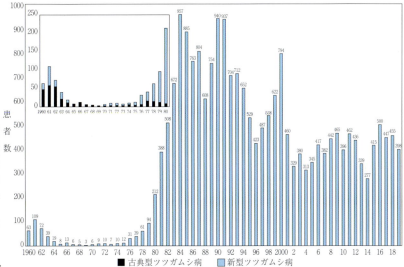

図608. わが国における古典型ならびに新型ツツガムシ病の発生状況（1960-2019）
左上の挿入図は1960～1980年の間の古典型ツツガムシ病の推移を拡大して示す.
（川村, 1981の報告にその後の厚生労働省感染症発生動向調査成績を追加）

第110項 ヒゼンダニおよびイエダニ

ヒゼンダニは疥癬虫ともいわれ世界に広く分布し，ヒトの皮膚に寄生して疥癬を起こす．最近わが国で増加の傾向にある．感染は性交，同衾などヒトとヒトとの接触によって起こるが，最近，問題となっているのは老人養護施設などでの集団発生で，感染者の入所により施設内に流行が起こり，介護者やその家族まで感染することがある．イエダニは通常，家鼠に寄生し，時に多数発生してヒトを刺す．わが国では減少の傾向にある．

I．ヒゼンダニ（疥癬虫）

Sarcoptes scabiei (Linnaeus, 1758)

【疾病名】　疥癬（症）scabies

【形　態】　ヒゼンダニの成虫は図609に示すごとくほぼ卵円形で，大きさは雌は長径0.33～0.45mm，短径0.25～0.35mm，雄は長径0.2～0.24mm，短径0.15～0.2mmと雄の方が小さい．前の2対の脚と後の2対の脚とはかなり離れており，前の2対の脚の先端には柄を有する円盤がついており，後の2対の脚の先端には，雌では共に長い毛が生え，雄では第3脚には長い毛，第4脚には円盤がついている．

【生活史】　雌成虫はヒトの皮膚の上で交尾をした後，角皮内にトンネルを掘って前進し，トンネル内に産卵する（図610）．3～4日すると卵は孵化し，3対6脚の幼虫が現れ，皮膚の表面に出て毛包内に寄生し，脱皮して若虫となる．これはさらに脱皮して成虫となる．孵化から成虫になるまでの期間は約1週間である．雌虫の寿命は約2カ月といわれ，その間，毎日2～3個の卵を産む．雌虫の体内にはたいてい1個の卵がみられ，その周囲には産下された卵がみられる（図609）．

【寄生部位】　一応，顔面以外のどこにでも寄生するが，皮膚の柔らかい所を好む．すなわち指の間（図614，616），陰茎・陰嚢（図611，612，613），腋窩，胸・腹部，肘部，背部などが多い．

【症　状】　寄生部位には図611～615に示すような赤色の丘疹ないし水疱を生じ，極めて痒く，とくに夜間や寄生部位が温まると痒さが増し，掻くことによって化膿菌の2次感染を生ずる．また症状が進むと図616に示すような白く厚い角質増殖が起こり難治性となる．

疥癬の中でとくに免疫抑制剤使用中の患者，免疫力の低下した老人，HIV感染者などにおいて全身に及ぶ重症感染がみられ，これを**角化型疥癬**（ノルウェー疥癬 Norwegian scabiesともいう）と呼んでいる（図615）．

【診　断】　皮膚の病変部をかなり強く掻きとってスライドグラス上にのせ，20～30% KOH，1～2滴を置き，カバーグラスをかけて鏡検し，ダニを検出する．

【治　療】　疥癬の治療は下記のような塗布剤が用いられてきたが，最近，有効な内服薬が現れた．

1. 10%クロタミトン（オイラックス軟膏，ステロイド非含有製剤）：毎日1回，全身塗布・洗浄を反復．
2. 5～10%安息香酸ベンジル・エタノール溶液塗布．
3. 5～10%硫黄華軟膏塗布．
4. γBHCを1%の割にワセリンに混じ塗布，6時間後洗浄．有効なるもやや毒性あり．月2回を限度とす．
5. 5%フェノトリン（スミスリンローション），1回30gを全身に塗布，1週間後にもう1回塗布する．本剤は最近発売されたピレスロイド系薬剤である．
6. **イベルメクチン Ivermectin**（商品名ストロメクトール，メクチザン）：回旋糸状虫，糞線虫，フィラリアなどの有効薬であるがMeinking(1995)は疥癬にも卓効を認めた．用法は200μg/kg，空腹時（食後2時間），水で頓用，1週後もう1回頓用で十分有効とされる．幼少児，妊婦には投与しない．

【疫　学】　疥癬は戦争など社会の混乱・貧困時に流行する．わが国でも第二次大戦後大いに蔓延し，各地病院の皮膚科外来の半数を疥癬患者が占めたといわれるが，次第に終息した．ところが昭和50年頃から徐々に増え始め現在も増加の一途をたどり，2012年の時点で年間罹患患者数8～15万人と推定されている．この原因は初めの頃は海外での感染，性交による蔓延，免疫抑制剤の影響などが考えられたが，最近は養護老人ホームなどの急増に伴い，このような閉鎖環境における集団発生が顕著になってきた．大滝(1998)[註1]の関東の506施設の調査によると44.6～78.5%に疥癬の流行を経験したという．今後の高齢化社会における重要な問題である．

II．イエダニ Ornithonyssus bacoti

全世界に分布し，主としてネズミに寄生している．体長は雌0.7mm，雄0.5mm，図617に示すような形態をしている．幼虫，第1若虫，雌雄成虫が吸血する．

時に人家内で異常に発生し，ヒトを吸血し，強い瘙痒感のため掻爬して皮膚炎を招く．とくに乳幼児に被害が大きい．腹部，鼠径部などがよく咬まれる．患部は温湿布をしてなるべく掻かないようにし，抗ヒスタミン軟膏やステロイド軟膏などを塗布する．わが国ではイエダニが媒介する疾患は知られていない．

駆除法：発生場所は天井裏や押入などのネズミの巣であるから，よく掃除し殺虫剤を散布しておく．

註1　大滝倫子(1998)：衛生動物，49：15-26．

ヒゼンダニおよびイエダニ 233

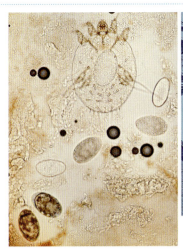

図609. ヒゼンダニの雌成虫と周囲の卵（図612の患者より）

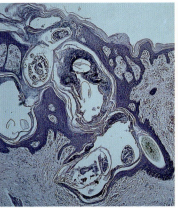

図610. 疥癬患者の皮膚組織切片像
虫道，虫体および卵の断面がみえる．

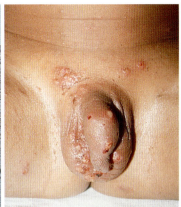

図611. 小児の陰茎，陰嚢およびその周辺の疥癬
（Dr. Zaman の厚意による）

図612. 陰茎および陰嚢の疥癬

図613. 陰嚢および陰茎の疥癬
（図612と同一患者）

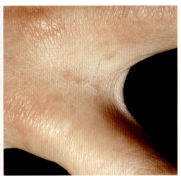

図614. 手指の根部の軽症の疥癬
（図609，612，613，614は福井大学 上田恵一 教授の厚意による）

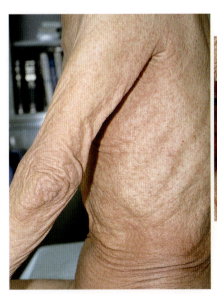

図615. 老人にみられた角化型疥癬
（滋賀県 荻野賢二 博士の厚意による）

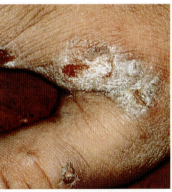

図616. 手指の間の重症の疥癬
白色の角質増殖を来している．
（Dr. Zaman の厚意による）

図617. イエダニの成虫

第111項 ニキビダニ，屋内塵ダニおよびダニアレルギー

ニキビダニはヒトの顔面の毛包や皮脂腺に寄生し，いわゆるニキビのような皮疹を生ずる．わが国でもかなり感染者が多い．一方，家屋内には微小なダニが棲息しており，これがアレルゲンとなって喘息やアトピー性皮膚炎などアレルギー疾患を起こしていることが明らかとなってきた．最近の増加の原因は，コンクリート住宅に畳や絨毯を敷き，温度・湿度がダニにとって好適なためと考えられる．

ニキビダニ *Demodex folliculorum*

ニキビダニは世界に広く分布し，*D. folliculorum* と *D. brevis* の2種がある．ともにわが国に存在するが，和名はとくに区別されておらず，ニキビダニまたは**毛包虫**あるいは**毛嚢虫**と呼ばれている．

【形　態】　成虫は図618，621，623に示すごとく特異な棍棒状の形態をし，体前方1/3の所に4対8本の短い脚がある．*D. folliculorum* の体長は雌成虫0.3〜0.4mm，雄はやや小さい．*D. brevis* はその名の示すごとく体長が短い．

【生活史】　*D. folliculorum* は主としてヒトの顔面の毛包内に寄生し，*D. brevis* は皮脂腺内に寄生するといわれる．卵は産下後2〜3日すると孵化して幼虫が現れ，前若虫，後若虫を経て約2週間で成虫となる．

【症　状】　主に顔面に散在性の紅色丘疹を生じ，時に軽度の瘙痒感を伴う(図619，620，622)．細小血管の拡張など酒皶を示す．とくに副腎皮質ステロイド軟膏を常用している者に多い．

【診　断】　面皰圧子で病変部を圧迫して得た材料を鏡検しダニを見出す．伯川[註1]が長崎で本虫が疑われた979例の患者を検索したところ665例(67.9%)にニキビダニを見出したという．また *D. folliculorum* は幼児から高齢者にまで広くみられたが，*D. brevis* は幼児や若者にはみられなかったという．

【治　療】　伯川によれば面皰圧子で虫を押し出すのがよいという．最近，イベルメクチンの内服(前項ヒゼンダニの場合と同量)が有効との報告がある[註2]．

屋内塵ダニ House dust mites

自然界には，ほとんど目にとまらないような微小なダニが無数に存在する．人家内でも屋内塵，寝具，穀類，貯蔵食品，菓子類，さらには粉末薬品の中までもこのようなダニが侵入し，棲息していることがある．これらを総称して**屋内塵ダニ**と呼んでいる．

医学上問題となるのは，これらのあるものが人体内に寄生する場合(**人体内ダニ症**)と，これらがアレルゲンとなって喘息などの原因になる場合とである．

人体内ダニ症

ヒトの糞便，尿，喀痰，胆汁，腹水などを検査していると微小なダニを見出すことがある．真の寄生の場合は下痢・腹痛(消化器系ダニ症)，血尿・浮腫(尿路系ダニ症)，咳嗽，血痰(呼吸器系ダニ症)などの症状が起こる．しかしほとんどの場合は，その辺に無数に存在しているダニが尿コップや試験管などに付着していたためである．したがってダニを見つけた場合は清浄な器具を用いて検査を繰り返す必要がある．しばしば見出されるのは次のような種である．

1) ケナガコナダニ *Tyrophagus putrescentiae*
  わが国で最も普通の種で，穀類，菓子，乾魚，チーズ，粉乳などに発生する(図624)．
2) アシブトコナダニ *Acarus siro*
  欧米で最も普通，輸入穀類などにみられる．
3) サヤアシニクダニ *Glycyphagus destructor*
  主として乾燥魚，鳥獣の屍体などに発生する．
4) サトウダニ *Carpoglyphus lactis*
  砂糖，味噌などに発生する．

屋内塵ダニアレルギー

上記のコナダニ類は主として食品に発生するが，屋内塵 house dust の中にも微小なダニが棲息しており，これが喘息などアレルギー疾患の原因と考えられるようになった．その主要種は次の2種である．

1. コナヒョウヒダニ *Dermatophagoides farinae* (図627)
2. ヤケヒョウヒダニ *D. pteronyssinus* (図625，626)

これらのダニは体長約0.3mmで畳や絨毯の中に棲息し，フケなど有機物を栄養としている．卵は好適条件下(25℃，湿度75%前後)では，幼虫，若虫を経て約1カ月で成虫となる．このダニ自体および糞が吸入性アレルゲンとして作用する．

喘息患者あるいは鼻アレルギー患者にこのダニから抽出した抗原液で皮内反応を行ってみると80〜90%に陽性を示す．最近は患者血清について RAST 法や ELISA 法で特異的 IgE を測定する方法が考案されている．

一般に上記のような微小ダニはヒトを刺さない．一方，ツメダニの類はこれら微小ダニを捕食して生活しており，時にヒトを刺咬し皮膚炎を起こす．図628にその一種**フトツメダニ** *Cheyletus fortis* を示す．

[註1] 伯川貞雄(1978)：西日本皮膚科，40：276-284.
[註2] T. Nara et al. (2009)：Clinical and Experimental Dermatology, 34, e981-e983.

ニキビダニ，屋内塵ダニおよびダニアレルギー 235

図618. ニキビダニ成虫
（染色標本）

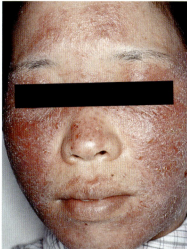

図619. ニキビダニ感染症患者

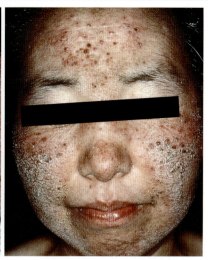

図620. ニキビダニ感染症患者

（図619, 620, 623は川崎医科大学 三好 薫教授の厚意による）

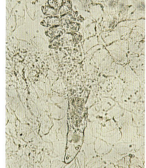

図621. ニキビダニ成虫
（無染色標本，図622の患者より採取）

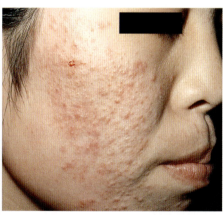

図622. ニキビダニ感染症患者
（図621, 622は福井大学 上田恵一教授の厚意による）

図623. 図620の患者から見出された多数のニキビダニ

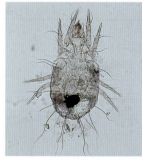

図624. ケナガコナダニ成虫

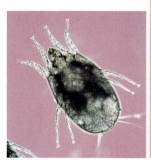

図625. ヤケヒョウヒダニ雌成虫
（Dr. Zaman の厚意による）

図626. ヤケヒョウヒダニ雄成虫

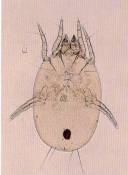

図627. コナヒョウヒダニ雌成虫

図628. フトツメダニ

（図626, 627は京都府立医科大学 岡林加枝博士，図628は吉川尚男博士 標本作製，松岡裕之博士 同定）

第112項 昆虫 総論 および 蚊 総論

地球上には約80万種に及ぶ昆虫が存在するといわれているが，その中にはヒトの疾病を媒介し，医学上重要なものが沢山ある．その中で最も重要なものの一つが蚊である．蚊は世界で約2,500種，日本で約100種知られている．

昆虫 総論

昆虫は一般に体が頭・胸・腹部に分かれ，3対の脚，2対の翅を持っている．しかし例外もある．発育は完全変態を行うものと不完全変態を行うものとがあり，前者では卵，幼虫，蛹，成虫の4期を経る．後者では卵，幼虫，若虫，成虫の経過をとる．医学上重要なものは次の中に含まれる．

1. ハエ目(双翅目)
    カ亜目(直縫亜目)Suborder Nematocera
        カ，ブユ
    ハエ亜目(環縫亜目)Suborder Brachycera
        ハエ，アブ
2. カジリムシ目(咀顎目)Order Psocodea
        ヒトジラミ，ケジラミ
3. ノミ目(隠翅目)Order Siphonaptera ノミ
4. ゴキブリ目 Order Blattodea ゴキブリ
5. チョウ目(鱗翅目)Order Lepidoptera チョウ，ガ
6. カメムシ目(半翅目)Order Hemiptera トコジラミ
7. ハチ目(膜翅目)Order Hymenoptera ハチ，アリ
8. コウチュウ目(鞘翅目)Order Coleoptera
        アオバアリガタハネカクシ

( )内は旧分類名

蚊 総論

1) 成虫の形態

全形は図629に示すごとく，頭部は球状で1本の吻，1対の触角，小顎肢，複眼を有し，単眼はない．雄の触角には長毛が生え羽毛状であるが，雌では短毛であり，この点で雌雄の区別ができる．またナミカ亜科(イエカ属やヤブカ属を含む)では小顎肢が雄では長く，雌では短いので雌雄の区別点となるがハマダラカ類では雌でも長い．吻の構造は複雑で図630に示す通りである．

胸部は前から小さい前胸，大きい中胸，小さい小盾板および後小盾板に分かれる．中胸の背面には多数の鱗毛が生え，一定の模様をなしており種の鑑別に役立つ．3対の脚は図629に示すように5節に分かれ，跗節はさらに5節に分かれるが脚の表面にも鱗毛が生え，種により白帯を形成し種の鑑別に役立つ．跗節の先端は図631のような構造を示し，イエカ属とヤブカ属とでは形が異なる．翅は1対で，他の1対は平均棍となっている．翅の表面には鱗片が配列し，ハマダラカ属では特有の模様を示し種の鑑別に役立つ．

腹部は10節より成り，最後の2節は変形して外部生殖器となっている．この構造も種の鑑別上重要である．

2) 卵の形態(図632-A)

イエカ属では数百個の卵が塊をなして水面に浮遊する(卵塊)．ヤブカ属ではばらばらに産下され，湿った葉などに付着する．ハマダラカ属の卵には浮袋があり，水面に一個ずつ産下される．

3) 幼虫の形態(図632-B)

構造は図に示す通りであるが，ヤブカとイエカは呼吸管を有し，これを水面に出して呼吸し，幼虫は水中に懸垂する．一方ハマダラカは呼吸管を欠き，幼虫は水面に平行に静止する．また掌状毛という特殊な剛毛を有するのも特徴である．

4) 蛹の形態(図632-C)

コンマ状で水面に呼吸角を出して呼吸する．水中をすばやく移動はするが摂食はしない．

5) 蚊の生活史

蚊は雌のみが吸血する．吸血するときの体位はヤブカとイエカは体をほぼ水平に保つがハマダラカでは腹部を持ち上げ傾斜する(図632-D)．例外として，オオカは雌雄ともに吸血しない．

蚊成虫の活動は，昼間(ヤブカなど)，夜間(イエカ，ハマダラカ)，両方(トウゴウヤブカ)など種によって特徴がある．また種によって季節的消長，動物嗜好性なども異なる．

雌は交尾後，吸血すると卵が成熟し産卵する．そして再び吸血した後産卵する．蚊の中には無吸血のまま第1回の産卵を行う種もある(チカイエカ)．雌成虫は約3〜70日の寿命の間にほぼ7日おきに3〜4回吸血・産卵を繰り返すがこれが伝染病媒介上意義がある．すなわちマラリア，フィラリアなどでは患者吸血後，2回目以降に吸血したヒトに感染させる．卵は好適環境下では1〜2日で孵化し幼虫が現れる．幼虫は1齢から4齢まであり，7〜10日で蛹となる．蛹は2〜3日で羽化し成虫となる．

蚊の発生場所は種によって異なり，アカイエカは溜水(ドブ，雨水マス)，ヤブカの類は小さい水域(竹の切り株，墓石，空き缶，手洗鉢)，ハマダラカやコガタアカイエカは水のきれいな大きい水域(湖沼，水田)，トウゴウヤブカは海岸の岩などにできた塩分を含んだ溜水などにも産卵する．

昆虫 総論および蚊 総論 *237*

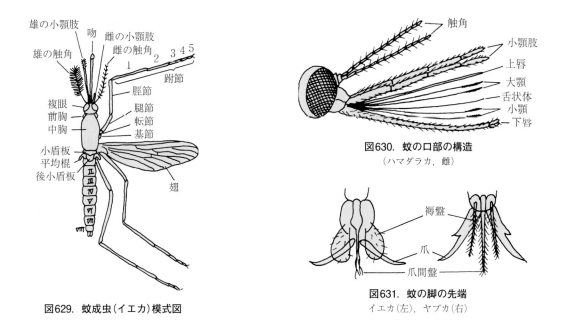

図629. 蚊成虫（イエカ）模式図

図630. 蚊の口部の構造
（ハマダラカ，雌）

図631. 蚊の脚の先端
イエカ（左），ヤブカ（右）

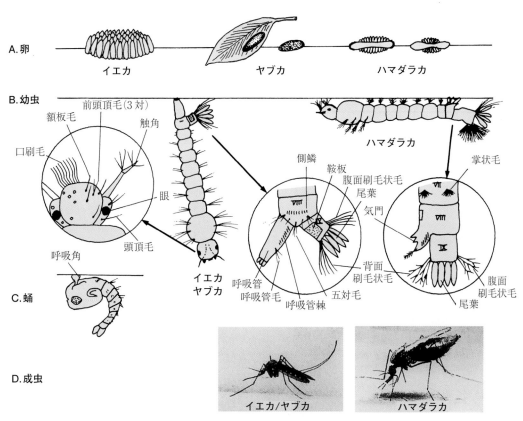

図632. イエカおよびハマダラカの卵，幼虫，蛹，成虫
卵：イエカの卵は塊をなす．ヤブカ，ハマダラカはばらばら，ハマダラカには浮袋がある．
幼虫：イエカおよびヤブカは水面に懸垂して止まる．ハマダラカは水面に平行に止まる．
成虫：吸血時イエカ/ヤブカは体を水平にする．ハマダラカは腹部を持ち上げ斜めになる．

第113項　蚊　各論

蚊はマラリア，フィラリア，デング熱，黄熱，日本脳炎，ジカウイルス感染症，チクングニアウイルス感染症など重要な伝染病を媒介する．感染症新法ではフィラリア以外の上記疾患を4類感染症に指定している．わが国では土着の上記疾患は日本脳炎を除きほとんど終息し，輸入症例が問題となっていた．ところが2014年，首都圏でヒトスジシマカによるデング熱の集団発生が起こり，さらに2017年にはジカ熱の輸入感染例が見出され問題となっている．

蚊科 Family Culicidae

Ⅰ．ハマダラカ亜科 Subfamily Anophelinae

シナハマダラカ Anopheles sinensis（図633，638）

ハマダラカ属は**マラリア**の媒介者として重要な種を含んでいる．わが国の三日熱マラリアはこのシナハマダラカによって媒介された．現在わが国内でマラリアの流行はないがハマダラカは全国に棲息している．バンクロフト糸状虫も媒介しうる（第26項，第59項参照）．

Ⅱ．ナミカ亜科 Subfamily Culicinae

この中には30属あるが，医学上重要なものは主として**イエカ属**（*Culex*）と**ヤブカ属**（*Aedes*）に含まれている．

1. アカイエカ Culex pipiens pallens（図634）

鹿児島以北の人家の近辺にみられる最も普通の蚊であったが，近年汚水溜りなどがなくなり減少した．やや大きく全体に灰褐色で胸背や吻に白帯なく，一見最も特徴のない蚊である．成虫の活動期間は長く，3月頃から12月頃までみられる．**バンクロフト糸状虫**，**イヌ糸状虫**を媒介する．また本種によく似た**ネッタイイエカ** *C. quinquefasciatus* は鹿児島以南に分布し，バンクロフト糸状虫を媒介した．本種はウエストナイルウイルスの媒介蚊でもある．

2. コガタアカイエカ Culex tritaeniorhynchus（図635）

小形で体の色は暗褐色で，吻の中央と脚の関節部に白帯があるので容易に鑑別できる．幼虫は呼吸管が非常に細長い．夜間吸血性でヒトの他，ブタ，ウシ，ニワトリ，ウマなどを吸血する．本種は盛夏の候に多発し，**日本脳炎**の主な媒介蚊として重要である．地域およびその年にもよるが，5月頃から現れ，7月に入ると急に多くなり，7月末から8月初旬にかけてピークを示し，次いで次第に減少し秋風と共に姿を消す．日本脳炎の患者の発生ピークは，この蚊の発生ピークから約2週間遅れている．

3. ヒトスジシマカ Aedes albopictus（図636）

胸背正中に白帯が一筋あるのが特徴である．脚の各関節にも白斑がある．**デングウイルス**を媒介する．黄熱やジカウイルスに対しても感受性がある．わが国で**イヌ糸状虫**の主媒介蚊である．

4. ネッタイシマカ Aedes aegypti

広く熱帯，亜熱帯に分布し，黄熱，デング熱およびジカウイルス感染症の媒介蚊として有名である．

5. トウゴウヤブカ Aedes togoi

マレー糸状虫，バンクロフト糸状虫，および**イヌ糸状虫**の媒介蚊として重要である．

6. チカイエカ Culex pipiens form molestus

形態はアカイエカによく似る．ヒトを吸血するが吸血しなくても初回の産卵が可能である（**無吸血産卵 autogeny**）．ビルの地下室，地下鉄などの溜水に発生する．

日本脳炎 Japanese encephalitis

日本脳炎は日本，韓国，中国，東南アジア，ネパール，インドなどアジアに広く分布する急性脳炎で，高熱，頭痛，意識障害を起こし，致死率も20～30％と高い．病原体は**日本脳炎ウイルス**である．わが国における主要な媒介者は**コガタアカイエカ**である．

わが国における流行状況は**表31**に示すごとく第二次大戦後，多数の患者と死者が発生し，法定伝染病に指定されて種々の対策が講じられた結果，1970年以降減少の傾向を見せてきた．しかし現在もなお少数ながら毎年患者が発生している．患者の大多数は高齢者である．わが国で本症が減少した理由は，①害虫駆除のための農薬の水田散布や水管理で蚊が減少，②予防接種の普及，③ブタの飼育が人家から離れた山間部に移動，などが考えられる．

デング熱 Dengue fever

デング熱は熱帯，亜熱帯で流行するウイルス性疾患で，毎年100～400例の輸入症例があるが国内での流行は1946年以後終息していた．ところが2014年8月，69年ぶりに東京の代々木公園を中心に流行が起こり2014年は合計162名が発症した．また公園内のヒトスジシマカからデング熱ウイルスが多数分離された．症状は高熱，頭痛，関節痛などであるがいずれも軽症に経過した．

チクングニアウイルス感染症 Chikungunya virus infection

トガウイルス科アルファウイルス属によるウイルス感染症で，東南アジアや南アジア，カリブ海島嶼国，太平洋島嶼国に流行し，デングウイルスと同じくヒトスジシマカやネッタイシマカにより媒介される．臨床症状だけではデング熱との鑑別は困難である．年間5～20例の届け出がある．

ジカウイルス感染症 Zika virus infection

ジカウイルス感染症は2013年以来，中南米，東南アジアを中心に数百万人規模の流行が生じている．病原体はジカウイルスである．ジカウイルス感染症の症状自体は軽いが，妊婦が感染すると小頭症の胎児を出産するリスクがある．2019年12月現在，わが国では合計23例の輸入症例が報告されている．

蚊　各論　239

表31. わが国の第二次大戦以後における
日本脳炎患者発生の推移

年	患者数	死亡数	致命率%
1945	148		
1946	201	99	49
1947	263	228	87
1948	4,757	2,620	55
1949	1,284	1,177	92
1950	5,196	2,430	47
1951	2,188	956	43
1952	3,545	1,437	42
1953	1,729	720	42
1954	1,758	732	42
1955	3,699	1,373	37
1956	4,538	1,600	35
1957	1,793	744	41
1958	3,900	1,349	35
1959	1,979	723	36
1960	1,607	650	41
1961	2,053	825	40
1962	1,363	568	42
1963	1,205	566	47
1964	2,683	1,365	51
1965	844	222	26
1966	2,017	783	38
1967	771	209	27
1968	1367	219	59
1969	147	66	44
1970	109	45	41
1971	106	45	42
1972	22	10	45
1973	70	27	38
1974	6	2	33
1975	27	6	22
1976	13	9	69
1977	5	0	0
1978	88	21	23
1979	86	26	30
1980	40	15	37
1981	23	5	22
1982	21	4	19
1983	32	8	25
1984	27	5	19
1985	39	8	21
1986	26	3	12
1987	37	7	19
1988	32	4	13
1989	27	4	15
1990	54	8	15
1991	13	4	31
1992	2	0	0
1993	4	1	25
1994	4	0	0
1995	2	0	0
1996	4	0	0
1997	4	0	0
1998	2	0	0
1999	5	0	0
2000	7	1	14
2001	5	0	0
2002	8	0	0
2003	1	0	0
2004	5	0	0
2005	7	0	0
2006	7	0	0
2007	10	0	0
2008	3	0	0
2009	3	0	0
2010	4	0	0
2011	9	0	0
2012	2	0	0
2013	9	0	0
2014	2	0	0
2015	2	0	0
2016	11	0	0
2017	3	0	0
2018	0	0	0
2019	0	0	0

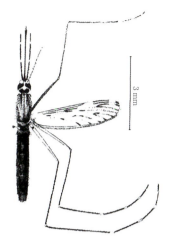

図633. シナハマダラカ
（LaCasse による）

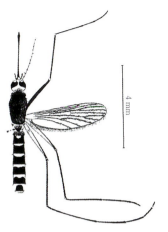

図634. アカイエカ
（LaCasse による）

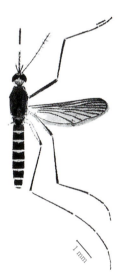

図635. コガタアカイエカ
（Yamaguti & LaCasse による）

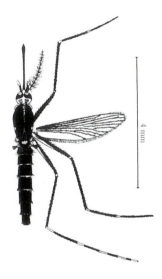

図636. ヒトスジシマカ
（LaCasse による）

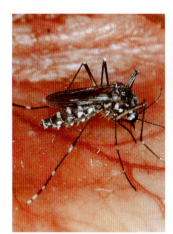

図637. 吸血中のヤブカ
（Dr. Zaman の厚意による）

図638. 吸血中のハマダラカ
（Dr. Seitz の厚意による）

第114項　ブユ，アブおよびドクガ

> ブユは中南米やアフリカで回旋糸状虫を媒介する．わが国では動物の回旋糸状虫をヒトに媒介するブユが分布する．アブは時に激しくヒトや動物を刺す．ドクガは成虫，幼虫とも毒針毛を持ち，触れると皮膚炎を起こす．

I．ブユ（蚋）Black fly

俗にブトとかブヨと呼ばれる．世界で1,700種，日本では71種が知られている．

【形態と生活史】

成虫は図639のような形態を示し，体長2～3mmの小形である．ブユの雌はヒトをはじめ種々の動物を吸血するが，種によって動物嗜好性が異なる．日本産ブユの中でヒトを吸血する主な種は次のごとくである．

1. クロオオブユ　　　*Twinnia japonensis*
2. キタオオブユ　　　*Prosimulium jezonicum*
3. ミヤコオオブユ　　*P. kiotoense*
4. オオイタツメトゲブユ
   　　　　　　　Simulium (Simulium) oitanum
5. キアシツメトゲブユ　*S. (S.) bidentatum*
6. ニッポンヤマブユ　　*S. (S.) nacojapi*
7. ヒメアシマダラブユ　*S. (S.) arakawae*
8. アシマダラブユ　　　*S. (S.) japonicum*
9. アカクラアシマダラブユ　*S. (S.) rufibasis*

ブユは昼間吸血活動を行うが直射日光の強い時より朝夕とか曇ったとき活動が旺盛となる．夜は吸血しない．

ブユは流水に発生する．すなわち雌成虫は流水中の植物，石などに産卵する．卵は一度に200～300個産下される（図642）．卵は適温であれば数日で孵化し，1齢幼虫となり，その後5回脱皮して6齢幼虫（図643，644）となる．幼虫は流水中にあって草，木，石などに後部吸盤で体を固定し，流れてくる餌を口刷毛を広げて捕食する．幼虫はやがて流水中で繭を作って蛹（図645）となる．蛹は呼吸糸で溶存酸素を摂る．

【ブユの害】

ブユは中南米やアフリカでは回旋糸状虫を媒介し，医学上重要である（第63項参照）．わが国ではブユが媒介するヒトの疾患は知られていなかったが，最近イノシシに濃厚に寄生している *Onchocerca dewittei japonica* の人体皮下寄生例が11例報告された．キアシツメトゲブユが媒介者となっている（第63項参照）．しかしわが国でのブユの被害は大半が刺咬症（図641）である．ブユに刺されたあとは非常に痒い．治療には抗ヒスタミン剤や副腎皮質ステロイドを含んだ軟膏を塗布する．

一地区からブユを駆除するには，有効にして薬害の少ない殺虫剤を発生水域に投入して幼虫を流失させる．

II．アブ（虻）Horse fly

アブの中でヒトを吸血するものがある．アブは蚊やブユにくらべ大形で体長が10～25mmもあり刺されると非常に痛い．アフリカではロア糸状虫を媒介するアブがいるがわが国ではヒトの疾病を媒介するアブは知られていない．わが国には約70種のアブが分布しており，その中で**メクラアブ** *Chrysops suavis*（全国），**シロフアブ** *Tabanus trigeminus*（全国），**ゴマフアブ** *Haematopota tristis*（北海道），**イヨシロオビアブ** *Hirosia iyoensis*（全国）（図647）などがヒトやウシ，ウマなどを襲い有害である．

アブは一度に数百個の卵を湿地の木の葉の裏などに産み付ける．幼虫は蠅蛆様を示し湿った土中で数カ月から2年の長い経過の後に蛹化し，次いで成虫となる．この幼虫が水田作業中のヒトを刺すことがあるという．

III．ドクガ（毒蛾）*Artaxa subflava*

ドクガはチョウ目（鱗翅目）に属し，その毒針毛によってヒトに皮膚炎を起こす．ドクガの成虫は体長10～15mm，翅を開くと全幅は25～35mmあり，全体に黄色で，前翅に"く"の字形の褐色の模様と，2個の黒点があるのが特徴である（図649）．

通常，年に1回発生し，主として山林のイバラ科，ブナ科，マメ科，ツツジ科などの植物で幼虫が育つ．2齢幼虫以後の幼虫は多数の毒針毛を持ち，これに触れると皮膚に突きささる．幼虫が蛹化すると繭の内面に無数の毒針毛があり，羽化した成虫はこの毒針毛を身につけて人家の電燈や街燈に向かって飛来し，毒針毛をまき散らすのである．毒針毛の中にはある種の毒液があり，皮膚に突きささると強い瘙痒感があり，発赤，腫脹が著しい．露出部よりもむしろ肌着と皮膚の間に毒針毛が入ったときに症状が強い（図646）．

治療法は，なるべく掻いたりこすったりせず，温湿布をして皮膚をやわらげ，抗ヒスタミンや副腎皮質ステロイドを含んだ軟膏を塗布する．

ドクガの他に，**チャドクガ** *Arna pseudoconspersa*，**モンシロドクガ** *Sphrageidus similis*，**マツカレハ** *Dendrolimus spectabilis*，**イラガ** *Monema flavescens* なども毒針毛を持ち，ヒトがこれに触れると皮膚炎を生ずる．

図639. *Simulium ochraceum*
中米の回旋糸状虫媒介ブユ
（京都府立医科大学 上本騏一博士 採集）

図640. ブユの頭部の口器（雄）

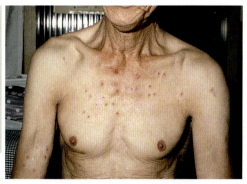

図641. ブユの刺咬による皮膚炎
（兵庫県 新田医師の厚意による）

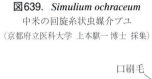

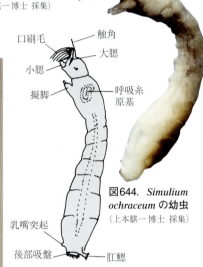
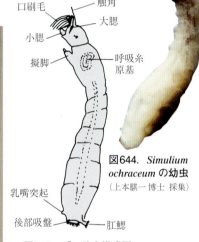

図644. *Simulium ochraceum* の幼虫
（上本騏一博士 採集）

図643. ブユ幼虫模式図
（森下，加納による）

図642. 水中の草に産み付けられたウマブユの卵

図645. アオキツメトゲブユの蛹
水中の草の葉に付着している．

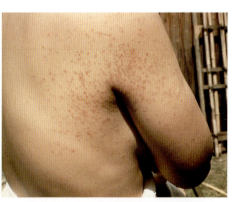

図646. ドクガの毒針毛による皮膚炎

図647. イヨシロオビアブ
（高橋，1962による）

図648. アブの頭部の口器

図649. ドクガの雌成虫
翅の模様が特徴
（緒方，1958による）

第115項　ハエ

ハエは世界で数千種といわれ，ヒトの生活に密接して棲息し，細菌など病原体の機械的伝播を行っている．またハエの幼虫がヒトの消化管などに寄生したり，成虫が寄生虫の中間宿主になるものもある．

【分類】　医学上重要なハエ（蠅）は大体次の科に属する．代表的なハエを図658～663に示す．

1. イエバエ科 Family Muscidae　イエバエ *Musca domestica*，ヒメイエバエ *Fannia canicularis*，サシバエ *Stomoxys calcitrans* など．
2. クロバエ科 Family Calliphoridae　オオクロバエ *Calliphora nigribarbis*，ミドリキンバエ *Lucilia illustris*，ヒロズキンバエ *L. sericata* など．
3. ニクバエ科 Family Sarcophagidae　センチニクバエ *Sarcophaga peregrina* など．
4. ショウジョウバエ科 Family Drosophilidae　オオメマトイ *Amiota magna* など．
5. ツェツェバエ科 Family Glossinidae　ツェツェバエ *Glossina palpalis* など．

【ハエの形態と生活史】　成虫の外部形態ならびに各部の名称は図651，652，653，654に示す通り，ハエの口器は多数のスリットを有する唇弁を持ち食物を舐めるようにできている．脚の先端にある褥盤は微毛を持ち，かつ粘液を分泌して粘着性があるので細菌，原虫嚢子，寄生虫卵などが付着しやすい．成虫は昼間活動性で明るい所を好むが人家内に侵入する種としない種がある．

ハエは完全変態で卵→幼虫→蛹→成虫となる．イエバエの場合，好適条件下では10～14日で卵から成虫となる．卵は長さ1mm位のバナナ状である．ニクバエは卵胎生で1齢幼虫を産下する．幼虫は3齢まであり，いわゆる蛆で図655，656，657に示すような形態をしているが，ヒメイエバエの幼虫は棘を持った特殊な形をしている．3齢幼虫は脱皮せず，その外皮はやや硬い褐色の繭状になる．これを囲蛹 puparium（図656）と称し，中に蛹を蔵する．この囲蛹が横に環状に割れて成虫が羽化してくる．これが環縫亜目の特徴である．

【ハエの害】

1）病原体の機械的伝播

ハエは病原体を有する糞便，喀痰，血液その他の汚物と食品との間を往来し，種々の病原体を運搬する．主な病原体としては赤痢菌，腸チフス菌，サルモネラ菌，赤痢アメーバの嚢子，回虫・鞭虫などの寄生虫卵がある．

2）寄生虫の中間宿主

わが国ではメマトイの類 *Amiota* spp. が東洋眼虫（第58項）を媒介している．ツェツェバエはアフリカでヒトのトリパノソーマを媒介する（第10項）．

3）ハエ症（蠅蛆症）myiasis

ハエの幼虫がヒトの消化管，外耳道，尿路，腟などに寄生する場合をいう．消化管寄生の場合は嘔吐，腹痛，下痢，血便などを起こす．小宮は腹痛で入院した1婦人を駆虫したところ約400匹のナミニクバエの幼虫が出てきたという．筆者らも最近，激しい腹痛を訴える4歳の小児の浣腸により多数のシリアカニクバエの幼虫を排出した1例を経験した（図650）．ハエ症を起こす種類はニクバエ類が主で，その他イエバエ，ヒメイエバエ，キンバエ，クロバエなどがある．また中南米に分布するヒトヒフバエ *Dermatobia hominis* の幼虫の皮膚感染輸入症例が34例報告されている[1,2]．さらにウガンダ帰りのヒトクイバエ（クロバエ科）によるわが国7例目のハエ症も報告されている[3]．

【ハエの利用】　最近，難治性の糖尿病性壊疽の治療にハエ蛆を利用する研究（マゴットセラピー）が好結果を挙げている．ヒロズキンバエの幼虫が用いられている．

【ハエの発生場所】　ハエはその種類によって発生場所を異にしている．イエバエは便所から発生せず，植物質の多いごみ溜に発生する．キンバエは便所に発生せず，動物質の多いごみ溜や動物死体に発生する．ニクバエ，クロバエ，オオイエバエ，ヒメイエバエなどは便所，ごみ溜，動物死体など種々の場所に発生する．最近，各家庭のごみはビニール袋に入れて始末するようになったのでハエが少なくなった．しかし，ゴミ集積所，埋立地，漁村，養鶏・養豚場などではまだ多数発生している．

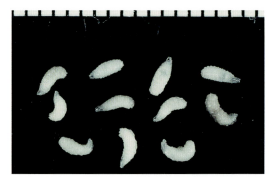

図650．腹痛を訴える4歳男児の浣腸で採取したシリアカニクバエの2齢幼虫
（1986年筆者経験例）（塩田恒三 博士 撮影）

註1　Haruki K et al.（2005）：J. Travel Med. 12：285-288.
註2　白野倫徳ら（2014）：Clin. Parasit. 25：65-67.
註3　中川有夏ら（2014）：皮膚科の科学．13：415-420.

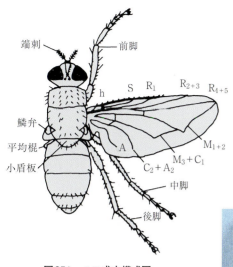

図651. ハエ成虫模式図
（森下，加納）

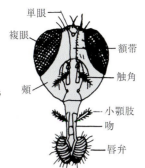

図652. ハエ成虫頭部正面図
（森下，加納）

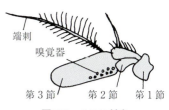

図653. ハエの触角
（森下，加納）

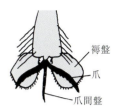

図654. ハエの対節末端
（森下，加納）

図656. ハエの幼虫(左)，初期の囲蛹(中)，後期の囲蛹(右)
（吉川尚男 博士 撮影）

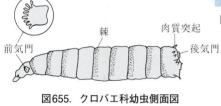

図655. クロバエ科幼虫側面図
（森下，加納）

図657. ハエ幼虫の後気門
（*Callitroga* sp. の3齢幼虫）

図658. イエバエ
（篠永，加納）

図659. オオイエバエ
（篠永，加納）

図660. サシバエ
（篠永，加納）

図661. オオクロバエ
（篠永，加納）

図662. ヒロズキンバエ
（篠永，加納）

図663. センチニクバエ
（加納，他）

第116項　ノ　ミ

ノミはヒトをはじめ多くの温血動物の体表に寄生し，雌雄ともに吸血する．世界で約1,500種，わが国で76種知られている．ノミはペストを媒介することで有名であるが，わが国では1930年を最後に患者は発生していない．しかし海外には未だ流行地があり防疫上，感染症新法では1類感染症に指定されている．

【形態と生活史】（図664）

ノミ（蚤）fleaは体が縦に平たく，大きさは種によって異なるが大体，雌2～3mm，雄1～2mmである．翅はないが脚がよく発達し，垂直および水平方向に約10cmは跳ぶ．人間に例えると50m以上跳ぶことになる．触角は触角溝という溝の中に収まり，眼を有する種類と有しない種類がある．頭部の下縁に**頬棘櫛 genal comb**（または genal ctenidium）を持つ種類と持たない種類がある．また前胸後縁に**前胸棘櫛 pronotal comb**（または pronotal ctenidium）を有する種類と有しない種類がある．生殖器の形態は分類上のポイントとなる．

ノミは畳の下の塵の中などに卵を産み落とす．孵化した幼虫は図665に示すような形態をしている．

幼虫は蛹を経て成虫となる．われわれの周囲でよく見つかる7種のノミの検索図を図666に示した．本来，ヒトを刺すのはヒトノミであるが，イヌ，ネコ，ネズミのノミもしばしばヒトを刺す．

【ノミの害】

1) **刺咬症**　ノミ刺咬による瘙痒感と皮膚炎．
2) **ペスト**[註1]　ペスト plague はヨーロッパ史上3回の大流行があり，黒死病といって恐れられた．第1回は542～549年で，ユスティニアヌスの疫病と呼ばれローマ帝国の住民の1/2が死亡した．第2回は1346～1349年で史上最大の流行といわれ，ヨーロッパの全人口の1/4，2,500万人が死亡した．第3回目は1720～1722年，マルセイユから流行が始まり9万人が死亡した．その他，1894～1895年の大流行ではインドで130万人，広東で10万人が死亡した．ヨーロッパの各都市にはペスト塔というのをよく見かけるが，これは流行が終息に向かったとき，人々が神に感謝して建てたものである．

日本では1886年に横浜に上陸した一中国人がペストで死亡したのが最初の例で，その後1899年に海外から帰国した一日本人男性が広島で発病後死亡し，しばらくして神戸，大阪を中心に161名の患者が発生し146名が死亡した．その後31年間の間に日本各地で合計2,905人（死亡者2,420人）の患者が出たが，1930年の2人の死亡者を最後にその後患者は出ていない．しかし外国では現在もなお流行が続いている．すなわち2010年のWHOの報告によると，2004～2009年の間に，アフリカ，アジア，アメリカの16ヵ国から合計12,503名のペスト患者（うち死亡者843名）が報告された．マダガスカル，コンゴ，ペルー，アメリカ，中国などが主である．

病原体は**ペスト菌 Yersinia pestis** で，媒介者としては**ケオプスネズミノミ**（図664）が最も重要であるが，ヒトノミ，ヨーロッパネズミノミ，ヤマトネズミノミ，イヌノミ，ネコノミも媒介可能である（図666）．

3) **縮小条虫および瓜実条虫**　ノミが中間宿主となり，その体内にできた擬嚢尾虫をヒトがノミと共に摂取すると感染する（第95，96項参照）．

【ノミの駆除】

ノミは畳の下や押し入れの奥の方で発生する．したがって畳を上げてよく掃除をし，殺虫剤の粉剤を撒いておく．殺虫剤はフェニトロチオンなら1.5％粉剤を1平方メートル当たり20g位散布する．イヌやネコのノミもよくヒトを咬むので，殺虫剤を用いて駆除しておく．

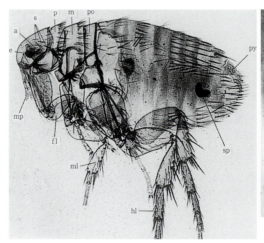

図664．ケオプスネズミノミ雌成虫
a. 触角，e. 眼，fl. 前脚，hl. 後脚，m. 中胸，ml. 中脚，mp. 小顎鬚，p. 前胸，py. pygidium，po. 後胸，s. 鑑別上重要な剛毛，sp. 受精嚢
（Tulane大学標本）

図665．ノミの幼虫
（Tulane大学標本）

註1　川端寛樹ら（2019）：国立感染症研究所 感染症情報
（https://www.niid.go.jp/niid/ja/kansennohanashi/514-plague.html）

A 眼を有する
　Aa 前胸棘櫛・頬棘櫛ともに有する
　　Aaa 頭部短く頬棘櫛は7～8本，第1棘および最後の棘は他に比して短小
　　　Ctenocephalides canis
　　　イヌノミ

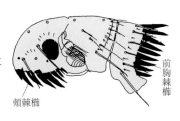

　　Aab 頭部長く，頬棘櫛は8本，第1棘は第2棘の2/3以上または同長
　　　Ctenocephalides felis
　　　ネコノミ

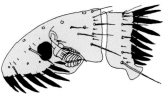
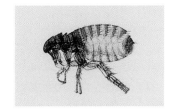

　Ab 前胸棘櫛はあるが頬棘櫛を欠く
　　Aba ♂の把握器の可動指は長大で斧状
　　　♀の受精嚢は頭部が長楕円形で尾部は短小
　　　Monopsyllus anisus
　　　ヤマトネズミノミ

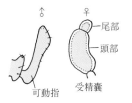

　　Abb ♂の把握器の可動指は短い，♀の受精嚢の頭部は球状で尾部はバナナ形
　　　Nosopsyllus fasciatus
　　　ヨーロッパネズミノミ

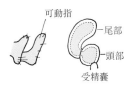

　Ac 前胸棘櫛・頬棘櫛ともに欠く
　　Aca 触角溝後方の剛毛は3列で第1, 第2列は各1本, 第3列は長短それぞれ5本と4本, 中胸側板に縦の画条(＊)を有する
　　　Xenopsylla cheopis
　　　ケオプスネズミノミ

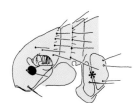

　　Acb 触角溝後方の剛毛は1本
　　　Pulex irritans
　　　ヒトノミ

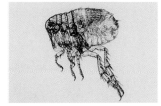

B 眼を欠如する
　頭端は尖り，頬棘櫛は4棘で触角溝の下にある．左右の触角溝は頭頂部で互いに連絡する．前胸棘櫛は約10本．頬および後頭部に多数の小毛を有す
　Leptopsylla segnis
　メクラネズミノミ

図666. 日本における医学上重要なノミの検索図

第117項 アタマジラミ および コロモジラミ ［A］分類，形態および生活史

シラミはカジリムシ目シラミ亜目に属する昆虫で，医学上重要なシラミはアタマジラミ，コロモジラミ，ケジラミの3種である．この中でアタマジラミとコロモジラミは形態的にはよく似ているが生態が異なり，前者は頭髪に，後者は肌着と体躯に寄生する．一方，ケジラミ（第119項）は形態も著しく異なり，寄生場所も陰毛が主である．これらシラミは宿主固有性が強くヒトだけに寄生し，幼虫・成虫・雌雄ともに吸血する．コロモジラミは発疹チフスなどを媒介する．最近，わが国で厚生労働省の統計などをみても，これら3種のシラミが明らかに増加しており再興感染症として注目されている．なお感染症新法で発疹チフスは4類感染症に指定されている[註1]．

【歴　史】

シラミ（虱）はおそらく人類発祥以来ヒトに寄生適応してきたものと思われるが，実証的には中国の楼蘭で発掘された約六千年前の少女のミイラの頭髪から，またエジプト，ペルー，北米原住民などいずれも数千年前のミイラからシラミの卵が見出されている．さらにコロモジラミによる発疹チフスの記載がヨーロッパですでに11世紀頃にある．

人類の歴史を変えるほど大きな影響を与えた**三大昆虫媒介病**として，蚊によるマラリア，ノミによるペスト，そしてこのコロモジラミによる発疹チフスがある．

一般にシラミは貧困，飢饉，戦争などによる非衛生的環境下で蔓延する．わが国においても第二次大戦後，大いに蔓延し，発疹チフスによる多数の犠牲者が出たが，その後生活が豊かになるに従って終息し，シラミもみなくなっていた．ところが1970年代後半頃から，まずケジラミが，次いでアタマジラミが次第に増え始め，最近は路上生活者などの間にコロモジラミも増えている．これらについては次項の疫学の項で詳述する．

【分類と種名】

アタマジラミとコロモジラミは，両者の寄生部位が異なること，形態的にやや差があること，しかし交配が可能なこと，などから分類についても種名についても諸説が現れ，下記の太字で示したような亜種表現が国際命名規約上妥当とされた．

アタマジラミ *Pediculus humanus capitis* Linné, 1758
コロモジラミ *Pediculus humanus corporis* (deGeer, 1778)

しかし，現在は同一種内の生態学的変異種であると推察され，**ヒトジラミ** *Pediculus humanus* Linné, 1758が適当と考えられるようになった．

【形　態】

Ⅰ．アタマジラミ

シラミの体はゴムのような弾力性のある丈夫な体壁構造を持っている．体長は雌3～4mm，雄2～3mm，背腹に扁平で灰褐色を呈する．図667に示すごとく，体は頭・胸・腹部に分かれ，頭部には吸血を行う口器と一対の目と，5節からなる一対の触角がある．胸部に翅はないが，3対の強力な脚があり，それらがほぼ同じ大きさであることが特徴である．また各脚の先端には丈夫な爪がある．腹部は9節からなり，両側に側板があり気門が開口している．雌は尾端が二分しており（図668），雄は円錐形を呈している（図667）．幼虫の形態はおおよそ成虫に似ているが生殖器などは未熟である．

卵は乳白色楕円形で長さ約1mm，上部の蓋に気孔突起があり卵内への通気孔を形成している．卵は膠様物質でしっかりと頭髪に糊付けされている（図669）．

Ⅱ．コロモジラミ

形態的にアタマジラミとほとんど差はないが，全般的にコロモジラミの方がやや大きく，体長は雌3.5～4.5mm，雄3～4mm，体幅もやや太い（図670）．体色はコロモジラミの方がやや白い．卵は肌着の繊維に産み付けられ（図671），アタマジラミよりやや大きく，気孔突起の数は，アタマジラミ7～11個，コロモジラミ12～21個であるが重なることもある．

【生活史】

シラミは，卵→幼虫→成虫と発育し，蛹の時期はない，すなわち不完全変態をする．また一生ヒトの体表に近接して寄生し，吸血して生活する．

Ⅰ．アタマジラミ

アタマジラミはヒトの頭髪に寄生する．頭髪に産み付けられた卵は約1週間で孵化し1齢幼虫が現れる（図672）．幼虫の期間は1～2週間，その間，盛んに吸血し3回脱皮した後成虫となる．成虫は雌雄ともに吸血し，交尾し，雌は1日に8～10個，一生で100～200個の卵を産む．成虫の寿命は大体1カ月である．

Ⅱ．コロモジラミ

コロモジラミはヒトの肌着の襞などに潜み，吸血するとき皮膚に移動してくる．その他の生活史はアタマジラミとほとんど同じである．

このアタマジラミとコロモジラミはヒトのみに寄生し，他の動物に寄生はしない．

註1　IASR 31：No.12, 2010，シラミ症とシラミ媒介感染症

アタマジラミおよびコロモジラミ

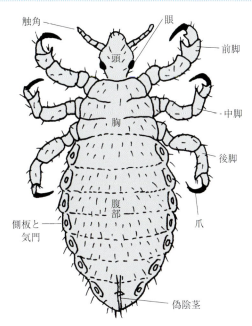

図667. アタマジラミの模式図(雄成虫)
前・中・後脚の大きさはほぼ同じ. 各脚は根元より基節, 転節, 腿節, 脛節, 跗節よりなる.

図668. アタマジラミの雌成虫

図669. アタマジラミの卵
頭髪に糊付けされる.
上部の蓋の気孔突起(矢印)の数は7〜11個.

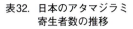

表32. 日本のアタマジラミ寄生者数の推移

年次	寄生者数
1981	20,217
1982	23,700
1984	6,907
1985	3,714
1986	2,972
1987	1,950
1988	1,900
1990	2,600
1991	6,280
1992	7,477
1993	5,918
1994	4,918
1995	5,262
1996	5,706
1997	8,641

(厚生省1997. その後の全国統計は見当たらないが, 東京都に寄せられたアタマジラミに関する相談件数は, 過去15年間は年間600件(2007年1,900件以上)を下回っておらず, 駆除薬製造メーカーでは年間感染者数を50万人程度と推定している)

図670. コロモジラミの雌成虫

図671. コロモジラミの卵
肌着の繊維に糊付けされる.
蓋の気孔突起(矢印)の数は12〜21個.

図672. 毛髪上で卵から孵化しているアタマジラミの幼虫

参考文献 三原 実(1999):シラミの分類, 生態, 生理, 生活と環境, 44(8): 23-32.

第118項 アタマジラミ および コロモジラミ ［B］臨床と疫学

アタマジラミはヒトの頭髪に寄生し，吸血するので痒みを生ずる．一方，コロモジラミはヒトの肌着や体躯に寄生し，瘙痒症を起こす他，発疹チフスなどの感染症を媒介する．感染はともにシラミ保有者との接触や，衣類や器具を介して行われる．治療は，アタマジラミについてはピレスロイド系殺虫剤使用を主とするが，コロモジラミについては肌着を取り替え加熱処理をするのがよい．最近，わが国においてアタマジラミが幼小児の間で蔓延し，さらにごく最近は路上生活者や独居老人にコロモジラミの寄生がみられるようになり問題となっている．

【感 染】

アタマジラミの感染は接触による．すなわち幼稚園や家庭などで頭を並べて寝ているとアタマジラミが移動してくる．また枕カバー，帽子，櫛，ヘアーブラシなどを介して感染する可能性もある．

コロモジラミの感染は非衛生的な環境で生活し，入浴をしない，肌着を取り替えない人々の間で蔓延する．やはり接触，汚染したベッド，ロッカーなどで感染する．筆者は戦時中，勤労動員の宿舎の畳の上をシラミがぞろぞろ歩いているのを目撃したことがある．

【診 断】

アタマジラミについては，その強靭な爪で頭髪をしっかり掴んでいる幼虫や成虫（図673），および頭髪に糊付けされている虫卵（前項図669）を検出して診断する．頭髪の先端よりも根元付近に多い．また側頭部から後頭部にかけて比較的多く寄生している（図675）．検出に際し注意すべきは，虫卵が頭髪のふけや，いわゆる hair cast（毛垢塊）（図674）と間違いやすいので注意を要する．また梳き櫛で髪を梳き虫や卵を検出する方法もよい．

コロモジラミは，身につけている衣類の襞などに潜んでいる虫体や，衣類の繊維に産み付けられている卵を検出して診断する（前項図671）．

【病 害】

Ⅰ．アタマジラミ

アタマジラミは発疹チフスなど感染症を媒介することはないとされ，病害は専ら吸血による瘙痒症である．

Ⅱ．コロモジラミ

コロモジラミは瘙痒症を起こす他，下記の感染症を媒介することが知られている．

1. 発疹チフス epidemic typhus

病原体は *Rickettsia prowazekii* である．コロモジラミの中腸内で増殖したこのリケッチアはシラミの糞の中に現れ，ヒトが皮膚を掻いたときシラミの刺し口の傷などから病原体が擦り込まれて感染する．症状は，潜伏期間10〜14日，高熱，激しい頭痛などの脳症状，第4病日頃から直径2mm位の小紅斑が全身に現れる．治療はテトラサイクリン系抗生剤が有効．本症はわが国で，第二次大戦後大流行し多くの犠牲者を出したがその後終息した．

2. 回帰熱[注1] epidemic relapsing fever および 塹壕熱[注2] trench fever

回帰熱は，*Borrelia recurrentis*，*B. turicatae*，*B. duttonii* などの回帰熱ボレリア感染によって引き起こされる細菌性人獣共通感染症で，シラミやヒメダニなどの吸血性節足動物によって媒介される．ヒトに感染すると1週間程度の潜伏期間を経て，発熱期と無熱期を繰り返す．南ヨーロッパ，中央アジア，北アメリカ大陸，アフリカサハラ砂漠周辺で流行しており，なかでもサハラ砂漠周辺は患者数も多く，公衆衛生上の重要な問題となっている．シラミによって媒介される回帰熱は戦争など衛生状況の悪化時に流行する．ダニ媒介性回帰熱では，2011年にロシアで *B. miyamotoi* による新興回帰熱が報告され，その後，米国，オランダ，ドイツ，日本でも患者が報告された．マダニ属ダニの一部が病原体を媒介すると考えられる．

塹壕熱病原体はグラム陰性桿菌の *Bartonella quintana* で，コロモジラミの消化管に存在し，ヒトへの感染源は糞で，ヒトには掻爬された皮膚から侵入する．近年，ロシア，フランス，米国の都市部の路上生活者のコロモジラミからも検出されている．5日おきに発熱することが多い．テトラサイクリンが有効である．

【治 療】

Ⅰ．アタマジラミ

学校などで集団的に発生しているときは駆除は一斉に行うことが大切である．薬剤を用いるときは，ピレスロイド系**フェノトリン0.4％含有粉剤（商品名スミスリンパウダー）**7gを頭髪に撒布し1時間後に洗髪する．これを1日1回，2日おきに3〜4回繰り返し，次々に卵から孵化してきた幼虫を殺す．同薬剤のシャンプーも販売されている．またシラミ駆除用の梳き櫛を用い，丁寧に髪を梳いて虫体や虫卵を除去するのも治療上有効である．

Ⅱ．コロモジラミ

コロモジラミは55℃以上になると生存が難しくなる．したがって治療は薬剤に頼るよりは，肌着を取り替え，55℃以上の温水または温風で10分以上処理し虫体や虫卵を殺すのが効果的である．薬剤を用いるときは上記ピレスロイド系粉剤を体躯と衣類の間に撒布する．

【疫 学】

わが国において，1970年代に入ってからケジラミとアタマジラミが増加しはじめ，最近はコロモジラミもみられるようになってきた（図676）[注3]．ケジラミは次項に譲り，まずアタマジラミについては表32に示すように増加の傾向を示している．

アタマジラミおよびコロモジラミ　249

図673. 頭髪を爪でしっかり掴んで歩行するアタマ
　　　　ジラミ
　　　　　　下図の少女から採取.

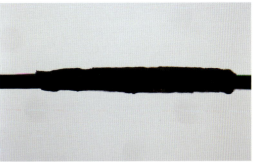

図674. アタマジラミの卵と間違われやすいいわゆる
　　　　hair cast
　　　　逆光で黒く写っているが実際は白色. 下図の少女から採取.

図675. 頭髪にアタマジラミの成虫と多数の卵(矢印)を
　　　　検出した少女(筆者経験例)

　また佐々木ら(2010)[註4]の報告によると東京都の路上生活者の62名, 大阪府の10名にコロモジラミを確認し, シラミ(陽性率は東京都で9.7%, 大阪府で60%)およびヒトから上記塹壕熱の病原体 Bartonella quintana が検出された. この他, 独居老人, 知的障害者などからもコロモジラミの寄生が報告されるようになった. 海外では, アタマジラミからも検出されている. これらは最近問題となっている**再興感染症 reemerging infection** の一つということができる.

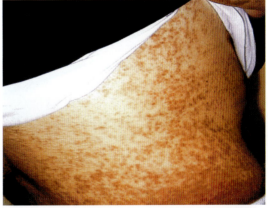

図676. 上：路上生活者におけるコロモジラミの濃厚感染
　　　　例(男性, 30歳代)
　　　　1万匹を超すシラミが上着全体にみられ, 貧血も認められた.
　　　　下：路上生活者のコロモジラミ寄生による激しい
　　　　皮膚症状
　　　　(国立感染症研究所昆虫医科学部提供, 小林睦生 部長の厚意
　　　　による)

註1　佐藤(大久保)梢ら(2019)：Med. Entomol. Zool. 70：3-14.
註2　佐々木年則ら(2014)：化学療法の領域, 30：322-329.
註3　小林睦生ら(2008)：感染症, 38(6)：9-17.
註4　佐々木年則ら(2010)：病原微生物検出情報, 31：354-355.
参考文献
　安居院宣昭, 三原　実, 小林睦生, 大滝倫子, 冨田隆史(1999)：現在の
　シラミ事情, 生活と環境, 44(8)：18-48.

第119項　ケジラミおよびトコジラミ

ケジラミは前項のアタマジラミ，コロモジラミと同様，ヒトを固有宿主とするシラミであるが，その形態や寄生部位は大いに異なる．すなわちケジラミは体が前後に短くカニのような形をしている．寄生部位は陰毛が主であるが腋毛，頭髪，睫，眉毛などにも寄生する．感染・伝播は主に性交によるので性感染症の一つとされる．近年，わが国を含め世界的に増加の傾向にある．一方，トコジラミはシラミという名が付いているがシラミ類ではなくカメムシ目に属する昆虫で，ヒトや動物を吸血し激しい痒みを起こす．最近，わが国で再流行の兆しがある[註1]．

Ⅰ．ケジラミ Phthirus pubis Linné, 1758

ケジラミは主に陰毛に寄生するので英語では pubic louse，また形態がカニに似ているので crab louse といわれる．

【形　態】

成虫は前項のヒトジラミ Pediculus humanus よりやや小形で，体長1.0～2.0mm，体幅0.8mm 程度である．幅広い胸部に3対の脚があり，それぞれに丈夫な爪があるが，前脚に比し中脚，後脚が著しく強大なのが特徴である．腹部第1節～第4節は融合し，3対の気門が並んでいる．体表面には多数の剛毛が生えている（図677，678）．幼虫の形態は成虫に似ているが触角は3節である．また体全体が滑らかで生殖器も未発達である．

卵は長さ約1.0mm，長楕円形で，膠様物質で毛にしっかりと糊づけされている．卵の上端には蓋があり，ここに9～16個の気孔突起があるが，前項のヒトジラミのそれに比べ大きいのが特徴である（図679）．

【生活史】

卵は産卵後約1週間で孵化し，1齢幼虫が現れる．幼虫は3齢までで，各齢4～5日を要し，約2週間で成虫となる．蛹の時期はない．幼虫・成虫ともに毛をしっかり把握し渡り歩き吸血する（図681）．幼虫・成虫ともに吸血するが，吸血に際しては毛根付近の皮膚に口器をしっかり差し込んで吸血し動かず，一見小さな黒子（ほくろ）のように見える（図683）．成虫の寿命は約3週間とされ，その間，雌は1日に1～4個，一生で約40個の卵を生む．

【寄生場所】

主な寄生場所は陰毛であるが，時には胸毛，腋毛，すね毛，眉毛，睫，頭髪にも寄生する．とくに寄生数が多いときに拡大しやすいが，感染している親と同衾した幼児の睫に感染した例がかなり報告されている（図682）．

【感染方法】

ほとんどの場合，性交時に成虫あるいは幼虫が渡来して感染する．したがって**性感染症** sexually transmitted disease（STD）の一つに数えられている．しかし上述のごとく感染者との同衾，接触などによっても感染する．

【症　状】

症状は強い瘙痒感で，局所を強く掻くため2次感染を生じ，毛嚢炎，湿疹，膿疱などを起こす．しかしケジラミが媒介する伝染病は知られていない．

【治　療】

寄生部位の剃毛を行い，かつ皮膚に吸着している虫をピンセットでつまみ取る（図680，209頁の絵図参照）．剃毛するのは虫の生活の場を奪い，卵を全部除去するためである．剃毛後は皮膚保護のため軟膏を塗布する程度でよい．剃毛しない場合はフェノトリン製剤1回2gをアタマジラミの場合と同様の方法で用いる．また70％アルコールを塗布するのも有効である．

【疫　学】

性の自由化と国際化によってケジラミの蔓延は世界的に拡大している．

Ⅱ．トコジラミ Cimex lectularius（Linné, 1758）

本虫は世界中に分布し英語では bed bug，**南京虫**とも呼ばれたが，この呼称は避けるべきである．わが国では幕末にオランダから購入した船に発見されたのが最初の記録とされる．

成虫は体長5～9mmと大形，楕円形で平たく，色は赤褐色である（図684）．特有の油臭い臭いがある．卵は1～2週間で孵化し，幼虫は十分吸血すると脱皮し，5齢を経て約1カ月で成虫となる．成虫の寿命は長く1年以上生きた例がある．雌雄ともに吸血する．

本虫は夜間活動性で，昼間はベッドや柱の割れ目，壁の隙間，畳の間，天井などに潜んでおり，夜になると出てきて盛んに吸血する．ヒトは主に睡眠時に襲われる．主に手足，首，顔など露出部を刺す．これに刺されると強い痛みと痒みがあり，俗に刺し口が2つあるというので有名であるが，教室の川平が自体で実験したところ80％は1つであった（図685）．本虫が媒介するヒトの感染症は知られていない．

本虫はヒト以外の多くの哺乳動物を吸血し，動物舎で繁殖したり，また病院の病棟や当直室で被害にあったりした例を経験した．治療は掻いて2次感染を起こさぬよう，かゆみ止めと抗生剤含有軟膏などを用いる．駆除はバルサンの煙霧とスミチオン乳剤の噴霧が有効である．

最近では，ニューヨーク，パリ，東京その他の大都市にあるホテルで本虫による被害がかなり発生しているという．国際的旅行の普及によると思われる．トコジラミ被害は，世界的再興状態にあると考えられ，国内も例外ではない．東京都への相談件数は2008年65件から急激に増え2012年342件，それ以降は毎年300件前後を数える．近年，電位感受性ナトリウムチャネル（VSSC）に生じる遺伝子変異によるピレスロイド系殺虫剤への感受性低下が知られている．

註1　小松謙之（2017）：日本衛生動物学会　殺虫剤研究班のしおり，88：3-9．
　　富田隆史（2010）：日本衛生動物学会　殺虫剤研究班のしおり，81：2-10．

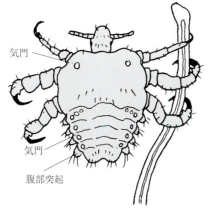

図677. 陰毛を把握して生活している
ケジラミ(雌成虫)の模式図
前脚に比し中脚・後脚が著明に大きい．

図678. ケジラミの成虫

図679. ケジラミの卵
上部の蓋の気孔突起の部分
が大きい．

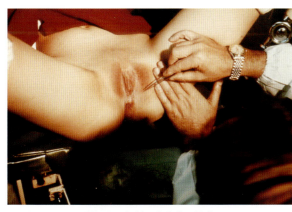

図680. ケジラミ患者の治療
完全に剃毛して虫の棲息部位を奪い，毛根部の虫をピンセットで
摘出する(京都の23歳の患者，筆者経験例)

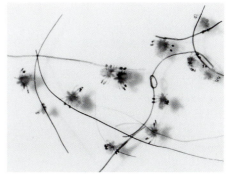

図681. 図680の患者から採取した陰毛に寄生
する多数のケジラミの一部

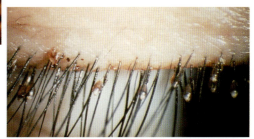

図682. 4歳男児の睫に寄生しているケジラミ
(金沢大学 故 近藤力王至 教授の厚意による)

図683. 上とは別の患者の陰部の
ケジラミによる皮膚病変
(福井大学 上田恵一 教授の厚意による)

図684. トコジラミ
の成虫

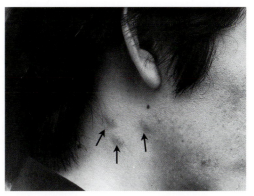

図685. トコジラミの刺し口(矢印)
(京都の某病院の当直室での被害例，筆者経験例)

第120項　ハチ

わが国における寄生虫学の領域で，現今，最も死亡者数の多い疾病はハチ刺傷である．最近の36年間の統計によると毎年平均約30名，合計1,004名が死亡している．わが国でヒトに被害を与える主要なハチはオオスズメバチ，キイロスズメバチ，アシナガバチ，ミツバチであるが，死亡例はほとんど大形種の前2者による．死亡原因は刺傷後，短時間内に起こるアナフィラキシーショックであり，緊急処置を要する．

【分 類】

ハチ（hornet, wasp, bee）はハチ目に属する昆虫で，わが国で約4,200種知られているが，その多くは寄生蜂の類である．ヒトに被害を与える種は細腰亜目の中の有剣類のスズメバチ科，ミツバチ科などに属するハチである．主要な有害ハチは下記のごとくである．

Order Hymenoptera　ハチ目
　Suborder Symphyta　広腰亜目
　　（主として寄生蜂の類で無害）
　Suborder Apocrita　細腰亜目
　　Family Vespidae　スズメバチ科
　　　Vespa mandarinia　オオスズメバチ
　　　V. simillima xanthoptera　キイロスズメバチ
　　　Polistes jadwigae　セグロアシナガバチ
　　　P. rothneyi　キアシナガバチ
　　Family Apidae　ミツバチ科
　　　Apis cerana japonica　ニホンミツバチ

【形 態】

オオスズメバチを例にハチの概形を述べると図686に示すごとく頭，胸，腹部に分かれ，頭部には複眼，単眼，触角の他に咀嚼式の口器を持つ．胸部には2対の翅と3対の脚を有する．腹部は6節より成り，明瞭な黒い5～6本の横縞を有する．大きさは種により異なるがオオスズメバチでは体長4cm，キイロスズメバチで3cmに達する．全体に黄色と黒色の明瞭な警戒色の紋様を呈する．アシナガバチ（図687）は全体的にほっそりし，体長約2.5cm，腰のくびれが顕著で，飛んでいる時，脚をダラリと下げている．ミツバチは体長1cm前後と小さく，ややずんぐりしている．

【生活史】

スズメバチはミツバチやアリと同様，高度な社会性を持つ．春5月頃，越冬してきた1匹の女王蜂は営巣を開始し，多数の働き蜂を産出し巣を拡大してゆく．9月頃巣は最大になり，次世代の雄蜂と女王蜂が産出され，初冬の頃，交尾した雌は巣を出て，樹洞などの越冬場所へ移動し，雄蜂や働き蜂は死滅し，巣は空になる．このヒトに被害を与える働き蜂は中性化した雌で，産卵管が変化した毒針を持ち，巣を守る反応から攻撃性が強い．とくに8～10月の頃は気が荒く危険である．

オオスズメバチの巣は樹洞や土中にみられ，キイロスズメバチは樹間，軒下，屋根裏に営巣し，大きいものは一抱えもある（図688, 691）．一方，アシナガバチの巣（図689）は大きいものでせいぜい直径7～8cmで，樹木の間や人家の周り，軒下などにみられる．

キイロスズメバチは本州，四国，九州に分布し，オオスズメバチは北海道から九州にまで分布する．キアシナガバチは全国に，セグロアシナガバチは北海道以外の全国に分布する．

【症 状】

ハチ刺傷による症状はハチの種類，毒の量，刺傷部位，年齢などによって異なるが，多数のスズメバチに首から上の部分を刺されると障害が大きい．また症状はハチ毒の直接作用によるものとアナフィラキシーショックによるものとに大別され，前者の場合は局所の激痛，腫脹（図690），頭痛，眩暈，嘔吐，胸苦しさなどが起こるが数日で回復する．一方アナフィラキシーショックは全刺傷例の1～2％に発生し刺傷後数分～十数分に起こり，平滑筋収縮，血管透過性亢進，気道閉鎖，血圧低下などを生じ1時間以内に死亡することがある．表33に示すごとく毎年多数の死者が出ている．死者の73％は60歳以上の高齢者で，男性が83％と圧倒的に多い．またアシナガバチによる死者も報告されているので注意を要する．

【治 療】

刺傷部をつまんで流水で洗い毒液を洗い出す．ショック症状の兆候があれば一刻も早く病院に搬送し，呼吸の確保，輸液，エピネフリン・アミノフィリン・副腎皮質ステロイドの投与を行う．局所症状の場合は安静，冷湿布，ステロイド軟膏の塗布，抗ヒスタミン剤の投与などを行い回復を待つ．

【予 防】

死亡事故はスズメバチとくにキイロスズメバチによる例が多く，8～10月に集中して起こっている．誤って巣に近付くとハチは威嚇，攻撃に来るので，大声を出したり騒いだりせず，姿勢を低くして速やかに逃げることが大切である．また黒い衣服はハチの攻撃を受けやすく，白い衣服や帽子は攻撃を避けるのに役立つといわれる．アナフィラキシーを発現したが直ちに医療機関を受けることができない状況下で症状が進行した場合に，緊急避難としてアドレナリン自己注射製剤の使用が認められた（2011年9月22日から保険適用）．ただし，処方医および使用患者側の登録が必要である．

表33. 全国のハチ刺傷による年次別死亡者数

年	死亡者数
1983	47
1984	73
1985	31
1986	46
1987	44
1988	35
1989	26
1990	45
1991	33
1992	31
1993	16
1994	44
1995	31
1996	33
1997	30
1998	31
1999	27
2000	34
2001	26
2002	23
2003	24
2004	18
2005	26
2006	20
2007	19
2008	15
2009	13
2010	20
2011	16
2012	22
2013	24
2014	14
2015	23
2016	19
2017	13
2018	12
合計	1,004

（厚生労働省人口動態統計による）

図686. オオスズメバチ
雌成虫，体長3.8cm

図687. セグロアシナガバチ
体長2.5cm

図688. キイロスズメバチの巣
やや小型の巣，樹枝に営巣

図689. セグロアシナガバチの巣

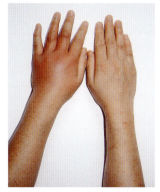

図690. アシナガバチ刺傷
左手中指刺傷による腫脹
（61歳女性，筆者経験例）

図691. キイロスズメバチの巨大な巣

第121項　シバンムシアリガタバチ，ゴキブリ，ムカデおよびヒアリ

最近，シバンムシアリガタバチという寄生蜂に刺される例が報告されている．ゴキブリは執拗に家屋内に棲息し食品や書籍を食害している．またムカデによる刺傷や，強い毒を持つヒアリの侵入[註1]などが問題となっている．

I. シバンムシアリガタバチ
Cephalonomia gallicola

本種は広く世界に分布する．1975年頃から東京以西の各地でこの虫に刺される例が増加し，被害は5～10月の暖期に多い．このハチは寄生蜂の1種で，タバコシバンムシやジンサンシバンムシなどの昆虫の幼虫に卵を産み付ける．これらシバンムシは畳や乾燥食品に発生するのでシバンムシアリガタバチもその周辺に多い．

形態は図692に示すごとく細長いアリのような形で，体長は1～2mmと小さい．夜間ふとんの中まで入ってきて雌の尾端の産卵管で刺す．団地などで集団的に発生し，家族全員が刺される場合が多い．刺された部位には図693，694に示すような紅い点状の丘疹が発生し，強い瘙痒感と，掻爬による皮膚の損傷を生ずる．

治療は痒みを除くために副腎皮質ステロイドの入った軟膏を短期間塗布する．

II. ゴキブリ　Cockroach

ゴキブリは3～4億年前，古生代の石炭紀にすでに棲息していたとされ，生きた化石といわれる．わが国には51種が分布し，そのほとんどは野外性で住家性のものは6種である．これらの中の数種は食品と汚物との間を往来し，病原体を運搬し不潔である．今村ら(2003)[註2]によると，胃癌の原因となる *Helicobacter pylori* をクロゴキブリに与えると，数日間にわたり糞中に菌が排出されるので本菌媒介の可能性があるという．また縮小条虫，鉤頭虫などの中間宿主にもなる．

1. クロゴキブリ *Periplaneta fuliginosa*（図696）

本種は日本，台湾，中国，北米などに分布する．本州，四国，九州に多く，北海道には少ない．本種はワモンゴキブリやチャバネゴキブリより低温に耐え，和風の家屋に棲む最も普通のゴキブリである．台所のみならず居間や書斎に侵入し，食品や書籍の表紙を食い荒らす．

成虫の体長は雌約30mm，雄約25mm，全体に濃い栗色で光沢がある（図696）．雌は図695に示すような卵鞘（長さ約12mm，幅約5mm）を引き出しの隅など外力が加わりにくい所に産み付ける．暖季では1～2カ月後に1齢幼虫が孵化する．1齢幼虫は体長約3mm，真っ黒で胸背に著明な白帯がある．成虫になるまでに10齢を重ね，約1年を要する．成虫の寿命は200～300日である．行動は夜行性で昼間は物陰に潜んでいる．

2. ワモンゴキブリ *Periplaneta americana*（図697）

本種は世界中の暖地に広く分布し，わが国では九州南部，奄美，沖縄，小笠原などに分布する．最近，暖房の普及のためか京都市内の大病院，長崎県の炭坑，神戸市の廃棄物処理場，青森県の温泉などから棲息の報告がある．しかしまだ一般住宅には定着していない．

成虫は体長30～43mmと大形で，全体に褐色であるが前胸背部に黄色の大きな輪状の斑紋のあるのが特徴である．幼虫は約10齢を数え，寿命は数カ月ないし数年と幅がある．

3. チャバネゴキブリ *Blattella germanica*（図698）

世界の暖地に広く分布し，わが国でも全国で見出されるが暖房の行き届いたホテル，飲食店，列車，船舶，病院などに限られ，和式一般住宅では越冬できない．

成虫の体長は10～15mmと小形で，全体に淡黄褐色で，前胸背部に縦に2本の太い黒条を有するのが特徴である．雌は尾端に卵鞘を付けていることが多い．本種は繁殖が早く，幼虫期は6齢で，年間3世代位繰り返す．

4. ゴキブリの駆除

毒餌，粘着捕虫器，殺虫スプレーなどが用いられている．市販の毒餌もあるが硼酸を15％の割に穀粉に混ぜ，砂糖を少し入れて団子を作り設置する．基本的には掃除を完全にし，ゴキブリの餌を絶つことである．

III. ムカデ Centipede

ムカデ(百足，centiは百，pedは足の意)は唇脚綱に属し，オオムカデ，ジムカデ，イシムカデ，ゲジの4目に大別される．わが国には約120種が分布している．その中でオオムカデ類（図699）は通常，朽木などに棲み，小動物を捕食しているが，時に人家内に侵入しヒトを咬む．激しい痛みの他にアレルギー反応を起こし時に重篤なアナフィラキシー症状を呈する事が報告されている[註3,4,5]．

IV. ヒアリ（アカヒアリ，火蟻）*Solenopsis invicta*

2017年5月，南米原産のヒアリが中国から神戸ポートアイランドおよび尼崎に到着したコンテナの中で見出され，その後，大阪，名古屋，東京，博多，その他の港でも発見されている．環境省によると，2020年10月までに，16都道府県で64事例が確認されている[註6]．このアリは体長2.5～6mm，赤褐色で尾端に毒針を有し，刺されるとアルカロイド系毒(solenopsin)の注入による火傷のような激痛があり，fire ant(火蟻)と呼ばれている．時にアナフィラキシーショックを起こす．外来生物法により特定外来生物に指定されている．

註1　国立環境研究所：侵入生物データベース
註2　今村重義ら(2003)：感染症誌，77：359．
註3　原田　晋ら(2001)：皮膚科診療，23：1217-1220．
註4　望月　聡ら(2001)：日救急医会誌，12：578．
註5　佐藤新平ら(2014)：Clin. Parasit. 25：61-64．
註6　https://www.env.go.jp/nature/dobutsu/2020hiari.html

シバンムシアリガタバチ，ゴキブリ，ムカデおよびヒアリ

図692. シバンムシアリガタバチ

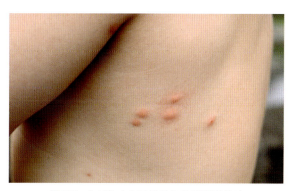

図693. シバンムシアリガタバチ刺傷例(1)

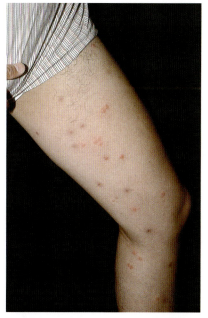

図694. シバンムシアリガタバチ刺傷例(2)

図695. クロゴキブリの卵鞘(上)とその内部(下)
26個の卵が2列に並ぶ.

図696. クロゴキブリ

図697. ワモンゴキブリ

図698. チャバネゴキブリ

図699. オオムカデの一種
(筆者の部屋に侵入してきたもの)

第122項　毒　蛇

わが国の主要な毒蛇はハブ，マムシ，ウミヘビ，ヤマカガシなどである．ハブは奄美，沖縄に棲息し，次第に減少してきたが，なお毎年100例前後の咬傷例がある．被害は農業，野外活動，観光にも影響を及ぼしている．一方，マムシは北海道から屋久島まで分布し，咬傷例は年間約3,000例，死亡率約0.1％と推定されている．

Ⅰ．ハブ *Protobothrops flavoviridis* (図700-A)

沖縄本島とその周辺の島，奄美大島，徳之島に棲息し，体長は最大記録2.42m，頭部は明瞭な三角形を示し毒力が強く凶暴性を有しヒトを襲い被害が最も大きい．

【ハブ咬傷の疫学】　過去40年間の咬傷例を表34に示す．その後も2014年87例，2015年111例発生している．

咬まれる時期は4〜11月の暖期が多いが冬でも暖かい日には活動する．ハブは夜行性で昼は石垣や繁みの中におり，いきなり遭遇すると直線状に飛びかかってくるが2m離れておればまず危険はない．ハブの毒腺には約1mlの毒液があり，1回の刺咬で約0.1ml注入される．

咬まれる場所は畑とくにトウモロコシ畑が44％，屋敷内29％，道路上12％となっている．また受傷部位は手，指47％，足，指24％，下腿13％，前腕7％と末端部が多いので手袋，脚絆，長靴などでかなり防御できる．

【ハブ咬傷の症状】　咬傷時に電撃痛があり，1〜2個の毒牙痕を認める．ハブ毒は出血毒で，刺咬部の血管を破壊し，出血と腫脹を起こす(図701)．毒が多いと筋肉組織の壊死を起こし(図702)，治癒後も後遺症を遺す(受傷者の5〜10％)．さらに毒が強い場合は全身の循環障害を生じ，嘔吐，頻脈，呼吸困難，血圧低下などを起こし，ショック状態となり死亡することがある．

【治療】　①受傷部の中枢側を緊縛し，傷口を縦に切開し吸引する．②抗毒素血清に対する過敏反応を調べた後，血清20mlをゆっくり静注する．③抗生剤，プレドニン，輸液，その他，適切な対症療法を行う．④筋肉壊死を予防するため減張皮膚切開や筋膜切開を行う．死亡例は受傷後24時間以内に起こることが多いので絶対安静とし，十分なショック療法を行うことが大切である．

【ハブの駆除】　防蛇壁，電流壁，ネズミなどハブの餌になる動物の駆除などが研究されたが，ハブ買い上げ政策(1匹4,000円程度)が最も有効のようである．例えば奄美管内で2012年度に31,674匹買い上げている．

Ⅱ．ヒメハブ *Ovophis okinavensis* (図700-B)

沖縄本島，伊江島，伊平屋島，徳之島，奄美大島に分布し体長は約60cmと小さく毒の量も少ないので人命にかかわることはない．

Ⅲ．サキシマハブ *Protobothrops elegans* (図700-C)

八重山群島特産のハブで石垣島，西表島，竹富島などに分布，体長約1m，毒力は少ない．

Ⅳ．ヤマカガシ *Rhabdophis tigrinus*

本州，四国，九州に分布し，深く咬まれると奥歯から毒が注入される．また本種を掴むと頸腺から毒液が噴射し，眼に入ると角膜炎などを起こす．

Ⅴ．マムシ *Gloydius blomhoffii* (図700-D)

体長約60cmで太い．ハブほど攻撃性はなく毒の量も少ないが咬傷例が多く，時に死亡例をみる．

マムシ毒も出血毒である．受傷は5〜10月の暖期，午後3〜6時頃が多い．山野，田園，草むら，水辺などで手や足を咬まれることが多い(図703)．

症状は局所の疼痛，出血，腫脹，壊死が主で全身症状は一般に軽いが時にショック症状を起こすことがある．

治療は，①受傷部の中枢側を緊縛し，速やかに医療機関に受診する．②マムシ抗毒素血清28〜40mlを静注する．③受傷部を切開し，注射器を用い5％タンニン酸溶液で創内を洗浄する方法もある．

Ⅵ．ウミヘビ類

わが国の近海には約12種のウミヘビが棲息し，とくに九州

表34．わが国における主要なハブ咬傷の発生状況(1973〜2019)

県名	ハブ種名	島名	1973	1974	1975	1976	1977	1978	1979	1980	1981	1982	1983	1984	1985	1986	1987	1988	1989	1990	1991	1992	1993	1994
沖縄	ハブ	沖縄本島及び周辺離島	374(6)	292(0)	275(3)	268(0)	286(2)	283(4)	254(0)	222(1)	208(0)	176(0)	156(0)	188(0)	184(0)	181(0)	208(0)	174(0)	178(2)	156(1)	155(0)	86(1)	102(0)	98(0)
沖縄	サキシマハブ	八重山群島	36(0)	31(0)	60(0)	45(0)	37(0)	49(1)	71(0)	55(0)	56(0)	80(0)	37(0)	47(0)	38(0)	31(0)	33(0)	39(0)	49*	57*	59*	65*	57*	59*
鹿児島	ハブ	奄美大島本島	78(1)	61(1)	81(0)	51(0)	66(0)	62(0)	57(0)	52(0)	56(0)	56(0)	56(0)	49(0)	46(0)	45(0)	48(0)	59(0)	52(0)	36(0)	42(0)	36(0)	37(0)	47(0)
鹿児島	ハブ	徳之島	223(3)	195(1)	189(0)	151(0)	164(0)	145(0)	144(0)	116(0)	96(1)	105(0)	121(0)	96(0)	90(0)	78(0)	115(0)	75(0)	61(0)	84(0)	87(0)	83(0)	66(0)	62(0)
	合計		711(10)	579(2)	605(3)	515(0)	553(2)	539(4)	526(0)	445(1)	416(1)	417(0)	370(0)	380(0)	358(0)	335(0)	404(0)	347(0)	340(1)	333(1)	343(0)	270(1)	262(0)	266(0)

毒蛇 257

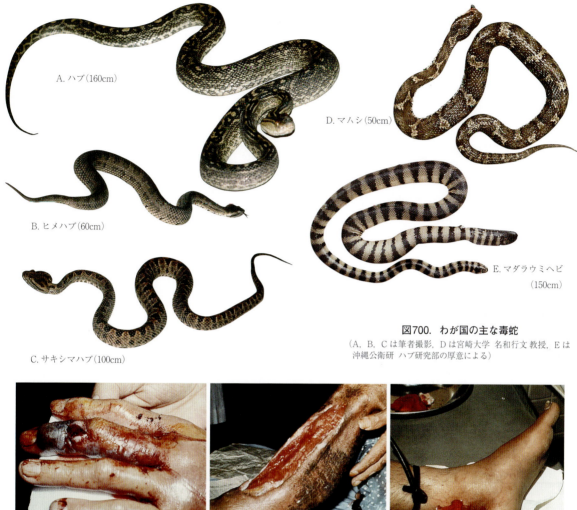

図700. わが国の主な毒蛇
A. ハブ(160cm)　B. ヒメハブ(60cm)　C. サキシマハブ(100cm)　D. マムシ(50cm)　E. マダラウミヘビ(150cm)
(A, B, Cは筆者撮影, Dは宮崎大学 名和行文 教授, Eは沖縄公衛研 ハブ研究部の厚意による)

図701. ハブ咬傷(受傷1日後)
(沖縄公衛研 ハブ研究部の厚意による)

図702. ハブ咬傷による大きな傷
(沢井芳男 博士の厚意による)

図703. 兵庫県の山村におけるマムシ咬傷例
(新田 誠 医師の厚意による)

以南に多い，新城ら(1989)によると沖縄県で5例の死亡者が報告されており，また南方漁場で咬まれて死亡した例もある．

沖縄近海での重要種は**マダラウミヘビ**(図700-E)，**エラブウミヘビ**などで，これらの毒は神経毒で毒力が強く軽視できない．

1995	1996	1997	1998	1999	2000	2001	2002	2003	2004	2005	2006	2007	2008	2009	2010	2011	2012	2013	2014	2015	2016	2017	2018	2019
121(0)	104(0)	109(0)	93(0)	81(0)	82(0)	61(0)	54(0)	63(0)	43(0)	67(0)	62(0)	61(0)	65(0)	55(0)	48(0)	62(0)	46(0)	42(0)	29(0)	23(0)	37(0)	35(0)	33(0)	30(0)
57*(0)	33*(0)	37*(0)	46*(0)	34*(0)	53*(0)	36*(0)	39*(0)	30*(0)	25*(0)	41**(0)	42**(0)	35**(0)	30**(0)	41**(0)	31**(0)	26**(0)	46**(0)	30**(0)	25**(0)	44**(0)	19**(0)	27**(0)	16**(0)	25**(0)
28(0)	30(0)	25(0)	40(1)	37(0)	39(0)	25(0)	21(0)	26(0)	26(1)	13(0)	27(0)	22(0)	19(0)	22(0)	32(0)	33(0)	23(0)	16(0)	15(0)	16(0)	17(0)	16(0)	18(0)	18(0)
61(0)	58(1)	55(0)	80(1)	67(0)	53(0)	40(0)	45(0)	48(1)	51(0)	40(0)	37(0)	36(0)	44(0)	30(0)	45(0)	32(0)	34(0)	37(0)	9(0)	6(0)	38(0)	27(0)	29(0)	23(0)
267(0)	225(1)	226(0)	259(2)	227(0)	229(0)	162(0)	159(1)	167(0)	145(1)	161(0)	168(0)	154(0)	158(0)	148(0)	156(0)	153(0)	149(0)	125(0)	78(0)	89(0)	55(0)	43(0)	47(0)	41(0)

( )内数字は死亡者数．*ヒメハブを含む **ヒメハブ，タイワンハブを含む
(沖縄県衛生環境研究所，鹿児島県社会福祉部などの統計による．また新城安哲 博士の厚意による)

第123項　ネ　ズ　ミ

ネズミはヒトの生活圏に出没し，食害による経済的損失のみならず多くの疾病を共有し，また媒介し，人類に多大の損失を与えている．ネズミの生態をよく研究し実害のない程度にポピュレーションを押さえるのが賢明である．ネズミが媒介するレプトスピラ症は感染症新法では4類に指定されている．

分　類

ネズミはヒトの住居に出没する家鼠と，田畑や山林に住む野鼠とに大別できるがこの区別は厳密なものではなく家鼠でも野外生活をする場合もある．わが国に分布するネズミは2亜科11属24種とされ，その中で医学上重要な種は次のごとくである（＊印は家鼠，他は野鼠）．

Family Muridae ネズミ科
　Subfamily Murinae ネズミ亜科
　　＊ *Rattus rattus* クマネズミ（図704-A）
　　＊ *R. norvegicus* ドブネズミ（図704-B）
　　＊ *Mus musculus* ハツカネズミ（図704-C）
　　 Apodemus speciosus アカネズミ（図704-D）
　　 A. argenteus ヒメネズミ
　　 Micromys minutus カヤネズミ
　Subfamily Microtinae ハタネズミ亜科
　　 Microtus montebelli ハタネズミ（図704-E）
　　 Eothenomys kageus カゲネズミ
　　 E. smithii スミスネズミ
　　 Clethrionomys rutilus ヒメヤチネズミ
　　 C. rufocanus bedfordiae エゾヤチネズミ

家　鼠

1. **クマネズミ**　主として倉庫，人家の天井裏などに棲んでおり roof rat といわれる．耳介が大きく，折りまげると眼を被う点と，尾の長さが体長より長い点でドブネズミと区別できる．また毛並み，頭蓋骨，臼歯の形態も両者で異なる．

2. **ドブネズミ**　クマネズミより体が大きく耳介が比較的小さく眼を被わず，尾が体長より短い．人家の台所，下水，ドブ，風呂まではやってくるが押入れや天井裏までは入らない．堤防や畑地など野外にも棲む．

3. **ハツカネズミ**　体が小さく体重20～40gである．欧米では本種が人家内に多い．日本では農家の納屋などによく見かける程度であったが，最近は都市の住居内にもみられ，筆者の家にも棲息した．

野　鼠

野鼠は通常，山林，原野，田畑などに穴を掘って生活している．

ネズミの害

1) **食害**　家鼠は食品，器物，衣料などを食害し，時には電線を齧って火事や電算機事故を起こす．また農林業への被害も甚大である．

2) **ネズミ咬傷**　時に幼児が口や鼻を咬まれる．

3) **ペスト**　（第116項参照）

4) **腎症候性出血熱**　（第124項参照）

5) **レプトスピラ症**　病原体は *Leptospira interrogans* で，この中に多数の血清型がある．重症となる**ワイル病** Weil's disease は *L. icterohaemorrhagiae* や *L. copenhageni* によって起こり，中等症～軽症の**秋季レプトスピラ症**（静岡県の**秋疫**や福岡県の**七日熱**）は *L. autumanalis* や *L. hebdomadis* によって起こるとされている．これら病原体は通常ネズミの尿細管内に寄生・増殖し，尿中に排泄される．これがヒトに経口的または経皮的に侵入し感染する．ワイル病の場合は高熱，筋肉痛，結膜充血，黄疸，出血傾向，腎不全などを示し重症化し，死亡することがある．主にドブネズミが保菌動物で，有光ら（1984）によるとわが国のドブネズミの半数近くが感染しており，1972年から1983年までの本症による死者は236名と多かったが，その後次第に減少している．しかし時に重症例，死亡例が報告されている．治療は，重症者にはペニシリン，症状の軽い場合ドキシサイクリン，エリスロマイシンが有効で，ストレプトマイシンも著効を示す．予防にはワクチンを用いるが効果は血清型特異的である[注1]．一方，秋季レプトスピラ症は比較的軽症に経過し，ハタネズミなど野鼠が保菌動物となっている．台風や洪水後のレプトスピラ症の発生には注意が必要である．

6) **鼠咬症** rat-bite disease　病原体はスピロヘータの1種 *Spirillum minus* でネズミに咬まれたとき感染し，発疹を伴う高熱を発する．

7) **サルモネラ症** salmonellosis　ネズミが保菌獣でその糞便中のサルモネラ菌に汚染された食品をヒトが食べると激しい中毒症状を発する．嘔吐，下痢，発熱，脱水を起こし死亡する場合もある．

8) **ツツガムシ病**　（第109項参照）

9) **寄生虫性疾患**　ネズミが関与するヒトの主な寄生虫症を列挙すれば，旋毛虫，広東住血線虫，多包条虫，縮小条虫，小形条虫，肝吸虫，棘口吸虫，日本住血吸虫，赤痢アメーバ，トキソプラズマ，バベシアなどすこぶる多い．

ネズミの生態と駆除

ネズミの妊娠期間はほぼ20日で，平均産児数はクマネズミで6.06頭，ドブネズミで8.21頭，野鼠では2.3～5.0頭である．生後約1カ月たつと母獣から離れ，分散して自分の生活圏（territory）を作り，約3カ月で出産可能となる．計算上はネズミ算式に増えるが自然界ではなかなかその通りにはゆかず，入手できる餌の量，スペース，他の動物との競合など種々

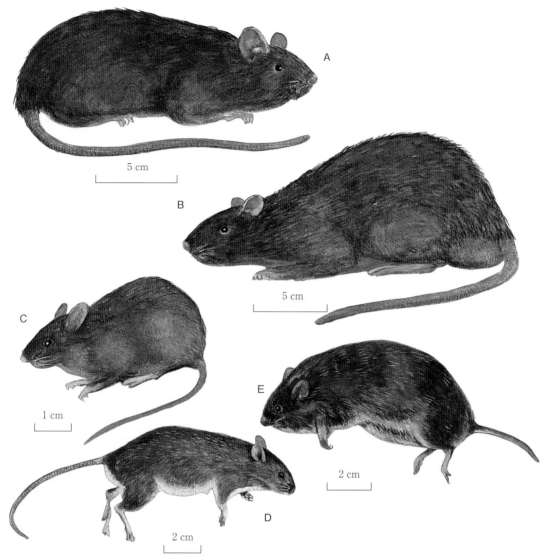

図704. わが国に普通にみられる家鼠および野鼠(筆者作画)
A. クマネズミ, B. ドブネズミ, C. ハツカネズミ, D. アカネズミ, E. ハタネズミ

の因子に影響され,一定の個体群密度を保っている.このバランスが崩れた時,ネズミの大発生が起こったりする.

われわれはネズミを駆除するに当たってはネズミの生理・生態をよく研究し,その弱点を攻撃しなければ労多くして効少ない.ネズミ駆除の基本はネズミの住みにくい環境を作ることである.すなわち建物には防鼠設計を施し,ネズミの餌となるものを金属容器にしまい込み,厨芥の処理を完全にするなど環境的防除を行うならばネズミはよりつかなくなる.

またネズミを駆除するのに天敵を利用する方法があり,島などでよく用いられた.トカラ群島ではイタチを移入しネズミを駆逐した.鹿児島県本土では在来種でも,トカラ列島の島では外来種で,現在では県の緊急防除種に指定されている.

在来生物を捕食し,両生は虫類の絶滅や農業被害(ニワトリなど)の影響も出ている[註2].

殺鼠剤は累積毒と急性毒に大別される.前者はワルファリン,クマテトラリルなどクマリン誘導体で抗凝血作用を有し,少量ずつでも5日間食べるとネズミは死亡する.毎日新しい餌を配置する.後者はα-ナフチルチオウレア(アンツー),シリロシドなどで,1回の喫食で奏効する.ネズミが毒餌をうまく食べるように工夫することが大切である.粘着紙で捕獲する方法も有効である.

註1 小泉信夫ら(2008):IASR. 29:5-7.
註2 国立環境研究所:侵入生物データベース.

第124項 ネズミと腎症候性出血熱

腎症候性出血熱は齧歯類に由来するハンタウイルスに起因する疾患で，北欧，東欧，極東に広く分布し，わが国でも1970～1980年代に大学などの実験用ネズミから感染し大きな問題となった．現在患者は減少しているが，近隣諸国ではなお流行しているので注意を要する．感染症新法では4類感染症に指定されている．

【疾病名】 従来，各国で流行性出血熱 epidemic hemorrhagic fever，韓国型出血熱 Korean hemorrhagic fever などと呼ばれてきたが，1982年にWHOは腎症候性出血熱 hemorrhagic fever with renal syndrome（HFRS）という名称に統一された．一方，新世界（南北アメリカ大陸）の齧歯目由来ハンタウイルスに起因する感染症は，ハンタウイルス肺症候群（hantavirus pulmonary syndrome：HPS）で，1993～2017年1月の25年間で728症例が確認されている．

【歴史ならびに疫学】 1938年頃，中国東北部（旧満州）に出兵していた日本軍兵士の間に強い蛋白尿と出血傾向を伴う熱性疾患が流行し，日本陸軍によって流行性出血熱と名付けられた．その後1951年にはいわゆる韓国動乱に出兵していた国連軍兵士の間に本症が流行し，約3,000名の患者が出て大問題となった．

日本では1960年に大阪で田村が第1例を発見し，その後1970年までの間に119例の患者が発生し2例が死亡した．これは梅田周辺に集中していたので梅田奇病とか梅新熱などと呼ばれ，地下道のネズミの保有している病原体をホクマントゲダニ *Laelaps jettmari* などが媒介するのではないかと想像された．しかし本症はその後終息した．

韓国では動乱以後も本症は土着し，軍人および民間人を合わせ毎年300～800名の患者を出していた．そして致命率は平均6.5％であるという．韓国高麗大学の李鎬汪教授は本症の研究を行い，1978年にコウライセスジネズミ *Apodemus agrarius coreae* から病原体であるウイルスを発見し，Hantaan virus と命名した．その後このウイルスは直径92～95nmの球形で Bunya ウイルス科ハンタウイルス属に属すると報告された．

その後の研究によると本症には2つのタイプ，すなわち旧満州や韓国に分布する Apodemus タイプ（野鼠由来）と，日本や旧ソ連や，最近中国の都市部でみられる rat タイプ（家鼠由来）とがあり，前者は重症型，後者は軽症型が多いとされる．

【日本における近年の流行】 1975年頃から日本各地の大学医学部で動物実験とくにラットを取り扱った研究者や飼育者が発症し，李教授の血清診断を受けた症例のすべてが抗体陽性であった．現在までの患者数は126名で，22施設から発生し，うち1名死亡した．一方，鈴木ら（1984）は清水港のドブネズミ153匹を検査したところ，35匹に抗体を見出し，汚染を指摘した．しかし最近減少し，1999年から2020年1月現在まで，患者は発生していない．

【症　状】 ハンタウイルスの主な標的細胞は毛細血管内皮細胞で，HFRSでは腎血管内皮，HPSでは肺血管内皮が主な病変部位である．

重症型では2～4週間の潜伏期間の後，突然，悪寒戦慄をもって発熱し，38～40℃の高熱が出て4～5日稽留したのち解熱する．この間，強い全身倦怠や重病感があり，頭痛，腰痛，筋肉痛，消化器症状，肝腫大，精神不穏などを伴う．また第3病日頃から上口蓋粘膜，躯幹の点状出血，Rumpel-Leede 現象陽性など出血傾向を示し，尿所見としては，はじめ乏尿，解熱後多尿，蛋白・ウロビリノーゲン・糖の陽性，沈渣の病的所見を呈する．血液所見としては初期（第3病日頃）の白血球減少，次いで増加，第6病日頃のリンパ球，異型リンパ球の増加がみられる．血清 GOT，GPT，LDH，CPK 値も特異的に上昇する．さらに重篤例では強い出血傾向と，播種性血管内凝固（DIC），血圧降下・チアノーゼなどショック症状，腎不全，心不全を来し死亡することがある．しかし現在わが国では，人工透析など対症療法も行き届いており死亡率は低い．軽症例では上記の症状がすべて軽度で，安静と輸液を行うのみで3～4週間で治癒する．

【診　断】 臨床症状とその特有の経過，とくに実験動物に関与している人では注意を払う．インフルエンザ，急性肝炎，急性腎炎，伝染性単核症などと誤診されやすい．

間接蛍光抗体法や血球凝集抑制反応などによって血清中の抗体測定が行われる．抗原にはHantaan virusやわが国でラットから分離された株が用いられている．BSL3病原体であるため，感染性のあるウイルスを用いる場合はP3実験施設で実施する必要がある．遺伝子診断として急性期の検体を用いたRT-PCR法やnested RT-PCR法も有効である．

【治　療】 入院させ，安静を保ち，輸液をはじめ対症療法により全身状態を管理する．DICの徴候のあるときはヘパリンを投与し，腎不全の場合は人工透析を行う．

【感染経路と予防】 本症はヒトからヒトへは感染せず，感染ネズミの排泄物，血液，死体などに存在するウイルスをヒトが経気道あるいは経口的に摂取して感染するとされ，ダニ媒介説は否定された．しかしヒトの場合でもウイルス血症の可能性は高いので患者や器具の取り扱いは十分注意する必要がある．

一方，動物実験を行う者は，バイオハザード防止施設を用い，野鼠の侵入を防ぐことはもちろん，常に清潔を保ち，動物の濃厚飼育を避けること．また必ずマスク・手袋などを着用し，動物の近辺で飲食，喫煙をしないこと，などに留意しなければならない．しかし約10分間動物舎に入っただけで発症したという例もある．

第125項　有害生物への対策

第二次大戦以前，わが国では殺虫剤としては専ら除虫菊製剤，石油乳剤，フォルマリンなどが用いられたが，大戦後，米国から種々の新しい合成殺虫剤が入り大変革をもたらした．しかしその毒性，それに対する昆虫の抵抗性の獲得など種々の問題が生じ，現在なお変革の過程にある．一般に，有害生物の管理にあたっては，化学的，生物的，環境的および物理的防除を組み合わせて，総合的対策を講じる必要がある（Integrated Pest Management）．

A. 化学的防除 Chemical Control
（殺虫剤 insecticide, pesticide による防除）[註1]

Ⅰ．ピレスロイド系殺虫剤

除虫菊（シロバナムシヨケギク）の花に含まれる殺虫成分であるピレトリン類と構造的に類似した合成化合物群を含んだ殺虫剤．ナトリウムイオンチャネルに働き正常な神経伝達を阻害する．一般に速効性で，毒性は昆虫類・魚類・両生類・爬虫類に対して大きく，哺乳類・鳥類には低い．近年，トコジラミなどではピレスロイド系殺虫剤に対する感受性の低下が広がっており，被害拡大の一つの要因になっていると考えられている[註2]．

Ⅱ．有機リン系殺虫剤

この系統の殺虫剤はまず農薬として現れた．すなわちTEPPやパラチオンがそれで，蝿虫などに非常に有効であるが毒性が強く，事故死，自殺，他殺などの事件があとを絶たず，製造禁止となった．

一方，本系統で人畜に毒性が少なく，昆虫には有効な薬剤の研究が活発に行われ，現在用いられている殺虫剤の主流をなすに至った．

1）**ダイアジノン diazinon**　殺虫力は大で速効性であるが不安定で残効性は少ない．やや毒性が強い．毒性を軽減するため最近，本剤をポリアミドで被い，マイクロカプセル化したダイアジノンMCという製剤が用いられるようになっている．

2）**マラチオン malathion**　人畜に対する毒性は低いが強い不快臭がある．マラソン，ジプテレックスなどがある．

3）**DDVP**　速効性で，かつノックダウンした昆虫は蘇生しない．残効性は少なく，毒性もやや強い．燻蒸用にバルサンがある．

4）**フェニトロチオン fenitrothion**　最近，非常に多く使用されており，人畜には低毒で，蚊，ハエ，ゴキブリ，ブユなどに有効である．やや遅効性で残効性は少ない．スミチオンなどの製剤がある．上記ダイアジノンと同様マイクロカプセル化製剤が用いられている．

5）その他，バイテックス baytex，ナンコール nankor，ジブロム dibrom などがある．有機リン系殺虫剤はいずれもコリンエステラーゼの活性を阻害し，アセチルコリンの蓄積によって昆虫を殺すのであるが，人畜に対しても同様の作用がある．

6）**有機リン系殺虫剤による中毒の診断と治療**　植物性殺虫剤による中毒はほとんどなく，また後述の塩素系殺虫剤は製造および使用が禁止されているので，ここでは有機リン系殺虫剤に限定して述べる．

【症状】

中毒の基本は著明なコリンエステラーゼの抑制が起こり，副交感神経の持続性過剰刺激状態が起こる．

軽症の場合は，全身倦怠感，頭痛，めまい，悪心，嘔吐，流涎，発汗などがみられ，中等症では縮瞳，筋の線維性攣縮，言語障害，歩行困難などがみられる．重症になると意識が混濁し，対光反射が消失し，全身の痙攣が起こる．

【診断】

血清・赤血球コリンエステラーゼ活性値の低下に注目する．すなわち軽症では正常値の50～20％，中等症では20～10％，重症では10～0％と低下する．また縮瞳，筋線維性攣縮，パラニトロフェノール，パラニトロクレゾールなどの尿中代謝産物の出現に注意する．

【治療法】

①PAM（コリンエステラーゼ阻害剤の拮抗剤）2.5％液20 ml，1～4筒静注，②アトロピンを中等症では2～3筒（1筒0.5 mg）皮下，重症では10筒以上静注，③テラブチク，ロベリン投与，人工呼吸，酸素吸入，気管分泌物吸引など呼吸確保，④輸液，などを行う．なお有機リン系殺虫剤以外の農薬中毒にはPAM禁忌の場合もあるので注意を要する．

Ⅲ．カーバメート系殺虫剤

カラバル豆の成分で，カルバミン酸の一種であるフィゾスチグミンにヒントを得て殺虫剤として使われるようになった．有機リン剤と同じくコリンエステラーゼ（ChE）阻害作用によって毒作用を現す．

代表的成分にはプロポスクルがある．

Ⅳ．有機塩素系殺虫剤

一つ以上の水素が塩素に置換された化合物で，PCB，DDT，HCHやダイオキシン類が含まれる．かつては，多くの国で有機塩素系農薬の大量散布された時代があったが，急性あるいは慢性毒性，脂肪親和性ゆえの生体蓄積，難分解性ゆえの環境残留性の観点から，わが国では1971年にその使用は禁止された．有機塩素系農薬類は「環境ホルモン」が疑われる主要な物質である．世界的にも，残留性有機汚染物質

註1　防疫用殺虫剤の詳細については日本防疫殺虫剤協会のホームページを参照されたい．
註2　日本衛生動物学会殺虫剤研究班のしおり（第81号，2010）

(POPs：Persistent Organic Pollutants)の減少を目的とするストックホルム条約(POPs条約)が2001年5月22日に採択され，2004年5月17日から発効した[註3]．現在，わが国ではオルソジクロロベンゼンのみが使われている．

1) **dichloro-diphenyl-trichloroethane(DDT)** 1874年ドイツの一学生 Zeidler によって合成された．その後1939年にスイスの Müller が，これに殺虫効果のあることを発見し，1948年にノーベル賞を受賞した．原子爆弾，ペニシリンと共に第二次大戦中の三大発見の一つといわれる．戦後，マラリア，発疹チフス，日本脳炎をはじめ多くの昆虫媒介伝染病の防疫に役立った．

DDTの長所は微量で有効，広範囲の昆虫に有効，構造が簡単で合成が容易，したがって廉価である，安定性があり効果が長く持続する(**残留効果** residual effect：1度塗っておけば数カ月有効)などである．欠点としては遅効性(昆虫がこれに触れてもすぐには死なず数時間ないし2〜3日後に死亡)，抵抗性がつきやすいこと，人体脂肪組織への蓄積性などの点である．人体有害物質として，わが国では1971年に製造禁止となった．

2) **benzene hexachloride(BHC)** 立体異性体 γ-BHC に最も強い殺虫力がある．DDTの1/10量で同じ効果がある．DDTより速効性であるが残留効果は少ない．抵抗性はつきにくい．同じく1971年に一般殺虫剤としては使用禁止となったが試薬としては販売され，疥癬の治療にも用いられていた．しかし，POPs条約で2010年4月1日，附属書A(廃絶)に指定[註4]され，現在は使用禁止となっている．

3) **クロールデン chlordane** シロアリ退治用として販売許可されていたが1986年製造禁止となった．

4) **オルソジクロルベンゼン** 農薬登録は，1979年1月24日に失効しているが，畜・鶏舎の殺菌消毒剤，殺虫剤(うじ殺し)，染料・顔料や医薬品の原料などに使われている．家庭で用いられる殺虫剤にも，オルソジクロロベンゼンを含むものがある．

V. 昆虫成長制御剤 Insect Growth Regulator(IGR)

IGR剤は昆虫の成長や休眠，産卵等の昆虫特有の機能を阻害し，その結果として死に至らせる殺虫剤で，主に農薬として使われている．作用特性の違いによっていくつかに類別されるが，代表的なものとして幼若ホルモン様活性物質であるメトプレン methoprene や，キチン合成阻害剤であるジフルベンズロン diflubenzuron などが普及した．

VI. 忌避剤 Repellent

昆虫にとって不快な薬物をヒトや家畜の体表あるいは衣服の上に塗布して，昆虫の吸血を予防するという方法である．数時間の効果があり，広く実用化されている．ディート(DEET, N,N-diethylmetatoluamide)は，元々，米軍のために開発された昆虫忌避剤であり，ハチ以外の種々の昆虫やダニを寄せ付けないとされる．副作用として神経障害が報告されている．わが国でも数社から販売されている．近年，イカリジンを配合した製剤も承認された．DEET剤，イカリジン剤ともに30％，15％と高濃度製剤も販売されている．

B. 生物学的防除 Biological Control

害虫の防除を目的に，微生物や昆虫類，性フェロモン等を用いて病害虫の防除を行う方法．即効性はなく完全防除はできないが，薬剤が効かない難防除害虫(薬剤抵抗性害虫)への活用も可能である．

例えば，ウイルスの増殖を阻害する共生細菌 Wolbachia を持たせた蚊を野外に放して集団を置き替える試みは，ブラジル，コロンビア，キリバチ，バヌアツ，シンガポール，フィジー，ベトナム，スリランカ，インド，オーストラリア等で実施されている．また，ゲノム編集技術と遺伝子ドライブを組み合わせた方法により，致死性の遺伝子あるいはマラリア耐性の遺伝子を組み換えた雄蚊(遺伝子改変蚊，Genetically modified mosquitoes)を野外に放し，集団を死滅させ，マラリア伝搬阻止を期待する方法が検討されている．しかし，野外への応用にはかなりの時間と論理的検証が必要である．

C. 環境的防除 Environmental Control

温度や湿度等の調整など，有害生物の住みにくく生まれにくい環境に改善する．

化学的防除・生物学的防除・環境的防除の他にも，機械や器具を使用して有害生物や害虫を排除あるいは駆除する物理的防除法もある．防蚊に用いるネットなどである．

註3 http://chm.pops.int/Home/tabid/2121/Default.aspx
註4 http://www.pops.int/TheConvention/ThePOPs/AllPOPs/tabid/2509/Default.aspx

第4部　総まとめ事項
　　　　およひ検査法

(筆者画)

第126項 人体寄生虫の感染経路のまとめ

人体寄生虫をその感染経路別にまとめた．わが国で現在，医学上重要と考えられる寄生虫は太字で示した．

Ⅰ．原虫類の感染経路

1. 囊子の経口摂取によって感染
   赤痢アメーバ
   大腸アメーバ
   小形アメーバ
   ヨードアメーバ
   メニール鞭毛虫
   ランブル鞭毛虫
   大腸バランチジウム
   トキソプラズマ
   ヒトブラストシスチス
2. 栄養型の経口摂取によって感染
   歯肉アメーバ
   口腔トリコモナス
   腸トリコモナス
3. 栄養型の経粘膜感染
   トキソプラズマ(有傷皮膚感染もありうる)
   フォーラーネグレリア(経鼻粘膜感染)
   カルバートソンアメーバ(経粘膜感染)
   カステラーニアメーバ(角膜感染)
   多食アメーバ(角膜感染)
4. 性交(同性愛を含む)によって感染
   腟トリコモナス
   赤痢アメーバ(性交時の糞便汚染による感染)
   ランブル鞭毛虫(同上)
   クリプトスポリジウム(同上)
5. 昆虫の刺咬によって感染
   三日熱マラリア原虫　　　⎫
   熱帯熱マラリア原虫　　　⎪
   四日熱マラリア原虫　　　⎬→ハマダラカ
   卵形マラリア原虫　　　　⎪
   二日熱マラリア原虫　　　　⎭
   ガンビアトリパノソーマ　　ツェツェバエ
   ローデシアトリパノソーマ　ツェツェバエ
   クルーズトリパノソーマ　　サシガメ
   ドノバンリーシュマニア　　サシチョウバエ
   熱帯リーシュマニア　　　　サシチョウバエ
   ブラジルリーシュマニア　　サシチョウバエ
   メキシコリーシュマニア　　サシチョウバエ
6. オーシストの経口摂取によって感染
   戦争シストイソスポラ
   クリプトスポリジウム
   サイクロスポーラ
   トキソプラズマ
   肉胞子虫(肉胞囊の摂取)
   ナナホシクドア(粘液胞子の摂取)
7. 胎盤感染
   トキソプラズマ
8. 経気道感染(飛沫感染)
   ニューモシスチス
9. ダニの刺咬によって感染
   バベシア
10. 輸血によって感染
    マラリア
    バベシア
    トリパノソーマ
    リーシュマニア

Ⅱ．線虫類の感染経路

1. 幼虫形成卵の経口摂取によって感染
   1) 産卵後数時間で幼虫形成卵となる　**蟯虫**
   2) 産卵後数日以上を要して幼虫形成卵となる
      回虫，ブタ回虫，イヌ回虫，**鞭虫**
2. 土壌中の感染幼虫の侵入によって感染
   1) 経口感染　ズビニ鉤虫，セイロン鉤虫，東洋毛様線虫，アメリカ鉤虫(経口腔粘膜感染)
   2) 経皮感染　**アメリカ鉤虫**，**糞線虫**，ズビニ鉤虫，セイロン鉤虫，ブラジル鉤虫，イヌ鉤虫
3. 中間宿主(待機宿主を含む)の経口摂取によって感染
   アニサキスおよび**テラノバ**　サバ，スルメイカ，タラ，サクラマス，ニシン，カツオ，アカマンボウなど
   広東住血線虫　アフリカマイマイ，ナメクジ，エビ，カエルなど
   有棘顎口虫　雷魚，カエル，ドジョウ
   剛棘顎口虫　輸入ドジョウ
   ドロレス顎口虫　淡水魚，ヘビ
   日本顎口虫　ドジョウ，ヤマカガシ
   旋尾線虫　ホタルイカ，タラ
   メジナ虫　ケンミジンコ
   フィリピン毛細虫　淡水魚？
   旋毛虫　ブタ，クマなどの肉

4. 昆虫の刺咬によって感染
   - バンクロフト糸状虫　　アカイエカ，コガタアカイエカ，シナハマダラカ，トウゴウヤブカなど
   - マレー糸状虫　　トウゴウヤブカ，ヌマカなど
   - 回旋糸状虫　　ブユ
   - ロア糸状虫　　アブ
   - 常在糸状虫　　ヌカカ
   - **イヌ糸状虫**　　アカイエカ，トウゴウヤブカなど
   - **東洋眼虫**　　オオメマトイなど(刺咬ではなく，涙や眼脂の摂取)
5. 自家感染を行うもの
   - **糞線虫**
   - フィリピン毛細虫

III. 吸虫類の感染経路

1. 中間宿主体内の**メタセルカリアの経口摂取**によって感染
   - **肝吸虫**　　モツゴ，ヒガイ，モロコ，タモロコ，ゼゼラ，タナゴ，ワカサギ，フナ，コイなど
   - **ウェステルマン肺吸虫(2倍体型)**　　主にサワガニ，イノシシの肉(脱嚢幼虫)
   - **ウェステルマン肺吸虫(3倍体型)**　　主にモクズガニ，イノシシの肉(脱嚢幼虫)
   - **宮崎肺吸虫**　　サワガニ
   - **横川吸虫**　　アユ，フナ，ウグイ，シラウオ，コイ，オイカワ，タナゴなど
   - 有害異形吸虫　　ボラ，メナダ，ハゼなど
   - 肝蛭および**巨大肝蛭**　　ミズタガラシ，セリ，ウシの胃・消化管や肝臓(脱嚢幼虫)(これらは中間宿主とはいえない)
   - **棘口吸虫**　　ドジョウ，カエル
   - 槍形吸虫　　アリ
   - 肥大吸虫　　菱の実など(表面にメタセルカリアが付着している)
   - 膵蛭　　ササキリ
   - 咽頭吸虫　　コイ，フナなど
2. **セルカリアの経皮侵入**によって感染
   - **日本住血吸虫**　　中間宿主はミヤイリガイ
   - マンソン住血吸血　　*Biomphalaria glabrata* など
   - ビルハルツ住血吸虫　　*Bulinus truncatus* など
   - **ムクドリ住血吸虫**　　ヒラマキガイモドキなど
   - *Trichobilharzia physellae*　　モノアラガイなど
   - *T. brevis*　　ヒメモノアラガイなど

IV. 条虫類の感染経路

1. **中間宿主の経口摂取**によって感染
   - **広節裂頭条虫**　　欧州諸国，シベリア，カナダ，チリなどに産するカワカマス，マスなど
   - **日本海裂頭条虫**　　日本近海産のサクラマス，カラフトマス，サケ
   - マンソン裂頭条虫(**マンソン孤虫**)　　ニワトリ，ヘビ，カエル
   - **クジラ複殖門条虫**　　イワシ(？)
   - **芽殖孤虫**　　？
   - **無鉤条虫**　　ウシの肉
   - **有鉤条虫**　　ブタの肉
   - **アジア条虫**　　ブタの肝臓
   - **縮小条虫**　　コクヌストモドキなど
   - **小形条虫**　　ノミ，コクゾウムシなど，しかし中間宿主を経由する感染は少なく，虫卵摂取が主とされている
   - **瓜実条虫**　　イヌノミ，ネコノミ，ヒトノミ，イヌハジラミなど
   - **有線条虫**　　マムシ，シマヘビなど
   - **ニベリン条虫**　　ニシン，タラ，イカなど(幼虫が咽頭粘膜上に寄生)
2. **虫卵の経口摂取**によって感染
   - **単包条虫**(**単包虫**)
   - **多包条虫**(**多包虫**)
   - 小形条虫
   - 有鉤条虫(**有鉤嚢虫**)
3. **自家感染**を行うもの
   - 小形条虫

V. 鉤頭虫類の感染経路

- *Moniliformis dubius*　　ゴキブリなど中間宿主の経口摂取による
- *Bolbosoma* sp.　　海産魚(？)

第127項　人体寄生虫の主な寄生部位のまとめ

部位	寄生虫
口腔咽頭	歯肉アメーバ 口腔トリコモナス ブラジルリーシュマニア 咽頭吸虫 ニベリン条虫
胃	回虫 **アニサキス・テラノバ幼虫**
小腸	**ランブル鞭毛虫** 戦争シストイソスポーラ **クリプトスポリジウム** サイクロスポーラ ナナホシクドア フェイヤー肉胞子虫 **回虫** **アニサキス・テラノバ幼虫** **ズビニ・アメリカ・セイロン鉤虫** 東洋毛様線虫 **糞線虫** 旋尾線虫幼虫 フィリピン毛細虫 **旋毛虫** **横川吸虫** 有害異形吸虫 **棘口吸虫** **広節裂頭条虫・日本海裂頭条虫** **クジラ複殖門条虫** **無鉤条虫** アジア条虫 有鉤条虫 小形条虫 縮小条虫 有線条虫 *Moniliformis dubius*
盲腸	**赤痢アメーバ** ヒトブラストシスチス 腸トリコモナス **蟯虫** **鞭虫**
大腸	**赤痢アメーバ** 大腸・ヨード・小形アメーバ メニール鞭毛虫 大腸バランチジウム **蟯虫** **鞭虫**
肝	**赤痢アメーバ** ガンビアトリパノソーマ

（太字はわが国で医学上重要なもの）

部位	寄生虫
肝	ドノバンリーシュマニア **マラリア原虫** トキソプラズマ イヌ・ネコ回虫幼虫 肝毛細虫 **肝吸虫・タイ肝吸虫** **肝蛭** 日本住血吸虫卵 単包虫・**多包虫**
胆管	**ランブル鞭毛虫** 回虫迷入 **肝吸虫・タイ肝吸虫** **肝蛭**
腹腔	アニサキス・テラノバ幼虫 マンソン孤虫
肺	赤痢アメーバ トキソプラズマ ニューモシスチス イヌ糸状虫幼虫 **ウェステルマン肺吸虫** 単包虫・**多包虫**
胸腔	**宮崎肺吸虫**
脾	赤痢アメーバ ガンビアトリパノソーマ ドノバンリーシュマニア マラリア原虫
脳	赤痢アメーバ フォーラーネグレリア カルバートソンアメーバ ガンビアトリパノソーマ ローデシアトリパノソーマ **トキソプラズマ** **熱帯熱マラリア原虫** イヌ・ネコ回虫幼虫 **広東住血線虫幼虫** ウェステルマン肺吸虫迷入 **日本住血吸虫卵** **有鉤嚢虫** 単包虫・**多包虫**
脊髄	広東住血線虫幼虫
眼	トキソプラズマ カステラーニ・多食アメーバ イヌ・ネコ回虫幼虫 **東洋眼虫** ロア糸状虫 回旋糸状虫 マンソン孤虫

部位	寄生虫
眼	有鉤嚢虫
血液	ガンビア・ローデシア・クルーズトリパノソーマ トキソプラズマ **マラリア原虫** バベシア バンクロフト・マレー糸状虫ミクロフィラリア **日本住血吸虫**（門脈系） マンソン住血吸虫（門脈系） ビルハルツ住血吸虫（膀胱・肛門静脈叢）
リンパ系	ガンビア・ローデシア・クルーズトリパノソーマ ドノバンリーシュマニア **トキソプラズマ** バンクロフト・マレー糸状虫
心臓	クルーズトリパノソーマ ドノバンリーシュマニア
骨	ドノバンリーシュマニア
筋肉	クルーズトリパノソーマ トキソプラズマ リンデマン肉胞子虫 イヌ・ネコ・ブタ回虫幼虫 **旋毛虫幼虫** **有鉤嚢虫**
皮膚・皮下	赤痢アメーバ 熱帯・ブラジル・メキシコリーシュマニア ブラジル鉤虫・**イヌ鉤虫幼虫** 回旋糸状虫 メジナ虫 ロア糸状虫 **イヌ糸状虫幼虫** **有棘・剛棘・ドロレス・日本顎口虫幼虫** 旋尾線虫幼虫 鳥類住血吸虫セルカリア **マンソン孤虫** 芽殖孤虫 **有鉤嚢虫**
腟	**腟トリコモナス**

第128項 輸入感染症とくに輸入寄生虫症のまとめ

近年，わが国と諸外国との交流が頻繁になるに伴い，輸入感染症が増加している．したがって日本の医師もこれら疾患の知識が必要である．1999年制定の感染症新法（2016年改正，15頁参照）でもこの点を重視している．

輸入感染症の侵入経路
1. 日本人が海外で感染し，帰国後発病する．
2. 感染外国人が入国後に発病する．
3. 感染外国人から2次感染する．
4. 輸入食品により感染する．
5. 輸入動物から感染する．

最近は航空機が発達し，海外で感染してもその潜伏期間中に入国する場合が多く，検疫によって防ぐことが困難である．以下に主な輸入感染症を列挙する．

Ⅰ．ウイルス性疾患
1. 痘瘡
2. デング熱
3. ラッサ熱
4. マールブルグ熱
5. エボラ出血熱
6. クリミヤ・コンゴ出血熱
7. 腎症候性出血熱　第124項参照
8. AIDS　第34項参照
9. ジカウイルス感染症　第113項参照
10. 重症急性呼吸器症候群（SARS）
11. 高病原性鳥インフルエンザ
12. 重症熱性血小板減少症候群（SFTS）　第107項参照
13. 中東呼吸器症候群（MERS）　2015年韓国で流行

Ⅱ．細菌性疾患
1. コレラ　インド，東南アジア，アフリカ各地で感染し帰国後発症する例がある．
2. 腸チフス，パラチフス
3. 細菌性赤痢　輸入動物や輸入食肉に見出されることもある．
4. ペスト　第116項参照
5. サルモネラ　輸入食品やミドリガメにしばしば見出される．
6. 淋疾・クラミジア・梅毒など性病

Ⅲ．寄生虫性疾患
寄生虫性疾患のわが国への輸入状況について各項において詳しく述べたので，ここでは疾患名を列挙するにとどめる．

A．原虫性疾患
1. マラリア　毎年70例前後の輸入マラリア症例が報告され，熱帯熱マラリアによる死亡例も時々報告されている．しかし2003年以降はやや減少の傾向がみられる．
2. 赤痢アメーバ症
3. ランブル鞭毛虫症
4. カラ・アザール
5. シャーガス病
6. アフリカ睡眠病
7. 東洋瘤腫
8. ブラジルおよびメキシコリーシュマニア症
9. 腟トリコモナス症
10. バベシア症
11. 大腸バランチジウム症
12. サイクロスポーラ症
13. 肉胞子虫症
14. クドア食中毒

B．線虫性疾患
1. 腸管寄生線虫症（回虫，鉤虫，鞭虫，糞線虫，旋尾線虫，アニサキス，フィリピン毛細虫など）
2. 広東住血線虫症
3. バンクロフト糸状虫症，マレー糸状虫症
4. 回旋糸状虫症，常在糸状虫症，ロア糸状虫症
5. 顎口虫症
6. 旋毛虫症

C．吸虫性疾患
1. 肝吸虫症，タイ肝吸虫症
2. 異形吸虫症
3. 肺吸虫症
4. 肥大吸虫症
5. 日本住血吸虫症，メコン住血吸虫症
6. マンソン住血吸虫症
7. ビルハルツ住血吸虫症

D．条虫性疾患
1. 広節/日本海裂頭条虫症
2. マンソン孤虫症
3. 無鉤条虫症
4. 有鉤条虫症および有鉤嚢虫症
5. 包虫症

E．衛生動物性疾患
1. 疥癬症
2. ケジラミ症
3. トコジラミ症

第129項　人獣共通感染症のまとめ

人獣共通感染症は人畜共通感染症ともいい，WHO，FAO（1979）の定義によればヒトと脊椎動物と共通して感染する医学上重要な疾患群で，世界で122疾患以上知られ，そのうち寄生虫性疾患が45を占めている．

人獣共通感染症 Zoonosis の定義

WHO（世界保健機関）およびFAO（食糧農業機関）の定義によれば "Those diseases and infections which are naturally transmitted between vertebrate animals and man" となっている．したがって起病原体は以下に示すごとくウイルス，リケッチア，細菌，真菌，原虫，蠕虫，節足動物など多岐にわたり，合計122疾患が挙げられている[註1]．

Zoonosis（複数は Zoonoses）はその感染様式からいくつかに分類され，下記のような特殊な用語が使われている．

1. Anthropozoonosis：ヒトが下等脊椎動物（lower vertebrate）から感染する．
2. Zooanthropozoonosis：下等脊椎動物がヒトから感染する．
3. Amphixenosis：ヒト，下等脊椎動物とも保有しており，互いに感染が移行しあう．

Zoonosis をさらに精細に検討してみると，同じ寄生虫でも地域により zoonosis であったり，なかったりする．例えば，カラ・アザール（ドノバンリーシュマニアによる）は地中海沿岸ではイヌが重要な保虫宿主となっているが，インドではイヌやその他の保虫宿主は存在せず，ヒトのみの疾患であり zoonosis ではない．

Zoonosis は医学上極めて重要な疾患群で，今後，人類が動物と共存し，これを利用してゆく上で看過できない領域である．本書は寄生虫書であるので原虫，蠕虫，節足動物に主眼をおきつつ，上記 WHO，FAO の報告書から抜粋し，かつ一部追加することにする．以下に疾患名と主な**保菌動物または保虫宿主 reservoir host** を示す．

I．ウイルス性疾患

1. アルボウイルス感染症（デング熱，出血熱，日本脳炎など）　アルボウイルス群は齧歯類，トリ，ウマ，ヤギ，ヒツジ，サル，ブタ，有袋類などに保持され，主として節足動物によって媒介される．
2. 狂犬病　イヌ，コウモリ，その他の野生動物
3. 腎症候性出血熱　コウライセスジネズミ，実験用ラット
4. ラッサ熱　齧歯類
5. マールブルグ病・エボラ出血熱　サル？

その他，合計20疾患

II．リケッチア性疾患

1. ツツガムシ病　ツツガムシ自身が *Orientia tsutsugamushi* を継代保有
2. 日本紅斑熱（*R. japonica* による）　野生動物
3. Q熱（*Coxiella burnetii* による）　ウシ，ヒツジ，ヤギ，イヌ

その他，合計12疾患

III．細菌性疾患

1. ブルセラ症（*Brucella abortus* など）　イヌ，ウシ，ブタ，ヤギ，ヒツジ，ウマ
2. 腸内細菌感染症（赤痢菌，大腸菌，サルモネラなど）　サル，家禽，ブタ，イヌ，トリ
3. レプトスピラ症（ワイル病）　ネズミ，イヌ，ブタ
4. ペスト　齧歯類
5. 回帰熱　齧歯類
6. レンサ球菌症　ウシ，イヌ
7. ブドウ球菌症　各種哺乳類
8. 非定型抗酸菌症　ブタ，ウシ，トリ
9. 野兎病　野兎，ヒツジ，齧歯類
10. ライム病　野生動物
11. ビブリオ症　ウシ，ヒツジ，魚など

その他，合計21疾患

IV．真菌性疾患

1. 皮膚糸状菌症（輪癬，白癬，黄癬など）　ネコ，イヌ，ウマ，ウシ，家禽
2. ニューモシスチス肺炎　家畜（？）

V．原虫性疾患

1. 赤痢アメーバ症　サル，イヌ
2. ヒトブラストシスチス症　サル，トリ
3. ローデシアトリパノソーマ症　カモシカ，ウシ
4. シャーガス病　イヌ，ネコ，アルマジロ
5. カラ・アザール　イヌ，キツネ
6. 東洋瘤腫　イヌ，齧歯類
7. ブラジルリーシュマニア症　イヌ，野生動物
8. メキシコリーシュマニア症　イヌ，野生動物
9. ランブル鞭毛虫　ビーバー
10. サルマラリア（*Plasmodium knowlesi*，*P. cynomolgi* など）　サル
11. トキソプラズマ症　ネコ，ネズミ，ヒツジ
12. 肉胞子虫症　ウマ，ウシ，ブタ
13. クリプトスポリジウム症　ネズミ，ネコ，ウシ
14. バベシア症　ネズミ，ウシ
15. 大腸バランチジウム症　ブタ

16. クドア食中毒　　ヒラメ

VI. 蠕虫性疾患
A. 線虫症
1. ブタ回虫症　　ブタ
2. イヌ・ネコ・アライグマ回虫症　　イヌ，ネコ，アライグマ
3. アニサキス症　　海棲哺乳類
4. セイロン鉤虫症　　イヌ，ネコ
5. ブラジル鉤虫症　　ネコ，イヌ
6. イヌ鉤虫症　　イヌ
7. 広東住血線虫症　　ネズミ
8. コスタリカ住血線虫症　　ネズミ
9. 糞線虫症　　イヌ，サル
10. 毛様線虫症　　反芻獣
11. 有棘顎口虫症　　イヌ，ネコ
12. 剛棘顎口虫症　　ブタ
13. ドロレス顎口虫症　　イノシシ，ブタ
14. 日本顎口虫症　　イタチ
15. 東洋眼虫症　　イヌ
16. マレー糸状虫症　　サル，ネコ
17. イヌ糸状虫症　　イヌ，ネコ
18. *Dirofilaria repens* 感染症　　イヌ，ネコ
19. 旋毛虫症　　ブタ，クマ，ネズミ
20. メジナ虫症　　イヌ
21. 肝毛細虫症　　齧歯類
22. フィリピン毛細虫症　　淡水魚，トリ
23. 旋尾線虫症　　ホタルイカ(中間宿主)，海棲哺乳類(終宿主?)

B. 吸虫症
1. 肝吸虫症　　イヌ，ネコ，ネズミ
2. タイ肝吸虫症　　イヌ，ネコ
3. ウェステルマン肺吸虫症　　イヌ，ネコ
4. 宮崎肺吸虫症　　イタチ，タヌキ，イヌ
5. 横川吸虫症　　イヌ，ネコ，ネズミ
6. 有害異形吸虫症　　イヌ，ネコ
7. 槍形吸虫症　　反芻獣
8. 棘口吸虫症　　イヌ，ネコ，齧歯類，鳥類
9. 肝蛭症　　反芻獣
10. 巨大肝蛭症　　反芻獣
11. 肥大吸虫症　　ブタ，イヌ
12. 日本住血吸虫症　　ウシ，ネコ，ネズミ
13. マンソン住血吸虫症　　齧歯類，サル
14. ビルハルツ住血吸虫症　　齧歯類，チンパンジー
15. 鳥類住血吸虫セルカリア性皮膚炎　　鳥類
16. 咽頭吸虫症　　水鳥

C. 条虫症
1. 広節裂頭条虫症　　イヌ，クマ
2. 日本海裂頭条虫症　　ヒグマ，海棲哺乳類?
3. クジラ複殖門条虫症　　海棲哺乳類
4. マンソン孤虫症　　ネコ，イヌ
5. 無鉤条虫症　　ウシ(中間宿主)
6. アジア条虫　　ブタ(中間宿主)
7. 有鉤条虫症および有鉤嚢虫症　　ブタ(中間宿主)
8. 瓜実条虫症　　イヌ，ネコ
9. 単包虫症　　イヌ
10. 多包虫症　　キツネ，イヌ
11. 縮小条虫症　　ネズミ
12. 小形条虫症　　ネズミ
13. 有線条虫症　　イヌ，ネコ
14. 共尾虫症　　イヌ，ヒツジ
15. ニベリン条虫症　　サメなど

VII. 節足動物感染症
1. ダニ刺咬症(トゲダニ，イエダニ，マダニ，ツツガムシ，ヒゼンダニなど)　　イヌ，ネズミ，イノシシ，シカ
2. ノミ刺咬症(イヌノミ，ネコノミ，ケオプスネズミノミ，スナノミなど)　　イヌ，ネコ，ネズミ
3. 蚊，ブユ，アブ，トコジラミ，シバンムシアリガタバチ，ハエ症など　　種々の哺乳類，鳥類，昆虫類など

以上のごとく多数の疾患がzoonosisとして挙げられているが，その中で寄生虫性疾患の占める割合は大きい．

註1　WHO(1979) : Parasitic Zoonoses. Report of a WHO Expert Committee with the Participation of FAO. WHO Technical Report Series 637. 1-107, WHO, Geneva.

第130項 寄生虫症の主要症状のまとめ

寄生虫感染による症状は寄生虫の種類により極めて特徴的なこともあれば，かなり漠然としていることもある．また感染の程度により局所的な症状から全身的な症状にいたるまで幅がある．ここでは多数の寄生虫症を症状別に分類してみた．患者が訴える主な症状を下の項目に当てはめ，その項目の寄生虫症を念頭に置いて診断を進めるとよい．

全身症状	発熱	原虫性疾患		アメーバ性肝膿瘍，原発性アメーバ性髄膜脳炎，アメーバ性肉芽腫性脳炎，アフリカ睡眠病，シャーガス病，カラ・アザール，トキソプラズマ症，マラリア(高熱)，ニューモシスチス肺炎(高熱)
		蠕虫性疾患		広東住血線虫症，バンクロフトおよびマレー糸状虫症，旋毛虫症，棘口吸虫症，肝蛭症
	末梢血好酸球増加	原虫性疾患		ほとんど末梢血好酸球増加を示さない
		蠕虫性疾患	高度	イヌ・ネコ・ブタ回虫幼虫移行症，鉤虫症(若菜病)，広東住血線虫症，旋毛虫症，宮崎肺吸虫症，棘口吸虫症，肝蛭症
			中等度	回虫症，アニサキス症，旋尾線虫症，各種顎口虫症，糞線虫症，バンクロフト・マレー糸状虫症，イヌ糸状虫症，ウェステルマン肺吸虫症，日本住血吸虫症，マンソン・ビルハルツ住血吸虫症，マンソン孤虫症，有鉤嚢虫症，包虫症，小形条虫症
			軽度	蟯虫症，東洋毛様線虫症，東洋眼虫症，鞭虫症，横川吸虫症
	貧血	原虫性疾患		赤痢アメーバ症，マラリア(とくに熱帯熱マラリア)，トリパノソーマ症，カラ・アザール
		蠕虫性疾患		鉤虫症，日本住血吸虫症
消化器症状	腹痛	急性		赤痢アメーバ症(腸壁の穿孔時)，回虫症(胆管・虫垂への迷入，腸閉塞，腸壁穿孔時)，アニサキス症，旋尾線虫症，旋毛虫症，棘口吸虫症，肝蛭症，ハエ症
		慢性		赤痢アメーバ症，ランブル鞭毛虫症，戦争シストイソスポーラ症，クリプトスポリジウム症，大腸バランチジウム症，回虫症，蟯虫症，鉤虫症，東洋毛様線虫症，糞線虫症，鞭虫症，フィリピン毛細虫症，日本住血吸虫症，広節裂頭条虫症，日本海裂頭条虫症，クジラ複殖門条虫症，無鉤条虫症，小形条虫症，縮小条虫症，有線条虫症
	下痢(血便)	原虫性疾患		赤痢アメーバ症(粘血便)，ランブル鞭毛虫症，戦争シストイソスポーラ症，クリプトスポリジウム症，肉胞子虫症，クドア食中毒，熱帯熱マラリア(下血)，ヒトブラストシスチス症，大腸バランチジウム症(下血)
		蠕虫性疾患		鉤虫症(下血)，蟯虫症，東洋毛様線虫症，糞線虫症，鞭虫症，フィリピン毛細虫症，旋毛虫症，横川吸虫症，棘口吸虫症，日本住血吸虫・マンソン住血吸虫症(粘血便)，広節裂頭条虫症，日本海裂頭条虫症，クジラ複殖門条虫症，無鉤条虫症，アジア条虫症，小形条虫症，縮小条虫症，有線条虫症，鉤頭虫症
呼吸器症状	肺炎症状			ニューモシスチス肺炎，先天性トキソプラズマ症，Löffler症候群(回虫・鉤虫・糞線虫の幼虫の肺移行による一過性の肺炎)
	肺腫瘍症状			赤痢アメーバ性肺膿瘍，イヌ糸状虫症(X線上，銭型陰影)，ウェステルマン肺吸虫(X線上，結節あるいは空洞影)，肺包虫症(X線上，肺嚢胞陰影)
	気胸・胸水			宮崎肺吸虫症
	咳・喀痰			上記のすべてにみられる．また咽頭吸虫症，屋内塵ダニアレルギーによる喘息様発作
	血痰			ウェステルマン肺吸虫症

肝・脾腫	肝膿瘍		アメーバ性肝膿瘍
	肝嚢胞		包虫症
	肝脾腫大		アフリカ睡眠病，シャーガス病，カラ・アザール（とくに脾腫），トキソプラズマ症，マラリア（とくに脾腫），イヌ・ネコ・ブタ回虫幼虫移行症，肝吸虫症，肝蛭症，日本住血吸虫症，マンソン住血吸虫症
	肝硬変		肝吸虫症，日本住血吸虫症
皮膚症状	原虫性疾患		赤痢アメーバ性皮膚潰瘍，アフリカトリパノソーマ症初期皮膚紅斑，熱帯リーシュマニア症，ブラジルリーシュマニア症（粘膜も），メキシコリーシュマニア症，トキソプラズマ症急性期皮疹
	蠕虫性疾患		鉤虫・糞線虫感染幼虫侵入による点状皮膚炎(ground itch)，イヌ鉤虫・ブラジル鉤虫幼虫による皮膚爬行症(creeping eruption)，有棘顎口虫による遊走性限局性皮膚腫脹，剛棘・ドロレス・日本顎口虫・旋尾線虫などによる皮膚爬行症，イヌ糸状虫幼虫皮膚爬行症，回旋糸状虫による皮膚炎ならびに皮下腫瘤，ロア糸状虫遊走性皮膚腫瘤，メジナ虫皮膚潰瘍，バンクロフト・マレー糸状虫による象皮病，旋毛虫症初期皮疹，ウェステルマン肺吸虫皮膚移行症，日本・マンソン・ビルハルツ住血吸虫セルカリア性皮膚炎(swimmer's itch)，鳥類住血吸虫セルカリア性皮膚炎，マンソン孤虫遊走性皮膚腫脹，皮膚有鉤嚢虫症
	衛生動物性疾患		マダニ，ツメダニ，ツツガムシ，ヒゼンダニ，ニキビダニ，蚊，ブユ，アブ，ドクガ，ノミ，シラミ，ケジラミ，トコジラミ，シバンムシアリガタバチ，ハチ，ムカデ，ヒアリなどの刺咬ないし穿刺による皮膚炎，またツツガムシ病，紅斑熱，ライム病などの特有の皮疹・紅斑
中枢神経症状	脳炎・髄膜炎	原虫性疾患	アフリカ睡眠病，フォーラーネグレリアによる原発性アメーバ性髄膜脳炎，カルバートソンアメーバによるアメーバ性肉芽腫性脳炎，トキソプラズマ性脳炎，熱帯熱マラリアによる脳血管障害
		蠕虫性疾患	広東住血線虫による好酸球性髄膜脳炎
	脳膿瘍・腫瘍	原虫性疾患	赤痢アメーバによる脳膿瘍，トキソプラズマによる脳膿瘍
		蠕虫性疾患	ウェステルマン肺吸虫の脳迷入，日本住血吸虫虫卵の脳血管塞栓，有鉤嚢虫症，包虫症
眼症状	網膜炎	原虫性疾患	トキソプラズマ症（網脈絡膜炎）
		蠕虫性疾患	イヌ・ネコ回虫幼虫移行症（網膜以外にも移行する）
	角膜炎	原虫性疾患	カステラーニアメーバ，多食アメーバなどによるアカントアメーバ角膜炎
		蠕虫性疾患	回旋糸状虫ミクロフィラリアの角膜・網膜・視神経への侵入
	結膜炎	蠕虫性疾患	東洋眼虫症，ロア糸状虫症，旋尾線虫幼虫症
	眼腫瘍	蠕虫性疾患	マンソン孤虫症，有鉤嚢虫症
	眼瞼浮腫	原虫性疾患	シャーガス病(Romaña徴候)
		蠕虫性疾患	旋毛虫症
泌尿生殖系症状	原虫性疾患		腟トリコモナス性腟炎，熱帯熱マラリアによるヘモグロビン尿
	蠕虫性疾患		蟯虫性腟炎，バンクロフト糸状虫による乳糜尿・乳糜血尿・陰嚢水腫，象皮病，ビルハルツ住血吸虫による血尿
	衛生動物性疾患		ケジラミ・疥癬感染による陰部皮膚炎

第131項 主な駆虫薬および駆虫法のまとめ

分類	疾患名	薬剤名（商品名）	用量・用法・副作用
原虫性疾患	アメーバ赤痢	1. メトロニダゾール（フラジール）	1,500mg/日，分3，10日間（2,250mg/日まで増量可），禁酒 内服不能例ではメトロニダゾール注射薬（アネメトロ）500mg，8時間毎に7日間（あるいは初回1,000mg，その後6時間毎に500mg投与）
		2. チニダゾール（ハイシジン）	1,200mg/日，分3，7日間
		3. パロモマイシン（アメパロモ）	1,500mg，分3，10日間
	アメーバ性肝膿瘍	上記1, 2	上記量10日〜2週間
	ガンビアトリパノソーマ症およびローデシアトリパノソーマ症	1. ペンタミジン（ベナンバックス注）	感染初・中期に用いる．4mg/kg（最大200mg），7日間点滴静注または筋注
		2. スラミン	初日5mg/kg，その後20mg/kg（最大1g）静注週1回，計5週間
		3. メラルソプロール	感染中・後期に用いる．2.2mg/kg/日，緩徐に静注 10日間，プレドニゾロン1mg/kg/日（最大40mg）併用 髄液細胞増多など副作用に注意
	クルーズトリパノソーマ症	1. ニフルチモックス	8〜10mg/kg/日（小児15mg/kg/日まで可）分3，1〜4ヵ月
		2. ベンズニダゾール	5〜10mg/kg/日，分2，1〜2ヵ月間，慢性期にも有効
	内臓リーシュマニア症	1. スチボグルコン酸ナトリウム	20mg/kg/日（最大800mg/日），静注または筋注，28日間
		2. ミルテフォシン	成人100mg/日，分2，小児2.5mg/kg，28日間
		3. リポソーム化アムホテリシンB（アムビゾーム）	4mg/kg，1回/日，静注 1〜5日間（連続）と10, 17, 24, 31および38日目追加，国内での第一選択薬
	皮膚リーシュマニア症 粘膜・皮膚リーシュマニア症	上記1, 2に同じ	1：10-20日間，2：28日間
		3. リポソーム化アムホテリシンB（アムビゾーム）	2.5〜3.0mg/kg，1回/日，静注 6日間から21日間
	ランブル鞭毛虫症	1. メトロニダゾール	成人750mg（1錠250mg）/日，分3，5〜10日間，禁飲酒
		2. チニダゾール	成人400mg（1錠200mg）/日，分2，5〜10日間，禁飲酒
	腟トリコモナス症	1. メトロニダゾール	成人500mg（1錠250mg）/日，分2，10日間，同時に腟錠1錠（250mg）/日，腟内挿入，10日間
		2. チニダゾール	成人400mg（1錠200mg）/日，分2，10日間，同時に腟錠1錠（200mg）/日，腟内挿入，10日間
	合併症のない熱帯熱マラリア，および非熱帯熱マラリア	1. アルテメテル・ルメファントリン配合錠（リアメット配合錠）	成人では1回4錠を初回，8, 24, 36, 48, 60時間後の食後
		2. アトバコン・プログアニル塩酸塩（マラロン配合錠）	成人，1回4錠，1回/日，3日間，食後
		3. メフロキン塩酸塩（メファキン）	成人，初回3錠，6〜24時間後に2錠 耐性報告のあるタイ国境地帯の患者には投与しない
	重症マラリア	1. グルコン酸キニーネ注射液（キニマックス注：キニーネ塩基250mg/2ml）	キニーネ塩基として8mg/kgを8時間毎に4時間以上かけて点滴投与
	三日熱・卵形マラリアにおける根治療法	プリマキン（プリマキン）	通常，成人には1回2錠，1回/日，14日間投与，肝内休眠原虫を殺し再発を防ぐ目的で急性期治療に続いて投与する．G6PD欠損でないことを確認すること．
	ニューモシスチス肺炎	1. ST合剤（バクタ, バクトラミン）	バクタ1回4錠，3回/日（体重50kg未満は1回3錠）あるいはバクトラミン1回3〜4アンプル，1日3回，14日間．肝腎障害，消化器症状，骨髄抑制など副作用がある
		2. ペンタミジン（ベナンバックス注）	4mg/kg/日，点滴静注，14日間．
		3. アトバコン（サムチレール内用懸濁液）	1回5ml，1日2回．

疾病や治療の詳細は本書該当項や「寄生虫症薬物療法の手引き-2020」（https://www.nettai.org/）等を参照のこと．

主な駆虫薬 および 駆虫法のまとめ

分類	疾患名	薬剤名（商品名）	用量・用法・副作用
原虫性疾患	免疫不全者のクリプトスポリジウム症	1. ニタゾキサニド（Alinia）	1～2g/日，分2，14日間，健常者では3日間
		2. パロモマイシン（アメパロモ）	1.5～2.25g/日（25～35mg/kg/日），分3，14日間．上記1あるいは2をアジスロマイシン600mg/日と併用
	免疫不全者のトキソプラズマ症	1. ピリメタミン（Daraprim）	初日200mg/日，分2，その後50～75mg/日，軽快後4～6週4.0～6.0g/日，分4
		2. スルファジアジン	
		3. ロイコボリン　1-3を併用	10～20mg/日，ピリメタミン中止後1週まで継続
		4. ST合剤	バクタ1回3～4錠を2～3回/日
	妊婦のトキソプラズマ初感染症	1. スピラマイシン	妊娠16～18以前，3g/日，分3，分娩または胎児感染の判明まで
		2. ピリメタミン（Daraprim）	最初の2日間100mg/日，分2，その後50mg/日，分娩まで
		3. スルファジアジン	1回50mg/kg（最大2g/日），1日2回，分娩まで
		4. ロイコボリン　2-4を併用	10～20mg/日，ピリメタミン中止後1週まで継続
	先天性トキソプラズマ症	1. ピリメタミン（Daraprim）	最初の2日間2mg/kg/日，その後2～6ヵ月間1mg/kg/日，その後同量を週3回1年間
		2. スルファジアジン	1回50mg/kg，1日2回，1年間
		3. ロイコボリン　1-3を併用	10～20mg/日，ピリメタミン中止後1週まで継続
線虫性疾患	回虫症	1. ピランテル　パモエイト（コンバントリン）	5～10mg/kg頓用，2～3歳にはシロップ2ml（100mg）頓用，妊婦には投与を避ける
	蟯虫症	1. ピランテル　パモエイト	上記回虫と同様に用いる
		2. メベンダゾール（メベンダゾール）	100mgを1日2回，2～3日間投与，2～3週後にもう1回投与，体重20kg以下の小児は半量，妊婦には投与しない
	鉤虫症	1. ピランテル パモエイト	上記回虫と同様に用いる
		2. メベンダゾール	3～4mg/kg/日，頓用または分2，3日間連用，妊婦は禁忌
	鞭虫症	1. メベンダゾール	上記鉤虫と同様に用いる，重症の場合は5日間連用
	糞線虫症	1. イベルメクチン（ストロメクトール）	200μg/kgを空腹時に水で服用，2週間後に同量服用
	糸状虫症	1. ジエチルカルバマジン（スパトニン）	初日2mg/kg 1回，2日目2回，3日目3回，以後1日3回を12日間投与する．ミクロフィラリアに有効
	回旋糸状虫	1. イベルメクチン	150μg/kg，1回投与，必要に応じ反復投与
	旋毛虫症	1. アルベンダゾール（エスカゾール）	400mg/日，分2，5日間，妊婦には禁忌
		2. メベンダゾール	5mg/kg/日，分3，5～7日間投与（急性症状を呈している場合には免疫抑制剤を併用する）
	幼線虫移行症	1. アルベンダゾール	10～15mg/kg/日，分3，2～4週間連用する
吸虫性疾患	肝吸虫症	1. プラジカンテル（ビルトリシド）	75mg/kg/日，分3，1日，重症感染者には2日間投与，一過性の頭痛，倦怠感，悪心など副作用
	横川吸虫症	1. プラジカンテル	50mg/kg/日，分3，1～2日投与
	肺吸虫症	1. プラジカンテル	75mg/kg/日，分3，2～3日間投与
	棘口吸虫	1. プラジカンテル	50mg/kg，空腹時頓用，2時間後塩類下剤投与
	肝蛭症	1. トリクラベンダゾール（エガテン）	10mg/kg，食直後に頓用，重症例では20mg/kg 分2投与．妊婦，乳幼児には投与しない
	日本住血吸虫症	1. プラジカンテル	40mg/kg/日，分2，2日の投与で有効（マンソン住血吸虫，ビルハルツ住血吸虫にも有効）

（次頁へ続く）

分類	疾患名	薬剤名(商品名)	用量・用法・副作用
条虫性疾患	広節裂頭条虫症 日本海裂頭条虫症 クジラ複殖門条虫症 無鉤条虫症	1. プラジカンテル	空腹時10mg/kg頓用，2時間後塩類下剤投与
		2. ガストログラフィン	本剤は駆虫薬でなく注腸造影剤である．透視下で十二指腸ゾンデにより本剤100mlを10分間隔で計約300ml注入することによって排虫する
		3. パロモマイシン(アネメトロ)	空腹時30mg/kg頓用，2時間後塩類下剤投与，虫体がかなり融解する，悪心，嘔吐など副作用
	有鉤条虫症	1. 上記のうち，1, 2を用いる	成虫駆除には虫体を融解する恐れのある3は用いない
	小形条虫症	1. プラジカンテル	空腹時25mg/kg頓用，2時間後塩類下剤
	人体有鉤嚢虫症	1. アルベンダゾール	15mg/kg/日，分2，10日間連用を反復
	包虫症	1. 外科的肝臓切除	
		2. アルベンダゾール	10mg/kg/日，分3，28日間連続投薬後，14日間休薬を繰り返す．禁妊婦，過敏症の既往，副汎血球減少症など

第132項 わが国の主な寄生虫症の流行要因別分類

すでに各項目で述べてきたごとく，寄生虫疾患はその地の政治，経済，宗教，生活，習慣など種々の要因によってその消長が左右される．ここではわが国における現状をこれらの要因別にまとめてみた．

流行要因	寄生虫名(一部疾患名)			備考
	原虫	蠕虫	衛生動物	
輸入寄生虫症	マラリア，赤痢アメーバ，ランブル鞭毛虫，トリパノソーマ，リーシュマニア，サイクロスポーラ	剛棘顎口虫，フィリピン毛細虫(?)，回旋糸状虫，ロア糸条虫，広節裂頭条虫，無鉤条虫，有鉤条虫(有鉤囊虫)	ケジラミ，疥癬，毒グモ，トコジラミ，ヒアリ	国際交流が盛んになるに伴い，日本人の海外での感染，あるいは感染外国人の入国，輸入食品による感染などの増加がみられる
人獣共通寄生虫症	赤痢アメーバ，トキソプラズマ，クリプトスポリジウム，二日熱マラリア，肉胞子虫	アニサキス，イヌ糸状虫，イヌ・ブタ回虫幼虫移行症，旋毛虫，広東住血線虫，東洋眼虫，顎口虫，肝蛭，棘口吸虫，ムクドリ住血吸虫，マンソン孤虫，クジラ複殖門条虫，多包虫	ネコノミ，イヌノミ，トコジラミ	寄生虫症のほとんどのものは人獣共通感染の性質を持っているが，ここには国内でとくにその性質の顕著なもののみを挙げた
日和見寄生虫症	ニューモシスチス，トキソプラズマ，クリプトスポリジウム，赤痢アメーバ，戦争シストイソスポーラ	糞線虫	角化型疥癬	免疫不全の際，とくに重症化する寄生虫症で，癌や臓器移植時の合併症，AIDSの指標疾患として重要である
生鮮食品由来寄生虫症	赤痢アメーバ，ランブル鞭毛虫，肉胞子虫，ナナホシクドア	アニサキス，顎口虫，旋尾線虫，旋毛虫，肝吸虫，横川吸虫，ウェステルマン肺吸虫，宮崎肺吸虫，肝蛭，棘口吸虫，咽頭吸虫，広節裂頭条虫，日本海裂頭条虫，クジラ複殖門条虫，無鉤条虫，マンソン孤虫，ニベリン条虫		国内産野菜，魚介類，肉類などの生食によって感染するものの他，輸入食品によるものもみられる
性感染寄生虫症	腟トリコモナス，赤痢アメーバ，ランブル鞭毛虫，クリプトスポリジウム	蟯虫，有鉤囊虫	ケジラミ，疥癬	性行為により感染する寄生虫症で，男性同性愛(肛口感染)による感染を含む
ほぼ撲滅された在来寄生虫症	土着マラリア	回虫，鉤虫，東洋毛様線虫，バンクロフト・マレー糸状虫，肝吸虫，日本住血吸虫		以前わが国で猖獗を極めたが，近年，絶滅あるいは著しく減少した寄生虫症
まだ撲滅されていない在来寄生虫症	腟トリコモナス，ヒトブラストシスチス，赤痢アメーバ，ランブル鞭毛虫，トキソプラズマ，ニューモシスチス	蟯虫，糞線虫，鞭虫，横川吸虫，肺吸虫，鳥類住血吸虫セルカリア性皮膚炎，日本海裂頭条虫，クジラ複殖門条虫，無鉤条虫，多包虫	ツツガムシ病，疥癬，ニキビダニ，マダニ，シラミ，屋内ダニアレルギー	以前からわが国に流行し，現在もなおかなり存在している寄生虫症，とくに一般的なもののみを示す
新興感染症	クリプトスポリジウム，サイクロスポーラ，肉胞子虫，二日熱マラリア，ナナホシクドア	フィリピン毛細虫，剛棘・ドロレス・日本顎口虫，旋毛虫，アジア条虫	日本紅斑熱，ライム病，重症熱性血小板減少症候群，デング熱	近年までわが国に存在しなかった新しい疾患

(太字は比較的症例が多く重要なもの)

第133項　消化管寄生原虫の検査法

ここで述べる検査法は主として糞便中に出現するアメーバ，鞭毛虫，胞子虫などを検出する方法である．すなわち赤痢アメーバ，大腸アメーバ，小形アメーバ，ヨードアメーバ，ヒトブラストシスチス，ランブル鞭毛虫，メニール鞭毛虫，腟トリコモナス，クリプトスポリジウム，大腸バランチジウムなどが主な対象となる．

I．栄養型検出法

1．生鮮標本作成法

赤痢アメーバなどの栄養型を生きたまま観察するにはアメーバ赤痢患者の排出直後の糞便の粘液血性部分を爪楊枝で少量とり，スライドグラス上に置き，カバーグラスをかけて直ちに観察し，偽足を出して運動している虫体を検出する．アメーバ性肝膿瘍患者の膿瘍内液（ドレーンまたは穿刺による）も同様に処理する．材料を薄めるときは水でなく生理食塩水を用いる．また温度が低いと運動が鈍くなり見逃しやすいので加温して検査する．材料を運搬するときも30〜32℃に保つ必要がある．

ランブル鞭毛虫の場合は下痢便の他に十二指腸ゾンデ採取液の沈渣もよい材料になる．栄養型は鞭毛を動かして活発に運動している．

腟トリコモナスの場合は腟上皮あるいは尿沈渣を直接鏡検する．栄養型は活発に運動している．

2．永久染色標本作成法

糞便中の各種アメーバ類や鞭毛虫類の栄養型および囊子の固定法は従来ガラス面への吸着固定力の強いシャウジン液を用い，ハイデンハイン鉄ヘマトキシリン染色（HIH染色）が用いられてきた（図34，36，37，39，54，62参照）．ところがシャウジン液には昇汞が含まれており，近年，昇汞の廃液処理の問題から使用禁止となり，以下の固定・染色法が用いられるようになった．

コーン染色（Kohn's stain）変法

【試　薬】

基本液

1) 90％　エタノール　170ml
2) 100％　メタノール　160ml
3) 氷酢酸　20ml
4) フェノール（液体）　20ml
5) 1％　リンタングステン酸　12ml
6) 蒸留水　618mlを合わせ合計1,000mlとする

染色液

1) クロラゾール・ブラックE　5.0g
2) 基本液　1,000ml

染色液の作成法

1) クロラゾール・ブラックE　5.0gを乳鉢に入れ3分間摩砕する．このとき飛散に注意する．
2) これに基本液を少量加えて摩砕し滑らかなペースト状にする．
3) さらに基本液を加えて5分間摩砕する．
4) 数分間静置した後，液状部を保存用容器に移す．
5) 沈渣に基本液を加え摩砕し，静置後液状部を保存容器に移す．沈渣がなくなるまでこの操作を繰り返す．
6) 室温で4〜6週間熟成させる．沈殿物と液状部が分離するが使用時に濾過して液状部を染色液として用いる．

【染色術式】

1) スライドグラスに爪楊枝で少量の糞便，膿などを薄く塗布する．この際，乾燥させてはいけない．
2) 直ちに（材料が液状の時は半乾きにしてから）染色液に浸し室温で2〜4時間放置する．栄養型は短めに，囊子は長めに浸す．
3) 濾紙などで裏側の余分な染色液を拭う．
4) 95％エタノールで10〜15秒間洗浄する．
5) 100％エタノールに5分間，2回浸す．
6) キシレンに5分間，2回浸す．
7) バルサムで封入し，鏡検する．

【結　果】

原虫のエンドソーム，核膜内面のクロマチン顆粒，類染色質体などは黒色〜黒青色〜青緑色に染め出される．本染色液は市販されている．

II．囊子検出法

1．生鮮標本作成法

囊子はたいてい有形便の中に存在する．スライドグラス上に生理食塩水を1〜2滴置き，糞便少量を爪楊枝でとってよく溶解する．液がやや白濁する程度である．カバーグラスをかけて弱拡大で一端からみていく．囊子はきれいな円形（ランブル鞭毛虫では楕円形），無色の油滴のように見える．強拡大にして確認し，ヨード染色に移る．

2．ヨード染色標本作成法

ヨード染色液　　ヨード　　　　　1.0g
　　　　　　　　ヨードカリ　　　2.0g
　　　　　　　　蒸留水　　　　　100ml

ヨード液は時々新調する．ヨード染色はもっぱら囊子の染色に用い，栄養型の検出には用いない．

スライドグラス上にこのヨード液を1〜2滴置き，糞便を1．の要領で溶解し，カバーグラスをかけて観察する．今度は囊子がヨードに染まり濃黄色ないし褐色に見え，さらに核，カリオソームなども観察できる．通常，赤痢アメーバ，大腸アメーバ，小形アメーバ，ヨードアメーバ，ランブル鞭毛虫などの囊子の検出に利用される（図38，56，63，116参照）．

3. 永久染色標本作成法

栄養型と同様コーン染色を用いる．以前用いられたハイデンハイン鉄ヘマトキシリン染色を行った場合，赤痢アメーバの嚢子は白血球とよく似ているので注意を要する（図36, 37, 39参照）．

4. 集嚢子法

嚢子が少ない場合，次のような集嚢子法を行う．

1) 硫酸亜鉛遠心浮遊法

（1）糞便0.5gを小試験管にとり水で十分溶解しガーゼで濾過し，2,000rpm 約2分遠沈し上清を捨てる．

（2）沈渣に比重1.180の硫酸亜鉛液（水100mlに硫酸亜鉛33gを溶解したもの）を試験管に8分目くらい入れ，よくまぜ，2,000rpm，約2分遠沈し，浮上している上層液を毛細管で採って鏡検する．

2) ホルマリン・エーテル遠沈法（MGL法）

本法は蠕虫卵集卵法であるが原虫の嚢子もホルマリンで固定されて集められる．上の(1)と同様にして得た沈渣（水の代わりに生理食塩水を用いる）に10％ホルマリン7mlを加え，よく撹拌して30分放置する．次いで3〜5mlのエーテルを加え，管口を指でおさえて約30秒間強く振盪し，次いで2,500rpm，約2分間遠沈する，沈渣以外を捨て，沈渣を毛細管で吸い取り，スライドガラスの上に置き，ヨード染色液を加え染色して検鏡する．

III. その他の染色法

1) ギムザ染色

腟トリコモナス，ランブル鞭毛虫，ヒトブラストシスチスなどは材料を塗抹・乾燥・アルコール固定の後ギムザ染色するのもよい（図65, 121, 122参照）（染色法は次項参照）．

2) パパニコロ染色

スライドガラスに検体を薄く塗抹し，95％エタノールで固定した後，ライトグリーン（緑），オレンジG（橙），エオジン（ピンク），ビスマルクブラウン（茶色），ヘマトキシリン（紺）の5色で染色する．

赤痢アメーバ，アカントアメーバおよびヒトブラストシスチスなど．

IV. クリプトスポリジウムの検査法

1) Kinyoun染色法

【試　薬】

Kinyoun石炭酸フクシン液：80％エタノール液に塩基性フクシン4gを溶解し，石炭酸8mlを加え混和する．

【術　式】

糞便をスライドガラスに薄く塗抹し，室温で乾燥後，メタノールで被って4〜5分固定し，上記の染色液で5分間染色する．次いで軽く水洗し，5％硫酸で塗抹面の赤色がなくなるまで脱色し，0.3％ライトグリーンで後染色し，乾燥後，キシレンで脱水，バルサムに封入する．

【結　果】

オーシストは赤色，背景は緑色に染まる．酵母などは緑色に染まり鑑別できるが，赤く染まるものはすべてクリプトスポリジウムとは限らないので，まず大きさ（5μm前後），残体，バナナ状のスポロゾイトなどの形態に注意することが大切である（図126, 127参照）．本法は戦争シストイソスポラの検出にも用いられる．

2) 蔗糖遠心沈殿浮遊法

【試　薬】

比重1.200の蔗糖液：1級サッカロース500gを650mlの蒸留水に溶解する．

【術　式】

糞便約0.5g〜1.0gを10mlの水に溶いてガーゼで濾過し，2,500rpm，5分間遠沈して上清を捨て，沈渣に上の蔗糖液を10ml加えよく撹拌し，さらに5分間遠沈する．本虫のオーシストは浮いているのでループエーゼまたは毛細管で表層水をスライドガラス上にとり，カバーグラスをかけて無染色で鏡検する．

【結　果】

オーシストは無色で小さいので，絞りをしぼり，カバーグラスの下面にピントを合わせて，初めから400倍で鏡検する．位相差顕微鏡を用いる方がよい．

V. 組織中の原虫検査法

赤痢アメーバやクリプトスポリジウムなどが組織内に存在するときは，型のごとくパラフィン包埋切片を作成し，ヘマトキシリン・エオジン染色やPAS染色を施して検査する．その方法は通常の病理組織標本作成法と同じである．

第134項　マラリアの検査法

マラリアの診断を下すには血液塗抹染色標本から原虫の検出，免疫反応による抗体の検出，PCR による DNA 診断などがあるが主体は原虫自体の検出である．しかし二日熱マラリアなどの確診には DNA 診断に頼る．

Ⅰ．血液塗抹標本ギムザ染色法

1. **採血時期**：発熱を繰り返している患者はいつ採血しても原虫は見出されるが，できれば6時間毎に採血し，種々の発育段階の原虫を観察すると4種マラリアの鑑別診断に役立つ．

2. **採血部位**：耳朶，指頭，静脈いずれでもよい．

3. **血液薄層塗抹法 thin blood smear**：脱脂清拭したスライドグラスの一端近くに1滴の血液を置き，これにカバーグラスを接し図705の矢印の方向に滑らせる（Strich という）．素早く乾燥させた後メタノールで2〜3分固定し乾燥させる．

4. **血液厚層塗抹法 thick blood smear**：スライドグラスに血液を1〜2滴とり，他のスライドグラスの角で丸く延ばし直径1cm 位とする（図705）．乾燥後，固定せずにそのまま下記のギムザ染色液に30〜45分浸漬し，溶血と染色を同時に行う．この方法は原虫が少ない時や流行地での集団検診の時などに用いられるが，標本が厚いので原虫を確認するには熟練を要する．

5. **ギムザ染色の方法**：染色すべき標本を水平に並べ，各々の上に，下記のごとく調整したギムザ染色液を盛り，室温で30〜45分染色する．染色バットに浸漬する方法でもよい．

6. **ギムザ染色液の処方**：マラリア原虫染色のためのギムザ液は pH を7.2〜7.4に調整した方がよい．そうすると赤血球は青味を示すが，原虫の原形質やシュフナー斑点などが鮮やかに染まり虫種の鑑別に役立つ．

【処　方】
① pH7.4の燐酸緩衝液の作り方
　　A 液　$Na_2HPO_4 \cdot 12H_2O$ を8.639g とり，蒸留水200ml に溶かす．
　　B 液　KH_2PO_4 を0.8g とり，蒸留水100ml に溶かす．
　　A，B 両液を別々の容器にいれ高圧滅菌しておく．
　　A 液2溶と B 液1溶を混ずると1/10M の燐酸緩衝液ができる．これをさらに5倍に薄め，1/50M 液として用いる．
② ギムザ染色使用液
　　上記1/50M 燐酸緩衝液1ml に対し，ギムザ染色液原液1滴（約0.05ml）の割に希釈して使用する．すなわち20倍希釈液となる．染色液はその都度新調する．

Ⅱ．アクリジンオレンジ染色法（第24項参照）

【処　方】　アクリジンオレンジ（Sigma 製 A4921，100μg/ml）を滅菌済みの5〜10mM トリス塩酸緩衝液あるいは燐酸緩衝液（pH7.0〜7.5）に溶かし，冷暗所に保存する．必要に応じて乾燥防止剤のグリセリン（5％）や退色防止剤を加える．

【観察法】　カバーグラスに上記染色液を数滴のせ，カバーグラスを逆さにして，メタノール固定した血液薄層塗抹標本に素早く押しつけ，塗抹面に均一に行きわたるようにして染色し，直ちに蛍光顕微鏡で観察する．原虫の核は緑色に，細胞質は赤色に染まる（図163-U，V）．本法は干渉フィルターを用い直接太陽光を光源として観察することもできるので電源のない熱帯地でも利用できるという（Kawamoto[注1]）．

Ⅲ．免疫学的診断法（第24項参照）

Ⅳ．ポリメラーゼ連鎖反応（PCR）による DNA 診断法（第24項参照）

Ⅴ．集原虫法

血中の原虫が少ない場合に用いる．その方法は1〜3ml の静脈血をとり，1,500rpm，5分遠沈して血球部分を採取し，これを凍結融解して溶血させる．次いでほぼ等量の生理食塩水を加え，3,000rpm，15分遠沈し，上清を捨て沈渣をスライドグラスに塗抹し，メタノール固定後ギムザ染色して検査する．

図705．血液薄層塗抹標本の作り方（上図）とその標本（下図の左）
下図の右は厚層塗抹標本

註1　Kawamoto F（1992）：Parasit. Today, 8：69-71.

第135項 主な寄生虫症における診断検査材料

わが国でみられる主な寄生虫症を診断する場合，それぞれの寄生虫の最も適当な検査材料および方法をまとめた．

| | 糞便 | | | | | 肛囲検査 | 血液 | 喀痰 | 尿・腟分泌液 | 胆汁・十二指腸液 | リンパ節穿刺液 | 肝・脾穿刺材料 | 肺穿刺・生検材料 | 脳脊髄液 | 筋肉・皮下組織 | 角膜擦過材料 | 内視鏡採取材料 | 免疫学的診断 |
	薄層塗抹法	厚層塗抹法	浮遊法	沈殿法	培養法													
赤痢アメーバ栄養型	◎											○					◎	◎
囊子	◎			◎														
ランブル鞭毛虫栄養型	◎									◎								
囊子	◎			◎														
ヒトブラストシスチス	◎				○													
フォーラーネグレリア														◎				
カステラーニアメーバ，多食アメーバ																◎		
腟トリコモナス									◎									
トキソプラズマ							○				○							◎
戦争シストイソスポーラ	◎			◎						○						○		
クリプトスポリジウム	◎			◎						○						○		
マラリア							◎											
ニューモシスチス								◎					◎					
回　虫	○	◎	○															
イヌ・ネコ回虫												○						◎
アニサキス																	◎	○
蟯　虫			○			◎												
鉤　虫	○	○	○	○														
広東住血線虫														◎				◎
糞線虫	○	○	○	○						○		○						◎
顎口虫															◎			◎
バンクロフト糸状虫							◎		○									○
イヌ糸状虫													◎		○			○
鞭　虫	○	○	○															
旋毛虫															◎			◎
肝吸虫		○		◎						○								
横川吸虫		○		◎														
ウェステルマン肺吸虫				◎				◎										◎
宮崎肺吸虫																		◎
棘口吸虫	○	○		○														
肝　蛭	○	○		○														
日本住血吸虫	○	○		◎								○					○	◎
広節裂頭条虫，日本海裂頭条虫	○	○		◎														
クジラ複殖門条虫	○	○		◎														
マンソン孤虫															◎			◎
無鉤条虫				○		◎												
有鉤条虫				○		◎												
有鉤囊虫															◎			◎
包　虫												○	○					◎
小形条虫				◎														

◎最もよく用いられる検査材料および方法　　○時に用いられる検査材料および方法

(辻　守康(1990)：臨床医, 16：286-289, 改変)

第136項　ニューモシスチスの検査法

I．生鮮標本観察法

スライドグラスに生理食塩水を1滴とり，患者の剖検肺または生検肺の小片を圧迫して洗い出し，カバーグラスをかけ，普通顕微鏡の絞りをしぼって，あるいは位相差顕微鏡で観察する．アメーバ状をした栄養型，球形をした嚢子が見出される．成熟した嚢子内には8個の球形またはバナナ形をした嚢子内小体が見え，時にわずかに運動する（第31項図182-B）．

II．塗抹染色標本作成法の種類と特徴

材料は剖検直後の患者肺，感染動物肺，生検材料，喀痰の単純塗抹あるいは喀痰集嚢子法を行ったものなどである．染色法は次の2通りある．

a. **ギムザ染色**：栄養型と嚢子，とくに嚢子内小体を染め出す．嚢子壁は染まらない（図182-C, D）．

b. **メテナミン銀染色またはトルイジンブルーO染色**：嚢子とくに嚢子壁を強く染め出す．栄養型および嚢子内小体は染まらない（図182-E, F, K）．

III．組織切片標本作成法の種類と特徴

材料は患者あるいは感染動物の肺のホルマリン固定，パラフィン包埋切片で，主な染色法は次の通り．

a. **ヘマトキシリン・エオジン(HE)染色**：宿主の病理変化や蜂窩状泡沫物質を観察するのには必須の染色法であるが，ニューモシスチスを見出すのは困難である（図182-G, H）．

b. **メテナミン銀単染色，メテナミン銀染色とHE染色との二重染色およびトルイジンブルーO染色**：栄養型は染まりにくいが嚢子壁を強く染め，診断に役立つ（図182-I, J）．

IV．ギムザ染色 Giemsa stain

未固定の肺の小片をスライドグラスに押しつけ塗抹する．風乾後メタノールで2〜3分覆い固定する．メタノール除去後，ギムザ染色を行う．ギムザ液は第135項で述べた処方，あるいは緩衝液の代わりに蒸留水で稀釈したものでもよいが染色時間は1時間またはそれ以上がよい．染色後，水洗，風乾しバルサムで封じる．

V．メテナミン銀染色 Gomori's methenamine silver nitrate stain

〈試薬〉

① 5% chromic acid(CrO$_3$)水溶液
② 5% borax(Na$_2$B$_4$O$_7$・10H$_2$O)水溶液
③ methenamine silver nitrate 貯蔵液
　3% methenamine(hexamethylenetetramine)
　((CH$_2$)$_6$N$_4$)溶液100mlに5% AgNO$_3$ 5mlを加える．白色沈殿を生ずるが振れば透明となる．冷蔵庫保存で数カ月使用可能．
④ methenamine silver nitrate 使用液
　$\begin{cases} 5\% \text{ borax 水溶液} & 2ml \\ \text{蒸留水} & 25ml \\ \text{methenamine silver nitrate 貯蔵液} & 25ml \end{cases}$
⑤ 1% sodium bisulfite(NaHSO$_3$)水溶液
⑥ 0.1% gold chloride(AuCl$_3$・HCl・3H$_2$O)水溶液，この液は繰り返し使用できる．
⑦ 2% sodium thiosulfate(Na$_2$S$_2$O$_3$・5H$_2$O)水溶液（ハイポ）
⑧ light green 染色液（貯蔵液）
　$\begin{cases} \text{light green} & 0.2g \\ \text{蒸留水} & 100ml \\ \text{氷酢酸} & 0.2ml \end{cases}$
⑨ light green 染色液（使用液）
　$\begin{cases} \text{貯蔵液} & 10ml \\ \text{蒸留水} & 50ml \end{cases}$

〈染色法〉

切片標本の場合は下記の順で行う．塗抹標本の場合はメタノールで3分固定後，下記の④以下を行う．

① キシレンで脱パラフィン
② 下降アルコール系列で脱キシレン
③ 水洗，流水中で数回，次いで蒸留水で数回
④ 5% CrO$_3$で酸化　1時間
⑤ 水洗(流水中)　数秒
⑥ 1% sodium bisulfite　1分
⑦ 水洗(流水)　5〜10分
⑧ 水洗(蒸留水)　3〜4回
⑨ methenamine silver nitrate 染色
　使用液中に標本を入れ，58〜60℃のオーブン中で30〜90分染色する．切片が黄褐色になる．一度取り出して鍍銀状態をチェックすること
⑩ 水洗(蒸留水でゆすぐ)　5分間に6回替える
⑪ 0.1% gold chloride　2〜5分
⑫ 水洗(蒸留水)　数回
⑬ 2%ハイポ溶液　5分
⑭ 水洗(流水)　少なくとも10分
⑮ counterstain
　light green（使用液）30〜45秒（HE染色を行ってもよい，好みのcounterstainが可能）
⑯ 脱水，透過，封入

〈結果〉

図182-F, Iに示すごとく，嚢子壁は黒染し検出が容易である．また嚢子内に**括弧状構造物** parenthesis-like structure が見出されるのが特徴である．

VI．トルイジンブルーO染色
Chalvardjian's toluidine blue-O stain

この染色法は通常のトルイジンブルー染色とよく間違われ

るので注意を要する．

〈試　薬〉

1) Sulfation 用溶液（硫酸エーテル）

約100mlの一級エーテルを分溜フラスコに入れ，これに約30mlの蒸留水を入れ両手で持って強振する．両層が透明になるまで待ち，下層の水を捨て，少量のエーテルも捨てて通路を洗う．水で飽和されたこのエーテルを氷水中にひたしたフラスコの中へ80ml入れる．次いでこの中へ80mlの濃硫酸をゆっくり，コンスタントによくまぜながら入れる．この際，容器はすべて乾いていることが必要で，エーテルを飽和した水以外の水があってはならない．この混液は深型染色バットに入れ，上縁はグリースを塗りガラス板で封じる．使用前にはガラス棒などでよくかきまぜることが大切である．また10℃以下に冷やしておいたものを使用すること．

2) toluidine blue-O 染色液の処方

	塗抹標本用	切片標本用
toluidine blue-O 色素	300mg	32mg
蒸留水	60ml	60ml
濃塩酸	2ml	2ml
無水エタノール	140ml	140ml

まず色素を蒸留水に溶かし，次いで塩酸，無水エタノールを加える．この処方でだいたい，1つの染色バット用として十分な200mlの染色液ができる．塗抹用と切片用とは色素の濃度が異なるだけである．すなわち塗抹標本用は0.15％，切片標本用は0.016％の色素液である．

3) 0.25％ metanil yellow 水溶液

〈塗抹標本の染色法〉

① 塗抹標本を風乾し，すぐ染色するときはメタノール固定は不要である．
② sulfation　硫酸エーテルに5分（10℃以下）浸漬
③ 水洗　約10回すすぐ
④ 染色　0.15％ toluidine blue-O　3分
⑤ 脱水　isopropyl alcohol　3回
⑥ 透過，封入
（塗抹標本の場合は metanil yellow による counterstain は行わない）

〈結　果〉

図182-E，Kのごとく囊子壁は紫色に染まる．メテナミン銀染色は染色を終わるまでに4～5時間を要するが，本法は約20分で終わる．時に染まりの不安定なことがあるが，それはsulfation に問題があるようでこの液を5～10℃の温度に保って実施するとよいことがわかった．

〈切片標本の染色法〉

切片標本の染色法の手順は塗抹標本の場合とやや異なる（材料は10％ホルマリン固定，パラフィン包埋切片の場合とする）

① キシレンで脱パラフィン
② エーテルで脱キシレン
③ sulfation　硫酸エーテルに5分（10℃以下）浸漬
④ 水洗　約10回すすぐ
⑤ 染色　0.016％ toluidine blue-O　3分
⑥ 水洗　流水ですすぐ
⑦ counterstain　0.25％ metanil yellow　2分
⑧ 脱水　isopropyl alcohol　3回
⑨ 透過，封入

〈結　果〉

囊子壁，ムチン，時に軟骨などは紫ないし紫紅色，他の組織は黄ないし緑色．真菌は囊子と同様に染まるのでまぎらわしい（図182-J）．

このトルイジンブルー O 染色は，わが国では現在実施している検査室は非常に少ないと考えられる．

Ⅶ．セルフルオール（Cellufluor）蛍光染色法

1. スライドグラスに標本を塗抹し，風乾後メタノールで数分間固定する．
2. セルフルオール蛍光色素液（Fungi-Fluor Kit, Polysciences Inc. 等）を塗抹部分に数滴滴下し，1～2分間静置する（なお，Fungi-Fluor Kit は蛍光色素の入ったA液と，カウンターステイン用のB液があるが，B液は使用する必要はない）．
3. 蒸留水で緩やかに洗浄する（標本が剝離脱落しやすいので注意する）．
4. ウエットの状態のままカバーグラスで覆い，蛍光顕微鏡（U 励起）で観察する．

セルフルオールはカビの囊子を強く染めるが，ニューモシスチスの囊子もよく染まる．とくに括弧状構造物が強く染まり，明瞭に見えるため同定しやすい．迅速性に優れている．

Ⅷ．遺伝子検査法

最近は，PCR 法[註1, 2]，real-time PCR 法[註3]，さらにLAMP（Loop-Mediated Isothermal Amplification）法[註4]も可能になった．これらの遺伝子検査法は，非常に高感度で診断に有用である．一方，免疫不全患者などでは定着しているだけでも検出する場合もある．

Ⅸ．その他

核酸検査法の普及により実施されることは減ったが，感染肺の中の囊子を集め，定量的に表現する方法（**集シスト法**），ミリポアフィルターを用いて囊子を純粋に集める方法（**シスト純化法**），喀痰の中から囊子を集めて診断する**喀痰集シスト法**，**培養法**，**免疫学的診断法**，**動物実験法**などのテクニックについては，下記の専門書[註5]を参照されたい．

さらに，血液内の真菌細胞壁の主要構成成分である（1→3）-β-D-グルカン（β-グルカン）の測定も広く普及しており，スクリーニングに適し，検鏡検出，遺伝子検査と合わせて用いることで診断精度を上げることができる．

註1　石崎徹ら（1997）：医学のあゆみ，183：487-488.
註2　Matsumura Y et al.（2019）：Med Mycol, 57：841-847.
註3　Matsumura Y et al.（2012）：Clin Microbiol Infect, 16：591-597.
註4　橋本幸平ら（2019）：医学検査，68：437-442.
註5　吉田幸雄：ニューモシスチス カリニ肺炎，p. 1-269．南山堂，東京，1981.

第137項 免疫学的診断法および DNA 診断法

寄生虫の免疫の基礎的事項については総論で述べたので，ここではその免疫現象を利用した診断法について述べ，さらに最近進歩の著しい DNA 診断についても触れる．一般に寄生虫症の診断は成虫，幼虫，虫卵などを検出すれば確定するが，感染していても検出されないこともあり，そのようなときに免疫学的診断や DNA 診断が役立つ．また寄生虫症を否定する根拠として役立つ場合もある．

Ⅰ．免疫学的診断

1．一般的事項

寄生虫症の確定診断は虫卵や虫体の検出によって行うのが理想的であるが，実際には虫卵や虫体を直接検出することが不可能な例も少なくない．そのような場合に免疫学的検査法がもっともよく用いられる．免疫学的検査法には抗体を検出する方法と抗原を検出する方法があるが，その両者を含めて留意すべき点を以下に述べる．

1）免疫診断の対象となる寄生虫症

寄生虫のうち腸管腔内寄生虫はあまり強い抗体産生を促さないので（表36参照）一般的には免疫診断の対象にはならない．一方，組織内寄生虫に対しては診断的価値が高い．

2）感度 sensitivity と特異性 specificity

感度とは何％位の患者を陽性として検出できるか，特異性とは擬陽性や交叉反応がなく，対象としている寄生虫症のみを検出できているかということである．感度と特異性がともに100％の検査法が望ましいが，そのような検査法はなかなかない．寄生虫症の可能性を免疫学的検査法でスクリーニングしたいときは感度の優れた方法を用いるのがよいが，確実な診断が求められる時は特異性を重視しなければならない．精製特異抗原や特異的リコンビナント抗原を利用することによって，種間交叉反応の少ない高い特異性を持った検査法がいくつか開発されているが，多くは一部の専門家のみが実施している．

3）どのような検査法で何回検査するか

可能なら複数の検査法で確認する（表35，36参照）．また陽性反応が出た場合は経時的に数回検査する．治療により抗体価が次第に低下していくならば，ある程度信頼がおけるといってよい．陽性反応を示した場合でも，その結果が過去の感染や潜在感染を反映している場合もある．そのような時は感染後早期にしか産生されない IgM 抗体を検出することが参考になり，トキソプラズマ症などでよく用いられている．

4）検体の選択

普通血清が用いられるが，寄生部位によっては脳脊髄液や胸水などを用いたほうが良好な結果が得られることもある．

2．いくつかの免疫学的検査法

1）酵素抗体（ELISA）法

最もよく利用されている方法で，抗原を固着したウエルに希釈血清を入れて反応させ，抗 IgG 抗体，酵素を用いて検出する．この変法の一つに dot-ELISA 法がある（第40項図208参照）．これは抗原を固着化したニトロセルロース膜を用いて同様の反応を行うもので，寄生蠕虫症のスクリーニングによく用いられる．

2）寒天ゲル免疫拡散（Ouchterlony）法

寒天ゲルの小穴に被検血清と各種寄生虫抗原を置き，沈降線の形成によって診断するもので，IgG および IgM 抗体を検出するものである（第74項図411，第79項図451参照）．多くの寄生虫症の診断に役立つ．

3）免疫電気泳動（immunoelectrophoresis：IEP）法，向流免疫電気泳動（counter immunoelectrophoresis：CIE）法

免疫電気泳動法は寒天ゲル上の抗原を電気泳動によって分離し，次いで拡散によって被検血清と反応させ沈降線を形成させるもので，寒天ゲル免疫拡散法よりさらに細かい観察ができる（第75項図417，第79項図450参照）．向流免疫電気泳動法はゲル上で，陽極側に被検血清，陰極側に抗原を置き電気泳動し沈降線を形成させるもので，迅速に結果が得られる．

4）凝集反応 agglutination test

トキソプラズマの項（第19項）で述べたごとく，ヒツジの赤血球やラテックス粒子に抗原を固着させ，被検血清と反応させ赤血球やラテックス粒子の凝集をみる方法．トキソプラズマ，赤痢アメーバなどでよく用いられている．

5）補体結合反応 complement fixation test

抗原・抗体複合物に結合する補体の消費量を測定して抗原・抗体反応の強さを測定する方法．日本住血吸虫，肺吸虫，トキソプラズマなどで利用されている．本法は症状とかなり一致する点，治癒後1年位で陰性化する点などで診断的価値が高いといわれている．

6）蛍光抗体法 fluorescent antibody technique

スライドグラスに塗布した原虫や，虫体を含む切片に被検血清を作用させ，次いで蛍光物質でラベルした抗ヒト IgG 抗体で反応させ蛍光顕微鏡で観察する．トキソプラズマをはじめ多くの寄生虫症の診断に用いられている．

7）ウエスタンブロット（Western blot）法

抗原を SDS-ポリアクリルアミド電気泳動し，ニトロセルロース膜に転写した後，被検血清と反応させる方法で特異抗原の同定や検出に適しており診断的価値が高い．

8）イムノクロマト法 immunochromatographic test

抗体を検出する方法と抗原を検出する方法がある．後者の場合試験紙上で，抗原に対して特異的な標識抗体を用いて抗原・抗体複合体を形成させ，これをさらに抗原に対する特異抗体でトラップする方法である．マラリアや糸状虫症に対する迅速な診断キットが開発されている．

9）生きた虫体を抗原として用いる方法

生きた虫体を所

有していなければ検査ができないので限られた機関でしか実施できないが，**色素試験**(第19項トキソプラズマを参照)や**卵周囲沈降テスト**(第81項日本住血吸虫参照)は診断的価値が高い．

10) **皮内反応 skin test**：抗原を皮内に注射したとき，肺吸虫や包虫などでは**即時型反応**を示し(第74項，**図410**参照)，リーシュマニアなど一部の原虫症では**遅延型反応**を示す．皮内反応は，現在では用いられることはほとんどなくなった．

II．DNA診断と分子疫学

各種寄生虫のDNAの塩基配列が明らかにされるにつれ寄生虫のDNA診断，とくに**PCR (polymerase chain reaction) 法**を用いた診断の有用性が高まり実用に供されている．PCR法やその変法は上手に用いれば特異性や感度において非常に優れている．現在もなお進歩を続けている領域で，その応用について簡単に触れる．

DNA診断

PCRやその変法を用いたDNA診断は，とくに原虫症(マラリア，リーシュマニア，トキソプラズマ，赤痢アメーバ，クリプトスポリジウムなど)の診断で実際に用いられるようになりつつある[註3]．威力を発揮するのは，少数感染のため顕微鏡では検出がなかなか難しい場合や，顕微鏡観察で種の鑑別が困難な場合，複数種の混合感染が疑われる場合などである．感度と特異性に優れたPCR法を実施するためにはプライマーの選択が大変重要で，そのために様々な検討がなされている．実施するときは，各疾患でいろんなプライマーが報告されているので，それらを参考にするとよい．

分子疫学 molecular epidemiology

同一種の寄生虫であってもDNAの特定領域における塩基配列が地方毎に差がみられたり，宿主の違いによって差がみられることがある．このような**variant**や**genotype**を鑑別していくことは，寄生虫症の流行において感染源を推定する時の有力な手段となる．例えばクリプトスポリジウムはgenotype 1 (ヒト型)とgenotype 2 (家畜型だがヒトにも感染)に分けられ，集団発生の多くはどちらかのgenotypeによることが見出されており感染ルートの推定に役立っている[註4]．

[註1] 竹内 勤(1989)：臨床医, 15：1468.
[註2] 辻 守康(1990)：臨床医, 16：286-289.
[註3] Weiss JB et al.(1995)：Clin. Microbiol. Rev. 8：113-130.
[註4] McLauchlin et al.(2000)：J. Clin. Microbiol. 38：3984-3990.

表35．赤痢アメーバ症における各種血清診断法の陽性率(%)の比較[註1]

	GDP	IHA	LA	IFA	CIE	ELISA
アメーバ性肝膿瘍	93〜98	91〜96	96	92〜98	98	98
アメーバ赤痢	83〜93	85〜95	92	59〜92	70	85〜95
アメーバ性大腸炎	54〜92	61	…	25〜88	…	80〜91
シストキャリアー	52〜55	9〜58	…	15〜23	…	…

各法の陽性判定基準
① GDP (ゲル内沈降反応, Ouchterlony法)：沈降線の出現, 陽性コントロールとの比較など, 発症例では多く複数の沈降線をみる.
② IHA (間接赤血球凝集反応)：≧64× (発症例では多くの場合256〜16,000×).
③ LA (ラテックス凝集反応)：≧64× (発症例では256〜4,096×).
④ IFA (間接蛍光抗体法)：≧64× (発症例では256〜4,096×以上).
⑤ CIE (向流免疫電気泳動法)：①とほぼ同様.

表36．蠕虫症における各種血清反応の陽性率(%)の比較[註2]

	CFT	IHA	IFA	IEP	ELISA	COP
線虫症						
回虫症*	0	0	20	20	20	
鉤虫症*	0	0	15	5	15	
アニサキス症	85	85	95	95	95	
イヌ回虫症	90	85	85	90	95	
顎口虫症	80	80	90	85	95	
糸状虫症	75	85	85	85	85	
回旋糸状虫症	85	85	90	95	95	
吸虫症						
日本住血吸虫症	90	90	92	95	95	98
肝蛭症	98	95	98	98	98	
肺吸虫症	95	90	95	98	95	
肝吸虫症	45	30	50	50	50	
横川吸虫症*	5	5	15	5	10	
条虫症						
無鉤条虫症*	20	15	25	20	20	
有鉤嚢虫症	85	80	95	95	95	
包虫症	90	85	95	95	98	
広節裂頭条虫症*	20	15	25	20	25	
マンソン孤虫症	90	85	98	95	95	

CFT：補体結合反応, IEP：免疫電気泳動法, ELISA：酵素抗体法, COP：卵周囲沈降テスト, 他は表35参照. *管腔内寄生虫の陽性率は低い.

第138項　蠕虫卵検査法

蠕虫感染はその成虫，幼虫，または虫卵を見出して診断を確定するが，その中でも虫卵を検索する場合が最も多い．虫卵は蠕虫の種類によって，糞便，喀痰，十二指腸ゾンデ採取液，生検材料，肛囲検査，尿などから見出されるが，その中で糞便検査の機会が最も多い．ここでは糞便からの検出法の主なものについて述べる．

I．基本的事項

糞便検査に際し留意すべき点を2，3述べると，まず可検糞便は新鮮なものを，乾燥を防ぐためアイスクリーム容器のような密閉容器に入れて提出させ，なるべく早く検査することが大切である．

糞便内における虫卵の均一性について，少なくとも小腸に寄生している寄生虫の虫卵は，よく混和されて均等に分布することが知られているので糞便のどの部分をとって検査してもよい．ただ日本住血吸虫と鞭虫はその寄生部位から考えて均一性を欠く可能性もあり，また肝吸虫や肺吸虫のように他の臓器から虫卵が送られてくるものも変動があるので，検査を反復する必要がある．

蟯虫や無鉤条虫は原則として腸管内で産卵しないので虫卵は糞便中には現れない．その他の寄生虫でも雄のみの寄生，未熟または老化雌虫寄生の場合，あるいは異所寄生の場合などでは虫卵が認められない．

次に表37に示すごとく寄生虫はその種類によって1日の産卵数が異なる．したがって産卵数の多い寄生虫は塗抹法のみで虫卵を検出し得るが，産卵数の少ない寄生虫では集卵法を行わないと正確な結果は得られない．

II．検査法の種類と術式

1．直接塗抹法

糞便を直接スライドグラスに塗抹して鏡検する方法であるがこれにも2，3の方法がある．

1）**薄層塗抹法**　スライドグラスの上に1滴の水または生理食塩水を置き，少量の糞便を爪楊枝で取りこの中で攪拌し，カバーグラスで被って鏡検する．このときの糞便溶液の濃度は，活字が透過して読める程度とする．本法の利点は虫卵が最もよくその形態を保持している点，欠点は糞便の量が少ない（大体3～5mg）ため検出率が低い点である．

2）**厚層塗抹法**　スライドグラス上にマッチの頭くらいの糞便を置き，これを直ちにカバーグラスで圧平する．本法の利点は操作が最も簡単で，かつ糞便量が10～20mgと薄層塗抹法より多い点である．欠点は，圧迫により虫卵が変形したり，回虫卵では蛋白膜がとれて無色になったり，また夾雑物のため均一な厚さの標本ができなくて鏡検困難になったりすることである．

3）**加藤氏セロファン厚層塗抹法**　やや厚めのセロファン紙を26×28mm角に裁断し，蒸留水500ml，グリセリン500ml，3％マラカイトグリーン5mlの混液に24時間以上浸漬しておく．小豆大の糞便をスライドグラスにとり，3×4cmに切ったナイロンメッシュを載せ，棒で押して出てきた糞便60～70mgを別のスライドグラスにとる．次いで上記の湿ったセロファン紙で覆い，ゴム栓で均等に圧平する．20～30分間自然に放置し，やや乾燥したときに鏡検する．利点は使用糞便量が多いにも拘らず，便が透明になっており虫卵がよくわかる点である．

2．集卵法

集卵法には浮遊法と沈殿法とがある．比重の比較的小さい虫卵は比重の大きな液の中で糞便を溶解し虫卵を浮上させて集卵する．一方沈殿法は比重の大きい虫卵にも，また比重の小さい虫卵にも適用される．

1）**浮遊法**　第50項参照．

2）**沈殿法**　種々の方法があるが代表的なものについて述べる．

a）**ホルマリン・エーテル遠沈法（MGL法）**　本法は蠕虫卵と同時に原虫嚢子を見出す方法として用いられている．実施法は第133項参照．最近，田中らは改良法を発表した[注1]．

b）**AMS III法**[注2]　各種の蠕虫卵の検査に用いられ，よい成績が得られる．

〈試薬〉

A液　比重1.080塩酸（37％塩酸45mlに水55mlを加えればよい）．

B液　比重1.080硫酸ソーダ溶液（温水100mlに硫酸ソーダ9.6gを溶解する）．

A液とB液を等量混じたものをAMS III液という．

〈実施法〉（図706）

① 容量約15mlの試験管に約10mlの水を入れ，糞便約0.5gを入れ十分攪拌する（図706-a）．

② 容量15mlのスピッツグラスに，ガーゼ1枚で濾過する（b）．

③ 1,500rpm 2分間遠沈し，上清を捨てる（c）．

④ 沈渣にAMS III液7mlを加えよく攪拌する．次いでTween80（界面活性剤）1～2滴とエーテル3mlを加える（d）．

⑤ 管口を拇指でおさえ，30秒間強く振盪する（e）．

⑥ 遠心沈殿1,500rpm 2分間（f）．

⑦ 割箸を管内壁に沿って1回転しスカムの層を管壁からはなす（g）．

⑧ 管を傾け沈渣以外を捨て，内壁を綿棒などできれいにする（h）．

[注1] 田中久美子ら（2013）：寄生虫学研究，材料と方法，2013年版，17-20，三恵社．MGLはMedical General Laboratoryの略．

[注2] AMS III法はArmy Medical Schoolの略で，第二次大戦終戦後，米国進駐軍406部隊が用いた集卵法．列車を仕立て，本法を用いて日本各地の住民の検便を行った．

⑨沈渣に少量の水を加え攪拌し，毛細管ピペットを用い全沈渣をとり鏡検する(i)．

Ⅲ．Stoll 氏卵数計算法

糞便内の虫卵数を定量的に知る方法である．糞便3gを45m*l* の目盛のある大型試験管にとり，45m*l* の線までN/10NaOH を入れてよく攪拌する．次いで小硝子球（直径約3mm）を約10個入れ，ゴム栓をして振り，よく混和する．この液の0.15m*l* をスライドグラス上にとり，20×40mm のカバーグラスをかけ全虫卵数を数える．2回以上検査し平均値をとる．この数を100倍したものが糞便1g中の虫卵数でEPG (egg per gram) と称する．これに1日の糞便重量を乗じたものが EPD (egg per day) である．卵数計算は寄生虫数の推定（各寄生虫の雌1隻の1日の産卵数は表37のごとくであり，雄の数は雌のほぼ80%とする），その地方での寄生虫の浸淫度の判定，治療薬の効果判定などに利用される．

Ⅳ．肛囲検査法

蟯虫卵や，時に無鉤条虫卵の検出に用いられる．術式は第45項参照．

Ⅴ．培養法

各種鉤虫，東洋毛様線虫および糞線虫などの診断には糞便培養が高い検出率が得られる．そのテクニックは第50項，第55項を参照されたい．

表37．人体寄生蠕虫雌1隻1日の産卵数

寄生虫種	雌1隻1日産卵数 (EPDPF)*	報告者
回虫受精卵	20万～30万	横川，大島(1956)
回虫不受精卵	6万～11万	
アメリカ鉤虫	5,000～10,000	
ズビニ鉤虫	10,000～15,000	
東洋毛様線虫	50～260	三条(1960)
糞線虫	60	Faust(1927)
鞭虫	900	森下(哲)ら(1964)
蟯虫**	6,000～10,000	赤木(1952)
肝吸虫	4,200～7,000	斉藤，堀(1964)
肺吸虫	1万～2万	勝呂(1959)
横川吸虫	280	大島(1964)
広節裂頭条虫	100万	Faust(1927)

＊ EPDPF : egg per day per female ＊＊生涯産卵数

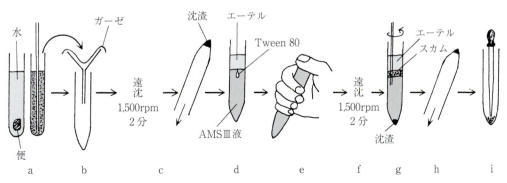

図706．AMS Ⅲ遠心沈殿集卵法の術式（説明は本文参照）

第139項　主要人体寄生虫卵図譜（図707☞）

主な人体寄生虫卵および虫卵と紛らわしいものをまとめた．稀なものや動物の寄生虫卵は各項の中に示してある．

A．回虫受精卵（長径50〜70×短径40〜50μm）
　黄褐色を呈するが蛋白膜がとれると無色となり鉤虫卵に似る．しかしその場合でも卵殻が厚いので鑑別できる．新鮮な糞便中では単細胞で卵殻との間に三日月形の空隙がある．線虫卵はいずれも小蓋はない．

B．回虫不受精卵（63〜98×40〜60μm）
　黄褐色，受精卵に比し蛋白膜，卵殻ともに薄い，やや不定形で左右非相称のものが多く，中に大小の顆粒が充満している．

C．蟯虫卵（45〜50×25〜30μm）
　無色，柿の種状で一側は平たく，一側はややふくらむ．中に幼虫を蔵している．

D．鉤虫卵（50〜60×40〜45μm）
　無色，卵殻は薄い．新鮮な糞便中の虫卵は4分裂細胞卵がほとんどであるが，暖期に放置すると分裂が進み，約24時間後には幼虫形成卵となる．ズビニ，アメリカ，セイロン各鉤虫は虫卵の形態では区別し難い．

E．東洋毛様線虫卵（75〜91×39〜47μm）
　無色，長楕円形または舟形，新鮮糞便中ですでに16〜32個に細胞分裂が進んでいる．細胞群と尖った卵殻との間にしばしば空隙がみられる．

F．鞭虫卵（40〜50×22〜23μm）
　黄褐色ないし赤褐色，厚い卵殻を有し，前端と後端に特異な栓を有する（岐阜提灯状）．新鮮な糞便中では単細胞である．時に大形卵がみられる．

G．肝吸虫卵（27〜32×15〜17μm）
　淡黄色，小蓋あり，小蓋は陣笠状で蓋の部分が虫卵から横に突出し全体として茄子形，中にミラシジウムを蔵する．吸虫卵は住血吸虫類を除き小蓋を有する．

H．横川吸虫卵（28〜32×15〜18μm）
　褐色，小蓋あり，肝吸虫卵に似るが全体に楕円形で小蓋が陣笠状でなく横に突出していない．卵殻がやや厚い．中にミラシジウムを蔵する．

I．ウェステルマン肺吸虫卵（3倍体型）（80〜90×46〜52μm）
　濃褐色，小蓋あり，虫卵は喀痰および糞便中に現れる．左右非相称で最大幅は小蓋側の前半にあり，後半はやや尖る．尾端は卵殻が著明に肥厚，中にミラシジウムはなく1個の卵細胞と数個の卵黄細胞を蔵する．

J．宮崎肺吸虫卵（70〜77×41〜46μm）
　褐色，小蓋あり，ウェステルマン肺吸虫卵に比し，小さく，卵殻薄く，尾端は肥厚していない．

K．浅田棘口吸虫卵（120〜140×70〜90μm）
　淡黄色，大形卵，不著明な小蓋あり，卵殻は非常に薄く，尾端はやや肥厚し，時に結節状．

L．巨大肝蛭虫卵（150〜190×75〜95μm）
　黄褐色，極めて大形，不著明な小蓋あり，卵殻は薄いが尾端がやや肥厚している．

M．日本住血吸虫卵（70〜100×50〜7μm）
　淡褐色，小蓋なし，短楕円形，卵殻の側面に小突起を有し，中にトックリ型のミラシジウムを蔵する．

N．マンソン住血吸虫卵（114〜175×45〜68μm）
　黄褐色，小蓋なし，大形で卵殻の一側に著明な棘を有し，中にミラシジウムを蔵する．

O．ビルハルツ住血吸虫卵（112〜170×40〜73μm）
　黄褐色，小蓋なし，大形で卵殻の尾端には後方に向かう大きな棘を有する．中にミラシジウムを蔵する．

P．広節裂頭条虫卵（60〜70×40〜50μm）
　淡黄色，不著明な小蓋あり，短楕円形，中に1個の卵細胞と多数の卵黄細胞がある．**日本海裂頭条虫卵**と区別し難い．

Q．クジラ複殖門条虫卵（63〜74×41〜58μm）
　広節裂頭条虫卵によく似て区別し難い．

R．無鉤条虫卵（幼虫被殻：30〜40×20〜30μm）
　外層の卵殻内に顆粒状の塊を有す．幼虫被殻は黒褐色で小蓋なく，放射状縦条を有し，中に6本の鉤を有する六鉤幼虫を蔵する．**有鉤条虫卵**，**単包条虫卵**，**多包条虫卵**などと区別し難い．

S．小形条虫卵（45〜55×40〜45μm）
　淡黄色，小蓋なし，卵殻は薄く，中にレモン形の幼虫被殻があり，この両端の突起から数本のフィラメントが出ている．中に六鉤幼虫を蔵する．

T．縮小条虫卵（直径60〜80μm）
　褐色，小蓋なし，小形条虫卵に比し大形で球状，色が濃く，幼虫被殻も球形で突起やフィラメントはない．

U．松の花粉（40〜50×20〜30μm）
　両端に特有の黒い塊状物がある．

V．トビウオなどの吸虫卵（20〜30×10〜15μm）
　魚を食べたときその体内の虫卵がそのままヒトの糞便中に現れ，横川吸虫や異形吸虫の虫卵と紛らわしい．

W．ダニの卵（60〜90×40〜50μm）
　食品中のコナダニなどの卵が一緒に摂取され，ヒトの糞便中に見出されることがある．

X．植物の根毛（大きさは不定）
　線虫のような形をしているので糞線虫や鉤虫の幼虫などと紛らわしい．

主要人体寄生虫卵図譜

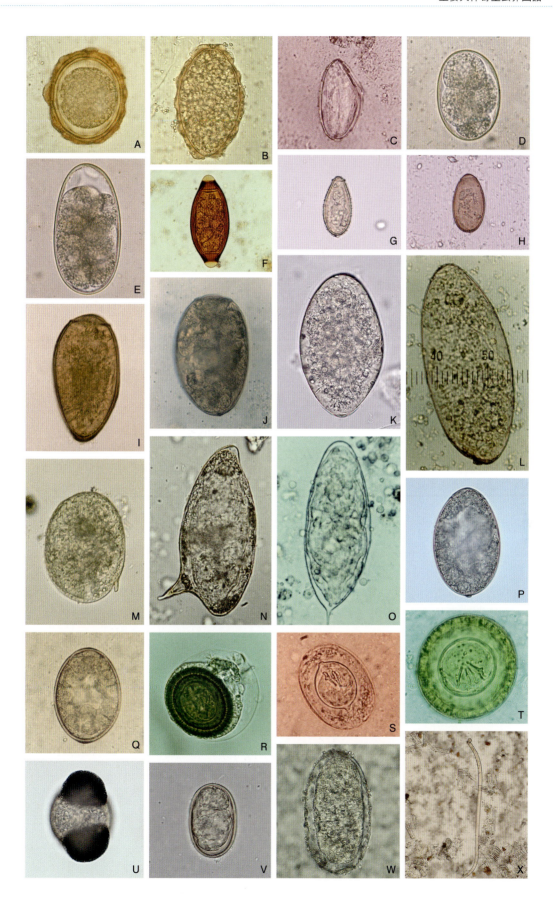

第140項 寄生蠕虫標本作成法 [A] 吸虫類および条虫類

I. 一般的事項

寄生蠕虫の成虫および幼虫を保存するだけならば，十分な量の5～10％ホルマリン，80％アルコールあるいはグリセリン・アルコール（グリセリンを10％の割合に混じた80％アルコール）などを入れた標本ビンに浸漬しておけばよい．長年の間に液が蒸発してしまうことがあるので蓋はシールし，時々点検する．またDNA抽出のためには凍結またはアルコール保存がよく，フォルマリン固定は不適当である．

寄生蠕虫の成虫および幼虫の永久染色標本を作成する方法には**全形標本**と**切片標本**の2通りがある．切片標本は，小形虫体であればその全体を，大形虫体であればその一部を型のごとく固定，脱水，パラフィン包埋を行って作成する．その術式は基本的には一般の病理組織標本作成法と同じであるが，硬い外皮を有する虫体を材料とする場合は，固定や脱水の時間，パラフィンの硬度など種々工夫する必要がある．殊に，硬い組織を持たないため定まった形態の把握が難しい裂頭条虫などにおいては，固定法やそれ以前の取り扱いが形態に微妙な影響を与え，分類に支障を来す．加茂ら[註1]は採取した条虫体はまず500mlの水道水にクロロフォルム2～3滴を加えた液中に数時間，冷蔵庫内で保ち，十分弛緩させた後，固定する必要性があると述べている．

ここでは吸虫類の全形標本または条虫類の頭節や体節の全形標本などの作成法について述べることにする．

II. 術式

1. 虫体の採取

宿主から取り出した生きている虫体（例，肝吸虫や肺吸虫）はまず37℃生理食塩水の中で数時間飼育し，過度の虫卵や腸内容を排出させ，虫体表面もよく洗浄する．

2. 固定

固定液　無水エタノール

厚い虫体の場合は2枚のスライドグラスで生きた虫体をはさみ徐々に圧平し，糸で縛る．この時スライドグラスの間に厚紙をはさんで一定の間隙を作る．圧平は虫体の厚さによって異なるので，破壊しないよう種々工夫する必要がある．これを無水エタノールに浸すと虫体は固定されてゆく．20～30分後ガラスから遊離し，固定液中でなお1時間固定する．

かつては，塩化水銀（II）水である昇汞を含むシャウジン液が用いられたが，毒性が強いために現在では使用されていない．

3. 染色

通常次の2染色液が用いられる．

① デラフィールド・ヘマトキシリン染色

染色液作成法　ヘマトキシリン4gを無水アルコール25mlに溶解し，これを明礬アンモニア飽和水溶液400ml（蒸留水11容に対し明礬アンモニア1容を溶解したもの）と混合し，広口びんに入れ栓をしないで放置する．1週間後にこれを濾過し，濾液にメチルアルコール100mlとグリセリン100mlとを加え，そのまま放置して液が十分暗色になるのを待って濾過する．約2ヵ月後には使用できるようになる．この液は永く使用できる．

② ボラックス・カルミン染色

染色液作成法　カルミン2～3g，硼砂4g，蒸留水100mlを混じ，30分ないし1時間煮沸し，冷却した後，70％アルコール100mlを加え，24時間後濾過して使用する．

染色　上記虫体を①あるいは②の染色液に1晩入れ染色する．

脱色　過染色になっているので塩酸アルコール（70％アルコールに1％の割に塩酸を加えたもの）に入れ，時々観察しながら脱色する．

水洗　30分～1時間

脱水　70％→80％→90％→純アルコール→無水アルコール2回

透過　キシロール

封入　バルサムで封入し，カバーグラスで覆い，その上に錘を置いて圧平しつつバルサムを固まらせる．パーマウントのような封入剤はあとで包埋剤が白濁し，標本をだめにしてしまうので用いないほうがよい．

註1 加茂　甫（1999）：裂頭条虫同定のためのハンドブック，146頁，鳥取大学医学部医動物学教室．

第141項　寄生蠕虫標本作成法　[B] 線虫類

Ⅰ．一般的事項

　線虫類は角皮が強固なため吸虫類や条虫類にくらべ，なかなかよい全形標本が作り難い．また染色も行い難く，普通無染色透過標本を作成している．幼虫は成虫にくらべさらに標本が作り難く，例えば鉤虫の感染幼虫などについては未だ満足すべき方法がない．したがって線虫類は虫体を10％ホルマリン液，80％アルコールまたはグリセリン・アルコール液（前項参照）に保存し，適時，これを取り出して観察する方法がとられている．しかし以下に2，3のスライドグラス標本作成法について述べる．

Ⅱ．術　式

1．グリセリン・ゼリー封入法

① 透過　例えば鉤虫の成虫などをグリセリン・アルコール液（この場合は70％アルコール100mlにグリセリン5mlを混じた液）を入れたビンに投入し，蓋をしないで50℃の恒温器に入れる．するとアルコールは次第に蒸発してグリセリンだけが残り，この時，虫体は透過している．

② グリセリン・ゼリー封入

　処方　　グリセリン　　100ml
　　　　　ゲラチン　　　20g
　　　　　蒸留水　　　　120ml
　　　　　石炭酸　　　　20ml（加温溶解）

　方法　上記混合液は常温では固形であるから，使用する前にその小塊をスライドグラスにとり加温して溶かす．その中へ透過した上記虫体を入れ，カバーグラスで覆い，周囲をマニキュアまたはエナメルなどで封じる．

2．ラクトフェノール法

　処方　　グリセリン　　2容量
　　　　　石炭酸　　　　1容量
　　　　　乳　酸　　　　1容量
　　　　　蒸留水　　　　1容量

　方法　2～10％ホルマリンで固定した虫体をまず上記の混液（ラクトフェノール液 lactophenol solution）の1/2希釈液（水で希釈する）に入れ30分以上放置した後，原液に移し，そのまま貯蔵する．虫体は透明になっているので適時スライドグラス上に取り出してカバーグラスで覆って観察すればよい．またカバーグラスの周辺をエナメルで封じておくとかなり長時間の保存に耐える．

参考図書

1) 森下哲夫, 加納六郎, 田中　寛：新寄生虫病学 第10版, 1984年, 南山堂, 東京.
2) 大鶴正満, 吉田幸雄, 稲臣成一, 加茂　甫, 山口富雄, 藤原道夫, 石井　明：臨床寄生虫学 第3版, 1988年, 南江堂, 東京.
3) 山口富雄, 稲臣成一, 加茂　甫, 大鶴正満, 鈴木俊夫, 吉田幸雄：臨床寄生虫学カラーアトラス, 1980年, 南江堂, 東京.
4) 横川　定, 森下　薫, 横川宗雄：人体寄生虫学提要 第13版, 1974年, 杏林書院, 東京.
5) 森下　薫, 小宮義孝, 松林久吉 編：日本における寄生虫学の研究1〜5, 1961〜1965年, 目黒寄生虫館, 東京.
6) 大鶴正満, 亀谷　了, 林　滋生 監修：日本における寄生虫学の研究6〜7, 1999年, 目黒寄生虫館, 東京.
7) 中林敏夫, 佐藤淳夫, 荒木恒治, 辻　守康：寄生虫病学, 1986年, 金芳堂, 京都.
8) 基本人体寄生虫学, 長花　操 編著 第2版(1986年), 高橋優三 編著 第3版(2000年), 医歯薬出版, 東京.
9) 吉村裕之, 上村　清, 近藤力王至：寄生虫学新書 第6版, 1978年, 文光堂, 東京.
10) 林　滋生, 石井俊雄, 大塩行夫, 小山　力, 近藤末男 編：本邦における人畜共通寄生虫症, 1983年, 文永堂, 東京.
11) 宮田　彬：寄生原生動物(上・下), 1979年, 寄生原生動物刊行会, 長崎.
12) 猪木正三 監修：原生動物図鑑, 1981年, 講談社, 東京.
13) 獣医臨床寄生虫学編集委員会：獣医臨床寄生虫学, 1979年, 文永堂, 東京.
14) 吉田幸雄：ニューモシスチス カリニ肺炎, 1981年, 南山堂, 東京.
15) 鈴木　猛, 緒方一喜：日本の衛生害虫 第8版, 1982年, 新思潮社, 東京.
16) 佐々　学 編：衛生動物学の進歩 第1集, 1971年, 学術書出版会, 東京.
17) 佐々　学 編：ダニ類, 1965年, 東京大学出版会, 東京.
18) 佐々　学, 青木淳一 編：ダニ学の進歩, 1977年, 北隆館, 東京.
19) 佐々　学：恙虫と恙虫病, 1956年, 医学書院, 東京.
20) 緒方規雄：日本恙虫病, 1958年, 医歯薬出版, 東京.
21) 宮崎一郎, 藤　幸吉：図説人畜共通寄生虫症, 1988年, 九州大学出版会, 福岡.
22) 鈴木了司, 安羅岡一男, 柳沢十四男：新医寄生虫学, 1988年, 第一出版, 東京.
23) 小島荘明 編：New 寄生虫病学, 1993年, 南江堂, 東京.
24) Beaver, P. C., Jung, R. C. and Cupp, E. W. : Clinical Parasitology, 9th Ed. 1984, Lea & Febiger, Philadelphia.
25) Mehlhorn, H. : Parasitology in Focus. 1988, Springer-Verlag, Berlin.
26) Marcial-Rojas, R. A. : Pathology of Protozoal and Helminthic Diseases with Clinical Correlation. 1971, Williams & Wilkins, Baltimore.
27) Wilcocks, C. and Manson-Bahr. P. E. C. : Manson's Tropical Diseases, 7th Ed. 1974, Williams & Wilkins, Baltimore.
28) Ash, L. R. and Orihel, T. C. : Atlas of Human Parasitology, 2nd Ed. 1984, Amer. Soc. Clin. Path. Press, Chicago.
29) Wenyon, C. M. : Protozoology, Ⅰ〜Ⅱ. 1965, Hafner Publ. Co., New York.
30) Kreier, J. P. : Parasitic Protozoology, Ⅰ〜Ⅲ. 1977, Academic Press, New York.
31) Gordon, R. M. & Lavoipierre, M. M. : Entomology for Student of Medicine. 1962, Blackwell Sci. Publ., Oxford.

外国語索引

A

Acanthamoeba astronyxis	36
A. castellanii	25, **36-37**
A. culbertsoni	25, **34-35**
A. polyphaga	25, **34-37**
acanthamoeba keratitis	36
Acanthocephala	150
acanthopodium	36
Acarus siro	234
accessory factor	58
accessory teeth	108
acetabulo-genital apparatus	156
acetabulum	150
Achatina fulica	122, 211, **216**
Acheilognathus lanceolata	155
A. rhombea	155
acquired immunodeficiency syndrome（AIDS）	4, 14, 15, 26, 46, 48, 52, 54, 56, 58, 76, 80, 82, 84, **86**, 126
acute abdomen	94, 104
adhesive disc	46
Aedes aegypti	238
A. albopictus	238
A. togoi	238
aerobic metabolism	9, 24
African eyeworm	142
African sleeping sickness	40
African trypanosomiasis	40
Agchylostoma duodenale	108
agglutination test（AT）	**282-283**
alarmin	11
albendazole	98
Alinia	52
Allopeas kyotoensis	215
allotriophagy	114
alternation of generation	9
alternation of host	9
alternatively activated macrophages	12
alveolar capillary block（AC ブロック）	80
alveolar haydatid	200
alveolar haydatid disease	202
amastigote stage	38
Amblyomma testudinarium	223
amebic colitis	28
amebic dysentery	28
amebic liver abscess	28
ameboid form	62
American mucocutaneous leishmaniasis	44
American trypanosomiasis	42
Amiota magna	132, 242
amphidial gland	90, 110
AMS Ⅲ法	144, 164, 174, 178, **284-285**
anaerobic metabolism	9, 24
anal swab	106
Ancylostoma braziliense	91, **118-119**
A. caninum	91, **118-119**
A. ceylanicum	91, **118-119**
A. duodenale	91, **108-119**
A. kusimaense	91
A. malayanum	91, **118-119**
A. tubaeforme	91, 118
anemia	66
Angiostrongylus cantonensis	91, **122-125**
A. costaricensis	91, 124
Angustassiminea parasitologica	168, 211, **214**
A. satsubana	168, 214
A. satsumana	214
A. yoshidayukioi	168, 211, **214**
anisakiasis	104
Anisakis berlandi	100, 101
A. brevispiculata	101
A. nascettii	101
A. paggiae	101
A. pegreffii	100, 101, 102
A. physeteris	91, 100, 101, 102
A. simplex	91, **100-105**
A. simplex sensu lato	100, 101
A. simplex sensu stricto	100, 101
A. typica	101
A. ziphidarum	101
Anisakis type Ⅰ	101
Ⅱ	101
Ⅲ	101
Ⅳ	101
annulation	89
Anopheles lesteri	72
A. minimus	72
A. sinensis	72, 238-239
antibody-dependent cell-mediated cytotoxicity（ADCC）	12
antigenic variation	11
anus	89
aperture	212
apex	212
Aphasmidia	88
Apis cerana japonica	252
Apodemus agrarius coreae	260
A. argenteus	258
A. speciosus	258
Argas japonicus	223
A. persicus	222
A. vespertilionis	223
Arna pseudoconspersa	240
Artaxa subflava	240
Artemisia annua	70
arthropod-born disease	218
Arthrostoma miyazakiense	7
ascariasis	92
Ascaris lumbricoides	6, 91, **92-95**
A. lumbricoides suum	91, **96-97**
asexual reproduction	9, 24
Assiminea japonica	211, 214
Astronyxid 群	36
ATL	126
Austropeplea ollula	170, 172, 182, 211, **215**
autogeny	238
autoinfection	88, 126, 204
Avloclor	71
axial sculpture	212
axostyle	50

B

β-1,3-glucan	76
Babesia divergens	74
B. microti	**74**
bacillary band	144
Balamuthia mandrillaris	34
Balantidium coli	25, **74**

band form	64	
Bandwurm	186	
Bartonella quintana	248	
basal lamina	150	
Baylisascaris procyonis	91, **96**	
baytex	261	
bed bug	**250**	
bee	**252–253**	
beef tapeworm	196	
benign malaria	66	
benzene hexachloride (BHC)	262	
Bertiella studeri	187, **206**	
Biltricide	154	
binary fission	9	
binomial (binominal) nomenclature	6	
biological control	262	
biological transmission	15, 210	
Biomphalaria glabrata	180, 181	
bisexual reproduction	9	
bithionol	164, 174	
Bithynia funiculata	154	
B. siamensis	154	
B. striatula japonicus	214	
Biwia zezera	155	
black widow spider	220	
black fly	142, **240–241**	
Blastocystis hominis	25, **32–33**	
Blattella germanica	**254**	
blepharoplast	38, 46	
body cavity	89	
body wall	89	
body whorl	212	
Bolbosoma sp.	208	
Boophilus	223	
boring tooth	100	
Borrelia afzelii	226	
B. burgdorferi	226	
B. duttonii	248	
B. garinii	226	
B. japonica	226	
B. miyamotoi	248	
B. recurrentis	248	
B. turicatae	248	
Bothriocephalus liguloides	194	
bothrium	186	
Bradybaena similaris	211, **216**	
bradyzoite	56, 60	
brood capsule	200	
Brugia malayi	91, **138–139**	
B. timor	138	
buccal capsule	89, 108	
budding	9	
Bulimus striatulus japonicus	214	
Bulinus truncatus	180, 181	
Bythinella (Moria) akiyoshiensis	214	
B. nipponica	166, 211, **214**	

C

calcareous corpuscle	186
Calliphora nigribarbis	242
Callitroga sp.	243
Calodium hepaticum	91, **144**
Cambaroides japonicus	218
canalis gynaecophorus	176
Capillaria hepatica	144
capitulum	220
carapace	162
Carassius cuvieri	155
Carpoglyphus lactis	234
carrier	14
caveola-vesicle complex	65
cell membrane	24
cement gland	108
centipede	254
cephalic gland	110
Cephalonomia gallicola	**254–255**
cercaria	150
Cercarien-Hüllen Reaktion	178
Cercomonas intestinalis	46
cerebral paragonimiasis	164
Cerithidea cingulata	158, **214**
cervical alae	96
cervical gland	110
cervical papilla	108
Cestoidea	150
Chagas' disease	**42**
chagoma	42
Chalvardjian's toluidine blue-O stain	78, **281**
Channa argus	128
C. maculata	128
Chasmagnathus convexus	218
chelicera	220
cheliped	162
chemical control	261
Cheyletus fortis	234
chiclero ulcer	44
chigger	228
Chikungunya virus infection	**238**
Chilomastix mesnili	25, **51**
Chinese liver fluke	152
Chiromantes dehaani	168, 218
C. haematocheir	218
chlordane	262
chloroquine	71
choanomastigote stage	38
chromatoid body	26
chyluria	136
Chrysops suavis	240
cilium (cilia)	24, 74
Cimex lectularius	**250–251**
circumoval precipitin test (COP)	178
cirrus sac	188
Clethrionomys rufocanus bedfordiae	258

C. rutilus	258
Clinostomum complanatum	151, **184**
cloaca	89
clonorchiasis	**152–155**
Clonorchis sinensis	151, **152–155**
co-evolution	10
co-trimoxazole	84
cockroach	**254–255**
coelozoic	8
coenurus	187, 204
coin lesion	140
collar spine	170
collecting tube	150
columella	212
commensalism	7
common name	7
complement fixation test (CFT)	**282–283**
compromised host	84
conjugation	74
contact carrier	28
Contracaecum	100, 101
Conus geographus	216
convalescent carrier	28
copulatory bursa	90, 108
coracidium	190
costa	50
counter immunoelectrophoresis (CIE)	**282**
crab louse	250
Crassicauda giliakiana	91, 132
Crassostrea gigas	216
creeping eruption	98, 114, 128, 130, 132, 140
crescent	64
Cryptosporidium hominis	25, **52–53**
C. meleagridis	52
C. muris	52
C. parvum	25, 52
Ctenocephalides canis	245
C. felis	245
Ctenodactylus gundi	56
Culbertsonid 群	36
Culex pipiens molestus	238
C. pipiens pallens	134, **238–239**
C. quinquefastiatus	134, 238
C. tritaeniorhynchus	**238–239**
curved bristle	46
cutaneous infection	15, 112
cutaneous larva migrans	8, 98
cuticle	89
cutting plate	110
Cyclocheilichthys siaja	154
Cyclops leuckarti	21, 192
C. strenuus	128, 190, 218
C. vicinus	131, 218
Cyclospora cayetanensis	**54–55**
Cyprinus carpio	155
cyst	26, 46, 56, 78
cyst carrier	48

cyst passer	28	distoma	150	enzyme-linked immunosorbent assay (ELISA)	**282**	
cystacanth	208	*Distoma pulmonale*	160	eosinophilic granuloma	102	
cysticercoid	187, 204	*D. pulmonis*	160	eosinophilic meningoencephalitis	124	
cysticercus	187	*D. westermanii*	160	*Eothenomys kageus*	258	
Cysticercus bovis	196	diurnal periodicity	134	*E. smithii*	258	
C. cellulosae	198	DNA 診断（法）	68, **282–283**	EPD (egg per day)	285	
C. cellulosae hominis	**198**	dorsal cord	89	EPG (egg per gram)	285	
Cystoisospora belli	25, **54–55**, 60	dorsal esophageal gland	110	epidemic hemorrhagic fever	260	
cytopyge	24	dorsal lip	92	epidemic prevalence	15	
cytostome	24, 50	dorsal lobe	108	epidemic relapsing fever	**248**	
cytozoic	8	dorsal ray	108	epidemic typhus	**248**	
		dorsal teeth	108	epigastralgia	104	
D		dot-ELISA	282	epimastigote stage	38	
		Dracunculus medinensis	91, **142–143**	*Eriocheir japonica*	162, **218–219**	
DALYs	13	dwarf tapeworm	204	erratic parasitism	8	
Damaso de Rivas 法	207			erythema	224	
daughter cyst	200	**E**		erythema migrans (EM)	226	
DDVP	261			erythrocytic schizogony	62	
DEET	262	early trophozoite	62	eschar	224	
definitive host	8	*Echinochasmus japonicus*	151, 170	esophageal bulb	89	
Demodex brevis	234	*E. perfoliatus*	151, 170, 214	esophageal gland	89, 110	
D. folliculorum	**234–235**	*Echinococcus granulosus*	187, **200–203**	esophagus	89	
Dendrolimus spectabilis	240	*E. multilocularis*	187, **200–203**	espundia	44	
dengue fever	**238**	*Echinostoma cinetorchis*	151, 170	*Eurytrema pancreaticum*	151, **158–159**	
Dermacentor andersoni	222	*E. hortense*	151, **170–171**	eukaryote	3	
D. taiwanensis	222	*E. ilocanum*	170	euryxenous	8	
Dermatobia hominis	242	*E. lindoense*	170	*Eustoma rotundatum*	100	
Dermatophagoides farinae	234	*E. macrorchis*	151, 170	excretory bladder	150	
D. pteronyssinus	234	*E. malayanum*	170	excretory bridge	90, 110	
Deroceras laeve	211, 216	*E. revolutum*	170	excretory canal	90	
diameter	212	ectoparasite	8	excretory cell	134	
Diamond's TT1-S-33 培養液	48	ectoplasm	24	excretory gland	90, 110	
Diaptomus gracilis	190, 191, 218	ectozoa	8	excretory pore	90, 110, 134, 150	
diazinon	261	eflornithine	40	exflagellation	62	
dibrom	261	Egaten	174	exoerythrocytic schizogony	62	
dichloro-diphenyl-trichloroethane (DDT)	21, 72, **262**	egg sac	206	exoskeleton	218	
		egg shell	92	experimental definitive host	8	
Dicrocoelium dendriticum	151, **158–159**	ejaculatory duct	90	externo-dorsal ray	108	
Dientamoeba fragilis	32, 50	elephantiasis	136	externo-lateral ray	108	
dientamoebiasis	50	embryonated egg	14, 90, 94	extraintestinal amebiasis	28	
diethylcarbamazine	136	embryophore	196, 204	extrapulmonary dirofilariasis	140	
diflubenzuron	262	emerging disease	15	eye spot	152	
Digenea	172	encystation	26			
digenetic trematoda	150	endemic disease	15	**F**		
digestive region	212	endemic prevalence	15			
diphyllobothriasis	188	endodyogeny	56	falciparum malaria	66	
Diphyllobothrium latum	187, **188–191**	*Endolimax nana*	25, **32**, 33	*Fannia canicularis*	242	
D. mansoni	192	endoparasite	8	*Fasciola gigantica*	151, **172–175**	
D. nihonkaiense	187, **188–191**	endoplasm	24	*F. hepatica*	151, **172–175**	
D. ursi	21	endoplasmic reticulum	24	fascioliasis	172	
Diplogonoporus balaenopterae	187, **192–193**	endozoa	8	*Fasciolopsis buski*	151, **158–159**	
		engorge	222	fenitrothion	261	
D. grandis	192	*Entamoeba coli*	25, **32–33**	fertilized egg	92	
Dipylidium caninum	187, **206**	*E. dispar*	21, 25, 26, **28**, 30	filariasis bancrofti	136	
direct transmission	15, 50	*E. gingivalis*	25, **32–33**	filariform larva	112	
Dirofilaria immitis	91, **140–141**	*E. hartmanni*	25	fire ant	254	
D. repens	140	*E. histolytica*	25, **26–31**	fish tapeworm	188	
D. tenuis	140	enterobiasis	106	flagellate	38	
D. ursi	140	*Enterobius vermicularis*	91, **106–107**	flagellum	24, 38	
dirofilariasis	140	environmental control	262			

Flagyl	30, 48, 50	Gregarina pulmonalis	160	hydatid cyst	187
flame cell	150	ground itch	114	hydatid fluid	200
flea	**244-245**	growth line	212	hydatid sand	200
fluorescent antibody technique (FAT)	**282-283**	gubernaculum	90	hydrocele	136
		Guinea worm	142	hydrocephalus	58
food vacuole	24	*Gyraulus chinensis spirillus*	182, 215	*Hymenolepis diminuta*	204
Fossaria ollula	215			*H. nana*	204
Francisella tularensis	224			hypnozoite	11, 62
free living	7			hypodermis	89

G / H / I / J

		Haemaphysalis campanulata	223	*Hypomesus olidus*	155
		H. flava	223, 224	hypostoma	220
γ-BHC	261	*H. hystricis*	223		
gametogony	52, 55, 62	*H. japonica*	223		
Gastrografin	207	*H. longicornis*	223	ICT Filariasis test	136
genal comb	244	*Haematopota tristis*	240	IgA	12
genal ctenidium	244	haemocoele	218	IgE	12, 13
generic name	6	haemolymph	89, 218	IgM	58, 282
genetically modified mosquitoes	262	*Haemonchus contortus*	91, 120	immature proglottid	186
genital atrium	188	Haller's organ	220	immediate type hypersensitivity	104
genital cell	134	halzoun	184	immune modulation/manipulation	11
genital pore	150, 188	*Hampala dispar*	154	immunochromatographic test	282
genital primordium	116	hanging groin	142	immunoelectrophoresis (IEP)	**282**
Geothelphusa dehaani	162, 166, **218**	Hantaan virus	260	imported malaria	72
germinal layer	200	hantavirus pulmonary syndrome (HPS)	260	incidental host	8
Giardia agilis	46	hard tick	220	indigenous malaria	72
G. intestinalis	25, **46-49**	HE 染色	27, 31, 80, 280	indirect transmission	15
G. lamblia	46	head-foot-region	212	infectious disease	3
G. muris	46	Heidenhain ironhematoxylin (HIH) stain	33, 276	infective form	14
giardial diarrhea	48	height	212	infective larva	15, 90, 112
giardiasis	48	*Helice tridens*	218	innate lymphoid cells (ILCs)	12
Giemsa stain	280	*Helicobacter pylori*	254	inner body	134
Gigantobilharzia sturniae	151, **182-183**	helminth	88	inner ventral teeth	108
Gilliam（型）	230	hemorrhagic fever with renal syndrome (HFRS)	**260**	insect growth regulator (IGR)	262
Global Programme to Eliminate Lymphatic Filariasis (GPELF)	137	hermaphroditism	9, 88	insecticide	261
Glossina morsitans	40	*Heterophyes heterophyes*	158	integument	150, 186
G. palpalis	40, 41, 242	*H. heterophyes nocens*	151, **158-159**	interleukin (IL)	12
Gloydius blomhoffii	**256-257**	heterotopic parasitism	8	intermediate host	9, 15, 210
glycocalyx	24	*Hirosia iyoensis*	240	intestinal amebiasis	28
glycogen vacuole	26	histidine-rich protein 2 (HRP-2)	68	intestine	89
Glycyphagus destructor	234	holomyarian type	89	intracystic body	78
Gnathopogon elongatus caerulescens	155	honeycombed material	80	*Iodamoeba bütschlii*	25, **32-33**
G. elongatus elongatus	155	hooklet	186	*Isometrus maculatus*	220
gnathosoma	220	hookworm	108	*Isospora bigemina*	56
Gnathostoma binuleatum	130	hookworm anemia	114	*I. hominis*	54, 60
G. doloresi	91, **130-131**	hookworm disease	114	isosporiasis	54
G. hispidum	91, **128-129**	hornet	**252-253**	ivermectin	126, 142, 232
G. nipponicum	91, **130-131**	horse fly	142, **240-241**	*Ixodes acutitarsus*	223
G. spinigerum	91, **128-129**	host	7	*I. asanumai*	223
Golgi body	24	host-parasite relationship	8	*I. monospinosus*	223
Gomori's methenamine silver (nitrate) stain	78, **280-281**	host specificity	7	*I. nipponensis*	223
gonochorism	9, 88	host switch	10	*I. ovatus*	223, 226
gonotyl	158	house dust mite	234	*I. persulcatus*	223, 226
Gordiacea	208	human helminthology	6, 88	*I. ricinus*	223
granulomatous amebic encephalitis (GAE)	**34**	human immunodeficiency virus (HIV)	86	*I. s. simplex*	223
		human parasitology	3, 6	*I. turdus*	223
gravid proglottid	186	human protozoology	6	Japanese encephalitis	238

Japanese spotted fever	224	

K

kala-azar	44
Karp（型）	230
karyosome	24
Katayama nosophora	215
Kato（型）	230
Kawasaki（型）	230
kinetoplast	38
Kingdom Animalia	3
Kingdom Fungi	3
Kingdom Monera	3
Kingdom Plantae	3
Kingdom Protista	3
Kinyoun 染色	52, 53, **277**
Knott 法	136
Kohn's stain	**276**
Korean hemorrhagic fever	260
Kudoa septempunctata	**75**
Kuroki（型）	230

L

lactate dehydrogenase	68
Laelaps jettmari	260
laminated layer	200
LAMP 法	281
lancet	108
larva migrans	8, 21, **98-99**
larval spiruriniasis	132
late trophozoite	62
lateral cord	89
lateral lobe	108
Latrodectus hasseltii	**220**
Laurer's canal	150
Lehmannia valentiana	211, 216
Leishmania braziliensis	25, 38, **44-45**
L. donovani	25, 38, 39, **44-45**
L. gondii	56
L. major	44
L. mexicana	**44-45**
L. peruviana	44
L. tropica	38, **44-45**
length	212
Leptopsylla segnis	245
Leptospira autamunalis	258
L. copenhageni	258
L. hebdomadis	258
L. icterohaemorrhagiae	258
L. interrogans	258
Leptotrombidium akamushi	228
L. pallidum	228
L. scutellare	228
life cycle	9
life history	9
Ligula mansoni	194
Limax flavus	216
Liocheles australasiae	220
lip	89
Liza haematocheilus	158
Loa loa	91, **142-143**
Löffler syndrome	13, 94, 114
longitudinal cord	89
loop-mediated isothermal amplification（LAMP）	281
Lucilia illustris	242
Lutzomyia	44
Lyme disease（Lyme borreliosis）	**226-227**
Lymnaea pervia	215
L. stagnalis var. *appressa*	182
lymphatic filariasis	136
lysosome	24

M

M1 macrophages	12
M2 macrophages	12
Macracanthorhynchus hirudinaceus	208
Macrobrachium lar	218
macrogamete	62
macrogametocyte	62
malaria	**62-73**
malaria eradication program	72
Malarone	71
malathion	261
malignant malaria	66
malignant tertian malaria	66
Malpighian tubule	220
Mansonella	134
Mansonella ozzardi	91, 138
M. perstans	91, **138-139**
M. streptocerca	91, 138
Mansonia	138
mature proglottid	186
mature schizont	62
Maurer's dots	64
mebendazole	94, 106, 144
mechanical transmission	15, 210
median body	46
medical acarology	6, 210
medical arthropodology	210
medical entomology	6, 210
medical helminthology	6, 88
medical ichthyology	6, 210
medical malacology	6, 210
medical mammalogy	6, 210
medical microbiology	3
medical parasitology	3
medical protozoology	6
medical zoology	3
medically important crustaceans	6, 210
medically important snakes	6, 210
medio-lateral ray	108
mefloquine	71
Mehlis' gland	150, 188
melarsoprol	40
meromyarian type	89
merozoite	60, 62
merthiolate-iodine-formalin（MIF）液	47
Mesocyclops leuckarti	128, 218
Mesocestoides lineatus	187, **206**
metacercaria	150
metacyclic trypomastigote form	38
metacyst	26
metasystic trophozoite	26
Metagonimus takahashii	156
M. yokogawai	151, **156-157**
metagonimiasis	**156-157**
metastasis	8
metazoa	24
methoprene	262
method of transmission	15
metronidazole	30, 48, 50
miasma	62
microfilaria	134
microfilarial periodicity	134
microgamete	62
microgametocyte	62
Micromys minutus	258
microtrix	186, 187
microtubule	24
Microtus montebelli	258
Miescher 管	60
miracidial immobilization test	178
miracidium	150
Misgurnus anguillicaudatus	128
mite	220
mitochondrion	24
molecular epidemiology	283
molecular mimicry	11
Monema flavescens	240
Moniliformis dubius	88, **208**
M. moniliformis	208
monoclonal antibody	28
Monopsyllus anisus	245
mother cyst	200
mucron	100, 108
Mugil cephalus	158
Multiceps longihamatus	204
multilocular hydatid	200
multiple fission	9
Mus musculus	258
Musca domestica	242
muscle	89
mutualism	7
myiasis	242
Myxotricha paradoxa	7

N

NADH-fumarate reductase 系	10
Naegleria fowleri	25, **34-35**
nankor	261
natural infection	8
Necator americanus	91, **110-111**

N. miyazakiensis	6	outbreak	15	PEPCK-コハク酸回路	10
neck	186	outer lip	212	*Periplaneta americana*	**254**
neglected disease	13	outer ventral teeth	108	*P. fuliginosa*	**254**
Neglected Tropical Diseases (NTDs)		ovale malaria	66	pesticide	261
	4, 5	ovary	90, 188	phasmid	90
Neotricula aperta	179	oviduct	90, 188	phasmidia	88
nerve ring	90, 134	ovijector	90	*Phlebotomus argentipes*	44
neutrophil extracellular traps (NETs)		*Ovophis okinavensis*	**256-257**	*P. papatasi*	44, 45
	12	ovotestis region	212	*Phthirus pubis*	**250-251**
N,N-diethylmetatoluamide	262	oviparous	146	*Physa acuta*	211, **215**
NNN 培地	42	oxyuriasis	106	physical sequestration	11
nocturnal periodicity	134			pica	114
non-susceptible host	8	**P**		PIE 症候群	94, 114
Norwegian scabies	232			*Pila ampullacea*	124
Nosopsyllus fasciatus	245	paedogenesis	9	pinocytosis	24, 46
nuclear whorl	212	palliar region	212	pinworm	106
nucleolus	24	*Paludinella japonica*	214	*Pirenella nipponiea*	211
nucleus	24	PAM	261	placental infection	15, 96
Nybelinia surmenicola	187, **206**	pandemic	15	plague	244
		Panstrongylus megistus	42	plasma membrane	24
O		papilla	92	plasmalemma	24
		Paracapillaria philippinensis		*Plasmodium falciparum*	25, **62-65**
obligate intracellular parasitism	8		91, **144-145**	*P. knowlesi*	25, **72**
Oithona nana	192	*Parafossarulus manchouricus*		*P. malariae*	25, **62-65**
old world cutaneous leishmaniasis	44		152, 211, **214**	*P. ovale*	25, **62-65**
Onchocerca volvulus	91, **142-143**	paragonimiasis	160	*P. vivax*	25, **62-65**
O. dewittei japonica	91, 142, 240	*Paragonimus africanus*	160	*Plecoglossus altivelis*	156
onchocerciasis	87	*P. heterotremus*	160	plerocercoid	187, 190
Oncomelania hupensis formosana		*P. iloktsuenensis*	151, **168-169**	*Plerocercoides prolifer*	194
	176, 215	*P. kellicotti*	160	*Pneumocystis carinii*	25, 76
O. hupensis hupensis	176, 215	*P. mexicanus*	160	*P. jirovecii*	25, **76-85**
O. hupensis nosophora		*P. miyazakii*	151, 160, **166-167**	pneumocystis pneumonia	76
	176, 211, 214, **215**	*P. ohirai*	151, **168-169**	pneumocystosis	76
O. hupensis quadrasi	176, 215	*P. pulmonalis*	161	*Polistes jadwigae*	252
O. lindoense	176	*P. sadoensis*	151, **168-169**	*P. rothneyi*	252
O. minima	168, 211, 215	*P. skrjabini*	160	polymerase chain reaction (PCR)	
Oncorhynchus gorbuscha	190	*P. skrjabini miyazakii*	166		68, 82, **283**
O. keta	190	*P. uterobilateralis*	160	polymyarian type	89
O. masou	190	*P. westermani*	151, **160-165**	Polyphagid 群	36
oncosphere	196	parasite	7	*Polypylis hemisphaerula*	182, 211, **215**
oocyst	56, 62	parasite count	68	*Pomacea canaliculata*	122
ookinete	62	parasite density (PD)	68	pork tapeworm	198
ootype	150, 188	parasitemia	56	postero-lateral ray	108
operculum	152	parasitism	7	post-malaria neurological syndrome	
opisthomastigote stage	38	parasitophorous vacuole	11		71
Opisthorchis felineus	154	paratenic host	9, 122, 194	praziquantel	154, 156, 164, 178, 207
O. viverrini	151, **154-155**	parenchyma	150, 186	precyst	26
opportunistic infection	13, 76	parenthesis-like structure	78, 280	pre-erythrocytic schizogony	62
opportunistic pathogen	76	parthenogenesis	9, 88, 126	premunition	12, 67
oral-anal sex	4, 26, 46	PAS 染色	277	prenatal infection	15
oral infection	15, 112	PCP ナトリウム	178	primary amebic meningoencephalitis	
oral sucker	150	PCR 法	281, **283**	(PAM)	34
Oriental eyeworm	132	*Pediculus humanus*	**246-249**	primaquine	71
Oriental sore	44	*P. h. capitis*	**246-249**	principal host	8
Orientia tsutsugamushi	228, 230	*P. h. corporis*	**246-249**	proboscis	208
Ornithodoros moubata	220	pedipalp	220	*Procambarus clarkii*	162, 218
Ornithonyssus bacoti	**232-233**	pellicle	78	procercoid	190
Ostertagia ostertagi	120	pentamidine isethionate	40, 84	prokaryote	3
Ouchterlony 法	30, 82, 124, 128, 130,	*Pentatrichomonas hominis*	6, 25, **51**	promastigote stage	38
	140, 146, 164, 165, 174, 175, 194, **282**	Pentostam	44	pronotal comb	244

pronotal ctenidium	244	*Rhabdophis tigrinus*	256	*Semisulcospira bensoni*	214
Prosimulium（*Prosimulium*）*jezonicum*		*Rhipicephalus micropus*	222	*S. libertina*	156, 162, 211, 212, **214**
	240	*R. sanguineus*	223	sensory papilla	90
P.（*Prosimulium*）*kiotoense*	240	*Rhodeus ocellatus smithii*	155	*Sesarmops intermedium*	168, 218
protein coat	92	*Rhodnius prolixus*	42, 43	seta	220
Protobothrops elegans	**256–257**	*Rickettsia heilongjiangensis*	224	severe fever with thrombocytopenia	
P. flavoviridis	**256–257**	*Rickettsia helvetica*	224	syndrome（SFTS）	**226**
protoscolex	200	*R. japonica*	224	sexual reproduction	9, 24
protozoa	24, 88	*R. prowazekii*	248	sexually transmitted disease（STD）	
provisional buccal capsule	112	*R. tsutsugamushi*	21		15, 26, 46, 50, 250
pseudocoel	89	rigor mortis	108	SFTS ウイルス	219
pseudopodium	24	ring form	62	sheath	112, 134
Pseudorasbora parva	155	river blindness	142	sheathed larva	112
Pseudoterranova azarasi	100, 101, 102	R I ～ R Ⅲ 耐性（マラリア）	70	shell	211
P. bulbosa	100	Robles 病	142	Shimokoshi（型）	230
P. cattani	100	*Rodentolepis diminuta*	**204–205**	sibling species	100
P. decipiens	91, **100–105**	*R. nana*	**204–205**	*Simulium damnosum*	142
P. decipiens sensu lato	101	roll back malaria program	72	*S. metallicum*	142
P. decipiens sensu stricto	100, 101	Romaña 徴候	42, 43	*S. ochraceum*	142
P. krabbei	100	roof rat	258	*S.*（*Simulium*）*arakawae*	240
pubic louse	250	rostellum	186	*S.*（*Simulium*）*bidentatum*	240
Pulex irritans	245	roundworm	7	*S.*（*Simulium*）*japonicum*	240
pulmonary dirofilariasis	140	route of infection	15	*S.*（*Simulium*）*nacojapi*	240
pulmonary infiltration with		*Ruditapes philippiarum*	216	*S.*（*Simulium*）*oitanum*	240
eosinophilia（PIE 症候群）	94			*S.*（*Simulium*）*rufibasis*	240
Puntius orphoides	154	**S**		skin snip 法	142
puparium	242			skin test	164, **283**
pyrantel pamoate	94, 106	Sabin-Feldman dye test（DT）	58	slime ball	158
		Saganoa kawanensis	166, 211, 215	slug	216
Q		salivaria	38	soft tick	220
		salmonellosis	258	solenopsin	254
Q 熱	16, 222, 227	sand fly	44	*Solenopsis invicta*	**254**
quartan malaria	66	sanitary zoology	6, 210	source of infection	14
quinghaosu	1	*Sarcocheilichthys variegatus*	155	sparganosis	192, **194–195**
quinine	70	sarcocyst	60	*Sparganum mansoni*	**194–195**
		Sarcocystis cruzi	60	*S. proliferum*	187, **194–195**
R		*S. fayeri*	**60**	species	6
		S. hominis	6, **60**	specific epithet	6
Radix auricularia japonica		*S. lindemanni*	60	specific name	6
	170, 211, **215**	*S. suihominis*	61	*Sphrageidus similis*	240
Rainey 小体	60	*Sarcophaga peregrina*	242	spicule	90
Raphidascaris	100, 101	*Sarcoptes scabiei*	**232–233**	spiral sculpture	212
rat-bite disease	258	scabies	232	spire	212
rat lungworm	122	*Schistosoma haematobium*	151, **180–181**	*Spirillum minus*	258
rat tapeworm	204	*S. japonicum*	151, **176–179**	*Spirometra decipiens*	194
Rattus norvegicus	122, **258–259**	*S. mansoni*	151, **180–181**	*S. erinacei*	192
R. rattus	122, **258–259**	*S. mekongi*	178, 179	*S. erinaceieuropaei*	187, **192–193**
recrudescence	64	schistosome cercarial dermatitis	182	spirurin nematode larva	132
rectal cell	134	schistosomulum	176	splenomegaly	66
rectum	89	schizogony	9, 52, 55, 62	sporocyst	150
redia	150	schizont	62	sporogony	55, 62
reemerging disease	15	Schüffner's dots	64	sporozoite	56, 62
regulatory T cell（Treg）	11	scientific name	6	Spulwurm	7
relapse	64	scolex	186	ST 合剤	84, 85
relapsing fever	**248**	scrub typhus	230	steatorrhea	48
repellent	262	scutum	220, 228	stenoxenous	8, 134
reservoir host	8, 14, 268	second intermediate host	9	stercoraria	38, 42
residual effect	262	*Segmentina nitidella*	182, 215	stichocyte	144
retinochoroiditis	58	seminal receptacle	90, 150, 188	stichosome	144
rhabditiform larva	112	seminal vesicle	90, 150, 188	stigma	220

Stoll 氏卵数計算法	**285**	
Stomoxys calcitrans	242	
straight columella	212	
strobila	186	
Strongyloides stercoralis	91, **126-127**	
strongyloidiasis	126	
subventral esophageal gland	110	
subventral lip	92	
sucker	186	
sucking disc	46	
suramin	40	
susceptible host	8	
suture	212	
swimmer's itch	182	
symbiosis	7	
synonym	118	
synaptonemal complex	78	
Synchytrium miescherianum	60	
Systema Helminthum	21	
Systema Naturae	6	

T

Tabanus trigeminus	240	
tachyzoite	56	
Taenia asiatica	187, **196**	
T. lata	188	
T. multiceps	187, **204-205**	
T. saginata	187, **196-197**	
T. serialis	204	
T. solium	187, **198-199**	
Taeniarhynchus saginatus	196	
taeniasis saginata	196	
taeniasis solium	198	
tapeworm	186	
TCA サイクル	10	
TDR	4	
tertian malaria	66	
testis	90, 188	
Th1 細胞	12	
Th2 細胞	12	
Thelazia callipaeda	91, **132-133**	
thick blood smear	68, 278	
thin blood smear	68, 278	
thymic stromal lymphopoietin（TSLP）	12	
tick	220	
tinidazole	30, 48, 50	
tissue and organ specificity	8	
tissue form	62	
tooth	89	
TORCH 症候群	58	
Toxocara canis	91, **96-97**	
T. cati	91, **96-97**	
toxocariasis	98	
Toxoplasma gondii	25, **56-59**	
toxoplasmosis	**56-59**	
transfusion malaria	72	
transmitter	15, 210	
transverse canal	110	
transverse striation	89, 108	
traveler's diarrhea	46	
Trematoda	150	
trench fever	**248**	
Triatoma infestans	42, 43	
Tribolodon hakonensis	155	
Trichinella britovi	91, 146	
T. murrelli	146	
T. nativa	146	
T. nelsoni	146	
T. papuae	146	
T. patagoniensis	146	
T. pseudospiralis	91, 146	
T. spiralis	91, **146-147**	
T. zimbabwensis	146	
trichinellosis（trichinosis）	**146**	
Trichobilharzia brevis	151, 182	
T. ocellata	182	
T. physellae	151, **182**, 215	
Trichomonas tenax	50	
T. vaginalis	25, **50-51**	
Trichostrongylus axei	120	
T. brevis	120	
T. capricola	120	
T. colubriformis	91, 120	
T. orientalis	91, **120-121**	
T. probolurus	120	
T. skrjabini	120	
T. vitrinus	120	
Trichuris trichiura	91, **144-145**	
triclabendazole	174	
Tricula minima	168, 215	
trimethoprim/sulfamethoxazole	84, 85	
trombiculid mite	228	
trophozoite	26, 46, 78	
truncate columella	212	
Trypanosoma brucei gambiense	25, 38, 39, **40-41**, 84	
T. brucei rhodesiense	25, 38, 39, **40-41**	
T. cruzi	25, 38, 39, **42-43**, 76	
T. lewisi	42	
T. rangeli	42	
trypomastigote stage	38	
tsutsugamushi disease	**230**	
tubular expansion	78	
tularemia	**224**	
turnus	134	
Twinnia japonensis	240	
Tympanotomus microptera	214	
Tyrophagus putrescentiae	**234**	

U

ulcer	28	
umbilicus	212	
undefinitive host	8	
undulating membrane	24, 38, 50	
unfertilized egg	92	
unilocular hydatid	200	
unilocular hydatid disease	**202**	
unit membrane	24, 78	
uta	44	
uterine pore	188	
uterus	90	

V

vagina	90, 188	
vaginitis	50	
Vampirolepis nana	204	
vas deferens	90, 150, 188	
vas efferens	150, 188	
VBS 抗原	164	
vector	15, 210	
ventral cord	89	
ventral ray	108	
ventral sucker	150	
Vespa mandarinia	**252**	
V. simillima xanthoptera	**252**	
veterinary parasitology	6	
visceral larva migrans	8, 98	
visceral leishmaniasis	44	
visceral region	212	
vitelline cell	188	
vitelline duct	150, 188	
vitelline gland	150, 188	
vitelline membrane	92	
vivax malaria	66	
Vulpes vulpes schrencki	**202**	
vulva	90	

W

wasp	**252-253**	
Watasenia scintillans	132	
waterborne disease	52	
waterborne giardiasis	46	
watercress	174	
Weil's disease	**258**	
Western blot 法	202, 226, **282**	
WHO	4, 62, 72, 137, 142, 268	
whipworm	144	
whorl	212	
width	212	
Winterbottom 徴候	40, 41	
Wolbachia	134, 262	
Wuchereria bancrofti	91, **134-137**	

X

X 線（胃腸）透視	94, 104, 207	
xenodiagnosis	42	
Xenopsylla cheopis	**244-245**	

Y

Yersinia pestis	244	
yolk	188	

young schizont 62

Z

Ziemann's dots 64
Zika virus infection **238**
zoite 60
zoonosis 8, 46, **268-269**
zygote 62
zymodeme 28

日本語索引

A

アブ	142, 210, 236, **240-241**
アドレナリン自己注射製剤	252
アフリカマイマイ	122, 123, 124, 211, **216**, 217
アフリカ睡眠病	**40**, 41, 84
アヒル	182
アイソザイムパターン	28, 44
アジアヒキガエル	122
アジア条虫	187, **196**
アカヒアリ	**254**
アカイエカ	134, 140, 219, 236, **238-239**
アカコッコマダニ	223
アカクラアシマダラブユ	240
アカマンボウ	102
アカモンサシガメ	42
アカネズミ	74, 82, 258
アカントアメーバ	15
アカントアメーバ角膜炎	4, **36-37**
アカテガニ	168, 218
アカツツガムシ	220, **228**, 230
アキアジ	190
アクリジンオレンジ染色	68, **278**
アマガエル	170
アマゴ	130
アメーバ性大腸炎	26, 28
アメーバ性肝膿瘍（肝アメーバ症）	26, **28**, 30, 31
アメーバ性肉芽腫性脳炎	34
アメーバ性脳膿瘍	29
アメーバ赤痢	16, 20, **26-31**
アメーバ体	62, 64
アメパロモ	30, 52
アメリカ鉤虫	8, 20, 91, **108-119**, 285
アメリカ粘膜皮膚リーシュマニア症	44
アメリカザリガニ	162, 163, **218**
アミノフィリン	252
アナフィラキシーショック	252, 254
アンビルハール	178
アンフィッド腺	89, 109, 110
アンフォテリシン B	34
アニサキス（症）	8, 9, 13, 21, 90, 98, **100-105**, 211, 219
アノフェレス属	20, 62, 66
アンボイナガイ	216
アンキロトマス-デュヲデヌーム	152
アンツー	259
アオバアリガタハネカクシ	236
アオキツメトゲブユ	241
アオサギ	184
アライグマ	98, 140
アライグマ回虫	91, **96**
アラーミン	11, 12
アレルギー	210
アレルギー反応	114, 136, 254
アリ	158, 219, 236
アルベンダゾール	48, 98, 114, 124, 128, 147, 202, 207
アルマジロ	42
アルテメテル	71
アサヌママダニ	223
アサリ	216
アシブトコナダニ	220, 234
アシハラガニ	168, 218
アシヒダナメクジ	122, 124, 216
アシマダラブユ	240
アシナガバチ	252
アタマジラミ	15, **246-249**
アテブリン	207
アーテスネート	71
アトバコン	71, 84
アトピー	210, 234
アユ	20, 130, 156, 157
アザラシ	102, 192
亜腹唇	92
秋疫	258
悪性マラリア	66
安息香酸ベンジル	232
浅田棘口吸虫	21, 151, **170-171**, 215
浅田棘口吸虫卵	286
浅見培地	50

B

バベシア（症）	15, 25, **74**, 219, 222, 227, 258
バイ	216
バイテックス	261
バク	138
バクタ	84
バクトラミン	84
バンクロフト糸状虫	18, 19, 87, 90, 91, **134-137**, 139, 219, 238
バラタナゴ	155
バルサン	250
媒介者	15, 210
媒介体診断法	42
馬肉（馬刺し）	4, 60
ベナンバックス	84
ベニギツネ	202
ベンケイガニ	168, 169, 218
ベンズニダゾール	42
ベルツ肺吸虫	160
鞭虫（症）	4, 18, 89, 90, 91, **144-145**, 242, 284, 285
鞭虫卵	17, 286
鞭毛	24, 34, 38
鞭毛虫	38, 276
鞭毛型	34
鞭毛放出	62
ビチオノール（ビチン）	21, 164, 174, 207
ビレボン	154
ビルハルツ住血吸虫（症）	4, 13, 18, 151, **180-181**
ビルハルツ住血吸虫卵	286
ビルトリシド	154, 164, 207
微小管	24
微小毛	186, 188
尾突起	100, 108
ボラ	158
ボラックス・カルミン染色	288
ボタン熱	224
母胞嚢	200
膀胱癌	13, 180
ブラジル鉤虫	20, 91, 98, 114, **118-119**
ブラジルリーシュマニア	25, **44-45**
ブルーギル	130
ブタ	10, 56, 74, 112, 128, 146, 152, 158, 168, 176, 194, 198, 200, 202, 208
ブタ回虫	4, 10, 15, 91, **96-97**, 98, 175
物理的隔離	11
ブユ	15, 21, 142, 210, 219, 236, **240-241**, 261
部分筋細胞型	89

分裂体	52, 62	
分子疫学	283	
分子模倣	11	
病原性自由生活アメーバ	**34-37**	

C

チャバネゴキブリ	**254-255**
チャドクガ	240
チャコウラナメクジ	122, 124, 211, 216
チカイエカ	236, 238
チクングニアウイルス	238
チマダニ	219, 220, 223
チーマン斑点	64
チモール糸状虫	136, 138
チニダゾール	30, 48, 50, 51
チンパンジー	106
チリダニ	210
チリメンカワニナ	214
地方病	15
地域免疫	15
青蒿（素）ちんはおすう	1, 17, 70
腟炎	50
腟トリコモナス（症）	15, 18, 25, **50-51**, 276, 277
腸アメーバ症	28, 30
腸アニサキス症	104
腸管	89
腸管外アメーバ症	28
腸間膜動脈	124
腸盲嚢	100
腸トリコモナス	25, **51**
直径	212
直腸	89
直腸粘膜生検	180
直腸細胞	134
直接伝播	15
直接発育	126
直接塗抹法	94, 284
長江浮腫	128
貯精嚢	90, 92, 150, 188
虫病原論	19
注腸造影剤	207
中間宿主	**9**, 10, 88, 150, 186, 210, 214
中胸	236
中央小体	46
中側肋	108
虫血症	56
虫嚢	164
虫卵塞栓	13
虫様体	62

D

ダイアジノン	261
ダニ	8, 15, 210, 218, **220-221**, 262
ダニ脳炎	227
大腸アメーバ	25, 26, 30, 31, **32-33**, 276
大腸バランチジウム	24, 25, **74**, 276
大腸癌	178
大腸内視鏡	30
大複殖門条虫（症）	19, 20, 192
大核	74
第1中間宿主	9, 90
第2中間宿主	9, 90
第5のヒトマラリア	72
脱嚢後栄養型	26
ディート	262
デング熱	16, 210, **238**
デングウイルス	219, 238
デラフィールド・ヘマトキシリン染色	160, 167, **288**
伝播方法	15
伝播者	15, 210
伝染病予防法	15
ドブネズミ	82, 122, 125, 168, **258-259**
ドジョウ	128, 130, 170
ドキシサイクリン	71, 224, 230, 258
ドクガ	**240-241**
ドノバンリーシュマニア	20, 25, **44-45**
ドロレス顎口虫	15, 21, 22, 91, 98, 128, 129, **130-131**, 218
胴部	220
動物界	3
動原核	38
動脈血酸素分圧（PaO$_2$）	82
土着マラリア	72
毒蛇	15, **256-257**
毒針毛	240
導刺帯	90

E

エビ	124, 218
エフロルニチン	40
エガテン	174
エキノコックス（症）	4, 16, **200-203**
エネルギー代謝	10
エピネフリン	252
エラブシュリマイマイ	122, 124, 216
エラブウミヘビ	257
エーリキア症	227
エリスロマイシン	258
エゾボラ	216
エゾヒグマ	146
エゾクロテン	146
エゾヤチネズミ	202, 258
永久染色標本作成法	276
衛生動物学	6, 210
衛生害虫	210
栄養型	26, 30, 34, 46, 78
疫学	14
塩酸エメチン	154, 164
塩酸オキシブプロカイン点眼	132
塩酸プログアニル	71
遠心沈殿集卵法	164, 174, 178, **284-285**

円葉目	187

F

ファンシダール	70, 84
ファスミッド	90
フェイヤー肉胞子虫	25, **60**
フェニトロチオン	244, 261
フェノトリン	232, 248, 250
フィラリア	15, 87, 134, 236, 238
フィラリア型幼虫	112, 113, 126
フィリピン毛細虫	22, 91, **144-145**
フォーラーネグレリア	22, 25, **34-35**
フグ	210
フマル酸第一鉄	114
フマル酸呼吸	10
フナ	154, 155, 156, 184
フラジール	30, 48, 50
フロ酸ジロキサニド	30
フタトゲチマダニ	220, 222, 224, 226
フトゲツツガムシ	219, 220, **228**, 230
フトツメダニ	234
風土病	15
不受精卵	92
腹鞭毛	46
腹吸盤	150
腹肋	108
腹索	89
腹足類	211
副腎皮質ホルモン	124
副腎皮質ステロイド（軟膏）	234, 240, 252
副基体	46
副交接刺	90, 108, 120
副歯	108
吻	208
糞便の培養	114
糞線虫（症）	9, 14, 15, 19, 90, 91, **126-127**, 285
腐生動物性栄養	24
斧足類	211
二日熱マラリア原虫	25, 62, **72**
不等毛類	32

G

ガンビアトリパノソーマ	11, 20, 24, 25, **40-41**, 219
ガストログラフィン	189, **207**
外部寄生虫	8
外腹歯	108
外背肋	108
外被	78, 150, 186, 187
外被下細胞	150
外骨格	218
外肉	24, 27, 33
外唇	212
外側肋	108
外套部	212
顎口虫（症）	8, 21, 90, **128-131**, 194, 219

額嘴	186	ハンタウイルス肺症候群	260	ヒメハブ	256
顎体部	220	ハラー氏器官	220	ヒメイエバエ	242
学名	6	ハリガネムシ	208	ヒメモノアラガイ	122, 170, 172, 173, 182, 211, **215**, 217
眼点	152	ハルトマンアメーバ	25, **32-33**		
芽殖孤虫（症）	20, 187, **194-195**, 207	ハタハタ	132	ヒメネズミ	258
ゲジ	254	ハタネズミ	**258-259**	ヒメトゲダニ	220
原虫（原生動物）	24, 88, 150	ハツカネズミ	**258-259**	ヒメヤチネズミ	258
原虫検査法	**276-277**	ハゼ	158	ヒプノゾイト	11, 22, **62**, 64, 70, 71
原虫密度	68	波動膜	24, 38, 50	ヒラマキガイ	21, 158
原虫数	68	肺炎	76, 80, 82, 84, 86, 94, 126, 146	ヒラマキガイモドキ	21, 182, 183, 211, 213, **215**, 217
原核生物	3	肺外イヌ糸状虫症	140		
原形質膜	24	肺胞毛細管ブロック	80	ヒラマキミズマイマイ	182, 215
原発性アメーバ性髄膜脳炎	22, 34	肺イヌ糸状虫症	140	ヒラマキモドキ	215
原生生物界	3	肺ジストマ	160	ヒラメ	75
原始口嚢	112, 113, 115	肺吸虫（症）	4, 8, 9, 15, 129, 154, 160-167, 219, 282, 284, 285	ヒラサバ	102
原体腔	89			ヒロズキンバエ	242
原頭節	200	敗血症	126	ヒル	88, 184
源氏物語	17	背甲	162	ヒトブラストシスチス	15, 25, **32-33**, 276
減数分裂	78	背甲板	220, 228		
齧歯類	44, 200, 222, 260	背肋	108	ヒトヒフバエ	242
ギムザ染色	277, **278**, 280	背索	89	ヒトジラミ	236, **246-249**
擬充尾虫	190	背唇	92	ヒトクリプトスポリジウム	22, 25, **52-53**
擬囊尾虫	187, 204, 206, 244	背側歯	108		
擬旋毛虫	91	背葉	108	ヒト免疫不全ウイルス（HIV）	86
擬体腔	89	排卵管	90	ヒト肉胞子虫	60
擬頭部	220	排泄管	90	ヒトノミ	244
擬葉目	187	排泄孔	90, 110, 134, 150	ヒトスジシマカ	4, 140, 219, **238-239**
偽足（仮足）	24, 26, 34	排泄橋	90, 110	ヒトットゲダニ	223
ゴキブリ	15, 208, 210, 236, **254-255**, 261	排泄囊	150	ヒツジ	56, 120, 158, 172, 174, 196, 200, 202, 204
		排泄細胞	134		
ゴマフアブ	240	排泄腺	90, 110	ヒゼンダニ	15, 210, 220, **232-233**
ゴマサバ	102	薄層塗抹法	284	非病原性アメーバ	32-33
ゴルジ体	24	半月体	64	非感受性宿主	8
螯脚	162, 218	胚層	200	非固有宿主	8
剛棘顎口虫	19, 91, 98, **128-129**	繁殖胞	200	肥大吸虫	21, 151, **158-159**
剛毛	220	播種性糞線虫症	126	皮膚炎	178
グリコーゲン胞	26, 32, 33	播種性血管内凝固（DIC）	224, 260	皮膚爬行症	98, 114, 115, 118, 128, 130, 132, 140
グリセリン・ゼリー封入法	289	発育終末トリパノソーマ型	38		
グルコース-6-燐酸脱水素酵素		発熱	66, 230	皮膚幼虫移行症	8, 98
欠損者	71	ヘビ	194	皮内反応	**283**
偶発的宿主	8	ヘキサクロロフェン	154	貧血	66, 114
偶蹄類	200, 204	ヘマトキシリン・エオジン染色（HE染色）	27, 31, 35, 80, 277, 280	菱の実	158
蟯虫（症）	15, 18, 87, 88, 90, 91, **106-107**, 283, 285			被鞘幼虫	112
		ヘナタリ	21, 158, 159, 211, **214**, 217	脾腫	66
蟯虫卵	284, 285, 286	ヘルパーT細胞	12	日和見病原体	76
凝集反応	282	ヘソカドガイ	212, 214	日和見感染（症）	13, 26, 76, 86
		ヘトール	154	ホッキョクグマ	146
H		蛇状毛様線虫	91, 120	ホクマントゲダニ	260
		平均棍	236	ホンドタヌキ	146
ハブ（咬傷）	**256-257**	閉鎖の肺生検	82	ホンモロコ	155
ハチ（刺傷）	15, 210, 218, 236, **252-253**	扁形動物	88, 150	ホラアナミジンニナ	22, 166, 167, 211, **214**, 217
ハエ	15, 210, 218, 236, **242-243**, 261	偏性細胞内寄生性	8		
ハエ症	242	片利共生	7	ホルマリン・エーテル遠沈法（MGL法）	**277**, 284
ハガツオ	102	臏	212		
ハイデンハイン鉄ヘマトキシリン染色（HIH染色）	33, 276	ヒアリ（火蟻）	210, **254**	ホタルイカ	132, 211
		ヒガイ	155	包虫（症）	17, 18, 98, 187, **200-203**, 207, 283
ハジラミ	219	ヒグマ	190		
ハマダラカ	71, 138, 219, 236	ヒイカ	102	包虫液	200
ハマガニ	168, 218	ヒメアシマダラブユ	240	包虫砂	200
ハンタウイルス	260	ヒメダニ	220, 248	保虫者	14

保虫宿主	8, 15, 156	
縫合	212	
蜂窩状泡沫物質	80	
胞核	24	
飽血	222	
焰細胞	150, 151	
胞子虫	9, 24, 276	
胞子形成	55, 62	
抱雌管	176	
発疹	230	
発疹チフス	16, 21, 219, 246, **248**, 262	
飽和食塩水浮遊法	114, **116-117**, 120	
補体結合反応	178, **282**	

I

イベルメクチン	22, **126**, 128, 136, 138, 142, 232, 234
イボカワニナ	214
イエバエ	242
イエダニ	220, **232-233**
イエカ	236
イガイ	216
イカ	100, 102, 206, 211
イモガイ	216
イモリ	170
イムノクロマト法	282
イノシシ	130, 142, 146, 162, 166, 168, 240
インターフェロンガンマ(INF-γ)	12
インターロイキン（IL）	12
イヌ	30, 42, 44, 46, 82, 118, 132, 140, 146, 152, 156, 166, 168, 170, 176, 190, 192, 200, 202, 204, 206
イヌダニ	223
イヌハジラミ	206
イヌ条虫	206
イヌ回虫（症）	8, 10, 15, 17, 90, 91, **96-97**, 98, 175
イヌ回虫幼虫感染症	**98-99**
イヌ鉤虫（症）	18, 91, 98, 114, **118-119**
イヌノミ	206, 244
イヌ糸状虫（症）	18, 90, 91, 98, **140-141**, 175, 219, 238
イヌ舌虫	218
イラガ	240
イルカ	100, 102
イシガキダイ	102
イシイルカ	102
イシモロコ	155
イシムカデ	254
イソスポーラ（症）	**54-55**, 86
イタチ	130, 166, 168, 170, 259
イワシ	104, 192
イヨシロオビアブ	240
胃アニサキス症	104
胃盲囊	100
医微生物学	3
医動物学	3
医ダニ学	6, 210
遺伝子改変蚊	262
医学上重要な蛇類	6, 210
甲殻類	6, 210
医魚学	6, 210
医哺乳動物学	6, 210
イカリジン	262
医昆虫学	6, 210
医軟体動物学	6, 210
医節足動物学	210
医心方	17
医疾令	17
異形吸虫	18, 152, 158
異所寄生	8, 134, 164
異食症	98, 114, 144
移睾棘口吸虫	151, 170, 171
移行性幼線虫症	8
陰茎	150
陰茎陰嚢象皮病	137
陰茎嚢	150, 188
陰門	90
陰嚢水腫	134, 136
飲作用	24, 46
咽頭吸虫	151, **184**
硫黄華軟膏	232
1核囊子	26
一般名	7
囲蛹	242
十六夜日記	17

J

ジャンボタニシ	122
ジアルジア性下痢	48
ジアルジア症	16, 48
ジブロム	261
ジチアザニン	154
ジエチルカルバマジン	136
ジフルベンゾロン	262
ジカ熱	4, **238**
ジカウイルス	219, 238
ジムカデ	254
ジンサンシバンムシ	254
ジラフ	196
ジストマ	150
自家感染	88, 126, 144, 198, 204, 207
自家蛍光	54, 55
自由生活	7
自由生活世代	126
実験的固有宿主	8
軸索	50
仁	24
人獣共通感染症	8, 46, 56, 172, **268-269**
人獣共通寄生虫症	44, 98
人工胃液	152
人工消化法	152
人体寄生虫学	3
人体寄生虫卵図譜	**286-287**
人体寄生原虫学	6
人体寄生蠕虫学	6, 88
人体内ダニ症	234
人体有鉤囊虫（症）	**198-199**, 207
腎不全	66, 258, 260
腎症候性出血熱	16, **260**
上鞭毛期	38
条虫（症）	17, 150, 207, 288
除虫菊	261
常在糸状虫	91, 134, **138-139**
獣医寄生虫学	6
充核	24
住血吸虫	4, 11, 154, 176, 182
住血吸虫セルカリア皮膚炎	**182**
十二指腸虫	108
十二指腸ゾンデ	48, 126, 154, 174, 207
循環抗原	136
縦肋	212
重症マラリア	66, 68, 71
重症熱性血小板減少症候群	4, 210, 219, 222, **226**
縦走筋層	150
縦走索	89
受精囊	90, 150, 188
受精卵	92
受胎体節	186
柔組織	150, 186

K

カーバメート系殺虫剤	261
カブレ	178
カエル	124, 128, 170, 194
カゲネズミ	258
カクマダニ	220, 223
カマキリ	208
カマラ	156, 207
カモ	182
カモシカ	196
カモシカマダニ	220
カルムチー	128
カネヒラ	155
カニ	218, 219
カプセル内視鏡	94
カッパメマトイ	132
カラ・アザール	44
カラフトマス	21, 190
カラス	182
カリニ肺炎	76
カリオソーム	24, 26, 33, 34, 46
カルバートソンアメーバ	22, 25, **34-35**
カルミン染色	160
カステラーニアメーバ	25, **36-37**
カタクチイワシ	102
カタツムリ	158
カタヤマガイ	176, 215
カツオ	101, 102, 104
カヤネズミ	258
カワカマス	188, 190

日本語索引

カワネミジンツボ	166, 211, 215
カワニナ	20, 156, 157, 162, 163, 211, 212, 213, **214**, 217
カワザンショウガイ	211, 214
カズキダニ	223
蚊	15, 19, 134, 140, 210, 218, **236-239**, 261
顧みられない熱帯病（NTDs）	4, 5
化学的防除	261
回虫（症）	4, 6, 8, 9, 10, 13, 17, 18, 20, 89, 90, 91, **92-95**, 100, 242
不受精卵	285, 286
受精卵	285, 286
回復期保虫者	28
回帰熱	16, 227, **248**
回旋糸状虫（症）	4, 20, 21, 87, 90, 91, 134, 136, **142-143**, 219, 240
貝類	210, **211-217**
開胸的肺生検	82
疥癬（虫）（症）	**232-233**, 262
潰瘍	28
潰瘍性大腸炎	28, 30
角皮	89
角皮下層	89
角化型疥癬	232
括弧状構造物	78, 280
核	24
獲得免疫	11
殻	211
殻頂	212
殻長	212
殻幅	212
殻軸	212
殻高	212
殻口	212
喀痰集シスト法	82, 281
肝アメーバ症	30
肝動脈造影	30
肝硬変	178
肝吸虫（症）	4, 8, 9, 15, 17, 19, 20, 151, **152-155**, 214, 258, 284, 285
肝吸虫卵	286
肝毛細虫	91, 144
肝毛頭虫	144
肝内休眠型原虫	22, **62**, 71
肝細胞癌	178
肝蛭（症）	2, 4, 10, 18, 19, 151, 158, **172-175**, 184, 215
肝臓ジストマ	152
杆状帯	144
管状突起	78
感受性宿主	8
感覚乳頭	90
感染源	14
感染型	14
感染経路	15, **264**
感染症	3
感染症（新）法	**15**, 26
感染幼虫	15, 90, 112, 113, 117, 126
環形動物	88
環境的防除	262
韓国型出血熱	260
間接伝播	15
間節発育	126
間接蛍光抗体法（IFA）	**283**
間接免疫ペルオキシダーゼ法	230
間接赤血球凝集反応（IHA）	58, 124
間質性形質細胞性肺炎	76
寒天ゲル免疫拡散法	282
寒天平板培地法	126
広東住血線虫（症）	21, 90, 91, 98, **122-125**, 215, 216, 218, 219, 258
完全動物性栄養	24
緩増虫体	56
家鼠	258
片山病	176, 179
片山記	18, 176
加藤氏セロファン厚層塗抹法	284
ケジラミ	15, 209, 210, 236, 246, **250-251**
ケナガコナダニ	220, 234
ケンミジンコ	128, 130, 142, 190, 192, 194, 218, 219
ケオプスネズミノミ	244
ケリコット肺吸虫	166
頸部	186
頸部乳頭	108, 110
頸腺	110
頸翼	96
経皮感染	15, 112, 113, 176
経皮の肺吸引	82, 83
経口感染	15, 112, 113
蛍光抗体法	282
嫌気の代謝	9, 10, 24
血便	74
血液薄層塗抹（標本）	68, **278**
血液厚層塗抹（標本）	68, **278**
血尿	180
キアシナガバチ	252
キアシツメトゲブユ	240
キチマダニ	222, 224, 226
キイロナメクジ	216
キイロスズメバチ	252
キンバエ	242
キネトプラスト	38
キンメダイ	102
キニマックス	71
キニーネ	70, 71
キララマダニ	220, 223
キタキツネ	202
キタオオブユ	240
キツネ	200, 202
岐尾セルカリア	176, 182
忌避剤	262
機械の伝播	15, 210
気管支鏡的肺生検	82
気管支洗浄法（BAL）	82
気胸	166
気門	220
襟鞭毛期	38
筋肉	89
菌類界	3
寄生	7
寄生虫（症）	
発癌	13
感染経路	264-265
寄生部位	266
流行要因	275
診断検査材料	279
主要症状	270-271
寄生虫胞	11
寄生世代	126
寄生体	7
基底層	150
コガタアカイエカ	134, 140, 219, 236, **238-239**
コガタハマダラカ	72
コハクガイ	122
コイ	154, 155, 156, 184
コイタマダニ	220, 223
コイワシクジラ	102
コクヌストモドキ	204
コナダニ	220
コナヒョウヒダニ	220, 234
コンバントリン	94, 106, 114
コンタクトレンズ	4, 36
コーン染色変法	**276**
コラシジウム	190
コロモジラミ	15, 219, **246-249**
コロラドダニ熱	227
コスタリカ住血線虫	91, 124
コウイカ	102
コウモリマダニ	223
コウモリマルヒメダニ	223
コウライセスジネズミ	260
後鞭毛	46
後鞭毛期	38
好中球	12
好塩基球	12
後期栄養体	62
後吸盤	150
後囊子	26
後生動物	24
後側肋	108
後天性免疫不全症候群（AIDS）	4, 14, 15, 26, 46, 48, 52, 54, 56, 58, 76, 80, 82, 84, **86**, 126
後天性トキソプラズマ症	58
甲虫	204, 208, 219
鉤虫（症）	4, 9, 13, 19, 20, 21, 88, 89, 90, 98, **108-119**
鉤虫卵	17, 286
鉤虫性貧血	114, 115
鉤頭虫	88, 150, 208, 254
孤虫症	192, **194-195**
抗毒素血清	256
抗原変異	11
抗ヒスタミン軟膏	232
抗ヒスタミン剤	240

抗体依存性細胞仲介性細胞傷害
　（ADCC） 12
肥かぶれ（肥まけ） 114
湖岸病 182
小形アメーバ 25, 32-33, 277
小形条虫 18, 20, 186, 187,
　　　　　　　204-205, 207, 219, 258
小形条虫卵 286
小形クリプトスポリジウム 20, 25, 52
小形大平肺吸虫
　　　　　151, 160, 168-169, 214, 218
口下片 220
口器 24
口腔 89, 108
口腔トリコモナス 25, 50-51
口吸盤 150
口唇 89
肛囲検査 106-107, 196, 198
肛門 89
紅斑 224
紅斑熱 222
好気的代謝 9, 10, 24
好酸球 12
好酸球性腸炎 118
好酸球性肉芽腫 99, 102
好酸球性髄膜脳炎 124
好酸球増加（症）
　　　　　　　12, 88, 124, 166, 170, 174
国際動物命名規約 7
黒熱病 44
黒死病 244
呼吸管 236
根治療法（マラリア） 71
昆虫忌避剤 262
昆虫成長制御剤 262
向流免疫電気泳動法（CIE） 30, 282
交接嚢 90, 108, 120
交接輪 92
交接刺 90, 108, 120
広節裂頭条虫（症） 18, 19, 21,
　　　　　186, 187, 188-191, 192,
　　　　　196, 207, 218, 219, 285
広節裂頭条虫卵 286
酵素抗体法（ELISA） 30, 58, 226, 282
厚層塗抹法 284
古典型ツツガムシ病 228, 230
固有宿主 8
クエン酸第一鉄 114
クドア食中毒 75
クジラ 100, 192, 208
クジラ複殖門条虫
　　　　　　　19, 20, 187, 192-193, 207
クジラ複殖門条虫卵 286
クマ 118, 140, 146, 190
クマネズミ 122, 125, 258-259
クマリン 259
クマテトラリル 259
クモ 218, 220
クモ膜下腔 124, 125
クロバエ 242

クロベンケイガニ 168, 169, 218
クロダカワニナ 214
クロゴケグモ 220
クロゴキブリ 254-255
クロヒョウ 146
クロマチン 24
クロオオブユ 240
クロラムフェニコール 230
クロロキン 70, 71, 154
クロールデン 262
クロタミトン 232
クリイロコイタマダニ 223
クリミヤ・コンゴ出血熱 227
クリプトスポリジウム（症）
　　　　4, 14, 16, 52-53, 54, 76, 86, 277
クリシジア型 38
クルーズ肉胞子虫 60
クルーズトリパノソーマ
　　　　　　　4, 20, 25, 42-43, 219
クサフルイ 136
駆虫薬 14, 272-273
空港マラリア 72
腔内寄生性 8
串間鉤虫 91
共尾虫 187, 204, 207
共進化 10
巨大肝蛭（症） 151, 172-175
巨大肝蛭虫卵 286
巨睾棘口吸虫 151, 170
鋏角 220
棘状偽足 36
棘口吸虫（症） 170-171, 216, 258
曲刺 46
極東ロシア脳炎 222
頬棘櫛 244
胸腺間質性リンパ球新生因子（TSLP） 12
吸盤 186
吸着円盤 46
吸虫 150, 288
吸溝 186, 188
休眠型原虫 11, 22, 62, 71
急性腹症 94, 104
急増虫体 56
九虫 17
旧世界リーシュマニア症 44

M

マアジ 101, 102
マダニ 15, 210, 219, 220, 222-227
マダラ 102
マダラメマトイ 132
マダラサソリ 220
マダラウミヘビ 256-257
マガキ 216
マガモ 182
マゴットセラピー 242
マグロ 102
マコガレイ 102

マクロファージ 12
マクロライド 226
マメタニシ
　　　　　20, 152, 153, 211, 213, 214, 217
マムシ（咬傷） 130, 206, 256-257
マンソン住血吸虫（症）
　　　　　4, 17, 20, 150, 151, 180-181
マンソン住血吸虫卵 17, 286
マンソン孤虫（症）
　　　　　　19, 20, 98, 194-195, 207
マンソン裂頭条虫 8, 18, 20, 186,
　　　　　　　187, 192-193, 207, 218
マラチオン 261
マラリア 1, 4, 8, 9, 11, 12, 16, 17,
　　　　　　19, 20, 21, 23, 62-72, 84, 210,
　　　　　　219, 236, 238, 246, 262, 282
マラリア後神経的症候群 71
マラリア検査法 278
マラリア根絶計画 72
マラリア巻き返し計画 72
マラリア色素 62, 65
マレー鉤虫 91, 118, 119
マレー糸状虫（症）
　　　　　21, 90, 91, 134, 136, 138-139, 238
マルピギー管 220
マサバ 101
マス 188
マスト細胞 12
マツカレハ 240
マツノザイセンチュウ 89
馬王堆第一号墓 17, 149, 176
メベンダゾール 94, 106, 114,
　　　　　　　124, 144, 147, 207
メチシリン耐性黄色ブドウ球菌
　　（MRSA） 34
メチレンブルー染色 75
メフロキン（メファキン） 70, 71
メジナ虫
　　　　　18, 89, 90, 91, 142-143, 218, 219
メキシコリーシュマニア 25, 44-45
メクラアブ 240
メクラネズミノミ 245
メクチザン 142, 232
メコン住血吸虫 178, 179
メマトイ 132, 219, 242
メナダ 158
メニール鞭毛虫 25, 51, 276
メラルソプロール 40
メーリス腺 150, 188
メロゾイト 52, 62
メタセルカリア 150
メテナミン銀染色 78, 80, 280-281
メトプレン 262
メトロニダゾール 30, 32, 48, 50, 51
目黒寄生虫館 21
名月記 17
迷入寄生 8
免疫 11-13
免疫電気泳動法 124, 140, 146, 164,
　　　　　　　167, 174, 178, 194, 282

免疫学的診断法	282-283	ナマズ	130	肉胞子虫	4, 25, 60-61
免疫回避機構	11	ナメクジ	124, 216	日本顎口虫（症）	15, 21, 22, 91, 98, 128, 129, 130-131, 218
ミドリキンバエ	242	ナミカ	236		
ミコナゾール	34	ナミニクバエ	242	日本住血吸虫（症）	4, 10, 17, 18, 20, 149, 151, 176-179, 210, 215, 258, 282, 283, 284
ミクロフィラリア	18, 19, 90, 134, 140, 142	ナナホシクドア	75		
		ナンコール	261		
定期出現性	134	ナタネミズツボ	168, 211, 215	日本住血吸虫卵	19, 286
ミニブタ	128	内部寄生虫	8	日本海裂頭条虫（症）	22, 88, 187, 188-191, 192, 207
ミノサイクリン	224, 230	内腹歯	108		
ミンク	146	内肉	24, 27, 33	日本寄生虫学会	21, 22
ミンククジラ	102	内生出芽	56, 78	日本紅斑熱	16, 22, 219, 224-225, 227
ミラシジウム	150	内視鏡	104	日本洪水熱	228
ミスジカワニナ	214	内臓リーシュマニア症	44	日本無背棘吸虫	151, 170, 171
ミトコンドリア	24, 33	内臓幼虫移行症	8, 98	日本脳炎	16, 124, 210, 219, 238-239, 262
ミツバチ	252	南京虫	250		
ミツレル	138	七日熱	258	日周性	134
ミズタガラシ	174	ネコ	42, 96, 118, 138, 140, 146, 152, 156, 166, 176, 192, 206	日水培地	50
ミヤイリガイ	10, 20, 168, 176, 177, 178, 210, 211, 214, 215, 217			ノハラナメクジ	122, 124, 211, 216
		ネコ回虫	10, 91, 96-97, 98	ノミ	204, 218, 219, 236, 244-245
ミヤコオオブユ	240	ネコ肝吸虫	154	ノルウェー疥癬	232
未熟体節	186	ネコ鉤虫	91, 118	嚢尾虫	187
三日熱マラリア（原虫）	25, 62-73, 238	ネコノミ	206, 244	嚢子	26, 30, 34, 46, 56, 78
宮崎肺吸虫（症）	21, 22, 98, 151, 160, 166-167, 215, 218	ネッタイイエカ	134, 238	嚢子排出者	28
		ネッタイシマカ	219, 238	嚢子保有者	28, 30, 48
宮崎肺吸虫卵	286	ネズミ	30, 122, 146, 152, 168, 170, 176, 204, 208, 210, 258-260	嚢子形成	26
モクズガニ	162, 163, 218-219			嚢子検出法	276
モンゴウイカ	102	ネズミバベシア	74	嚢子内小体	78
モノアラガイ	19, 122, 170, 171, 182, 184, 211, 213, 215, 217	ネズミイルカ	102	脳肺吸虫症	164
		ネズミ咬傷	258	脳共尾虫症	204
モンシロドクガ	240	ネズミトゲダニ	220	脳内石灰化	58
モーラー斑点	64	粘液胞子虫	75	脳性マラリア	66
モロコ	155	粘血便	28, 29, 30, 178	ヌカカ	138
モツゴ	152, 153, 154, 155	粘球	158	ヌマカ	138
毛包虫（毛嚢虫）	234	捻尾糸状虫	91, 138	ニューキノロン	224
網膜芽細胞腫	98	捻転胃虫	91, 120	ニューモシスチス（肺炎, 症）	14, 20, 25, 76-85, 86
網膜膠腫	98, 99	熱発作	136		
網脈絡膜炎	58	熱帯熱マラリア（原虫）	25, 62-74	検査法	280-281
ムカデ	218, 254	熱帯リーシュマニア	25, 44-45	ニューモシスチス・イロベチイ	22, 25, 76
ムクドリ	182	ニバキン	71		
ムクドリ住血吸虫	21, 98, 151, 182-183, 216	ニベリン条虫	187, 206	ニューモシスチス・カリニ	20, 25, 76
		ニフルチモックス	42		
ムラサキガイ	216	ニホンミツバチ	252	乳糜尿	134, 136
ムシヤドリカワザンショウ	168, 169, 211, 212, 214, 217	ニホンツキノワグマ	146	乳頭	92
		ニキビダニ	15, 220, 234-235		
無鞭毛期	38, 44	ニクバエ	242	**O**	
無鉤条虫（症）	8, 18, 19, 175, 186, 187, 190, 196-197, 207, 284	ニクロスアミド	207		
		ニッポンヤマブユ	240	オヒョウ	101, 104
無鉤条虫卵	286	ニリダゾール	178	オイカワ	156
無鉤嚢虫（無鉤嚢尾虫）	19, 196	ニシン	101, 102, 206	オイラックス軟膏	232
無吸血産卵	238	ニタゾキサニド	48, 52	オカチョウジガイ	215
無性生殖	9, 24, 52, 62	ニワトリ	112	オキアミ	102, 219
無症状感染者	28, 30	2倍体型	160, 161	オキナワウスカワマイマイ	122, 124, 216
無水エタノール	288	2核嚢子	26		
娘胞嚢	200	二分裂	9	オコリ（瘧）	72
ミョウガ	174	二次性紅斑	226	オナジマイマイ	158, 211, 216
		二核アメーバ（症）	32, 50	オオイエバエ	242
N		二核顎口虫	130	オオカミ	200
		二命名法（二名法）	6	オオクロバエ	242
α-ナフチルチオウレア	259	二世吸虫	150, 172	オオマダラメマトイ	132
ナカセコカワニナ	214	肉胞嚢	60	オオメマトイ	242

日本語索引　307

オオムカデ	254	
オオスズメバチ	**252-253**	
オオツルハマダラカ	72	
オルソジクロルベンゼン	262	
オーシスト	52, 54, 56, 62	
オウシマダニ	220	
大平肺吸虫	21, 151, 160, 162, **168-169**, 214, 218	
横管	110	
横紋筋	146	
横紋理	89, 108, 116	
横輪	89	
屋内塵ダニ（アレルギー）	234	
黄熱	16, 210, 238	

P

パーチ	190
パンダナマイマイ	122, 124, 216
パパニコロ染色	36, 277
パロモマイシン	30, 48, 50, 52, 207
ペニシリン	226, 258
ペンタミジン	40, 84
ペンタミジン吸入療法	82, 84
ペスト（菌）	16, 210, 219, 244, 246
ピランテル パモエイト	94, 106, 114, 120
ピレトリン（軟膏）	261
ピリメタミン	58, 70, 84
ピリメタミン・サルファモノメトキシン合剤	83
ポリメラーゼ連鎖反応（PCR）	281, **283**
プラジカンテル	154, 156, 158, 164, 166, 170, 178, 180, 207
プレドニン	146
プレロセルコイド	190, 194
プリマキン	70, 71
プログアニール	70
プロポスクル	261
プロセルコイド	190

R

ラバ	196
ラブジチス型幼虫	112, 113, 126
ラダニール	42
ライム病	4, 16, 219, 222, **226-227**
ラクダ	120, 200, 204
ラクトフェノール法	289
ランブル鞭毛虫（症）	4, 9, 12, 14, 15, 18, 20, 25, **46-49**, 276, 277
ランゲルトリパノソーマ	42
ランピット	42
ラッサ熱	210
ラスバンサワガニ	162
ラテックス凝集反応	283
ラウレル管	150
雷魚	128, 129
卵殻	92

卵形マラリア（原虫）	25, **62-73**
卵形成腔	150, 188
卵嚢	206
卵黄	188
卵黄管	150, 188
卵黄膜	92
卵黄細胞	188
卵黄腺	150, 188
卵周囲沈降テスト（COP）	178, 283
卵巣	90, 150, 188
卵胎生	146
螺肋	212
螺層	212
螺塔	212
レフラー（Löffler）症候群	13, 94, 114
レジア	150
レジオネラ菌	34
レプトモナス型	38
レプトスピラ症	16, **258**
裂頭条虫（症）	9, 17, 188
裂頭条虫性貧血	190
リファンピシン	34
リケッチア	134, 219, 224, 228, 230, 248
リンデマン肉胞子虫	60
リンパ節腫脹	230
リーシュマニア（症）	4, **44-45**, 219, 283
リーシュマニア型	38
リソソーム	24
輪状筋層	150
輪状体	62, 64
ロア糸状虫	18, 91, 134, **142-143**
ローデシアトリパノソーマ	25, **40-41**
ロイカルトケンミジンコ	218
ロイコボリン	273
ロッキー山紅斑熱	222, 224, 227
老化体節	186
肋	50, 90, 108
濾紙培養法（原田・森 法）	**116**
ルイストリパノソーマ	42
ルメファントリン	71
類線形動物	88
類染色質体	26, 27, 32, 33
旅行者下痢	46
良性マラリア	66
両性生殖	9
流行性出血熱	260
流行的発生	15
硫酸亜鉛遠心浮遊法	48, **277**

S

サバ	100, 102, 104
サイクロスポーラ	16, 22, 25, **54-55**
サカマキガイ	211, 213, **215**, 217
サキシマハブ	256
サクラマス	102, 190

サケ	102, 188, 190
サメ	206
サナダ虫	186
サンマ	102, 104
サンショウウオ	130, 170
サル	30, 72, 74, 82, 138
サルファ剤	34, 84
サル条虫	**206**, 207
サルマラリア	68, 268
サルモネラ症	258
ササキリ	158, 219
ササラダニ	206
サシバエ	242
サシチョウバエ	44, 219
サシガメ	42, 219
サソリ	210, 220
サトウダニ	220, 234
サツマクリイロカワザンショウ	168, 214
サワガニ	20, 162, 163, 166, 168, **218**
サヤアシニクダニ	220, 234
殺虫剤	261
殺貝剤	178
殺鼠剤	259
佐渡肺吸虫	151, 160, **168-169**, 215
細胞口	50
細胞肛門	24
細胞膜	24
細胞内寄生性	8
細胞質管	150
細菌性赤痢	30, 31
再発	62, 64
臍孔	212
再興感染症	15
再燃	64
3倍体型	160, 161
三大昆虫媒介病	246
三内丸山遺跡	17
産卵門	186
刺し口	224, 230, 250
セアカゴケグモ	210, **220**, 221
セグロアシナガバチ	252
セイロン鉤虫	20, 91, 108, 114, **118-119**
セキレイ	182
セメント腺（前立腺）	108
センニクバエ	242
セリ	174
セルカリア	150
セルフルオール蛍光染色法	281
世代の交番	9
生物学的防除	262
生物学的伝播	15, 210
制御性T細胞（Treg）	11
成長線	212
生活史（生活環）	9
生毛体	38, 46
生鮮標本作成法	276
生殖吸盤	158
生殖腹吸盤装置	156

生殖器部	212	シスト純化法	281	集卵法	284
生殖器原基	99, 116, 117	シワイルカ	102	集シスト法	281
生殖孔	150, 188	歯板	110	秋季レプトスピラ症	258
生殖腔	188	歯肉アメーバ	25, **32-33**	縮小条虫	18, 187, **204-205**, 207, 219, 244, 254, 258
生殖細胞	134	脂肪性下痢	48		
生殖体形成	52, 55, 62	四吻幼虫	206	縮小条虫卵	286
成人 T 細胞白血病（ATL）	126	死後強直	108, 110	宿主	7
成熟分裂体	62	糸状虫（症）	4, 134	宿主・寄生虫相互関係	7
成熟嚢子	26	色素試験（DT）	**58**, 283	宿主（の）転換	9, 10
成熟体節	186	新型ツツガムシ病	21, 228, 230	宿主特異性	7, 10
性感染症（STD）	15, 26, 46, 50, 250	新興感染症	15, 52	酒石酸アンチモン	178
精巣	90, 150, 154, 188	新選病草紙	87, 185	収縮胞	34
世界的流行	15	浸淫の発生	15	主宿主	8
赤外型	62	心不全	146, 260	終宿主	9, 10
赤内型	22, 62	心窩部疝痛発作	170	出芽	9
赤痢アメーバ（症）	4, 9, 15, 19, 20, 24, 25, **26-31**, 86, 242, 258, 276, 277, 283	心窩部痛	104	総排泄腔	89, 108
		真核生物	3	層状被膜	200
赤血球外発育（赤外発育）	21, 62	神経輪	90, 134	早期栄養体	62
赤血球内発育（赤内発育）	62	子宮	90, 150	双器腺	90
石灰窒素	178	子宮孔	186, 188	鼠咬症	258
石灰小体	186, 187	雌雄同体	9, 88, 150, 186	側鞭毛	46
旋尾線虫	4, 15, 21, 91, 98, **132-133**, 211	雌雄異体	9, 88, 89, 176	側管	90
		雌性生殖母体	52, 62	側索	89, 103
旋毛虫（症）	15, 18, 22, 89, 90, 91, **146-147**, 258	雌性生殖体	52, 62	側葉	108
		自然感染	8	即時型過敏反応	104
線形動物（線虫）	88, 89, 150	自然免疫	11	相利共生	7
繊毛	24, 74	自然リンパ球（ILCs）	12	組織型	62
穿歯	100	鞘	112, 134	組織内寄生性	8
染色質	24	小腸アニサキス症	104	組織・臓器特異性	8
戦争シストイソスポーラ	25, **54-55**	小腸内視鏡	94, 115, 191	スチボグルコン酸ナトリウム	44
戦争マラリア	72	小胞体	24	スチブナール	178
先天性トキソプラズマ症	58	小蓋	152	スイギュウ	158
接触保虫者	28	小盾板	236	スジイルカ	102
接合	74	小核	74	スケソウダラ	101, 102
節足動物	210, 218	小鉤	186	スクミリンゴガイ	122
シャーガス病	42	小頭症	58, 238	スミチオン	250, 261
シャルコー・ライデン結晶	164	小輸精管	150, 188	スミスネズミ	258
シャウジン液	276, 288	掌状毛	236	スミスリンパウダー	248
射精管	90, 92, 150	消化器部	212	スミスリンローション	232
斜視	125	消化腺部	212	スパトニン	136
ショウジョウバエ	242	瘴気	62	スピラマイシン	58
食中毒	60, 75, 146, 216	触角	236	スポロブラスト	54
宿主免疫系の調節/操作	11	触肢	220	スポロシスト	54, 150
シバンムシアリガタバチ	**254-255**	植物界	3	スポロゾイト	52, 54, 56, 62
七島熱	228	植物性殺虫剤	261	スラミン	40
シマヘビ	206	食道球	89	スルファジアジン	58
シナハマダラカ	72, 134, 140, **238-239**	食道腺	89, 110	スルメイカ	101, 102
シナプトネマ構造	78	食胞	24, 33, 34	スティコサイト	144
シノニム	118	少宿主性	8, 134	スティコソーム	144
シラサギ	184	蔗糖遠心沈殿浮遊法	52, 53, 54, 277	ストラメノパイル	32
シラウオ	156	蔗糖液濃度勾配法	48	ストレプトマイシン	258
シラミ	4, 8, 15, 17, 21, 210, **246-247**, 248	シュフナー斑点	64	ストロビラ	186
		シュルツェマダニ	219, 220, **222**, 226	ストロメクトール	136, 142, 232
シラス	192	種	6	スズキ	190
シリアカニクバエ	242	種名	6	スズメ	182
シロアリ	7	種小名	6	スズメバチ	252
シロバナムシヨケギク	261	皺胃毛様線虫	91, 120	錐鞭毛期	38
シロフアブ	240	集原虫法	278	水田皮膚炎	**182**, 183, 215
シロサケ	102	集合管	150	水系感染（症）	26, 46, 52
シロザケ	190	集嚢子法	277	水頭症	58, 59

日本語索引

膵蛭　　　　　　　　151, **158-159**, 216, 219
寸白　　　　　　　　　　　　　　　　188

T

タバコシバンムシ　　　　　　　　　254
タイ肝吸虫　　　　　　13, 151, **154-155**
タイワンドジョウ　　　　　　　　　128
タイワンハブ　　　　　　　　　　　257
タイワンカクマダニ　　　　　220, 224
タイワンサワガニ　　　　　　　　　162
タカサゴキララマダニ　220, 222, 226
タケノコカワニナ　　　　　　　　　214
タモロコ　　　　　　　　　　　　　155
タナゴ　　　　　　　　　　　　　　156
タネガタマダニ　　　　　　　　　　222
タヌキ　　　　　　　　　　　166, 168
タラ　　　　　　　102, 104, 132, 206
タテツツガムシ　　　　　220, 228, 230
多包虫（症）　　　　　　4, 21, **200-203**
多包条虫　　　18, 186, 187, **200-203**, 258
多包条虫卵　　　　　　　　　　　　286
多筋細胞型　　　　　　　　　　　　89
多食アメーバ　　　　　20, 25, **34-37**
多宿主性　　　　　　　　　　　8, 152
多数分裂　　　　　　　　9, 52, 55, 62
多頭条虫　　　　　　　　　187, **204-205**
胎盤感染　　　　　　　　　15, 56, 96
体外酵素　　　　　　　　　　　　　24
体外診断法　　　　　　　　　　　　42
体壁　　　　　　　　　　　　　　　89
体腔　　　　　　　　　　　　89, 218
体腔液　　　　　　　　　　　89, 218
大宝律令　　　　　　　　　　　　　17
帯状体　　　　　　　　　　　　　　64
待機宿主　　　　　9, 90, 100, 102, 112, 122,
　　　　　　　　　124, 128, 162, 194, 218
高橋吸虫　　　　　　　　　　　　　156
丹後熱　　　　　　　　　　　　　　228
単包虫（症）　　　　　　　　　　**200-203**
単包条虫　　　18, 186, 187, **200-203**
単包条虫卵　　　　　　　　　　　　286
単位膜　　　　　　　　　　　　24, 78
単為生殖　　　　　　　　　9, 88, 126
蛋白膜　　　　　　　　　　　　　　92
胆管癌　　　　　　　　　　　　　　13
胆石　　　　　　　　　　　　154, 155
淡水魚　　　　　　　　　144, 152, 184
テン　　　　　　　　　　　　　　　166
テナガエビ　　　　　　　　　　　　122
テネスムス　　　　　　　　　　　　28
テラノバ　　　　　　　　　　　　　98
テトラサイクリン　　　224, 226, 230, 248
転移　　　　　　　　　　　　　　　8
点状皮膚炎　　　　　　　　　114, 115
鉄欠乏性貧血　　　　　　　　　　　114
鉄線虫　　　　　　　　　　　88, 208
トビ　　　　　　　　　　　　　　　156
トド　　　　　　　　　　　　102, 192
トキシラズ　　　　　　　　　　　　190

トキソプラズマ（症）　　　9, 11, 14, 15,
　　　　　20, 22, 24, 25, **56-59** 76, 258, 282
トキソプラズマ脳症（脳炎）
　　　　　　　　　　　　　56, 58, 86
トコジラミ　　　　　4, 236, **250** 251, 261
トラ　　　　　　　　　　　　　　　146
トリ　　　　　　　　　　　　　　　194
トリコモナス　　　　　　　　　　　50
トリクラベンダゾール　　　　　　　174
トリクローム染色　　　　　　　　　51
トリメトプリム・スルファメト
　　　　キサゾール合剤（ST 合剤）
　　　　　　　　　　　　32, 54, 84
トリパノソーマ（症）　　11, **38-43**, 242
トリパノソーマ型　　　　　　　　　38
トルイジンブルー O 染色　78, 80, **281**
トウゴウヤブカ
　　　　　134, 138, 140, 219, 236, **238**
糖衣　　　　　　　　　　　　　　　24
頭冠棘　　　　　　　　　　　　　　170
頭胸部　　　　　　　　　　　　　　220
頭球　　　　　　　　　　　　　　　128
頭節　　　　　　　　　　　　　　　186
頭腺　　　　　　　　　　　　　　　110
頭足部　　　　　　　　　　　　　　212
頭足類　　　　　　　　　　　　　　211
東京寄生虫同好会　　　　　　　　　21
東洋眼虫（症）
　　　　　　　20, 91, **132-133**, 219, 242
東洋毛様線虫（症）
　　　　　20, 90, 91, **120-121**, 285
東洋毛様線虫卵　　　　　　　　　　286
東洋瘤腫　　　　　　　　　　　　　44
ツバメヒメダニ　　　　　　　　　　223
ツチクジラ　　　　　　　　　　　　132
ツェツェバエ　　　　　40, 41, 219, 242
ツメダニ　　　　　　　　　　　　　234
ツリガネチマダニ　　　　　　　　　223
ツツガムシ（病）　　　4, 15, 21, 219, 220,
　　　　　　　　224, **228-231**, 258
ツツガムシ病リケッチア　　　228, 230

U

ウエスタンブロット法　　　　　　　282
ウェステルマン肺吸虫（症）　　9, 19,
　　　20, 151, **160-165**, 166, 175, 214, 218
ウェステルマン肺吸虫卵　　　　　　286
ウエストナイル熱　　　　　　　　　210
ウエストナイルウイルス　　　　　　238
ウグイ　　　　　　　　　130, 155, 156
ウマ　　　　　　　　　　60, 176, 200
ウミヘビ　　　　　　　　　　　　　256
ウサギ　　　　　　　　　　　　　　200
ウシ　　　　10, 52, 112, 120, 158, 172, 174,
　　　　　　176, 196, 198, 200, 202, 204
ウシマダニ　　　　　　　　　　　　223
ウスイロオカチグサ　　　　　　　　168
ウスカワマイマイ　　　　　　122, 216
梅田奇病　　　　　　　　　　　　　260

梅新熱　　　　　　　　　　　　　　260
運動基質　　　　　　　　　　　　　38
瓜実条虫　8, 18, 187, **206**, 207, 219, 244

W

ワイル病　　　　　　　　　　　　　258
ワカサギ　　　　　　　　　　　　　155
ワクモ　　　　　　　　　　　　　　220
ワモンゴキブリ　　　　　　　**254-255**
ワラワヤミ（わらは病）　　　　17, 72
ワルファリン　　　　　　　　　　　259
若菜病　　　　　　　　　　　112, **114**

Y

ヤブカ　　　　　　　　　　　　　　236
ヤエヤマサソリ　　　　　　　　　　220
ヤケヒョウヒダニ　　　　　　220, 234
ヤマアラシ　　　　　　　　　　　　56
ヤマアラシチマダニ　　　　　223, 224
ヤマカガシ　　　　　　　　　130, 256
ヤマメ　　　　　　　　　　　　　　130
ヤマトチマダニ　　　　　　　　　　223
ヤマトカワニナ　　　　　　　　　　214
ヤマトマダニ　　74, 220, 222, 224, 226
ヤマトネズミノミ　　　　　　　　　244
ヤリイカ　　　　　　　　　　　　　102
ヤリタナゴ　　　　　　　　　　　　155
ヤスデ　　　　　　　　　　　　　　218
夜間定期出現性　　　　　　　134, 140
薬剤耐性（マラリア）　　　　　70, 71
病草紙　　　　　　　　　87, 185, 209
野鼠　　　　　　　　　　　　75, 258
野兎病　　　　　　　　16, 219, 222, **224**
槍形構造　　　　　　　　　　　　　116
槍形吸虫　　　　　　　151, **158-159**, 219
ヨードアメーバ　　　　　25, **32-33**, 276
ヨード染色　　　　　　　27, 30, 33, 48
　　　標本作成法　　　　　　　　　276
ヨーロッパネズミノミ　　　　　　　244
ヨシダカワザンショウ　　　　168, 169,
　　　　　　　　　211, 212, **214**, 217
予防内服（マラリア）　　　　　　　71
幼虫被殻　　　　　　　　　　196, 204
幼虫移行症　　　　　　8, 96, **98-99**, 128
幼虫形成卵　　　　　　　　14, 90, 94
幼若分裂体　　　　　　　　　　　　62
幼裂頭条虫症　　　　　　　　**194-195**
幼生生殖　　　　　　　　　　　　　9
葉状無背棘吸虫　　　　　　　151, 170
蠅蛆症　　　　　　　　　　　　　　242
四日熱マラリア（原虫）　　　25, **62-73**
横川吸虫（症）　　　　20, 151, 152, 154,
　　　　　　　　　156-157, 214, 285
横川吸虫卵　　　　　　　　　　17, 286
有害異形吸虫（症）
　　　　　20, 21, 151, **158-159**, 214
有機塩素系殺虫剤　　　　　　　　　261
有機リン系殺虫剤　　　　　　　　　261

有鉤条虫（症）	18, 186, 187, 196, **198-199**, 207	雄性生殖体	52, 62	前胸	236
		雄性生殖母体	52, 62	前胸棘櫛	244
有鉤条虫卵	286	遊走性限局性皮膚腫張	128, 194	前囊子	26, 78
有鉤嚢虫（症）	98, 154, **198**, 207	遊走性紅斑	226	前立腺	108, 150
有鉤嚢尾虫	198	遊走性腫瘤	142	前赤血球内発育	62
有棘顎口虫（症）	18, 21, 91, 98, **128-129**, 218			前側鞭毛	46
		Z		蠕虫（症）	9, 11, 12, 13, 88, 283
有性生殖	9, 24, 52, 62, 78			蠕虫標本作成法	288-289
有線条虫（症）	18, 187, **206**, 207	ザリガニ	218	蠕虫卵検査法	284-285
融合体	52, 62	ザルコシスト	60, 61	銭型陰影	140, 141
輸血マラリア	72	塹壕熱	**248**	全筋細胞型	89
輸入感染	26	残留効果	262	喘息	94, 114, 210, 234
輸入寄生虫症	267	ゼゼラ	155	象皮病	87, 134, 136, 138
輸入マラリア	4, 72, 73	前鞭毛期	38, 44	ズビニ鉤虫	17, 18, 19, 91, **108-119**, 152, 285
輸卵管	90, 150, 188	前眼房	125		
輸精管	90, 92, 150, 188	前擬充尾虫	190	髄膜炎	126

人名索引

A

阿佛尼	17
安居院宣昭	249
赤羽啓栄	128, 129
赤井契一郎	34
赤尾信吉	57, 98
天野皓昭	178
安藤勝彦	22, 128, 129, 130, 131, 132
安里龍二	127
青木千春	132
青木　孝	43
新垣民樹	127
新城安哲	216, 257
有薗直樹	102, 126, 132, 170, 191, 208
浅田順一	21, 158
浅見敬三	21, 100, 103
東　胤弘	215
吾妻　健	168
Abbott	214
Alicata	122
Anuar	23
Arfaa	143
Ash	33, 51

B

馬場俊一	22, 226, 227
Baelz	19, 160, 228
Ball	110
Bancroft	19, 134
Bando	35
Batsch	18
Bavay	19
Beaver	21, 41, 45, 60, 91, 98, 181, 208
Bilharz	18
Biocca	118
Blacklock	21
Blanchard	20, 192
Brandborg	48
Braun	19, 160, 188
Breughel	87
Brown	189
Brug	21
Brumpt	21, 26, 28

C

陳　瑩霖	125
陳　錫慰	53, 199
陳　添亨	59
Carter	22
Chabaud	91
Chagas	20, 76
Chan	13
Chen	21, 122, 134, 168
Cheng	212
Chitwood	22, 110
Cleveland	7
Cobbold	18, 19, 194
Cort	182
Cox	22
Craun	46

D

大膳亮好庵（道敦）	185
Daengsvang	21
Das	22
de Faria	20
Delanoë 夫妻	20, 76
Demarquay	18, 134
Diamond	28
Donne	18
Dubini	18, 108
Dubey	61
Dutton	20

E

江口季雄	21, 188, 190
遠藤卓郎	36
Edman	77
Ercolani	18

F

藤　幸治	161
藤井好直	18, 176
藤浪　鑑	20, 176
藤田紘一郎	143
藤原美樹	54
藤原定家	17
福崎一宝	185
Farid	174
Faust	41, 137, 189
Fedtschenko	19
Foster	22
Fowler	22
Frenkel	22, 56, 57, 76

G

五島清太郎	21
Garnham	21
Giard	46
Goeze	18
Gordon	221
Grassi	19
Grimstone	7
Grove	22

H

波部重久	168
波部忠重	214
伯川貞雄	234
浜田　某	202
浜島房則	162
原田　晋	254
春山一枝	85
長谷川英男	132
橋口義久	44
橋本信夫	231
橋本喜夫	227
畠　一彦	87
初鹿　了	22, 154, 166, 214
早野尚志	59
林　慈生	136, 138
林　直助	228
林　正高	179, 180
平井和光	192
平野敬之	162
堀　栄太郎	216
堀田　某	191
Haeckel	3

Hara	184	片峰大助	135	Linné (Linnaeus)	6, 18
Haruki	242	葛飾北斎	137	Looss	20, 110
Henry	20	桂島忠良	21, 202	Lönnberg	19
Heydorn	61	桂田富士郎	20, 156, 176	Lösch	19, 26
Hippocrates	17, 92, 200	川端寛樹	22		
Hoare	38	川端眞人	226	**M**	
Hughes	84, 85	川平善直	250		
Humbert	18	川合 覚	72	前嶋條士	184
Hutchison	22, 56	川本文彦	68, 278	前田卓哉	147
		川本脩二	215	真貝美香	44
I		川村麟也	228, 231	馬原文彦	22, 224
		川崎健輔	133	丸山治彦	2
猪狩弘之	157	川島悟美	56	増田剛太	54
飯島 魁	19, 20, 188, 192, 194	河村信夫	51	増田弘毅	198
飯山 猛	138	木原 彊	48	増田正典	54
伊集院信夫	98	木村明生	46, 51	松林久吉	56
今井淳一	145	木村英作	126	松本芳嗣	47, 65, 77, 78, 79, 150
今村重義	254	木下益雄	21	松村武男	183, 199
今宿晋作	84, 85	喜舎場朝和	126	松尾喜久男	143, 149, 168
稲垣正信	185	北 潔	10	松岡裕之	235
井関基弘	52, 53, 54, 208	北田一博	83, 85	三原 実	247, 249
石橋康久	36	北里柴三郎	228	三田村篤四郎	228
石井圭一	36, 37	清野 勇	19, 160	三村康男	37
石井洋一	158	小林昭夫	102, 142	三浦謹之助	20
石倉 肇	100, 102	小林睦生	249	三好 薫	235
石坂堅壮	19, 152	小林晴治郎	20, 152, 162	峰 直次郎	56
磯辺顕生	158, 184	小林泰一郎	54	宮入慶之助	20, 162, 176, 215
板垣 博	212	小島荘明	22	宮川米次	21, 56, 228
伊藤直之	46	小嶺敏勝	158	宮島幹之助	228
伊藤義博	37	小宮義孝	242	宮崎一郎	21, 22, 129, 160,
岩田正俊	192	小西清三郎	59		166, 168, 169, 195
Ivády	84	小西良子	75	宮里 昂	183
		小山 力	100	水野泰孝	180
J		児玉和也	174	望月 聡	254
		濃野 垂	96	物部寛子	140
神保孝太郎	20, 120, 121	粉川隆文	156	森本徳仁	51
Janicki	190	近藤力王至	133, 223, 227, 251	森下 薫	21, 22, 67, 96, 204
Janku	56	熊田信夫	206	森下哲夫	221, 241, 243
Jensen	22, 68	栗本東明	192	村田理恵	60
Jiang	32	黒田徳米	168, 212, 214	武藤昌知	20, 21, 152, 156
Johansson	13	Kawai	75	Mackerras	21
Jung	41	Kerbert	19, 160	MacLean	140
		Kirby	84	Malek	212
K		Knobloch	174	Manceaux	20, 56
		Krotoski	22, 62	Manson	19, 134, 194
影井 昇	102, 103, 132, 140, 156, 158	Kühn	60	Margulis	3, 7
亀谷 了	21			Matsukane	75
神谷晴夫	142	**L**		McConnell	152
神谷正男	202			McLaren	110
加茂 甫	21, 166, 188, 192, 288	La Rue	151	McLauchlin	283
神原廣二	43	LaCasse	239	Mehlhorn	61
金子 仁	94	Lambl	20, 46	Meinking	232
金子健二郎	156	Laveran	19, 20, 62	Mesnil	20
金原正明	17	Leeuwenhoek	18, 46	Miescher	60
金田良雅	172	Leichtenstern	19	Montgomery	84
春日光長	209	Leidy	18	Morecki	48
狩野晴川	87	Leiper	110	Morera	29, 45, 115, 124, 145
狩野繁之	72, 179	Leuckart	18, 19, 20, 194	Morgan-Ryan	22, 53
加納正嗣	74	Levin	25	Müller	21
加納六郎	221, 241, 243	Lewis	134		

人名索引

N

長花 操	137
長安英治	162
長与又郎	228
永倉貢一	26
内藤裕二	83
中林敏夫	48, 51, 207
中川幸庵	20, 21, 162
中浜東一郎	19, 160
中嶋智子	225, 227
中村総一郎	19, 192
中村俊彦	34, 35
中山一郎	59
難波 修	180
名和行文	2, 22, 97, 129, 130, 131, 144, 145, 257
根岸昌功	40
西村 猛	124, 128, 140, 141
西尾恒敬	20, 158
西瀬祥一	26
新田 誠	241, 257
野村一高	183
野村精策	21, 122
野崎智義	34
乗松克政	162
Nagington	36
Nichols	98
Nicolle	20, 21, 56
Noya	195

O

大林正士	146, 191
大原八郎	21, 224
大倉俊彦	51
大村 智	22
大西貴弘	75
大島智夫	103, 156, 182, 191
大田秀浄	170
大滝倫子	232, 249
大谷周庵	164
大友弘士	133, 138
大鶴正満	21, 100, 120, 132
織田 清	99
小田琢三	182
小原 博	180
小沢英輔	146
緒方一喜	241
緒方克己	130
緒方正規	120, 228
緒方規雄	21, 228
及川 弘	96
及川陽三郎	184
岡林加枝	116, 235
岡部浩洋	179
岡田裕也	51
岡村一郎	129
岡崎愛子	132
岡沢孝雄	132
沖野哲也	222
恩地與策	20, 158
尾辻義人	87, 137
Ono	60
Ortega	22
Owen	18

P

Parker	48
Paroma	19
Payne	96
Perroncito	19
Pifer	83
Prommas	21
Puschkarew	20

R

李 鎬汪	260
李 沢琳	1, 17
林 炳煥	122
刘 約翰	179, 203
Railliet	20
Ramachandran	139
Ramon	25
Rausch	21
Redi	2, 18
Ringer	19, 160
Robson	215
Ross	20, 62
Rudolphi	18

S

西条政幸	227
斉藤あつ子	74
斉藤守弘	60
斎藤 奨	156
榊原祐子	54
佐野基人	166
佐々 学	21, 136, 137, 138, 228, 229
笹原武志	53
笹野久美子	130, 131
佐藤寛子	230
佐藤 宏	96
佐藤重房	173
佐藤新平	254
沢井芳男	257
沢田 勇	204
芹川忠夫	83
塩飽邦憲	166
柴原寿行	162
島村俊一	161, 164
嶋津 武	162
篠永 哲	243
信崎幹夫	133
塩田恒三	35, 74, 147, 169, 193, 215, 242
塩田 洋	37
白井 亮	184
白木 公	100, 106
白野倫徳	242
相楽裕子	30
杉原弘人	214
杉田保雄	34
杉山悦朗	51, 143
杉山 広	100, 102, 132, 166, 167
菅 之芳	19
須藤恒久	230, 231
村主節雄	35
鈴木 淳	156, 191
鈴木 守	179
鈴木禾甫	51
鈴木荘介	260
鈴木俊夫	29
鈴木 稔	20, 176, 215
鈴木了司	53, 182
Saklatvala	22
Sambon	20
Sandars	21
Sauda	54
Schaudinn	19, 20, 26
Scheube	19, 108, 194
Seitz	29, 41, 43, 45, 57, 59, 181, 201, 239
Shirabe	35
Shortt	21
Sibthorpe	134
Siebold	18, 158
Simpson	124
Singh	22
Smith	53
Stahl	45
Stiles	20, 46, 110

T

橘 裕司	28
多田 功	43, 143
多田正大	191
平 清盛	17
高田季久	159, 171
高田 洋	105
高田伸弘	229, 231
高橋 弘	241
高橋健一	203
高橋優三	147
高宮信三郎	10
高岡宏行	158
高洲謙一郎	20, 26
竹内 勤	30, 283
田村雅太	260
田部 浩	21, 182
田中敬介	228
田中久美	284
田中正鐸	20, 110
田代規矩雄	195
谷 重和	170

丹波康頼	17, 22
寺田　護	110
常盤光長	87
所　正治	53
所沢　剛	29
當眞　弘	124, 144
冨田隆史	249
冨村　保	174
鳥居本美	171
戸谷徹造	149
豊田脩達	19
辻　守康	22, 83, 167, 175, 279, 283
塚原高広	208
角田　隆	161, 164
鶴原　喬	36
塘　普	177
Thomas	19
Torti	62
Trager	22, 68
Tubangui	21
Tyzzer	20, 52

U

内田孝弘	224, 225
内野純一	203
上田恵一	233, 235, 251
上本騏一	241
上野良樹	96
宇仁茂彦	142
臼杵豊之	34, 35

V

van Thiel	100
Vaněk	76
Virchow	54

W

Wagner-Jauregg	21
Wallin	7
Walsh	4
Weiss	283
Wenyon	54
Whittaker	3
Wilder	98
Wolf	56
Wong	61
Wucherer	134

X

Xie	134

Y

藪崎紀充	156
八木田健司	61, 75
山田　稔	37, 127, 141, 184, 188, 206
山田司郎	20, 194
山形仲芸	19
山口　昇	222
山口左仲	21, 22
山口富雄	22, 94, 120, 146, 147, 168
山本徳栄	27, 33, 49, 53
山村正雄	20, 194
山根洋右	17, 22, 184, 188
山下次郎	184, 201
山浦　常	36, 46
山﨑　浩	196, 198
山崎筆造	20
山崎幹夫	114
矢崎康幸	191
吉田彩子	98
吉田貞雄	20, 21
吉田幸雄	22, 78, 85, 116, 118, 138, 162, 170, 174, 191, 281
吉川尚男	47, 235, 243
吉川正英	31, 99, 126, 132, 133, 194
吉村堅太郎	184
吉村裕之	140, 142, 191
吉村義之	77
吉岡久春	98, 99
横川宗雄	21, 22, 100, 121, 162, 164
横川　定	20, 21, 139, 151, 156
横田　穣	108
Yatera	166

Z

Zaman	45, 59, 99, 107, 115, 135, 139, 233, 235, 239
Zeidler	262
Zierdt	32

――――― 図説 人体寄生虫学 ―――――

1977年 初版　吉田幸雄
1982年 2版　吉田幸雄
1987年 3版　吉田幸雄
1991年 4版　吉田幸雄
1996年 5版　吉田幸雄
2002年 6版　吉田幸雄
2006年 7版　吉田幸雄・有薗直樹
2011年 8版　吉田幸雄・有薗直樹
2016年 9版　吉田幸雄・有薗直樹

図説 人体寄生虫学

			©2021
1977年 4月 5日	1版1刷		
2016年 2月15日	9版1刷		
2018年 3月30日	2刷		
2021年 3月15日	10版1刷		
2023年 2月20日	2刷		

原著者　　　編　者
よしだゆきお　　にほんきせいちゅうがっかい　ずせつじんたいきせいちゅうがく　へんしゅういいんかい
吉田幸雄　　日本寄生虫学会「図説人体寄生虫学」編集委員会

発行者
株式会社 南山堂　代表者 鈴木幹太
〒113-0034　東京都文京区湯島4-1-11
TEL 代表 03-5689-7850　www.nanzando.com

ISBN 978-4-525-17020-2

JCOPY〈出版者著作権管理機構 委託出版物〉

複製を行う場合はそのつど事前に(一社)出版者著作権管理機構(電話03-5244-5088,
FAX 03-5244-5089, e-mail: info@jcopy.or.jp)の許諾を得るようお願いいたします.

本書の内容を無断で複製することは, 著作権法上での例外を除き禁じられています.
また, 代行業者等の第三者に依頼してスキャニング, デジタルデータ化を行うことは
認められておりません.